AMICALEMENT VÔTRE

ROGER MOORE
avec la collaboration de Gareth Owen

AMICALEMENT VÔTRE

*traduit de l'anglais
par Vincent Le Leurch,
Bamiyan Shiff et Christian Jauberty*

l'Archipel

Ce livre a été publié sous le titre
My Word is My Bond
par Michael O'Mara Books, Londres, 2008.

L'éditeur tient à remercier Granada International, pour l'avoir autorisé à utiliser le
titre *Amicalement vôtre*.
Les photos extraites du *Saint* et d'*Amicalement vôtre* sont la propriété de ITC Enter-
tainment/Granada Venture ; les photos de
La Seconde Mort d'Harold Pelham, celle
de Canal + Image (UK) Ltd ; les photos
des James Bond, celle de Danjaq LLC et
United Artists, tous droits réservés 1962-
2008. Sauf mentions particulières, les
autres photos des deux cahiers hors texte
appartiennent à la collection privée de
l'auteur.

www.editionsarchipel.com

Si vous désirez recevoir notre catalogue et
être tenu au courant de nos publications,
envoyez vos nom et adresse, en citant ce
livre, aux Éditions de l'Archipel,
34, rue des Bourdonnais 75001 Paris.
Et, pour le Canada,
à Édipresse Inc., 945, avenue Beaumont,
Montréal, Québec, H3N 1W3.

ISBN 978-2-8098-0092-0

À mes parents,
qui me manquent tant

À ma chère Kristina

À Deborah, Geoffrey,
Christian, Hans-Christian,
Christina et les petits,
qui grandissent si vite

Avant-propos

Mémoires d'un acteur amateur

Pendant des années, on m'a à maintes reprises demandé d'écrire mes mémoires. J'ai longtemps répondu qu'il y avait trop de monde à évoquer, et, que même si certains étaient morts, je n'avais pas envie de trahir leur souvenir. Et puis, je dois préciser que je suis très paresseux !

Après avoir persuadé mon ami Michael Caine d'écrire son autobiographie, Irving « Swifty » Lazar a tenté de me convaincre de m'y mettre à mon tour, me suggérant pour cela de prendre un nègre. Je n'ai pas suivi le conseil de Swifty, qui est hélas aujourd'hui décédé, mais son esprit m'a certainement inspiré pendant que j'écrivais ce livre. En dépit de sa petite taille, c'était un grand homme.

En 1992, je me décidai enfin à prendre la plume, ou plus précisément le clavier, et commençai par évoquer mes nombreuses maladies enfantines – la maladie est un thème récurrent chez moi, comme vous vous en apercevrez rapidement. J'avais déjà tapé une vingtaine de pages sur mon ordinateur portable quand le sort s'en mêla. Quelques jours avant Noël, mon ex-femme Luisa et moi venions d'arriver à l'aéroport de Genève, en provenance de Londres. Pendant que j'attendais nos valises, Luisa alla directement à la voiture que nous avions réservée, emportant nos bagages à main. Sans doute distraite, et pensant que notre chauffeur rangerait les sacs dans le coffre, elle s'en désintéressa, s'assit confortablement à l'arrière et attendit que je la rejoigne avec le restant des valises. Quelle ne fut pas notre stupeur en découvrant que le coffre était vide ! Apparemment, notre chauffeur avait placé nos bagages à main dans un autre véhicule. Quoi qu'il en soit, nous passâmes deux heures dans les bureaux de la police de l'aéroport pour déclarer le vol : bijoux, argent liquide, cadeaux, tout avait disparu. Plus tard, seulement, je me rendis compte que j'avais également perdu mon précieux manuscrit.

Les années suivantes, je résistai à la tentation de m'y remettre. En fait, cette version n'est pas tout à fait exacte. J'avais tant de projets en cours que l'idée de m'asseoir devant mon clavier ne m'attirait absolument pas. C'était du moins mon excuse. Finalement, encouragé par mon épouse Kristina, ma fille Deborah et mon cher ami Leslie Bricusse, je décidai qu'il était enfin temps de reprendre ce projet.

Quand, à la veille de mon quatre-vingtième anniversaire, en octobre 2007, j'annonçai que je me remettais à l'ouvrage, j'étais résolu à entreprendre une narration de ma vie plaisante, sans ragots ni méchancetés gratuites. Cependant, chers lecteurs, n'allez pas croire pour autant que j'ai opté pour un ton doucereux et que mes mémoires seront sans saveur. J'ai simplement choisi de décrire les événements tels que je les ai vécus, de rapporter les anecdotes amusantes, de faire revivre la multitude de personnes attachantes que j'ai croisées au cours de ma carrière et les amis qui ont enrichi ma vie. Si je n'ai rien de sympathique à raconter sur quelqu'un, je préfère m'abstenir – sauf si mon éditeur insiste lourdement ! À quoi bon accorder mon attention à qui ne la mérite pas ? Je préfère, et de loin, parler de moi. Après tout, il s'agit de mon autobiographie, donc de moi : d'un homme sophistiqué, modeste, doué, modeste, débonnaire, modeste et charmant – au sujet de qui il y a tant à raconter...

Pendant les années où j'ai incarné James Bond, j'ai eu la chance de travailler avec de très bons scénaristes. L'une de mes répliques préférées a été écrite par Tom Mankiewicz, qui a adapté *L'Homme au pistolet d'or*. Dans sa traque du tueur à gages Scaramanga, James Bond retrouve la trace du fabricant d'armes Lazar et pointe son revolver sur l'entrejambe du malfrat en disant : « Parlez ou taisez-vous à jamais. »

J'ai le sentiment que le moment est venu de me mettre à table...

1

Mes jeunes années

« Dès leur première tentative,
mes parents avaient atteint la perfection. »

Le 14 octobre 1927, peu après minuit, Lily Moore, née Pope, mit au monde un petit garçon de 58,4 centimètres à la maternité de Jeffreys Road, dans le quartier de Stockwell, au sud de Londres. George Alfred Moore, son père, agent de police au commissariat de Bow Street, avait vingt-trois ans. Ça, c'est ce qu'on m'a raconté. J'étais bien évidemment trop jeune pour me souvenir d'un jour aussi capital que celui de ma naissance.

Je fus baptisé Roger George Moore et restai fils unique. Dès leur première tentative, mes parents avaient atteint la perfection. À quoi bon recommencer ?

À cette époque, nous habitions dans les environs de l'hôpital, sur Aldebert Terrace, un endroit dont je n'ai gardé aucun souvenir. Nous avons déménagé avant que je sois suffisamment grand pour prêter attention à mon environnement. En revanche, je me souviens très clairement de notre appartement suivant, situé à moins de deux cents mètres de là et donnant sur Albert Square. Rien à voir avec l'Albert Square de la célèbre série télévisée *EastEnders*, je tiens à le préciser. L'appartement était situé au troisième étage de l'immeuble. Au numéro 4, si mes souvenirs sont exacts. Il comportait deux chambres et un séjour. Au-dessus de la cheminée, qui me paraissait à l'époque immense, trônait un miroir. Le seul moyen pour moi de m'y admirer était de grimper sur la banquette disposée en face, le long du mur. Enfant, j'avais déjà un orgueil démesuré !

Nous coulions des jours heureux à Albert Square. Il est amusant de constater que nombre de petits détails restent irrémédiablement gravés dans ma mémoire. Ainsi, l'odeur du bois fraîchement coupé qui émanait de la scierie longeant notre jardin. Je revois également très bien les deux appliques à gaz de part et d'autre du miroir du salon. N'ayant pas l'électricité, c'était le seul moyen de nous éclairer. Les manchons en porcelaine libéraient un sifflement léger. J'ai toujours associé ce son réconfortant à celui de la douceur du foyer familial. Nous nous chauffions en revanche au charbon. Écolier, combien de fois mes jambes nues furent marbrées de rouge pour avoir traîné trop près de l'âtre brûlant ! Surtout quand nous faisions griller du pain avec la fourchette au long manche. Et cette joie quand nous y étalions ensuite de la graisse de bœuf ! Un peu plus âgé, mon grand plaisir consistait à aider ma mère à frotter la grille à la mine de plomb. Enfant, j'aimais déjà plaire !

Mes premières années furent ponctuées par les maladies. Après les oreillons, un violent mal de gorge se déclencha. Le verdict fut sans appel : je devais me faire retirer les amygdales et subir l'ablation des végétations. Je ne savais pas trop de quoi il s'agissait, mais il était question, après l'opération, de me nourrir avec de la crème glacée. Je décidai que cette seule raison valait bien un petit séjour à l'hôpital.

Vêtu d'une chemise de nuit et de chaussettes, je fus allongé sur un chariot, poussé le long d'un couloir et conduit dans un ascenseur, dont les portes coulissantes grillagées me parurent terrifiantes. La seule fois où j'étais monté dans un ascenseur auparavant, c'était bien mieux : maman m'avait emmené chez Gamages, un grand magasin de Holborn, pour rencontrer le Père Noël au rayon jouets. Cette fois-ci, plus l'ascenseur de l'hôpital descendait et plus je me persuadais qu'il me conduisait là où les vilains petits enfants vont quand ils ne sont pas admis au paradis. Sans doute la faute aux cours de catéchisme du dimanche. Le souvenir de la table d'opération où je fus placé est encore très vivace, avec ces grandes lumières rondes qui me fixaient obstinément, et tous ces gens qui portaient des masques verts autour de moi. Tout en me regardant droit dans les yeux, une dame me plaça sur le visage un coton hydrophile. Une forte odeur, aussi douce qu'écœurante, me fit suffoquer et m'entraîna dans un long tunnel où des cercles jaunes et rouges venaient s'écraser contre mon visage. Aujourd'hui encore, mon imagination perçoit le son qui enveloppait le tout, une succession de « boum boum », dont le rythme s'intensifiait à mesure que je sombrais.

Puis l'odeur disparut peu à peu, et les « boum boum » furent remplacés par le doux murmure des infirmières. Je revins à moi et vomis aussitôt. La crème glacée tant promise me passa sous le nez. Mais il faut voir le bon côté des choses : je suis sûr qu'il s'agissait d'une glace à la fraise, que je déteste au plus haut point.

J'entrai à l'école élémentaire d'Hackford Road à l'âge de cinq ans. Depuis la maison, il fallait marcher un quart d'heure. Tournez à droite sur Clapham Road jusqu'à Durand Gardens, traversez la grand-rue, passez les jardins, et vous y êtes : trois étages de brique rouge, avec de grandes et hautes fenêtres. L'école était elle-même ceinturée d'un mur de brique rutilant.

Le jour de la rentrée, je ne me rappelle pas que maman m'ait déposé devant la grille. Je ne me souviens pas non plus de mon arrivée dans la classe ou des autres enfants. En revanche, je revois très bien les toilettes des garçons. Obligé de me tenir debout face au mur gris sale, au-dessus de l'urinoir, les jambes bien écartées, j'attendais que les brutes des classes supérieures aient fini de viser entre mes jambes nues sans les éclabousser. Les culottes courtes des écoliers anglais sont idéales pour s'adonner à ce petit jeu, laissant toute la place qu'il faut entre le bas de la culotte et le haut des chaussettes. Je revois toujours maman qui m'attendait à la sortie de l'école ce jour-là. Elle me vit arriver, les genoux irrités, jambes écartées car, bien évidemment, les imbéciles n'avaient pas tous réussi leur coup, me maculant de torrents d'urine chaude. « Allons, allons », me dit-elle, tandis que je lui racontais cette épreuve.

Plus tard, je compris mieux un panneau affiché dans les toilettes :

> « Jeune homme, toi qui as la tête en l'air
> Et l'esprit léger en entrant ici
> Épargne donc le sol de tes travers
> C'est tout droit que tu dois faire pipi. »

Un soir que nous rentrions à la maison, je dis à maman que des garçons l'avaient vue me déposer à la grille de l'école. « C'est ta mère ? » me demandèrent-ils. « Quelle belle garce ! » Sur le coup, je n'avais pas compris ce mot. Maman en fut horrifiée, non qu'on la trouvât belle, bien évidemment, mais qu'on la qualifiât de garce. Ça, jamais !

Elle naquit au début du XXe siècle à Calcutta, où ses parents servaient dans l'armée. Elle eut deux sœurs, Amy l'aînée et Nelly la cadette. Et puis il y eut mon oncle Jack, qui emprunta la même voie que mon grand-père et devint soldat. Je ne connus que très peu mon grand-père, le sergent major William George Pope. Sa femme Hannah mourut alors que maman n'avait que seize ans. Elle fut très affectée par ce décès ; elle pensait alors ne plus jamais sourire de toute sa vie. Je ne sus jamais de quoi grand-mère Hannah était morte, les familles ne parlaient pas de ces choses-là. Je crois qu'elle a succombé à un cancer. Quelques années plus tard, mon grand-père se remaria et on me présenta à ma nouvelle *tante*, Ada. Elle donna naissance à mes deux cousins, Peter et Bob, et à ma cousine Nancy, avec lesquels je passais la plupart de mes vacances à Cliftonville, la partie huppée de Margate, ville située sur la côte du Kent. Bien que nous ayons sensiblement le même âge, mes cousins exigeaient de moi beaucoup de respect et voulaient que je les appelle tante Nancy et oncles Peter et Bob, ce que je fis. J'avais cinq ans quand mon grand-père Pope mourut.

Mon grand-père paternel, Alfred George Moore, n'eut qu'un seul fils à qui il donna des sœurs par la suite. Mon père avait seize ans quand sa mère, Jane Cane, mit fin à ses jours en ouvrant le gaz. À cette époque, le suicide interdisait tout enterrement à l'église. Papa, qui jusqu'alors suivait assidûment les cours religieux de l'école du dimanche, fut abasourdi et quelque peu abattu par cette règle. Mon grand-père se remaria et papa fut alors persuadé que sa nouvelle femme était responsable de la mort de sa mère. Des rumeurs d'adultère couraient depuis longtemps. Je conçois très bien que cela ait pu détruire ma grand-mère, au point qu'elle décidât de mettre fin à ses jours.

À la maison, papa vivait un enfer et ne songeait qu'à partir. À dix-neuf ans, il saisit sa chance et s'enrôla dans la police. Il emménagea à la caserne et gagna ainsi son indépendance, échappant à ce père qu'il commençait à mépriser.

De son côté, maman travaillait comme caissière chez Hills, un restaurant du Strand, dans le centre de Londres. D'où elle se trouvait, elle avait une vue imprenable sur ce jeune policier fringant qui s'occupait de la circulation. Avant l'avènement des feux tricolores, le trafic aux intersections était régulé par la police. Entre les autobus et les voitures, papa avait aussi remarqué cette charmante petite blonde aux yeux bleus derrière son tiroir-caisse. Restaurant plutôt chic, Hills n'était pas vraiment le genre d'endroit que papa pouvait s'offrir. Pourtant, l'occasion se présenta un jour de l'inviter à danser. À cette époque, il songeait à se faire muter dans la police de Hongkong pour s'éloigner le plus loin possible de chez lui, symbole de tant de mauvais souvenirs. Mais danser avec maman lui fit prendre conscience que l'herbe ne serait sans doute pas plus verte ailleurs. Ils se marièrent civilement le 11 décembre 1926 à St Giles, à Londres.

Je n'eus guère l'occasion de voir papa en uniforme. À ma naissance, il était déjà devenu cartographe. Il reproduisait, par exemple, les circonstances d'un accident de la circulation ou bien il dessinait les croquis et les mesures précises d'une scène de crime. Son bureau, qu'il occupa jusqu'à sa retraite, se trouvait sur Bow Street ; son collègue George Church et lui étaient les deux cartographes du secteur E.

La plupart du temps, papa travaillait à la maison. Il ne revêtait son uniforme que pour se rendre au palais de justice afin de témoigner de l'exactitude de ses croquis, mais alors j'étais à l'école. À la maison, il aménageait son temps comme il le voulait. L'été, il m'emmenait à la piscine en journée, terminant de travailler tard le soir. Enfant, quand on me demandait quel métier je voulais exercer plus tard, je répondais que je voulais devenir policier, comme papa !

Bien qu'ayant quitté l'école à treize ans, il eut toujours soif d'apprendre. Il avait toujours des livres de mathématiques à portée de main et c'est seul qu'il apprit le français et l'italien. Papa était un athlète et un gymnaste magnifique, capable de pratiquer n'importe quelle discipline : les anneaux, les barres parallèles, et j'en passe. Il était puissant, avec des doigts qui pinçaient fort mes petits bras fragiles quand il m'arrivait de faire des bêtises. Il était aussi musicien, jouant du banjo, du ukulélé, et plus généralement de n'importe quel instrument à cordes. À ses heures perdues, il était aussi magicien, membre du Magic Circle et de l'Institute of Magicians. Il donna même plusieurs spectacles, se produisant sous le nom de « Monsieur Hasard, l'enchanteur au petit bonheur ». En fait, il était bien meilleur que son nom de scène ne l'indiquait.

Acteur amateur doué, tenant souvent les premiers rôles, papa aimait mettre en scène des pièces de théâtre et construire les décors. C'était un vrai touche-à-tout. Parfois, avec maman, j'allais assister à ses représentations. Quelle excitation que d'être au théâtre ou dans la salle paroissiale au beau milieu de tout ce monde d'illusions ! Des graines étaient en train de germer en moi. J'étais très fier de mon père.

Papa et maman se complétaient parfaitement. Elle s'occupait de la maison, il faisait bouillir la marmite. Et je sais qu'ils s'aimaient passionnément. Quand ils se disputaient, cela ne prenait jamais de proportions démesurées. Leur secret résidait dans le fait de ne jamais aller se coucher avant d'avoir réglé leur différend.

Quelques mois après mon entrée à l'école, je fus terrassé par une double broncho-pneumonie. Trop malade pour être transporté à l'hôpital, je fus soigné à la maison par un médecin généraliste et une infirmière du quartier. Je revois très bien cette dame m'appliquant sur la poitrine ce qu'elle appelait un cataplasme « anti-flagestation ». J'ai eu beau chercher depuis, je n'ai jamais su ce qu'elle voulait dire par là. J'ai dû certainement mal comprendre. Mais, quoi que ce fût, cela ressemblait à une pâte grise et terreuse, étalée sur une compresse, puis appliquée sur ma poitrine et sur mon dos. C'était très douloureux.

Un soir, après sa visite quotidienne, le médecin dit à mon père qu'il viendrait prendre de mes nouvelles le lendemain matin mais qu'il devait préparer ma mère au pire : un certificat de décès était prêt, qui n'attendait plus que d'être signé. Imaginez dans quel état mes jeunes parents ont dû passer la nuit !

Ils s'assoupirent cependant à un moment ou à un autre car, plus tard, ils me racontèrent avoir été réveillés par une petite voix entonnant le premier couplet de « Jésus veut que je sois son rayon de soleil ». Une année de catéchisme me permit ainsi d'annoncer à l'univers tout entier que ma fièvre avait chuté. Pour la petite histoire, papa fut obligé de vendre sa moto afin de régler les frais médicaux. Ce qu'il fit sans aucun regret.

Il n'y a heureusement pas que les maladies dont je me souvienne durant mes premières années. J'adorais par exemple faire du roller avec maman. Plus jeune, elle s'était révélée très douée pour ce sport, et elle me promit de me donner ses patins dès que mes pieds seraient à leur taille. Jour après jour, en attendant ce moment, je regardais mes pieds pousser. J'avais ma propre paire, mais les siens étaient ceux des grands et je les désirais plus que tout. Nous patinions des kilomètres tous les deux, souvent de Stockwell jusqu'au parc de Battersea. Nous faisions le tour du kiosque à musique, puis rentrions à la maison.

Il y avait aussi ma bande de copains : Reg qui habitait au numéro 6, Norman au numéro 3, Sergio au numéro 16 et Almo au coin d'Aldebert Terrace. Nous étions des enfants tout à fait normaux, qui revenions de nos jeux de pistolet ou de nos escapades avec toujours deux ou trois égratignures. Nous aimions également beaucoup chaparder une grosse pomme de terre, que nous rapportions de chez nous pour ensuite la faire cuire dans le brasero du veilleur de nuit de notre quartier. Dommage qu'il n'y ait plus de braseros ni de veilleurs de nos jours ! L'un d'eux était fort sympathique. Il nous racontait des histoires que nous écoutions, assis en rond, tandis que nos pommes de terre cuisaient dans le feu. Parfois, il nous donnait un peu de margarine qui fondait dessus. Ah, cette odeur, ce goût ! Aujourd'hui encore, je ne trouve rien de comparable à la saveur de ces festins clandestins dégustés au cours de nuits glaciales. Aucun des mets fins que l'on m'a servis au fil des années ne les a jamais égalés.

J'avais sept ans quand nous déménageâmes de l'autre côté du square, au numéro 14. Situé au premier étage, l'appartement comportait un salon, une chambre pour mes parents et la mienne, qui jouxtait la cuisine. Nos toilettes privées se trouvaient sur le palier et nous devions partager une salle de bains commune avec les locataires des deux étages du dessus. Cette pièce était déprimante avec sa baignoire sabot très profonde et une arrivée d'eau chaude qui fonctionnait moyennant quelques pennies.

Nous nous lavions dans l'évier. Papa possédait un rasoir de la marque Rolls Razor : la lame s'affûtait en la frottant d'avant en arrière sur un petit bout de cuir collé au fond de sa boîte en métal. Quand j'étais seul à la maison, je me barbouillais le visage de mousse à raser, la pipe de papa au bec, collé à la fenêtre grande ouverte, espérant qu'un passant lèverait les yeux sur moi et me prendrait pour un adolescent. Quel prétentieux j'étais !

Le jour de mes huit ans, on m'offrit un petit avion en métal dont les hélices tournaient une fois remontées. Les ailes étaient piquées d'ampoules rouges et vertes, et papa eut la bonne idée d'éteindre la pièce afin que nous puissions voir les lumières clignoter dans l'obscurité. Mais l'avion ne fut pas mon principal cadeau. Il y eut surtout Pip, ses quatre pattes et sa queue frétillante. Pip était un terrier à poils blancs âgé de quelques mois. J'étais aux anges. Malheureusement, Pip ne resta que cinq semaines avec nous. Un soir, alors que maman le promenait pour venir me chercher à ma réunion de louveteaux sur Clapham Road, Pip croisa la route d'un taxi londonien. Une courte vie arrachée si brusquement. Cet événement me marqua profondément et j'en pleurai toute la nuit.

J'eus à peine le temps de sécher mes larmes qu'oncle Peter, le mari de ma tante Nelly, débarqua un matin avec un bâtard miteux et sous-alimenté qui ressemblait vaguement à un lévrier irlandais. Peter avait trouvé l'animal attaché dans un jardin, chez des clients qui le lui donnèrent avec plaisir. Le vétérinaire chez qui nous le conduisîmes nous conseilla de nous en débarrasser : il ne pourrait jamais surmonter sa peur des hommes tant il avait dû être maltraité au cours de sa jeunesse. C'était oublier l'amour tenace de maman envers toutes les créatures, petites ou grandes. Des mots gentils, de la bonne nourriture et de nombreuses promenades firent de lui le membre de notre foyer le plus charmant et le plus drôle. Nous adorions Voyou, que nous avions baptisé ainsi en raison de l'impression qu'il nous avait faite la première fois que nous le vîmes.

L'autre événement de ma huitième année fut d'apprendre la vérité sur le Père Noël. Le soir du réveillon, je dormais toujours avec mes parents pour que, le matin venu, nous puissions partager ensemble la joie d'ouvrir nos cadeaux – ou, plus exactement, pour qu'ils puissent lire la joie sur mon visage. Cette année-là, je ne dormais toujours pas quand le Père Noël passa. À leur insu, grâce au miroir de la penderie, j'observai papa et maman marcher sur la pointe des pieds et remplir les chaussettes de golf paternelles de noix, d'oranges et de bonbons. Au réveil, comme d'habitude, mes parents feignirent la surprise, mais moi, je savais ! Oui, je savais que c'étaient eux ! Paradoxalement, je ne fus pas déçu d'apprendre que le Père Noël n'existait pas. J'étais même plutôt content de savoir que mes parents prenaient soin de moi, et que personne d'autre ne m'offrait tous ces présents.

La même année, la partie intime de mon anatomie me fit horriblement souffrir. Traîné chez le médecin, je me retrouvai debout devant lui, le pantalon sur les chevilles. Il m'examina avec le bout d'un crayon. Par mesure d'hygiène, je n'échapperais pas à la circoncision. J'en avais déjà entendu parler à l'école, lorsqu'on nous lisait la Bible au cours des prières matinales. Rien que le mot faisait pouffer de rire les filles.

Moi, la seule chose qui me faisait sourire était que l'on devait prendre le bus pour se rendre à l'hôpital de Westminster, qui faisait face à l'abbaye du même nom, même si, cette fois encore, je ne me fis pas d'illusions sur la crème glacée. Je retrouvai la chemise de nuit et les chaussettes, l'odeur écœurante du chloroforme, le tunnel de cercles jaunes et rouges et les « boum

18

boum ». Je me réveillai tout au bout de la chambrée réservée aux adultes, et non plus dans celle des enfants. Mon lit donnait sur une grande fenêtre derrière laquelle se dressait l'abbaye. J'entendais aussi le bruit sourd et régulier de Big Ben, le clocher planté au cœur du palais de Westminster. Une sorte d'arceau protégeait mon entrejambe afin de m'éviter le contact des draps.

Je vomis longtemps. Mon corps tout entier me faisait mal. Je mourais de faim. Mais rien au menu. Je n'eus droit qu'à l'humectation de mes lèvres enfiévrées à l'aide d'un coton humide. Le lendemain matin, la salle se transforma en ruche. On changea les draps, tapota les oreillers, les pots de chambre furent vidés et les médicaments renouvelés. Le chariot du petit déjeuner apparut enfin ! La théière était en émail, avec un liseré bleu. Mais pourquoi est-ce que je vous raconte tout ça ? Certainement pour retarder le plus possible l'évocation du porridge qu'on me servit. Une horreur ! Une espèce de bouillie de gruau épaisse rehaussée d'une noisette de margarine et d'une insipide confiture de fraises. Rien à voir avec la recette de maman.

À l'heure du thé, mon voisin demanda à l'infirmière de me donner l'un de ses œufs à la coque, un véritable luxe à cette époque. L'intérieur étant naturellement à peine cuit, je fronçai le nez et laissai échapper un soupir de mécontentement. Un torrent d'insultes jaillit alors à mes côtés. Mon voisin m'agonit d'injures, me traitant de petit con et me disant que je pouvais aller m'en faire cuire un, d'œuf ! Si vous pensez que cela m'a à tout jamais passé l'envie de me plaindre, vous n'y êtes pas du tout. Encore aujourd'hui, quand je descends à l'hôtel, je râle si mes œufs ne sont pas cuits à la perfection.

Je quittai l'hôpital en remerciant tout de même les infirmières et mon généreux voisin. Au moment de monter dans le bus, maman me dit que je m'étais montré très courageux et qu'un cadeau m'attendait à la maison : une nouvelle paire de patins à roulettes. Je les essayai aussitôt, genoux largement écartés. Mais je dus bien vite abandonner, en attendant des jours meilleurs. Un seul tour de square me fit comprendre que mon zizi ne s'était pas encore remis de ses aventures.

Cela étant, avoir un pansement à cet endroit me donnait un sacré avantage sur tous mes copains. Un rapide regard à ma braguette forçait leur respect. Pendant une semaine, je devins chef de tribu. Et si quelqu'un remettait en cause mon autorité, mon entrejambe suffisait à confirmer mon statut.

Tout le quartier s'intéressait à moi. En particulier la sœur d'un copain, de deux ou trois ans mon aînée, qui estimait avoir droit à une petite projection privée, si je puis dire. L'avant-première eut lieu derrière chez moi. Nous grimpâmes sur la charrette d'un maçon garée dans l'allée. Les deux grandes roues et les bras de la carriole rendaient l'édifice très instable. Et ce qui devait arriver arriva. Terriblement excitée à la vue de l'objet, la jeune demoiselle entreprit de me grimper dessus. Son mouvement nous déstabilisa, et nous nous retrouvâmes par terre, elle avec sa culotte par-dessus tête, et moi avec un pansement couvert de boue. Quelle explication allais-je bien pouvoir fournir à mes parents ?

Il n'y eut pas que cette jeune fille à s'intéresser à ce que j'avais entre les jambes, et qui y restait, la plupart du temps, confortablement dissimulé ! J'ai déjà raconté l'histoire qui suit en 1996 lors d'une conférence de l'Unicef consacrée aux abus sexuels commis sur les enfants et pour laquelle Sa Majesté la reine Silvia de Suède avait prononcé le discours d'ouverture. Mais je me dois de revenir dessus et vous allez comprendre pourquoi.

Mon ami Reg et moi, tous deux louveteaux, avions emprunté une tente pour aller la planter du côté de Wimbledon Common, un espace de jeu qui était au moins cent fois plus grand qu'Albert Square. Le camp monté, nous nous assîmes à l'intérieur de la tente, fiers comme des papes. Que faire maintenant ? Manger nos sandwichs ? Partir à la pêche aux petits poissons et aux grenouilles dans l'étang voisin ? Nous étions en train de décider lorsqu'un olibrius s'engouffra à l'intérieur, sans prévenir, s'assit et marmonna quelque chose sur mes « belles jambes ». Je me serais bien passé de ce genre de compliments. Je sortis aussitôt, enjoignant Reg de me rejoindre ou de dire à l'autre de déguerpir. Quelques minutes plus tard, l'homme sortit finalement et s'approcha de moi. J'étais assis sur la branche d'un arbre, balançant mes « belles jambes » dans le vide.

— Ton ami dit que tu as un gros sexe, me dit-il.

— Pardon ? lui répondis-je en bégayant.

Comme il s'approchait d'un peu trop près, baragouinant qu'il allait me montrer ses attributs, je fis un salto arrière en appelant Reg qui bondit hors de la tente. Nous courûmes jusqu'au lac où nous nous mîmes à barboter dans l'eau et à faire des ricochets.

Lassés de nos jeux, nous retournâmes vers la tente. Elle était toujours là et, heureusement, notre « ami » avait disparu. Mais nos sandwichs aussi ! À défaut d'avoir pu nous consommer, il s'était emparé de nos victuailles. Choqués et affamés, nous rentrâmes chez nous, en espérant qu'il s'était étouffé avec notre déjeuner.

J'ai attendu d'être adolescent avant de raconter cette histoire à ma mère. Dans mon inconscient de petit garçon, je crois avoir été rongé par la culpabilité.

Après mon intervention à la conférence, les faits ont bizarrement été déformés. La presse a colporté que j'avais été violé étant enfant et, pis, que c'était mon père qui avait abusé de moi. Tout ceci est faux. Inutile de préciser que ces ragots m'ont profondément blessé.

À la maison, nous eûmes bientôt deux hôtes supplémentaires : un chat noir dont le nom m'échappe, et Jimmy, un singe rhésus que nous avait donné tante Nelly pour je ne sais plus quelle raison. En tout cas, il fut le bienvenu, d'autant que nos trois animaux s'entendaient à merveille.

Papa construisit une grande cage pour Jimmy dans la cuisine. Nous l'y enfermions lors des repas, parce qu'il n'avait pas, à proprement parler, appris les bonnes manières. Il fallait le voir racler sa tasse en métal sur les barreaux. On se serait cru à la prison de Sing Sing dans un film avec James Cagney ! Jimmy passait l'été dehors, attaché à une corde de six mètres nouée à un arbre. Un après-midi, j'entendis un cri strident. La vieille dame du numéro 15, habituée à prendre son thé dans le jardin, avait un drôle d'invité. Accroché à une branche au-dessus d'elle, Jimmy était en train de lui crêper le chignon. Je me jetai sur lui, mais il tint bon. Un coup de théière finit cependant par lui faire lâcher prise. La corde de Jimmy fut depuis ce jour réduite de moitié et maman offrit une nouvelle théière à notre voisine.

Une autre fois, un cri encore plus aigu parvint du numéro 13. Jimmy s'était échappé par la fenêtre et avait pénétré dans la salle de bains au deuxième étage. Après avoir joué toute la journée dans le jardin, il avait dû se dire qu'un bon bain lui ferait le plus grand bien. Quand la voisine ouvrit sa porte, elle trouva mon Jimmy trempé jusqu'aux os, inspectant les traces de boue qu'il avait laissées un peu partout dans la pièce. Je n'ai jamais su comment maman arrangea le coup avec la voisine.

Si Jimmy s'entendait bien avec notre chat et avec Voyou, il en allait différemment avec les autres animaux. Quand maman le promenait en laisse, il sautillait gaiement sur les balustrades. Mais si par malheur sa route croisait celle d'un autre chien, il courait se réfugier sur les épaules de maman. Avec les chats, c'était différent : il devenait dingue. Il se jetait sur le pauvre félin et, en hurlant, lui tirait d'un coup sec sur la queue. Dans son langage, ça voulait sûrement dire : « Je t'ai eu ! »

Nous passions nos vacances d'été chez tante Ada au bord de la mer et laissions alors les animaux en pension. Le chien et le chat s'en accommodaient mais Jimmy, lui, perdit la confiance qu'il avait en nous et, à notre retour, mordit maman à plusieurs occasions. Le vétérinaire nous expliqua qu'il commençait à devenir dangereux et c'est à regret qu'on l'envoya au zoo de Chessington. Nous lui rendions visite tous les quinze jours, nos poches remplies de noix et de toutes sortes de fruits. Ses compagnons de cage l'observaient les déguster, certainement jaloux qu'il ait une famille qui pense à lui de temps à autre.

Jimmy me manqua terriblement. Quand il était là, j'avais l'impression que mes propres bêtises passaient inaperçues.

À l'école, j'étais bon élève. Il était rare que je ne me classe pas dans les trois premiers, et ce dans toutes les matières. J'avais cette faculté d'être à la fois sérieux et concentré tout en ayant la tête ailleurs. Le matin, j'expédiais mes devoirs afin de pouvoir jouer un peu au football avant le début des cours. L'art et le dessin étaient mes matières favorites, et je crois que tout le monde était persuadé que j'aurais un avenir dans ces domaines. Je tenais de mon père. Sauf peut-être pour la musique ! Musicien émérite, papa aurait vu d'un bon œil que je le devienne aussi. Quand son grand-oncle Alf lui donna un violon, il m'imposa des leçons. Six semaines après le début des cours, le constat était accablant : papa perdait son argent et moi mon temps. Et nous faisions perdre celui du professeur ! Alf récupéra donc son violon et j'eus plus de temps pour jouer aux *conkers* ou collectionner les cartes des paquets de cigarettes. À l'époque, ces derniers contenaient en effet des cartes à l'effigie de personnages célèbres, stars de football, de cricket ou de cinéma. Il y avait aussi des voitures. On les collectionnait et on se les échangeait, le but étant d'avoir des séries complètes. Les cartes devinrent la monnaie officielle de l'école, et nous les jouions à la récréation. Nous en placions une dans l'angle d'un mur ; pour la gagner, il fallait la faire se retourner en la visant avec une autre. Certains firent fortune, d'autres se ruinèrent. Moi, j'augmentais mes chances de gagner en collant sournoisement deux cartes ensemble pour qu'elles touchent au but plus facilement.

Nous raffolions aussi du *conkers*. À l'automne, nous ramassions les marrons que l'on perçait, afin d'y introduire une ficelle que nous nouions ensuite à la base du fruit : le *conkers* était prêt. La règle était simple : armé de votre marron, vous deviez détruire celui de l'autre en le balançant dessus. Un jour, mon propre *conker* vint à bout de vingt-quatre autres ! Il y avait deux astuces pour briller à ce jeu : faire préalablement cuire le marron dans un four pour le durcir ou le tremper dans du vinaigre.

Mon premier vélo fut aussi une étape importante de ma jeunesse. Une pure merveille que ce Silver Raleigh à trois vitesses ! J'accompagnais parfois papa quand il rendait visite à sa famille dans le nord de Londres, du côté de Walthamstow ou de Tottenham. J'avais beau aimer ces promenades, je dois avouer qu'elles m'épuisaient, et je suis persuadé que le mal de dos dont j'ai souffert toute ma vie est né à cette période. Par la suite, pour mes déplacements, le bus ou le métro firent aussi bien l'affaire ! Surtout que, pour une somme comprise entre trois et six pence, je pouvais voyager toute la journée en tramway, en bus ou en métro, à travers tout Londres. L'un de mes petits plaisirs était de prendre une ligne d'un bout à l'autre, comme de Morden à Edgware sur la Northern Line. Ou alors je prenais le tram jusqu'à Victoria, le terminus de la ligne, là où le conducteur retournait les sièges et changeait les panneaux de direction avant de repartir. Pour un écolier curieux comme moi, c'était fascinant. Un autre trajet que j'aimais emprunter était celui longeant la Tamise et qui débouchait sur Kingsway. À l'époque, je ne me doutais pas que je fréquenterais souvent cet endroit par la suite. C'est là, en effet, que se trouvent les bureaux de l'Unicef pour le Royaume-Uni.

Le samedi matin, j'allais au cinéma, dans le cadre de l'opération appelée « les projos à deux sous ». Pour deux pence, je voyais les nouveaux films au Supershow Cinema ou au Granada, deux salles de Wandsworth Road. Nous étions bien équipés en « palais du film », comme on appelait alors les salles de cinéma. L'intérieur de l'Astoria à Brixton était décoré tel un jardin mauresque. Je me rendais souvent au Regal, toujours à Brixton, mais c'est au Ritz, en face de la pelouse de Stockwell, que je vis mon premier Tarzan. J'aimais aussi beaucoup les prouesses de Buster Crabbe incarnant Flash Gordon, que ce soit dans *Flash Gordon's Trip to Mars* ou dans *Flash Gordon Conquers the Universe*. Tous les enfants l'adoraient. Je raffolais aussi des westerns, ceux avec Ken Maynard ou Tom Mix en particulier, surtout quand ils tuaient un méchant ou quand un Indien se faisait descendre. Oui, je sais, ce n'est pas très politiquement correct, mais, à l'époque, les clameurs des enfants s'entendaient jusque dans la rue. Et, bien évidemment, les dessins animés me plaisaient énormément.

Le jour de votre anniversaire, si vous aviez votre carte de membre du cinéma, c'était la gloire. Devant toute la salle, on vous appelait pour monter sur scène. À la clé, il y avait un billet gratuit pour la semaine suivante, et un exemplaire d'une revue de cinéma.

Confortablement assis dans ces salles, je ne me doutais pas qu'un jour je travaillerais dans le domaine du dessin animé, encore moins que ce serait moi qu'on verrait sur le grand écran. Ma fréquentation assidue des cinémas de Wandsworth Road fut en tout cas à l'origine de ma passion pour le septième art. C'est une évidence.

Mes parents m'y emmenaient parfois. Papa était un grand fan de Jean Harlow, et maman préférait les films avec Richard Dix, comme *The Tunnel*. Des années plus tard, à la MGM, je tombai sur Bob Dix, l'un des fils jumeaux de Richard. Nous étions tous les deux sous contrat avec le studio hollywoodien. Nous sommes devenus de bons amis, et je tenais à ce qu'il apparaisse dans mon premier James Bond, *Vivre et laisser mourir*. Le personnage qu'il incarnait fit sensation : il était tué dès la première minute du film !

De mon argent de poche, partiellement englouti dans « les projos à deux sous », il ne me restait souvent qu'un penny. Avec mes copains, j'allais le dépenser au pub du coin, où je commandais un bol de soupe et un petit pain. Comble du luxe, nous mangions notre maigre pitance sur une table en marbre !

Le samedi, je donnais parfois un coup de main au livreur de la Collectivité laitière. Je touchais une fortune : six pence, soit le double de mon argent de poche hebdomadaire. On ne plaisantait pas avec l'argent. Je ne devais en accepter de personne, même si j'avais été gentil ou si j'avais aidé quelqu'un à faire ses courses. Un jour, j'allais présenter sa facture de lait à une vieille dame du quartier. Elle devait un peu moins de deux pence. Elle me tendit l'argent et me dit de garder la monnaie. Je refusai comme on me l'avait appris. Je n'eus même pas le temps de m'expliquer qu'elle me traitait déjà de sale petit morveux !

À la fin de l'été 1939, nous cessâmes de rendre visite à Jimmy. Les nuages qui s'amoncelaient dans le ciel n'étaient pas uniquement annonciateurs de pluie. La guerre éclata et avec elle débuta l'évacuation des enfants et des familles dans des endroits sûrs. Je venais tout juste de remporter une bourse et d'intégrer le prestigieux collège de Battersea. Le 1ᵉʳ septembre 1939, je reçus mon paquetage. Une étiquette à la boutonnière, je portais une boîte en carton sur les épaules contenant un masque à gaz, ainsi qu'un sac rempli de sous-vêtements, de pulls propres, et de mon uniforme d'écolier : un blazer et une casquette, tous deux rayés noir et blanc, flanqués d'un faucon rouge et jaune. Ou bien était-ce un aigle ? J'y suis resté tellement peu de temps que je ne me souviens pas de l'emblème. En revanche, je me rappelle très bien le jour de l'attribution des bourses sur Hackford Road. Nous avions exceptionnellement le droit de rentrer plus tôt à la maison. Maman m'invita à la brasserie Lyons où l'on me servit des haricots sur des toasts, ainsi qu'une grande limonade avec des glaçons et une paille. Tout l'art consistait à aspirer ma boisson sans faire de bruit, afin d'éviter un silence immédiat et gênant de la part des autres consommateurs. Plus facile à dire qu'à faire ! Maman m'autorisa ensuite à téléphoner à papa au commissariat pour lui annoncer la bonne nouvelle, depuis l'une de ces belles cabines publiques rouges typiquement londoniennes. Quel jour mémorable ce fut !

Nous nous rendions chez Lyons, sur Coventry Street ou à Marble Arch, quand nous avions quelque chose à fêter. Ces restaurants étaient magnifiques. Je m'imaginais très bien la monarchie prenant résidence dans ce genre d'endroits, entourés de « sert-vite-eurs », comme on les appelait dans ces ruches en perpétuel mouvement. Un orchestre jouait parfois. Les tables recouvertes de nappes blanches étaient du plus bel effet. Mais les mois qui suivirent brisèrent cette magie.

Je vécus mon évacuation comme le début d'une aventure. Mais, pour mes parents, ce dut être terrible de voir leur fils unique partir pour l'inconnu. Certes, il y eut quelques larmes sur le quai de Victoria Station, où je m'alignais avec des centaines d'autres enfants en attendant de monter dans un train à la destination inconnue. Mais nous, une fois arrivés au terme du voyage, nous nous amusions déjà beaucoup.

Neville Chamberlain ne parvint pas à éviter la guerre. On creusait des tranchées dans tous les parcs. À l'aube de la Seconde Guerre mondiale, l'Europe tremblait et les sacs de sable s'empilaient un peu partout. Les enfants fuyaient les grandes villes. Les écoles fermaient. La mienne fut déplacée à Worthing, sur la côte sud de l'Angleterre. Franchement, ils n'auraient pas pu trouver encore plus près de l'Allemagne ? Mais je n'avais pas peur. Tout cela était encore trop neuf pour moi.

On nous plaça dans des familles d'accueil, seuls ou par groupes de deux ou trois. J'atterris dans une maison plutôt cossue, avec des poutres de style Tudor et un toit en tuiles rouges, où je fus présenté aux deux enfants de la famille, un peu plus âgés que moi. Je me souviens de mon premier dimanche là-bas. Nous nous promenions, il faisait beau, toutes les fenêtres des maisons étaient ouvertes. Une radio diffusait le discours du Premier Ministre, annonçant que la guerre avait été déclarée entre la Grande-Bretagne et l'Allemagne. Au même instant, les sirènes retentirent, signalant une éventuelle attaque aérienne. Mais c'était une fausse alerte. Le seul conflit ouvert à Worthing à ce moment-là opposait deux frères et leur nouveau pensionnaire.

Avec le recul, je veux bien admettre qu'il ne fut pas évident pour eux d'accueillir un garçon de onze ans. Mais de là à me le faire aussi chèrement payer… Les enfants sont vraiment cruels entre eux. Leur comportement à mon égard me décida à ne jamais envoyer mes propres enfants en pension. Leur mère non plus ne m'aimait pas ! Un jour, j'eus droit à un œuf à la coque. Je venais à peine de tremper ma première mouillette préparée avec amour et délicatesse que la vieille sorcière me grondait avec des « pas de ça chez nous ! » et autres « tu te crois où, sale gamin ? ». La malédiction de l'œuf à la coque me poursuivait ! Mais qu'y avait-il de sale à plonger son pain dans le jaune ? Allez, passons.

Après la guerre, mes copains me racontèrent leur propre expérience, et aucun ne se plaignit de ses parents par intérim. J'étais tout simplement mal tombé. Une crise d'impétigo mit un terme à cet enfer. Couvert de croûtes et hautement contagieux, je fus envoyé dans un hôpital de campagne et mis en quarantaine. Les murs de ma chambre étaient bleu pâle et il y avait un bow-window. Je me sentais terriblement seul.

Au même moment, papa envoya maman à Chester, dans la famille d'un de ses collègues de la police. Au cours de ces premiers jours de guerre, la confusion régnait. Comme en Espagne, nous nous attendions à voir déferler les bombardiers de Hitler d'un moment à l'autre. Mon père était cloué à Bow Street. Du fond de ma chambre, je lui envoyai une lettre en forme de SOS. J'étais tellement malheureux. Quand il arriva, quelques jours plus tard, papa me dit les mots suivants : « Allez, mon fils, habille-toi, nous partons rejoindre ta mère à Chester. » Mon sauveur !

Je fus chaleureusement accueilli chez les Ryans où je retrouvai maman. M. Ryans était responsable d'un poste d'aiguillage et je passais mes journées avec ses collègues des chemins de fer qui m'autorisaient parfois à manipuler les leviers. Le soir, les grands jouaient aux cartes. Moi, je sommeillais, la tête contre la poitrine de maman. J'entends toujours les battements de son cœur et je donnerais cher pour les entendre de nouveau. À Chester, je fréquentais l'école locale, affublé de mon uniforme du collège de Battersea. Au début de 1940, nous rentrâmes à Albert Square. La guerre semblait très loin, les bombardiers aussi.

Puis il y eut Dunkerque. Des milliers de soldats anglais et français traversèrent la Manche pour se réfugier au Royaume-Uni, fuyant la puissance nazie. Aux abords de la gare de Clapham North, je regardais arriver ces soldats dépenaillés, souvent couverts de bandages. Entre mai et juin, trois cent mille Anglais, Français et Belges furent évacués. Un miracle, selon le Premier Ministre Winston Churchill.

L'été 1940 fut chaud et ensoleillé à Albert Square, l'un des plus beaux que j'aie connus. Le soleil brillait et je passais mon temps à nager. Je fréquentais particulièrement deux piscines : celle de Kennington Park où je me rendais à pied et celle de Brockwell Park, ma préférée, où j'allais en tramway. Mais elles n'étaient en rien comparables à celle d'Ashstead Ponds où papa m'emmenait en train. C'était une piscine naturelle creusée dans une ancienne carrière, au beau milieu des champs, et bordée d'une pépinière. L'eau y était fraîche et trouble, sans trace de chlore.

Mais un jour, tandis que nous nous reposions sur la plate-forme flottante au centre du bassin, nous entendîmes le ronronnement lointain des avions et le crépitement sourd des mitrailleuses. Deux appareils engagés en plein combat dans un concert tonitruant de moteurs vinrent se positionner juste au-dessus de nous. Quand ils s'éloignèrent, papa me pressa pour vite rejoindre la rive et courir nous réfugier. Peu après, le Hurricane réapparut, exécutant un *Victory Roll*[1] des plus rassurant.

À Albert Square, une tradition s'installa le samedi soir. Deux amis de mes parents, Bert Manzoni et Dick Wilde, venaient prendre le thé puis restaient pour jouer aux cartes. Ils misaient juste quelques pence au whist et au Napoléon. Bert était le fils

---

1. Un tonneau annonçant qu'un avion ennemi a été abattu. (*N.d.T.*)

de mon parrain et de ma marraine, un couple d'Italiens qui possédait un café dans lequel mes parents se donnaient rendez-vous du temps où ils flirtaient. Quand le petit Roger vit le jour, mes parents leur demandèrent tout naturellement d'endosser un nouveau rôle. Et tant pis s'ils étaient catholiques et nous anglicans !

Bert avait une petite trentaine d'années quand je fis sa connaissance. Enfant, vers l'âge de six ou sept ans, il avait développé une maladie – dont j'ignore le nom – qui lui rongeait la peau et les traits du visage, donnant l'impression que son visage était une immense plaie purulente. Ses paupières étaient minuscules. L'hiver, ses yeux pleuraient en permanence. Il n'allait jamais au restaurant de peur de sentir tous les regards braqués sur lui. Dans le bus ou le tramway, les gens changeaient de place quand il s'asseyait près d'eux. Mais, à mes yeux, Bert était l'homme le plus gentil qui soit.

Son ami Dick Wilde était charpentier. Il travaillait à Elephant & Castle, un quartier du sud de Londres, lieu de naissance de Michael Caine, non loin de Stockwell. Dick était né avec un pied-bot. Il passa toute sa vie avec une chaussure à semelle compensée en boitillant. C'était un communiste radical, de ceux qui pensaient que le drapeau rouge devait flotter sur Buckingham Palace. Je suis persuadé qu'il était surveillé par les services secrets. Il était intarissable sur ce sujet, sans être pour autant du genre à vouloir saboter le pays. Néanmoins, quand l'URSS entra en guerre et s'allia avec nous, sa vie prit un nouveau sens.

Un samedi de septembre, les sirènes de l'alerte aérienne se mirent à hurler. Le thé venait d'être débarrassé et les cartes étaient sur le point d'être mélangées. Au loin résonnaient le grondement des avions et les puissantes détonations des batteries anti-aériennes. Papa nous conduisit à l'abri Anderson qu'il avait aidé à construire dans le jardin : des tôles ondulées posées à même le sol sous lesquelles se trouvait une lourde porte en bois. Si une bombe faisait mouche, c'en était fini de nous. Mais nous éviterions les éclats d'obus ou ne risquerions pas d'être ensevelis sous des décombres. Nous étions assis sur les deux lits superposés disposés à l'intérieur lorsque nous entendîmes le sifflement terrifiant d'une bombe. Les secondes qui suivirent durèrent une éternité. Nous l'avions échappé belle, mais nous n'étions pas si loin du point d'impact. La guerre avait bel et bien commencé.

Ce fut le début du Blitz. Des explosions retentissaient tout autour de nous. Entre les bombes, les batteries anti-aériennes, les sirènes de pompiers et des ambulances, le bruit était assourdissant. Parfois, le sol tremblait sous nos pieds. Au bout de deux heures, un silence de mort s'installa. Papa ouvrit l'abri. Les attaques avaient cessé. Je regardai en l'air. Le bleu du ciel avait laissé place à de grands nuages de fumée gris sombre. Les sirènes annonçant la fin des bombardements s'activèrent. Nous sortîmes du refuge. Dehors, le ciel rougeoyait, alimenté par les centaines de maisons et d'entrepôts en flammes. Nous grimpâmes sur le toit. Vers l'est, c'était la désolation. Cette nuit-là, plus de neuf cents chasseurs et bombardiers allemands avaient semé la mort et la destruction, principalement sur l'est de Londres et sur les docks.

Une famille que nous connaissions bien fut durement touchée. Les Messenger avaient un abri dans leur sous-sol. Pendant un raid, une mine explosa et détruisit entièrement leur maison, tuant toutes les personnes qui se trouvaient dans le refuge. Seuls leur fils Bob et leur chien survécurent. Bob avait quitté l'abri pour aller chercher quelque chose à l'intérieur du bâtiment. L'animal l'avait suivi. Les secours les découvrirent sous les décombres. Le chien gémissait ; Bob, miraculeusement, n'était pas blessé. Ils devinrent inséparables. Ils finirent même par aller au cinéma ensemble !

Cela aurait pu continuer des mois. Au bout de deux semaines, papa prit quelques jours de congés et nous conduisit, maman et moi, hors de Londres. Je ne sais pas pourquoi il choisit Amersham comme destination. Mais là, en tout cas, nous pouvions être hébergés chez un agent de police. Nous n'étions pas particulièrement heureux ; l'homme élevait des cochons et il leur ressemblait. Une puanteur d'épluchures de pommes de terre destinées aux bêtes flottait constamment dans l'air. Nos nuits étaient sans repos en raison du bruit des explosions et de l'angoisse de savoir papa seul au cœur du Blitz.

Je fus inscrit à l'établissement scolaire local, le collège Dr Challoner. L'hiver fut rude. Pour la première fois, je voyais la neige tomber ailleurs qu'à Londres. Les collines environnantes devinrent des pistes de luge. Je dois reconnaître que c'était bien mieux qu'à Aldebert Terrace, quand nous tentions de glisser avec des bouts de barils de goudron bricolés et lacés à nos chaussures en guise de skis !

Fin mai 1941, nous retournâmes à Albert Square. Étions-nous devenus indésirables à Amersham ? Maman avait-elle juste envie de rentrer ? Je ne me souviens pas. En revanche, pendant le voyage, je pris conscience des dégâts provoqués par Hitler sur la ville. Et Londres n'était qu'une ville parmi tant d'autres, sur laquelle s'était abattue la désolation. Plus nous approchions du centre, plus les rangées de maisons étaient clairsemées. Les fenêtres sans vitres des entrepôts calcinés regardaient notre train passer avec le regard vide des aveugles.

Notre appartement avait pourtant été épargné. Qu'il était bon de rentrer chez soi et de retrouver papa! Amersham nous manquait un peu, surtout à Voyou qui avait séjourné avec nous et avec qui nous nous étions promenés longuement dans la forêt de Chesham, d'où nous dominions les champs de cresson.

Mais, bien vite, la réalité reprit ses droits. Les attaques incessantes de la Luftwaffe terrorisaient mes parents, qui craignaient pour ma vie. Pendant l'été, je fus envoyé à Bude, dans Les Cornouailles, et fus inscrit au collège de Launceston. Nous étions trois Londoniens à être placés dans la même famille de fermiers, les adorables M. et Mme Allen.

Avant la rentrée des classes, nous passâmes notre temps à la ferme où nous aidions aux tâches quotidiennes. Nous allions aussi flâner du côté de la Tamar, une rivière où nous nous baignions dans une eau cristalline. Mme Allen était un vrai cordonbleu. Elle nous régalait de ses tartes, tout particulièrement celles aux mûres et aux pommes, qu'elle recouvrait de montagnes de crème fraîche des Cornouailles. Notre petit plaisir était de gratter la fine croûte au-dessus de la crème tandis que le plat reposait près du fourneau.

Il y eut pourtant une ombre au tableau. Je m'en veux d'ailleurs encore aujourd'hui. Un jour que nous étions dans une des granges avec mes petits camarades, je remarquai un nid d'hirondelles dans un coin. Je ne sais pas ce qui m'a pris, un coup de folie sans doute, mais je lançai violemment une pierre sur le nid. L'oiseau tomba par terre. Mort. Depuis, j'abhorre toute forme de loisirs impliquant des animaux que l'on blesse ou que l'on tue. À commencer par la chasse.

Je n'aimais pas vraiment mon nouveau collège. On me demandait trop de travail. J'écrivis à mes parents que je voulais partir et que, s'il le fallait, je regagnerais Londres à vélo. Avec six pence en poche, je ne pouvais pas m'offrir le train. Ma menace de pédaler jusque chez moi était un stratagème, car je n'avais aucune bicyclette sous la main. Mon billet de train arriva quelques jours plus tard. Et, bombes ou pas, je rentrai à Londres, regrettant toutefois les tartes de Mme Allen.

Les raids aériens sur la capitale cessèrent, et les enfants revinrent au compte-gouttes. Les autorités étaient débordées. Le collège de Battersea étant fermé, je fus envoyé à l'école de Vauxhall. À cause de la guerre et des enfants qui étaient toujours à l'abri loin de Londres, on y enseignait un mélange de grammaire, d'art et de matières techniques, ce qui me convenait car certains domaines comme le dessin industriel n'étaient pas au programme de mon lycée. On nous apprenait aussi la sténo et la dactylographie. Cette dernière était plébiscitée par tous les garçons. Et pour cause : elle était enseignée par une femme dont la généreuse poitrine se balançait en rythme lorsqu'elle tapait sur le clavier de sa machine. Le plus difficile pour nous autres, prépubères, était de retenir les cris d'admiration qui nous brûlaient la langue.

L'école, pour moi, n'était pas un problème. Ça, je crois vous l'avoir déjà dit. Je passai avec succès les examens de la Royal Society of Arts ; je dois avouer que les critères de sélection n'étaient pas vraiment drastiques à l'époque, mais tout de même ! Là, je devins une sorte de grand frère pour les autres élèves. Peut-être à cause de ma taille : je dominais tout le monde. J'avais aussi un léger problème de poids, ce qui m'a bien enquiquiné tout au long de ma jeunesse. J'avais beau être grand, j'étais aussi enveloppé. On me surnommait même « le gros géant tout moche ». Un peu dur, non ?

C'est à cette époque que je tombai amoureux pour la première fois. L'heureuse élue habitait tout près de chez moi, et je la raccompagnais après l'école. Cette jeune fille avait de jolies boucles blondes, de beaux yeux bleus et je la convoitais intensément. Nous filions le parfait amour jusqu'au jour où je rencontrai sa mère. Un jour, sa fille ressemblerait à « ça », c'était inévitable, pensai-je. Et je pris mes jambes à mon cou.

Adieu, parfait amour !

2

Mes premiers pas dans le métier

« J'ai des ailes aquatiques, soldat ! »

Mon ami Norman, qui habitait au numéro 3 de ma rue, était un peu plus âgé que moi et il aurait dû comprendre que nous faisions une bêtise... J'avais « emprunté » la carabine et le pistolet à air comprimé de mon père. Je savais que c'était absolument interdit, mais vous connaissez les garçons ! Norman prit la carabine et moi, le pistolet. Avant même d'avoir eu le temps d'y mettre un plomb, je ressentis une violente douleur au tibia droit : Norman m'avait tiré dessus depuis le fond du jardin. Tandis qu'il riait de me voir bondir, je me demandai comment j'allais bien pouvoir expliquer le trou dans mon pantalon. En l'examinant, je m'aperçus qu'il n'y avait pas de trou, juste une petite marque bleue sur ma jambe, comme une minuscule ecchymose. Je remis rapidement les armes sur l'étagère supérieure de la penderie de papa, une cachette dont j'étais supposé ignorer l'existence, et passai le reste de la journée la jambe meurtrie.

Ce soir-là, papa nous emmena au cinéma à Brixton pour voir une comédie de Frank Randall – il s'agissait probablement de *Somewhere in Camp*. Quand les lumières se rallumèrent, j'essayai de me lever mais ma jambe droite ne voulut rien entendre. Je quittai le cinéma en boitant derrière mes parents, sans même pouvoir la plier.

Quand ma mère me demanda ce que j'avais, je répondis hâtivement que j'étais tombé dans le jardin. Ce qui était vrai, du moins en partie. J'avais juste omis de mentionner la carabine.

À la maison, tandis que je me couchais, maman m'interrogea à nouveau. Impossible de la duper. Je lui avouai que Norman et moi avions prévu de nous entraîner au tir avec les armes de papa et que j'avais accidentellement fait office de cible.

— Ne dis rien à papa ! la suppliai-je.

Elle examina ma jambe et constata qu'on n'y voyait pas grand-chose en dehors d'une petite marque bleu sombre. J'en fus soulagé, pensant être tiré de ce mauvais pas.

Hélas, ce ne fut pas le cas. Le lendemain matin, la douleur était insupportable et mon genou complètement bloqué. Ma mère n'eut d'autre choix que d'en parler à papa. J'étais persuadé d'être bon pour une raclée, mais il prit au contraire un air inquiet.

— Il faut l'emmener à l'hôpital de Westminster, dit-il.

Je les suivis clopin-clopant jusqu'à l'arrêt du bus de South Lambeth Road et nous nous rendîmes aux urgences de l'hôpital récemment ouvert sur Horseferry Road. Le docteur avait l'air de penser que j'en rajoutais en me voyant boiter, mais après que je lui eus raconté ce qui s'était passé, il dut se résoudre, à contrecœur, à m'envoyer passer une radio. Elle révéla que le plomb avait pénétré à l'intérieur de mon tibia, quelques centimètres en dessous du genou.

À partir de là, les choses s'enchaînèrent assez rapidement. On me déshabilla et je me retrouvai à nouveau en chemise de nuit, en route vers le tunnel rouge et jaune empli de « boum boum » et les inévitables nausées du réveil.

J'ai depuis ce jour une sainte horreur des armes à feu.

Le lendemain matin, ma mère me récupéra avec un gros bandage, un drain dans la jambe et une paire de béquilles. Je souffrais d'une forme légère de saturnisme et devrais revenir à l'hôpital tous les jours pour changer mon pansement. Le surlendemain, je pris le bus pour rentrer à la maison. Le receveur m'aida à monter et à m'installer sur la première banquette avec ma jambe raide et mes béquilles.

— Qu'est-ce qui t'est arrivé, petit ? demanda-t-il.

Je pris mon temps avant de répondre bravement :

— Les Boches !

Entraîné par mon imagination débordante, j'ajoutai :

— J'aidais à dégager les décombres, après un bombardement, quand un Messerschmitt nous a mitraillés !

Sur le coup, je pris le regard incrédule qu'il me jeta pour de la sollicitude et le gratifiai d'un fier sourire. En fait, il avait certainement dû me prendre pour un parfait imbécile !

Une fois rétabli, mes amis de la piscine de Brockwell Park, dont la plupart étaient plus âgés que moi, m'emmenèrent dans un pub en face du parc. Mineur et n'ayant jamais bu quoi que ce soit de plus fort qu'un verre de cidre, je commandai une bière légère. Elle me fut servie aussitôt. Le patron ne s'était douté de rien. Une autre tournée suivit, puis une autre, puis... tout se mit à devenir flou et j'arrêtai de compter.

Sachant que je devais rentrer avant la nuit, j'expliquai aux autres que mon père allait me tuer s'il s'apercevait que mon haleine empestait la bière. Un de mes « amis » suggéra alors que je fume quelques cigarettes pour faire passer l'odeur. Dans l'impériale du bus qui me ramenait chez moi, je sortis une de mes cinq Player's Weights, ce qui me fit tousser comme un dératé pendant tout le trajet : je n'avais jamais fumé. Quel idiot ! Je compris soudain que l'odeur des cigarettes allait m'attirer exactement les mêmes ennuis que celle de l'alcool. Je titubai jusqu'à Albert Square. Les sirènes d'alerte se mirent à sonner au moment où je grimpai les marches de la maison. Sauvé par le gong !

Maman, papa, Voyou et un adolescent qui empestait la bière et la nicotine coururent se réfugier dans l'abri Anderson. Celui-ci se mit à danser devant mes yeux tandis que je m'effondrais sur mon matelas. Je me sentais comme à la sortie du tunnel rouge et jaune. Je fus pris de haut-le-cœur.

— George ! Roger est malade, dit ma mère.

— Malade ? cria papa. Ce petit salopard est complètement saoul, oui !

Je reçus une fessée magistrale, qui ne fit rien pour arranger mon état. Quand je repense à l'odeur infâme et à la saleté, j'ai encore honte...

Heureusement, le signal de fin d'alerte retentit et nous n'eûmes pas à passer la nuit au milieu des traces répugnantes de mes coupables excès. Mais une bonne semaine fut nécessaire pour que je puisse retrouver l'estime de qui que ce soit.

Je rougis souvent en repensant à quelques-unes des imbécillités que j'ai prononcées. J'avais environ quatorze ans quand deux filles assises devant moi au cinéma Astoria de Brixton se retournèrent pour me demander si j'avais du feu. Je palpai ostensiblement toutes mes poches avant de répondre :

— Je suis vraiment désolé, j'ai dû laisser mon briquet au magasin.

Qu'est-ce que ça pouvait bien vouloir dire ? Soixante et quelques années plus tard, je me le demande encore.

Le samedi soir, j'allais souvent au Locarno, une salle de bal à Streatham. Conformément à la mode de l'époque, mes chaussures étaient impeccablement cirées et mes cheveux pommadés à la brillantine, comme dans la réclame avec Richard Greene, un de mes acteurs préférés.

Je dansais, affreusement mal, avec toutes les filles qui avaient le malheur d'accepter mes invitations, aux accents de chansons telles que *Down in Idaho, Where Yawning Canyons Meet the Sun* ou *In the Mood*. Bien peu étaient prêtes à poursuivre la conversation après que je leur avais copieusement marché sur les pieds !

Un soir, je devais avoir seize ans, je remarquai une blonde à la poitrine généreuse qui, à ma grande surprise, accepta de danser avec moi. Le courant passait plutôt bien, et nous décidâmes de nous revoir le samedi suivant. Toute l'astuce consistait à donner rendez-vous aux filles *à l'intérieur* de la salle afin de ne pas avoir à payer deux entrées. La gent féminine était une passion onéreuse. Une semaine plus tard, je retrouvai donc ma cavalière. Après la dernière valse, elle accepta que je la raccompagne jusque chez elle.

Sa main, douce et tiède, répondait à toutes les pressions de la mienne. Les genoux tremblants, je l'attirai contre la porte d'un magasin et nous nous embrassâmes. Tandis que je me penchais pour un second baiser, elle me demanda mon âge. Aïe !

— Oh, euh… Je vais avoir, euh, bientôt dix-neuf ans, bafouillai-je.

Ma réponse sembla la satisfaire et nos lèvres allaient s'unir une nouvelle fois quand nous nous trouvâmes pris dans le faisceau d'une torche électrique.

— Bonsoir, bonsoir, dit un agent de police. Est-ce que je peux voir vos papiers, s'il vous plaît ?

Jolies-Lèvres présenta les siens et, tandis que je farfouillais dans les poches de ma veste, le policier me demanda mon âge.

— Dix… dix-se… dix-huit ans, monsieur ! murmurai-je.

— Ah ! Très bien. Vous avez votre carte d'exemption ?

Zut ! Il m'avait coincé.

La carte d'exemption était un document délivré aux personnes qui avaient dix-huit ans révolus, l'âge de la conscription, afin de prouver qu'elles possédaient une raison valable de ne pas être dans l'armée. Avec un sourire embarrassé, je lui tendis ma carte d'identité en espérant que, par solidarité, cet homme que j'imaginais tout aussi amateur de baisers et de câlins que moi l'examinerait discrètement sans révéler ma petite supercherie à Jolies-Lèvres.

— Seize ans? dit-il en braquant sa lampe sur moi. Tu sais qu'il se fait tard, fiston?

Je le savais. Bien trop tard pour que mon charme continue à opérer sur Jolies-Lèvres! Elle prit congé de moi après avoir prononcé ces mots définitifs:

— Je ne traîne pas avec des gamins!

Mon amour s'évapora dans l'air frais de la nuit et je pris le chemin de la maison. Si près du but, et si loin à la fois!

Une autre fois, au Locarno, je crus vraiment mon jour de chance arrivé. Après quelques danses, une ravissante brune avait accepté que je la raccompagne à l'arrêt du bus. Nous marchâmes jusqu'au parc de Streatham Common et nous assîmes sur un banc à l'écart, dans l'obscurité. Nous échangeâmes moult soupirs langoureux, caresses maladroites et baisers enflammés.

— Viens chez moi! murmura-t-elle.

J'inspirai profondément.

— Et tes parents? demandai-je.

— Je suis seule. Mon mari est en Inde, dans l'artillerie.

Il est étrange de constater à quel point deux mots peuvent suffire à éteindre le désir. Pour moi, ce furent mari et artillerie. Non seulement elle était mariée, mais avec un militaire, qui, vu ma chance en amour, était probablement une grande brute en train de l'attendre à la maison pour lui réserver une surprise.

Je m'excusai et rentrai chez moi.

Juste avant ces quelques émois adolescents, j'avais conçu plusieurs affiches patriotiques dans le cadre d'un cours de dessin ainsi que plusieurs illustrations librement inspirées par les dessins animés de Disney, que j'adorais. Très fier de mes efforts artistiques, papa les avait montrés à son collègue du service de cartographie, George Church, qui les avait transmis à des connaissances dans le cinéma d'animation. C'est ainsi que je fus invité, avec mon père, à me rendre chez Publicity Picture Productions (PPP), à Soho. Il fut alors décidé que je quitterais l'école de Vauxhall Central pour devenir, à quinze ans et demi, animateur stagiaire.

Avant mon premier jour de travail, PPP me fit adhérer au syndicat des techniciens, l'Association of Cinema Technicians (ACTT), ce qui se révéla fort utile par la suite, lorsque je voulus devenir réalisateur.

Comme j'étais fier, à la fin de ma première semaine, de présenter à maman l'enveloppe bien garnie que j'avais reçue! Mon salaire s'élevait à trois livres et dix shillings par semaine, ce qui me permettait désormais de contribuer au budget de la famille. Maman me rendit trente shillings, avec lesquels je devais payer mes trajets en bus et acheter le sandwich au pâté ou au fromage qui me servait chaque jour de déjeuner.

Après toutes ces années, je me souviens encore de l'itinéraire qui m'emmenait au travail. Je prenais d'abord le bus 58 de South Lambeth Road à Regent Street, au coin de Great Marlborough Street. Je continuais à pied, passant devant l'entrée des artistes du Palladium et le tribunal d'instance jusqu'à Poland Street. À droite, puis à gauche avant d'arriver dans D'Arblay Street. La piscine de Marshall Street était située juste à côté, ce qui me permettait, à l'heure du déjeuner, de m'amuser et d'entretenir ma forme. C'était bien mieux que l'école !

J'avais toutes sortes de tâches chez PPP. Je devais notamment faire des tracés au crayon sur des feuilles de celluloïd avant de les retourner pour ajouter de la couleur. Je travaillai un peu sur des génériques et fis du lettrage publicitaire, une activité qui consistait à peindre des lettres blanches sur un fond noir pour les photos destinées aux écrans publicitaires. Je m'initiai également au montage, ce qui me fit comprendre l'importance du rythme dans les films, une leçon qui, là encore, se révélerait inestimable quand je deviendrais réalisateur, des années plus tard.

Une autre de mes fonctions consistait à emmener des boîtes de films destinés à la formation des troupes depuis nos bureaux jusqu'à AK1, le service cinématographique des armées situé sur Curzon Street. Il occupait un immeuble imposant, aux trois premiers étages dénués de fenêtres, retranché derrière une muraille massive de sacs de sable afin de protéger ses occupants des espions et d'à peu près n'importe quoi d'autre, excepté un coup dans le mille de la Luftwaffe. J'y rencontrai pour la première fois un homme qui allait devenir plus tard l'un de mes plus proches amis, même si nos relations étaient purement formelles à l'époque. Il s'agissait du lieutenant-colonel David Niven, notre conseiller technique. Bien sûr, lorsque nous nous retrouverions plus tard sur des plateaux de cinéma, il aurait complètement oublié le jeune stagiaire de PPP. Moi, en revanche, je me souviendrais de lui.

J'étais également chargé d'aller à la crémerie Davies chercher des pâtisseries pour accompagner le thé que je préparais dans le sous-sol du bureau. Les journées étaient bien remplies pour l'apprenti que j'étais !

Le 6 juin 1944, en arrivant à D'Arblay Street, je trouvai un groupe de collègues réunis dans la rue. C'était une matinée ensoleillée. Par les fenêtres ouvertes, on entendait les radios annoncer que les Alliés avaient débarqué en France. C'était le Jour J. Une semaine après le Débarquement, nous fîmes la connaissance d'une nouvelle arme diabolique du IIIe Reich. On l'appelait le V1, la bombe volante, un avion à réaction sans pilote rempli d'explosifs. Quand le moteur s'arrêtait, quelque part au-dessus de Londres, l'appareil tombait en piqué, semant la mort et la désolation.

Chez PPP, nous avions mis au point un système d'alerte. Chacun à notre tour, nous montions sur le toit, prêts à prévenir les employés pour qu'ils puissent s'abriter. Ce dispositif était très répandu dans nombre de bureaux londoniens. Quand les sirènes se mettaient à retentir, nous prenions position avec nos sifflets. D'Arblay Street se situe juste au sud d'Oxford Street, et notre plus chaude alerte survint un jour où j'étais justement de garde. Je vis très distinctement l'appareil arriver et entendis son moteur s'arrêter. Tandis que la bombe amorçait son piqué, je dévalai l'escalier en un éclair, en soufflant à pleins poumons dans mon sifflet. Heureusement pour nous, elle s'écrasa un peu plus loin, juste au nord d'Oxford Street.

Beaucoup de choses changèrent dans ma vie au cours des mois qui suivirent. D'abord, il y eut l'immense chagrin qui s'empara de nous quand nous apprîmes que mon cher oncle Jack, le frère cadet de maman, était tombé au champ d'honneur le 3 août. Il avait combattu en Afrique du Nord, à El Alamein, avant de participer au débarquement en Italie. Sergent dans le Génie, Jack était rattaché à la 51e division des Highlands, et quand il avait été transféré à la 6e brigade blindée, à Arezzo, il avait reçu l'ordre de participer aux opérations de déminage pendant la bataille de Monte Cassino. Il avait été tué par une mine.

Je n'avais jamais ressenti autant de peine et de colère. J'avais conscience de la guerre et de ses ravages, j'avais vu des gens perdre des êtres chers mais, d'une certaine manière, je ne m'étais jamais senti directement concerné jusqu'à ce jour-là. Je mesurai alors pleinement combien la guerre est cruelle et inutile.

Ensuite, la situation se dégrada sur le plan professionnel. On m'avait depuis peu chargé de récupérer les boîtes de rushes à mesure qu'ils étaient développés par les laboratoires, au nord de Londres, puis de les ramener en taxi à D'Arblay Street avant neuf heures du matin. Comme les films étaient constitués de nitrates très instables, je n'étais pas autorisé à prendre le bus ou le métro. Il fallait donc que je me lève aux aurores. Une ou deux fois, j'étais arrivé en retard. Et un jour, un seul, j'oubliai complètement d'y aller. Il n'en fallut pas plus. On ne vous donnait pas de seconde chance chez PPP. Je fus renvoyé.

Je pris les choses du bon côté. Il faisait beau. J'avais des amis à la piscine de Brockwell Park qui seraient ravis de me voir débarquer. Et trouver un autre emploi serait sûrement facile.

J'ai dit que la plupart de mes copains de piscine étaient plus vieux que moi. Certains, exemptés du service militaire, étaient figurants au cinéma. Un jour, je les accompagnai jusqu'au bureau d'Archie Woof, situé au-dessus d'une boutique en face du Garrick Theatre, sur Charing Cross. Les figurants potentiels s'y entassaient, pleins d'espoir, dans la salle d'attente, guettant la tête d'Archie qui apparaissait par une ouverture aménagée dans le mur. Il observait rapidement les candidats du jour, puis désignait les heureux élus en disant :

— Bon. Vous et vous, sept heures, demain matin, à Elstree. Vous et vous, six heures et demie à Denham.

Après deux jours, ce fut mon tour d'être choisi. Je devais être le lendemain de bonne heure aux studios de Denham pour *César et Cléopâtre*. Je n'en savais pas davantage sur mon nouveau travail.

Le train du matin, rempli de futurs légionnaires et de citoyens de Rome, valait le coup d'œil. Les vieux briscards de la figuration organisaient déjà les tables de poker. Arrivé à la gare de Denham, je me contentai de suivre la foule pour trouver le studio. Dix minutes plus tard, j'arrivai devant l'imposant portail des London Film Productions, société dirigée par l'immense Sir Alexander Korda.

À notre arrivée, un assistant nous dit ce que nous allions être – soldat, centurion, citoyen – et nous envoya vers nos tentes de costumes respectives. Vêtu de ma toge rouge et de mes sandales, je suivis les autres figurants pour prendre le petit déjeuner : Rome ne part pas en campagne le ventre vide. Tandis que je digérais mon sandwich au bacon, j'appris que la charmante Vivien Leigh jouait le rôle de Cléopâtre et Claude Rains, celui de César. Je les connaissais, bien sûr, ayant fréquenté assidûment les salles de cinéma. Je me dis que j'allais bien m'amuser.

Le troisième assistant me demanda de me joindre à un groupe de légionnaires qui attendaient debout, et je passai le reste de la matinée à regarder Stewart Granger, mon héros, dire quelque chose comme « j'ai des ailes aquatiques, soldat! » avant de plonger dans une grande cuve d'eau qui représentait probablement le Nil ou le Tibre.

On me demanda de revenir le lendemain, puis le jour d'après, et encore le suivant. Trente shillings par jour, un ou deux bons repas en prime... Pas mal pour un animateur au chômage! Le quatrième ou cinquième jour, tandis que je me préparais à quitter le plateau avec mes amis de la piscine, un assistant me dit que le coréalisateur voulait me voir. Vraiment? Est-ce que j'allais être renvoyé?

C'était tout le contraire. Un gros Irlandais jovial nommé Brian Desmond Hurst (que l'on surnommerait plus tard l'Impératrice d'Irlande) réalisait le film avec Gabriel Pascal, et il voulait savoir comment j'étais arrivé là. Je me demandai s'il y avait un problème avec ma toge. Était-elle trop courte? Après un résumé de ma – fort brève – carrière, il me demanda si cela m'intéresserait de devenir acteur. Bien sûr, que ça m'intéressait! Je m'étais entraîné, chaque soir avant de me coucher, à déclarer « j'ai des ailes aquatiques, soldat! » et je trouvais que j'y parvenais presque aussi bien que M. Granger.

M. Hurst demanda donc à rencontrer mes parents et, sans autre préambule, parla de m'envoyer à la Royal Academy of Dramatic Art (RADA). Ce soir-là, en sortant du métro à la station Oval, mes pieds touchaient à peine terre tandis que je me précipitais vers Albert Square. À mi-parcours, je me mis à crier:

— Maman! Maman! Je vais être Stewart Granger!

Quelques jours plus tard, papa rencontra M. Hurst, qui estimait que j'avais un potentiel certain. Si mes parents pouvaient me soutenir financièrement, et si je réussissais l'examen d'entrée à l'académie, il se chargerait des frais de scolarité. Papa était fou de joie. Comédien amateur passionné, il voyait certains de ses rêves sur le point de prendre forme à travers moi. Pour ma part, dès que j'entendis la proposition de Brian Desmond Hurst, je décidai de devenir une star. Il ne me vint jamais à l'idée que je pourrais être forcé de cachetonner. Avec l'insouciance de la jeunesse, je me lançai donc à la conquête de mon nouveau rêve.

M. Hurst m'aida à préparer des textes en vue de mon audition à la RADA. J'avais choisi un monologue de *The Silver Box* de John Galsworthy et un passage de *The Revenge* de Tennyson.

En attendant le jour de l'examen, Archie Woof m'envoya faire quelques autres figurations, notamment sur le premier grand film de Hazel Court, *Gaiety George*. Je fus aussi engagé pour jouer un marin, assis dans un train face à la charmante Deborah Kerr – ô frisson exquis! – dans *Perfect Strangers*. Ces petits cachets me faisaient croire que j'étais devenu un acteur, une vilaine habitude qui me passa par la suite.

Mes genoux tremblaient tandis que je m'avançais sur la scène du petit théâtre que la RADA occupait sur Gower Street, après que son immeuble avait été bombardé. Je fus tout juste capable de réciter mon texte et évitai le trou de mémoire.

Ce jour-là, je compris aussi que j'avais trouvé ma vocation.

Ayant réussi l'examen, je rejoignis trois autres garçons et seize filles au sein de la nouvelle promotion de l'école. Seize contre trois! J'en appris alors indéniablement davantage sur les filles que sur l'art dramatique.

À la RADA, j'étudiai tous les aspects du travail de la voix et de la diction. On m'apprit à parler « correctement », c'est-à-dire sans accent cockney, à pratiquer l'art du mime, l'escrime, la danse classique – qui n'était pas trop ma tasse de thé – et une discipline appelée « Mouvements de base » qui consistait à se plier et s'étirer en maillot de bain tout en agitant les bras...

Parfois, des personnalités étaient invitées à la RADA pour nous parler de leur vie et de leur carrière. Personne ne voulait rater ces conversations, généralement fort intéressantes et instructives. Je me rappelle en particulier la venue de Mme Flora Robson, une superbe comédienne et une personne très chaleureuse. Au terme d'un exposé prenant, où elle nous parla des nombreux acteurs et metteurs en scène qu'elle avait côtoyés au théâtre et au cinéma, elle accepta de répondre à nos questions. Une frêle jeune fille leva la main.

— Madame Flora, comment se fait-il que vous soyez si laide à l'écran alors que vous n'êtes pas si mal aujourd'hui?

Un silence pesant s'abattit sur l'assemblée. Comment pouvait-on poser une question aussi stupide à l'une des meilleures actrices au monde?

Les yeux de Mme Flora se posèrent sur ma camarade et elle lui décocha un sourire angélique.

— Si vous avez un jour la chance d'avoir un rôle dans un film, répondit-elle, vous découvrirez ce qu'on peut faire avec le maquillage et les éclairages.

Il n'y eut pas d'autre question.

Notre classe joua trois pièces au cours du premier trimestre. Je fus un très jeune professeur Higgins dans *Pygmalion* – j'en frémis encore –, le roi dans quelques scènes d'*Henry V* et un fringuant Percy dans *Orgueil et préjugés*, avec Lois Maxwell dans le rôle d'Elizabeth. Lois deviendrait par la suite la première Miss Moneypenny des films de James Bond, et je serais ravi de travailler avec elle sur les sept que nous tournerions ensemble, ainsi que sur *Le Saint*.

Un autre de mes camarades était Tony Doonan, fils du comédien George Doonan et frère de Patric Doonan, dont la carrière était alors en pleine ascension mais qui se suicida à l'âge de trente-trois ans. Yootha Joyce, qui faisait aussi partie de notre classe, devint célèbre dans le rôle de l'inébranlable Mildred Roper dans les séries *Man About the House* et *George and Mildred*.

Une jolie blonde répondant au nom exotique de Doorn Van Steyn nous rejoignit avec d'autres au cours du trimestre suivant. C'était une patineuse de renom. Nous sortîmes ensemble, comme on dit.

Brian Desmond Hurst appelait parfois pour prendre des nouvelles de mes études ou me proposer d'aller au théâtre avec lui et quelques amis, et j'avais fini par comprendre que Brian était gay – mais à l'époque, ce mot avait une signification toute différente. Brian prévenait régulièrement ses amis que je n'étais pas de leur bord, ce qui devint clair pour tout le monde lorsque Doorn entra en scène.

Je me souviens d'un soir où je manquai une occasion de me taire et prononçai une de ces tirades ridicules dont j'avais le secret. J'étais très imbu de moi-même ! Brian m'avait invité à passer chez lui, sur Kinnerton Street, à Belgravia, un soir après mes cours, pour me présenter à quelques-uns de ses amis. Je ne sais pas s'il voulait tester mes éventuels penchants homosexuels, mais je me retrouvai assis dans un de ces canapés Knole[1] entre Godfrey Winn, un écrivain réputé, et le dramaturge Terrence Rattigan.

Godfrey racontait de façon plutôt explicite qu'à mon âge il était, lui aussi, le plus bel homme de Londres. Prenant ma voix la plus grave, je l'interrompis :

— Mais je ne suis pas une pédale, vous savez !

Il y eut un grand silence pendant lequel Godfrey caressa pensivement sa calvitie. M. Rattigan commença à dire quelque

---

1. Une banquette avec de hauts accoudoirs reliés par un cordon tressé. (*N.d.T.*)

chose mais, sans prendre le temps de l'écouter, je répétai que ce n'était pas mon truc, leur demandai de m'excuser et me levai pour aller me servir un verre.

Quelques minutes plus tard, je tombai sur Brian, qui arborait un large sourire. Il semblait avoir pris un plaisir sadique à assister à ma minute de panique. Je ne suis pas homophobe mais j'étais à l'époque un jeune mâle vigoureux, selon l'expression consacrée, avide de prouver sa virilité. Quitte à recevoir de telles marques d'intérêt, je préférais qu'elles vinssent de membres du sexe opposé !

Doorn, née Lucy Woodard à Streatham cinq ans avant moi, était une vraie Londonienne. Patineuse de talent, elle était apparue dans quelques films, des revues et des spectacles sur glace. Pour lui plaire, j'appris à patiner.

Elle partageait une maison à Streatham avec deux amis gallois, Betty et Lee Newman, qui avaient remporté plusieurs compétitions de danse. Ils faisaient tous les deux de la figuration. Lee était même la doublure du jeune premier romantique Michael Wilding. La maison, aux allures provinciales, se dressait à l'écart des voisins, au milieu de son propre parc. Même si je continuais à habiter chez mes parents, j'y passais souvent la nuit. Mais je prenais soin de toujours dire à maman que j'avais dû dormir sur le canapé après avoir raté le dernier bus, dans l'espoir un peu naïf de lui faire croire que son petit garçon était toujours innocent.

Comme la plupart des étudiants, nous étions tout le temps fauchés, mais il se trouvait toujours quelqu'un dans la bande pour accepter de mettre en commun ce qu'il possédait, et se montrer généreux en offrant repas ou boissons. Nous étions six à aller régulièrement dans un restaurant chinois de Gerrard Street, bien avant que le quartier ne devienne Chinatown. Nous prenions chacun un plat à six pence que nous partagions ensuite. C'était la belle vie. Après les cours, nous nous rendions souvent dans un petit café, près de la station de métro de Goodge Street. Par égard envers les autres clients, les patrons nous mettaient dans une salle à l'étage où nous pouvions rassembler les tables en une scène de fortune pour des spectacles improvisés. Il y avait aussi la brasserie Lyons, où nous étions plusieurs à profiter du buffet. On pouvait y manger à volonté pour un shilling et six pence. Et c'est exactement ce que nous faisions.

Un jour, au Lyons de Coventry Street, je fus abordé avec deux amis par un homme d'âge mûr qui demanda s'il pouvait s'asseoir avec nous et proposa de nous offrir du vin. Pourquoi pas ? Il suggéra ensuite que nous allions boire un verre chez Murphy's, un bar irlandais de Piccadilly. Nous voyions clair dans son jeu car – j'ose le dire ici – nous étions plutôt jolis garçons.

— D'accord, répondis-je. Mais avant nous aimerions un gin tonic.

Pendant qu'il allait passer la commande, nous nous éclipsâmes par la deuxième porte, sur Shaftesbury Avenue, le laissant en plan avec quatre verres et une addition salée. Pas très sympa, j'en conviens.

Dickie Lupino était un personnage haut en couleur de la classe de Doorn ; nous devînmes rapidement bons amis. Il était le neveu d'un acteur anglais célèbre, Lupino Lane, et le cousin de la star hollywoodienne Ida Lupino. Il connaissait donc un peu le métier. Dickie était doté de nombreux talents ; c'était notamment un tapeur exceptionnel. Nous l'envoyions toujours dans les bus pour demander aux passagers de lui vendre une cigarette. Tous ceux à qui il demandait lui en donnaient, et aucun n'acceptait jamais d'argent.

À la fin de la guerre, vous ne pouviez acheter de cigarettes qu'auprès d'un buraliste qui vous connaissait. Je fumais à cette époque des choses vraiment répugnantes, notamment une marque qui vous faisait perdre la voix. Mais comme je n'avais que trois répliques dans la pièce que je jouais à ce moment-là, ça ne me dérangeait pas trop. Je fumais aussi des Joystick, qui étaient suffisamment longues pour pouvoir être coupées en deux. Et puis il y avait les « spéciales », des paquets contenant des cigarettes dépareillées : des turques, d'autres qui sentaient le crottin de cheval, des virginiennes et, si vous aviez de la chance, une Balkan Sobranie avec son papier noir. Autant dire que nous avions tous une dette envers Dickie quand il redescendait l'escalier du bus pour partager son butin avec nous.

Au cours de mon deuxième trimestre à la RADA, je fus autorisé à travailler à l'Arts Theatre Club dans une adaptation du *Cercle de craie*. Je ne connus pas le trac pour mes grands débuts devant des spectateurs payants. Je pris simplement une inspiration profonde et fonçai, en me disant qu'il ne s'agissait que d'un travail, après tout. Cette stratégie fonctionna parfaitement ce jour-là et cela a toujours été le cas depuis. Ma mère vint à la première représentation mais fut très contrariée de m'avoir raté. En fait, elle ne m'avait tout simplement pas reconnu sous le grand casque que je portais, comme la plupart des comédiens de la troupe.

Un des aspects qui me plaisaient dans le théâtre professionnel était que Sir Kenneth Barnes, le fondateur et directeur de la RADA, n'était plus là pour sans cesse grommeler et crier depuis sa loge, au fond de l'orchestre, « je n'entends rien ! ». Sir Kenneth, que nous surnommions Mamie Barnes, voulait former des jeunes gens bien élevés. Pour dire la vérité, il était un peu snob. J'en reçus une preuve irréfutable peu de temps après avoir été nommé officier. J'étais sous les drapeaux depuis un an et je passai un jour à la RADA pour saluer Morecambe, le concierge. Tandis que nous bavardions, Mamie Barnes sortit de son bureau.

— Alors, jeune Moore. Officier, hein ? Très bien. Quel régiment ?

— Je ne suis d'aucun régiment, Sir Kenneth, répondis-je. J'appartiens aux services de ravitaillement.

Il renifla, me regarda comme si mes chaussures avaient laissé des traces douteuses sur sa moquette et tourna les talons en marmonnant :

— Hum, oui, bon... Très bien.

En avril 1945, je travaillai pour la deuxième fois à l'Arts Theatre Club dans *Un chapeau de paille d'Italie*. Dans le rôle d'un invité au mariage de la charmante Hélène et de M. Fadinard, je devais chanter et danser, affublé d'un chapeau haut de forme trop grand qui me tombait sur les oreilles. Ma mère vint me voir et, cette fois encore, ne me reconnut pas sous mon accoutrement. Quel acteur je devais être pour réussir à disparaître ainsi derrière mes personnages ! En tout cas, j'étais payé sept livres par semaine, les choses se présentaient donc bien.

La guerre prit fin en Europe le 8 mai 1945. Le soir de la Victoire, Tony Doonan – qui était mon partenaire à l'Arts Theatre –, Doorn et moi nous joignîmes à un groupe d'étudiants surexcités de la RADA pour chanter et danser avec la foule à Leicester Square, Piccadilly et Trafalgar Square, où nous finîmes entre les pattes du lion situé à droite de la colonne de Nelson. En chemin, nous avions dérobé l'enseigne d'un pub justement dénommé Le Lion Rouge. Nous étions fous de joie. Fini les bombardements ! Nos braves soldats seraient bientôt de retour. Les gens dansaient et s'embrassaient comme jamais, et je pense que Doorn et moi ne fûmes pas en reste. Je dis « pense » parce que je n'ai conservé aucun souvenir de cette nuit mémorable !

En dépit de Mamie Barnes, j'étais très heureux à la RADA. Tous les élèves de ma promotion étaient consciencieux et, pour la plupart, talentueux. Les nouvelles pièces étaient accueillies avec beaucoup d'enthousiasme et tout le monde se donnait à fond à chaque répétition. Comme à l'école, les études me semblaient faciles à la RADA. Ayant déjà travaillé en tant que figurant, j'avais en outre un avantage sur certains élèves, même si la plupart étaient plus âgés que moi. Je me sentais plus adulte qu'eux, j'en savais davantage sur la vie. Je ne peux pas dire que j'étais un élève particulièrement brillant, mais à quoi se mesure le succès d'un acteur ? Aux récompenses ? Aux médailles ? En recevoir est formidable mais, après tout, elles ne garantissent pas le succès.

À la fin de ma première année, correspondant à mon dix-huitième anniversaire, la perspective du service militaire approchant, je décidai de quitter l'Académie afin d'acquérir un peu plus d'expérience professionnelle... et glaner quelques cachets.

3

Vive l'armée

« Fini la branlette, tous à vos chaussettes ! »

J'avais entendu dire que le metteur en scène Norman Marshall préparait une saison à l'Arts Theatre de Cambridge autour de pièces de George Bernard Shaw, notamment *Androclès et le lion* et le médiocre *Passion, poison et pétrification*. Ayant décidé d'apprendre mon métier sur le terrain plutôt que dans une école, je me présentai à l'audition et décrochai un second rôle.

Je trouvai à me loger sur Trumpington Street avec un autre copain rencontré à l'académie, Patrick Young. Pour la première fois, je ne vivais plus ni chez mes parents ni dans une famille d'accueil. Ma vie avait bien changé !

Patrick et moi préparions nous-mêmes nos repas à l'aide d'une petite plaque électrique installée dans un coin de la pièce. Nous mangions ce que nous voulions, quand nous le voulions, sans avoir de comptes à rendre à quelque mère poule que ce soit. Nous ne nous contentions d'ailleurs pas de manger, nous buvions aussi beaucoup, ayant développé un penchant marqué pour la bière ou le cidre. Après nos festins, généralement constitués de boîtes de conserve, nous nous distrayions en jetant des préservatifs remplis d'eau sur la tête des passants.

Notre pièce attira l'attention de nombreux étudiants de l'université de Cambridge, tout du moins ceux qui s'intéressaient au théâtre. Un jour, l'un de mes plus fervents admirateurs m'invita à prendre le thé chez lui à Magdalene College. Il m'appelait « mon chou », et cela aurait dû me mettre la puce à l'oreille. En effet, il me sauta dessus avant d'avoir versé le thé. Je tombai littéralement à la renverse par-dessus son canapé et, m'étant relevé, tentai de prendre poliment congé mais Casanova revint à la charge. Je pris mes jambes à mon cou et découvris alors que je courais nettement plus vite que lui. J'arrivai chez moi à bout de souffle.

— Que t'arrive-t-il? demanda Patrick.

Je lui racontai ce qui s'était passé, et mon colocataire éclata de rire, sidéré de constater que je ne m'étais douté de rien. J'étais vraiment naïf, à cette époque! Nous partîmes ensuite pour la représentation du soir et je priai pour que mon Casanova ne soit pas installé dans les premiers rangs. Je portais, une nouvelle fois, une toge romaine, mais je veillai cette fois à ce qu'elle descende plus bas que celles de mes partenaires afin de ne pas m'attirer d'ennuis.

À l'époque, nous jouions une pièce par semaine. Un jour, pendant les répétitions, je me sentis vraiment mal, incapable de me concentrer. Mes urines étaient par ailleurs très foncées. Une rapide visite chez le médecin me confirma que j'avais la jaunisse. Aussi déclara-t-il que je devais rentrer à Londres pour me reposer. Ainsi s'acheva momentanément ma carrière théâtrale. Avant de partir, il me fit cependant passer la visite médicale pour le service militaire. Ayant rempli mon gobelet d'une urine aussi sombre qu'une chope de Guinness, je n'en fus pas moins déclaré apte. Drôle de médecin!

Quelques semaines plus tard, gavé de glucose et rétabli, je quittai à nouveau ma famille, échangeai quelques baisers baignés de larmes avec Doorn et présentai mon ticket au chef de quai à la gare de Paddington. Puis je fus aiguillé vers Bury St Edmunds pour six semaines d'instruction militaire dans le régiment Beds and Herts. Notre groupe de trente boutonneux empotés fut installé dans un bâtiment en tôle au centre duquel trônait un poêle à bois. Des couchettes superposées étaient agencées le long du mur. Les places furent tirées à pile ou face. Ayant choisi pile, j'obtins le lit du haut.

Après avoir déposé nos affaires, nous nous efforçâmes de marcher au pas jusqu'aux entrepôts où l'on nous remit uniforme et paquetage: chaussures, gamelle, couteau, fourchette et cuillère. Tandis que nous regagnions notre baraquement, les bras chargés des cadeaux de l'intendance, je remarquai à quel point plusieurs sergents et caporaux se montraient serviables et attentionnés.

— Eh bien, mon gars, qu'est-ce que tu dirais d'une retouche à cette veste trop grande pour toi? Et un joli pli à ton pantalon? Comme ça, t'auras l'air d'un vrai petit soldat. D'accord?

Cette générosité avait évidemment un prix : les trente shillings de ma première solde. Le lendemain matin, je découvris combien j'avais eu de la chance en obtenant la couchette du haut. Mon voisin du dessous avait entendu dire, à tort, que l'incontinence nocturne était un motif d'exemption automatique. En conséquence, le sol était inondé d'urine. En prenant soin de ne pas mouiller les chaussettes que j'avais gardées aux pieds pour ne pas avoir froid, je bondissais au-dessus de la flaque lorsqu'un adjudant fit irruption dans la pièce en hurlant ce qui allait devenir un cri de ralliement familier :

— Allez ! Fini la branlette, tous à vos chaussettes ! Debout là-dedans, bande de larves ! Je vais faire de vous des hommes, moi ! Tout le monde dehors, sur deux rangs, et à la toilette ! Vous avez intérêt à vous raser de très près, parce que je ne veux pas voir un poil qui dépasse !

Je me lavai et me rasai à l'eau froide, grelottant dans le matin de novembre, je peignai les quelques cheveux qui avaient échappé au coiffeur militaire et j'enfilai mon uniforme. Il m'allait plutôt bien, comparé à ceux dont d'autres avaient hérité. Munis de notre gamelle et de nos couverts, nous partîmes prendre notre petit déjeuner, vaguement répartis sur trois rangs. Une armée ne se met certes pas en marche le ventre vide, mais je me souviens m'être dit qu'avec la quantité de porridge, d'œufs sur le plat – froids –, de bacon, de haricots, de patates, de tartines et de thé brûlant qui nous fut servie, nous aurions facilement pu faire l'aller-retour jusqu'en Écosse !

L'instruction militaire consistait à nous apprendre à marcher, tirer, assembler un fusil-mitrailleur, présenter les armes, nous mettre en rang et nous disperser, toucher notre solde, aller au foyer ou à la cantine, cirer nos chaussures, repasser nos uniformes et saluer. Quand nous en avions le temps, nous étions encouragés à écrire à nos proches. Mes lettres pouvaient être classées en deux catégories :

« Chers maman et papa,
Je vais bien. J'espère que vous aussi.
Votre fils qui vous aime,
Roger. »

ou

« Ma Doornichette chérie,
J'attends la prochaine permission avec impatience.
Tu me manques. Je t'aime.
Mille baisers,
Roger. »

À la fin de ces six longues semaines de classe, on nous communiqua nos affectations.

— Service R pour toi, mon gars ! me dit le sergent du peloton.

De quoi pouvait-il bien parler ? Avait-il voulu dire « service Air » ? En fait, il pensait me recommander pour le service des renseignements mais, en découvrant que je ne comprenais rien à ce qu'il disait, il changea d'avis.

Pendant quelque temps, j'eus l'impression qu'ils ne savaient pas très bien ce qu'ils allaient faire de moi. Après avoir partagé mon dortoir avec vingt-neuf autres recrues, je me retrouvai pratiquement seul. On me fit dessiner des affiches de recrutement pendant plusieurs semaines, puis on m'informa que je devais me présenter au WOSBY, le comité de sélection du ministère de la Défense, où je serais évalué en vue d'une formation d'officier. Je passai une série de tests pendant quatre jours, quelque part dans le sud de l'Angleterre, durant lesquels j'appris à commander, à faire traverser une rivière à dix hommes ou à ne pas manger des petits pois avec un couteau... Mais il y avait aussi de bons côtés, notamment la présence d'une très jolie auxiliaire féminine plutôt enjouée. Je me suis toujours demandé pourquoi réussir à entrer et sortir de la caserne avec elle sans se faire prendre ne faisait pas partie des examens.

Au terme de mon évaluation, j'obtins une permission, destinée sans doute à leur laisser le temps d'analyser mes résultats. Je fonçai donc à Londres pour rejoindre les bras de ma bien-aimée et profiter des bons petits plats de maman qui m'avaient tant manqué.

Ces quelques jours passèrent avec une rapidité déconcertante, et je me retrouvai bientôt à Wrotham, dans le Kent, pour le Pre-OCTU, l'unité de formation des officiers, où je pus m'en donner à cœur joie sur le champ de tir. Il fut à nouveau question de faire traverser une rivière à dix hommes et de les faire charger à la baïonnette à flanc de colline. Mais j'en appris davantage sur l'art de marcher au pas, de conduire un camion et de me déplacer à moto. Les militaires semblaient penser que savoir conduire un engin de ce type était la chose la plus naturelle au monde. Après quelques instructions sommaires, ils nous firent rouler dans le camp pour voir si nous étions à l'aise, puis nous envoyèrent directement sur les routes.

Un matin, à Dartford, je descendais une pente fort raide lorsqu'un policier se mit sur mon chemin, le bras levé. Constatant que je ne pourrais pas m'arrêter, je braquai brusquement à droite et finis ma course à l'intérieur d'un magasin !

Je serai par ailleurs éternellement reconnaissant au Pre-OCTU de m'avoir donné l'occasion d'apprendre quelques jurons néerlandais fort utiles, grâce à la vingtaine de cadets hollandais avec qui je partageais mon baraquement.

Ayant prouvé ma compétence dans tous ces domaines, je fus envoyé à la caserne Buller d'Aldershot pour le Basic OCTU. Encore un nom bizarre, mais passer de Pre à Basic était la preuve que je progressais ! Je commençai une formation en transport et fournitures avec le grade d'officier cadet du Service royal de ravitaillement. Encore de l'exercice, encore des « à gauche, gauche ! » et des « en avant, marche ! Une-deux, une-deux ! ». Mon séjour à Aldershot était supportable car j'avais davantage de permissions le week-end et il était facile de prendre le train pour retrouver Londres et ma chère Doorn.

Au terme de ma formation à Buller, j'eus droit à quelques jours de permission supplémentaires que je mis à profit pour faire progresser ma carrière. Lee Newman, qui habitait la même maison que Doorn à Streatham, était, je l'ai dit, la doublure de Michael Wilding. Celui-ci partageait la vedette du film *Piccadilly Incident* avec Anna Neagle. Comme il s'agissait d'une histoire d'amour pendant la guerre, de nombreuses scènes avec des militaires étaient nécessaires, et j'avais entendu dire qu'il suffisait de posséder son propre uniforme pour obtenir un rôle, ce qui était évidemment le cas de l'officier cadet Moore.

Je pris le premier train du matin pour Welwyn Garden City et me présentai aux studios. Un assistant réalisateur me dit que mon uniforme « avait l'air d'un vrai », ce qui était plutôt rassurant, et il me demanda d'attendre pendant qu'ils décidaient de ce que j'aurais à faire. Je patientais en buvant une tasse de thé quand je sentis quelqu'un m'observer. L'assistant vint ensuite me dire que M. Herbert Wilcox, réalisateur du film et mari de Mme Neagle, voulait me parler.

M. Wilcox m'expliqua que sa femme était curieuse de savoir si j'étais vraiment dans l'armée. Je répondis que c'était le cas, avant d'ajouter que j'avais été inscrit à la RADA et que j'avais joué quelques pièces à Cambridge. Cela parut l'intriguer. Il me demanda alors de m'asseoir à table avec Michael Wilding et de rire quand il parlerait. Ce que je fis avant même le début de la scène, et sans m'arrêter de toute la journée. Des années plus tard, quand nous étions tous deux à la MGM, Michael Wilding me glissa que j'avais été bien aimable de rire de ses plaisanteries et que ça l'avait énormément aidé à se détendre. Quel compliment !

À la fin de la journée, M. Wilcox me proposa de reprendre contact avec lui à la fin de mon service militaire.

Fondu, comme on dit au cinéma, sur une autre scène, quelques années plus tard. Doorn avait décroché un petit rôle dans un autre film du duo Wilcox-Neagle, *Le printemps chante*, qui se tournait aux studios de Borehamwood. J'avais quitté l'armée et tenté, sans succès, de joindre Herbert Wilcox par l'intermédiaire de son agent, Pat Smith. Décidé à saisir ma chance, je me rendis au studio pour déjeuner avec Doorn, à l'affût du grand réalisateur. En me rendant aux toilettes, je m'aperçus que mon voisin d'urinoir n'était autre que M. Wilcox en personne ! L'occasion était trop belle.

— Hum ! dis-je en m'éclaircissant la voix. Monsieur Wilcox, j'ai essayé de vous...

Avant que j'aie pu finir ma phrase, il se reboutonna et s'enfuit précipitamment, persuadé qu'un jeune homme lui faisait des avances.

Moralité : n'essayez jamais d'aborder quelqu'un dans les toilettes !

Michael Caine me raconta un jour que John Wayne lui avait conseillé de ne jamais porter de chaussures en daim. Apparemment, le Duke s'était trouvé un jour dans une pissotière à côté de quelqu'un qui, l'ayant reconnu, s'était exclamé « mon Dieu, vous êtes John Wayne ! » tout en se tournant vers lui sans cesser d'uriner...

Au terme de ma formation à Aldershot, on m'informa que les officiers potentiels allaient être envoyés non loin de là, à la caserne Mons. Je fus placé sous les ordres de l'adjudant-chef Tubby Brittain des Coldstream Guards : un mètre quatre-vingt-dix, le regard perçant et une voix capable de briser une fenêtre à trente kilomètres.

— À vos rangs, fixe ! En avant, marche ! En ordre de revue ! Gardez vos distances ! Plus vite ! Attendez un peu ! Plus vite !

Nous venions tous de régiments différents mais, à cent mètres, il était capable de nous identifier à l'insigne de notre casquette.

— Hé, toi, le paresseux du ravitaillement ! C'est le moment de te réveiller !

Il m'arrive encore d'entendre sa voix en rêve. Je me demande parfois si mon grand-père, l'adjudant-chef Pope, faisait aussi peur à ses hommes pendant la Première Guerre mondiale que l'adjudant-chef Brittain me terrorisa.

Pendant le Final OCTU, qui vint logiquement après le Pre et le Basic, je me fis confectionner un uniforme chez Austin Reed sur Regent Street. Les galons étaient cousus sur la veste mais, à l'instar des insignes de ma casquette, ils devaient être couverts d'un bandeau blanc jusqu'à ce que je reçoive mon diplôme. Nous étions toutefois autorisés à porter l'imperméable réglementaire des officiers, qui n'a pas de galons. À l'extérieur de la caserne, nous enlevions évidemment tous nos bandeaux afin de passer pour de vrais officiers. C'était pratique pour se faire saluer par les subalternes, même si j'étais probablement un des seuls à en abuser. Quel incorrigible frimeur...

Après avoir réussi l'examen, je profitai de quelques jours de permission pour partir avec mes parents chez tante Nelly et oncle Peter à Portsmouth. Arrivés à la gare, comme nous ne connaissions pas le chemin, je m'approchai de deux policiers militaires qui, voyant arriver ce jeune blanc-bec dans son uniforme chic de sous-lieutenant, n'attendaient qu'une occasion de se payer sa tête. Ils se mirent donc au garde-à-vous dans un salut impeccable. En voulant leur répondre, je laissai tomber ma badine puis mes gants. Je parie qu'ils en rient encore.

Avec mes nouveaux galons, je pris le bateau pour l'Allemagne afin d'intégrer l'armée britannique du Rhin, où je fus affecté à un dépôt d'approvisionnement dans le Schleswig-Holstein. En dépit de mon manque total d'expérience, on me confia le commandement du dépôt et de ses cinquante soldats et sous-officiers. J'avais heureusement sous mes ordres un formidable sergent-chef qui connaissait parfaitement son affaire et tout se passa plutôt bien.

Le dépôt était placé sous l'autorité de l'armée de l'air, et tous les problèmes disciplinaires devaient être réglés par la Royal Air Force (RAF). La plupart de ces problèmes concernaient des broutilles telles que des insignes oubliés ou des uniformes mal boutonnés. Lorsque je demandais à mon sergent la punition qu'il estimait appropriée, il me répondait invariablement : « C'est vous qui voyez. » Comme je n'ai jamais été très porté sur la discipline, je classais les dossiers sans suite. Tout se déroulait à merveille jusqu'à ce que je reçoive un appel du chef de la police militaire de la RAF, qui voulait savoir si j'allais continuer longtemps à me montrer aussi laxiste. Heureusement, il avait le sens de l'humour et le problème se régla au club des officiers, quand j'acceptai de lui rapporter des œufs frais, du beurre et d'autres douceurs d'un voyage d'approvisionnement au Danemark.

Peu de temps après, j'obtins une permission et partis dans l'heure retrouver les bras de ma bien-aimée. C'est à ce moment-là que nous décidâmes de nous marier. Trop jeunes, à dix-neuf ans ? Peut-être, mais je me sentais très mûr pour mon âge. Et puis nous pouvions bénéficier de l'allocation de mariage, un complément de revenus fort appréciable. J'ai toujours eu l'esprit pratique.

Nous nous mariâmes le 9 décembre 1946, à la mairie de Wandsworth, lors d'une cérémonie toute simple. Fleur, la sœur de Doorn, et mon père étaient nos témoins. Il n'y avait que quelques membres de nos deux familles dans l'assistance. Dehors, il faisait un froid glacial.

Quelques mois plus tard, je fus muté de mon petit poste bien tranquille à un grand dépôt général situé à Neumünster, à une centaine de kilomètres de ma première affectation. Promu au rang d'officier en chef des entrepôts, je m'impliquai dans le soutien aux troupes en organisant des jeux de cartes comme le Monte-Carlo ou des quiz dans les différentes unités.

La Jeep qui me ramenait d'une de ces soirées eut une explication franche avec un arbre, que ce dernier remporta haut la main. Je précise que ce n'est pas moi qui conduisais. Commotionné, je ne pris conscience de l'accident que quelques jours plus tard, en me réveillant dans un hôpital militaire. Mes plaies à la tête et au menton avaient été recousues. Quelques semaines de repos m'aidèrent à comprendre que je n'étais fait ni pour les entrepôts ni pour l'armée. Les planches me manquaient et je décidai de demander ma mutation dans le service du théâtre aux armées (CSEU). Comme nous n'étions pas partis en voyage de noces, faute de temps, Doorn vint me rejoindre à l'hôpital pour être près de moi pendant ma convalescence. Hélas, une crise d'appendicite aiguë me renvoya aussitôt au bloc !

Ma décision était prise. À ma sortie de l'hôpital, après un bref passage dans la Brigade d'instruction n° 4, basée à Lippstadt, j'appelai l'officier responsable du CSEU, le lieutenant-colonel Sanders « Bunny » Warren, que je connaissais un peu. Dans le civil, Bunny était acteur. Avant la guerre, il avait notamment participé à une tournée de *The Desert Song* dans le rôle de l'Ombre rouge. Il me dit qu'il allait voir ce qu'il pouvait faire pour moi.

À mon grand soulagement, Bunny s'occupa de ma mutation presque immédiatement. Je me présentai donc bientôt au quartier général du CSEU, à Hambourg, en face de la gare centrale, dans ce qui était alors la Stadt Opera Haus, et qui est devenue, après rénovation, la Deutsches Schauspielhaus. J'y retrouvai la moitié des gens que j'avais connus quand j'étais à la RADA : le sergent Bryan Forbes, Joey Baker, Basil Hoskins, le dramaturge David Turner, Charles Houston, ainsi que des comiques comme George et Jimmy Page.

Les membres du CSEU vivaient à quelques centaines de mètres de l'hôtel Kronprinz. Quel changement par rapport à la vie militaire que j'avais connue jusqu'alors ! Nous n'étions plus soumis à une quelconque discipline, ni à ces marches et séances d'exercice que je redoutais tant. En fait, le seul événement un peu solennel était la distribution de la solde. Le capitaine George Fitches m'en confia la responsabilité. J'étais assis derrière un bureau, à côté d'un adjudant. À mesure que les hommes et les femmes défilaient devant moi, je leur remettais leur dû, en monnaie des forces armées britanniques. Ils devaient ensuite saluer, faire demi-tour et sortir du bureau. Une très jolie auxiliaire féminine, sans doute une ancienne danseuse, se présenta la première et me sourit. J'étais sur le point de lui rendre son sourire quand mes tympans faillirent exploser.

— Ne souriez pas à l'officier. Exécution ! hurla l'adjudant.

Elle ne me sourit plus jamais après cet épisode.

À ma grande surprise, je fus promu lieutenant et chargé d'organiser les déplacements des tournées du CSEU en Allemagne, en Autriche et en Italie. Je ne sais plus dans combien de salles nous jouâmes, mais elles se comptaient par dizaines. Les troupes de nos spectacles étaient composées à la fois de personnel militaire et de civils. Tous voyageaient ensemble dans des bus Bedford, tandis que le matériel suivait en camion, comme dans une véritable opération militaire. D'autant que l'un de nos artistes n'était autre que l'organiste Robin Richmond, « le seul homme si bien équipé qu'il lui fallait un camion pour transporter son gros instrument ».

Une autre de mes attributions était d'accueillir les artistes civils qui arrivaient d'Angleterre. Aurais-je pu rêver d'une vie plus agréable ? Un jour, j'eus à accompagner la célèbre Ivy Benson et son orchestre féminin depuis la gare d'Altona jusqu'à la gare centrale, juste en face de nos locaux, puis de là à l'hôtel Bocaccio, où descendaient souvent les artistes de passage. Une autre fois, on me chargea d'accueillir la ravissante Kay Kendall. Elle avait alors déjà tourné dans quelques films en Angleterre, le début prometteur d'une carrière qui fut tragiquement interrompue par la leucémie. À cette époque, mes boutons et mes chaussures brillaient tellement qu'elle me surnomma la Duchesse ! Ceci éveilla un intérêt tout particulier chez un autre artiste arrivé en même temps, Frankie Howerd qui, en dépit de tous ses efforts, se résigna en constatant que j'étais bien plus intéressé par Kay ou Ivy Benson et ses filles. Kay et Frankie sont restés mes amis toute leur vie.

Le salut militaire était rare dans les rangs du CSEU, sauf bien sûr lorsque nous étions en public et que les circonstances l'exigeaient. Le reste du temps, nous nous embrassions chaleureusement. Un jour, Bryan Forbes eut le malheur de ne pas saluer l'adjudant, qui était très à cheval sur le règlement. Celui-ci lui passa un savon et m'annonça qu'il allait faire un rapport au colonel pour signaler les libertés que nous prenions avec le protocole. Heureusement, le rapport arriva sur le bureau du lieutenant-colonel Bunny Warren, qui se contenta d'en sourire.

Il me restait trois mois à accomplir quand Bunny me proposa de participer à une tournée en tant qu'acteur. Un officier n'était pas censé jouer, mais le lieutenant Moore accepta avec enthousiasme le rôle du jeune homme dans *The Shop at Sly Corner*. Nous prîmes un grand plaisir à interpréter la pièce à Hambourg, Celle, Hanovre, Lübeck, Brême, puis à Trieste en Italie. Notre régisseur, qui venait d'y retrouver des amis rencontrés au Caire, en profita pour prendre une formidable cuite. Ça ne m'aurait fait ni chaud ni froid s'il n'avait dû entrer en scène au début du troisième acte dans le rôle d'un inspecteur de police qui enquête sur le meurtre. Je l'avais vu en coulisse entre le premier et le deuxième acte, et j'avais suggéré une cure intensive de café noir pour l'aider à dessoûler. Au début du troisième acte, l'inspecteur fit son entrée en titubant, sans dire un mot.

— Êtes-vous l'inspecteur de police ? demandai-je.

Il me regarda fixement et acquiesça d'un signe de tête.

— Et vous êtes venu enquêter sur la mort de... ?

J'essayai désespérément de lui souffler ses répliques.

Un autre signe de tête.

— Vous vous rappelez m'avoir rencontré à Oxford, n'est-ce pas ?

Il continuait à se balancer sur place tandis que je faisais les questions et les réponses.

Quand le rideau tomba, il était fou de rage.

— Espèce de salopard, tu m'as piqué toutes mes répliques !

— Tu es complètement saoul, rétorquai-je.

Il quitta la scène furieux et ressortit de sa loge en uniforme, dont il arracha les insignes d'adjudant en hurlant :

— Vous pouvez dire à cet enfoiré de Bunny Warren qu'il n'a qu'à se les foutre au cul !

Évidemment, il se réveilla le lendemain matin avec une gueule de bois phénoménale, et aucun souvenir des événements de la veille !

Vers la fin de 1947, après trois années sous les drapeaux, j'appris que j'avais été retenu pour un essai sur un film qui serait tourné à Pinewood, *Le Lagon bleu*. Jean Simmons devait en tenir le rôle principal et ils cherchaient quelqu'un pour celui du garçon. Bunny Warren m'accorda une semaine de permission pour passer l'audition. Je me rendis donc à Cuxhaven et trouvai une place sur un bateau pour Hull, d'où je pris le train pour Londres. Deux jours plus tard, revêtu de mon uniforme – mes vêtements civils étaient devenus trop petits pour moi –, je me présentai à Pinewood. J'étais loin de me douter à quel point ce coin du comté de Buckingham allait devenir important dans ma vie.

J'y fus accueilli par un homme qui deviendrait plus tard mon agent, Dennis Van Thal. Il me présenta au célèbre duo Frank Launder et Sidney Gilliat, respectivement réalisateur et producteur du film. Deux autres garçons et trois filles devaient également effectuer un essai ce jour-là. Comme le premier rôle féminin était déjà distribué, les filles savaient qu'elles ne seraient pas dans le film, mais Launder et Gilliat voulaient les voir en prévision d'autres projets. Ma partenaire face à la caméra s'appelait Claire Bloom, alors âgée de seize ans. L'un des deux autres acteurs était Larry Skyline, qui connaîtrait par la suite un grand succès sous le nom de Laurence Harvey, et deviendrait un très bon ami.

Vêtu d'un pagne et badigeonné de maquillage de la tête aux pieds pour me donner l'air bronzé, je m'efforçai de rentrer le ventre pendant tout le temps que dura l'essai. J'allai ensuite déjeuner avec les filles pendant que les deux autres comédiens rentraient chez eux. Emporté par ma générosité, je réglai l'addition sur ma maigre solde de l'armée.

Après avoir passé les jours qui me restaient avec Doorn, je retournai à Hambourg et attendis des nouvelles de Pinewood. Quand elles tombèrent, ce fut la déception : le rôle avait été attribué à Donald Houston.

Le rideau tomba pour la dernière fois sur la scène de *The Shop at Sly Corner*. Après m'être démaquillé et avoir bouclé mes bagages, je pris congé de mes copains du CSEU et quittai ma vie tranquille de lieutenant pour celle, bien moins agréable, d'acteur de vingt-deux ans, marié et sans emploi.

4

Retour à la vie civile

« Tu n'es pas très bon, alors contente-toi de sourire ! »

À la fin de notre service militaire, on nous donna un costume civil, en l'occurrence une veste de sport et un pantalon, histoire de bien démarrer dans la vie active. Au moins, les vêtements étaient-ils à ma taille !

Doorn et moi emménageâmes chez sa sœur à Streatham. Notre chambre, au premier étage, était petite mais très agréable et donnait sur le jardin. De plus, la salle de bains était située juste à côté. Dans un coin de notre chambre, nous disposions de deux plaques électriques pour préparer nos repas, principalement des fritures. Pour protéger le mur des éclaboussures de graisse, j'avais placé une peinture à l'huile de ma belle-mère derrière les plaques. Bien sûr, nous prenions bien soin de la nettoyer quand elle venait nous rendre visite !

Doorn avait un jeune fils d'une union précédente, Shaun, qui vivait à Southport chez ses grands-parents maternels. Nous n'aurions de toute façon pas eu beaucoup de place pour l'accueillir. Nous leur rendions visite de temps en temps et ils venaient nous voir à l'occasion, mais je ne fus jamais très proche de Shaun, bien que nous soyons encore en contact aujourd'hui.

Nous n'avions bien entendu pas beaucoup d'argent et les offres d'emploi n'étaient pas légion. Après trois ans de service militaire, il me fallait soudain repartir de zéro et tenter de me faire une place au théâtre. Je passai plusieurs auditions sans jamais décrocher le moindre rôle. Avant d'être appelé sous les drapeaux, j'avais pris un agent, un grand moustachu du nom de Gordon Harboard. Gordon me suggéra de me rendre aux auditions en uniforme, ce qui n'était pas une si mauvaise idée étant donné que c'était le seul costume décent dont je disposais. J'étais cependant toujours trop grand, trop petit, trop jeune ou ne convenais tout simplement pas. Heureusement, j'arrivais toujours à soustraire une avance d'une livre ou deux à la femme de Gordon, Eleanor, qui tenait les comptes.

Je me résolus à appeler Brian Desmond Hurst pour lui annoncer que je venais d'intégrer le rang prestigieux des acteurs au chômage. Il me répondit qu'il aurait un rôle pour moi dans sa prochaine pièce, *Trottie True*, mais pas avant plusieurs mois. Brian mais aussi Launder & Gilliat avaient laissé entendre que j'avais tout à fait le profil d'un acteur sous contrat pour la Rank Film Organization, à Pinewood. Hélas, suite à plusieurs échecs au box-office, la Rank rognait alors sur les dépenses et commençait à réduire le nombre de ses employés, une purge à laquelle seules de grandes vedettes comme Dirk Bogarde et Kenneth More survivraient.

Encore une déception !

Gordon suggéra de me mettre en relation avec Jimmy Grant Anderson, le directeur de l'Intimate Theatre, à Palmers Green, dans le nord de Londres. La troupe de l'Intimate avait très bonne réputation et le théâtre était fréquenté par les directeurs de casting. Le rendez-vous se passa bien et je fus engagé quinze jours plus tard au salaire royal de dix livres par semaine. Gordon prit une livre de commission, j'en rendis deux à Eleanor, mais je me sentais plein aux as et pas peu fier de moi. Si bien que je décidai de m'offrir le luxe d'un paquet de Passing Cloud, des cigarettes qui coûtaient un penny de plus que les Players ou les Gold Flake. Je m'assis au premier étage du bus qui me ramenait à la maison et défis l'emballage en cellophane de mon paquet en faisant beaucoup de manières, avant d'en extraire l'un des symboles de ma nouvelle fortune. Quel crâneur j'étais !

Les pièces de théâtre jouées pendant une semaine servaient de véritable centre de formation pour la plupart des comédiens britanniques. Dans tout le pays, l'organisation était la même : le lundi soir, on jouait une première pièce. Le mardi matin, on faisait une lecture de celle de la semaine suivante. L'après-midi, on apprenait son premier acte avant de jouer la deuxième représentation du soir. Le mercredi, on calait les deux derniers actes. Le jeudi, il y avait généralement deux représentations, ce qui ne nous laissait que la matinée pour répéter la pièce de la semaine suivante. Après d'autres répétitions et représentations les vendredis et samedis, on pouvait enfin se reposer le dimanche ! Le lundi, on peaufinait la nouvelle pièce dans la matinée, suivie d'une générale l'après-midi, avant le lever de rideau du soir.

Cela peut sembler complexe, mais je vous assure qu'on s'y faisait très vite. J'apprenais mon texte dès que j'avais un moment, dans le bus, dans le métro, à la maison ou, plus rarement, à l'hôtel. Comme la plupart de mes engagements étaient dans les environs de Londres, je rentrais souvent dormir avec Doorn. Je m'asseyais dans le bus avec le texte et je parcourais les lignes du doigt après avoir mémorisé chaque mot. Ce qui était aussi un bon moyen de montrer aux autres voyageurs qu'ils étaient en présence d'un acteur en plein travail !

L'autre manière de signifier que l'on exerçait l'un des deux plus vieux métiers du monde était de porter des lunettes de soleil à toute heure du jour et de la nuit, ce qui se fait toujours.

Ma première pièce à l'Intimate fut *Le passé ne meurt pas* de Noël Coward, dont Noele Gordon jouait le premier rôle. Au cours des répétitions, Jimmy Grant Anderson me dit un jour : « Tu n'es pas très bon, alors souris quand tu fais ton entrée ! »

Mes tantes Lily et Isabel, les sœurs de mon père, n'habitaient pas loin de Palmers Green et vinrent donc un soir me voir sourire. Alors que j'entrais sur scène, j'entendis une voix féminine s'exclamer :

— Il a vraiment les oreilles de son père !

Je piquai aussitôt un fard mais réussis à dire ma réplique sans éclater de rire.

Comme la plupart de mes repas étaient à base de haricots blancs, il m'arrivait régulièrement d'avoir des vents. Un soir, alors que je me dirigeais à l'avant-scène pour me réchauffer les mains devant l'âtre, tout en disant « Brr ! Il fait sacrément froid dehors », un long pet résonna dans le théâtre au moment où je m'agenouillai. Une seconde plus tard, le visage de la régisseuse adjointe apparut derrière la cheminée.

— Continue comme ça et tu vas casser la baraque ! murmura-t-elle sèchement.

Les trois premiers rangs, qui avaient entendu sa remarque, se tenaient les côtes.

À la rentrée, comme promis, Brian Desmond Hurst me donna un petit rôle dans *Ma gaie lady*. À vrai dire, je n'avais pas grand-chose à me mettre sous la dent : j'étais « un type devant l'entrée des artistes » du Gaiety Theatre, où Trottie True, interprétée par Jean Kent, se produisait. Mes répliques se réduisaient à des « ça alors ! » et autres « mazette ! », mais j'avais au moins un mi-temps pendant deux mois, à raison de six livres sterling par jour.

Comme il y avait vingt-neuf autres types devant l'entrée des artistes, nous étions entassés les uns sur les autres dans une grande loge aux studios Denham. J'y retrouvai deux de mes amis du théâtre des armées, Patrick Cargill et Peter Dunlop, qui deviendrait un agent très connu. Il y avait aussi un grand type un peu hautain qui m'annonça qu'il avait terminé son service avec un grade plus élevé que le mien. Malgré cela, nous devînmes bons amis. Il s'appelait Christopher Lee.

Noël fut synonyme de vache maigre cette année-là. Doorn n'avait pas plus de travail que moi et nous tirions le diable par la queue, mais j'étais persuadé que le succès était au coin de la rue. La vie n'était pas toujours facile mais, après tout, nous sortions de la guerre.

Je décrochai un rôle à la BBC au début de l'année suivante. À l'époque, il y avait seulement deux plateaux au siège de la chaîne, à Alexandra Palace, et les répétitions avaient lieu dans des églises ou des caves un peu partout dans la capitale. Ma première pièce, un mélodrame peu connu situé à la fin de l'ère victorienne, s'intitulait *La Gouvernante*. Écrite par Patrick Hamilton, elle racontait le kidnapping d'une jeune fille de bonne famille et le conflit opposant son père à l'inspecteur chargé de la retrouver. Je jouais le frère de la jeune fille. En y repensant, je suis encore sidéré par ma première réplique. J'entrais dans le salon en disant :

— Mère, que se passe-t-il donc ici ?

Je reçus d'autres propositions, pour la télévision et le théâtre, à l'Intimate et au Q Theatre, à Kew. C'est là qu'un ami photographe de ma femme suggéra que je pose pour des publicités afin de mettre un peu de beurre dans les épinards. On me présenta à Pat Larthe, qui dirigeait une agence de mannequins à Cambridge Circus. Dans le même immeuble, un agent du nom de Miriam Warner s'occupait d'acteurs de théâtre.

On dit qu'un jour deux hommes qui se tenaient la main furent introduits dans son bureau. D'emblée, elle leur annonça qu'elle n'engageait qu'une personne à la fois et s'entendit rétorquer :

— Nous travaillons toujours ensemble !

Elle les fixa calmement et lâcha :

— Je ne prends pas les pédés.

— Ah d'accord! répondit l'un. Mais je vous ferai remarquer que Jésus aussi était pédé.

— C'est sûrement pour ça que je n'ai jamais bossé avec lui, conclut Mme Warner. Cassez-vous!

Bien que je ne fusse pas très chaud au début pour faire ces photos, je décrochai nombre de contrats les deux années suivantes, principalement pour des magazines féminins. J'étais toujours le héros romantique des « récits vécus », ou le docteur dans *Woman's Own*. J'incarnai même David Niven quand l'un de ces périodiques publia des extraits de son roman autobiographique *Round the Rugged Rocks*. Il y avait aussi ces horribles tricots que je devais porter et qui me valurent bien des remarques sarcastiques de la part de Michael Caine, des années plus tard. J'appris néanmoins à accepter ces séances de bonne grâce car elles m'aidaient à arrondir les fins de mois tout en me laissant du temps pour me consacrer pleinement au théâtre.

Entre deux engagements, il m'arrivait d'être régisseur de plateau au siège de la BBC, pour une émission de variétés diffusée le jeudi soir qui joua un rôle de pionnier dans ce domaine, si populaire par la suite. J'y fis la connaissance de la toute jeune Julie Andrews et de Boscoe Holder, venu avec un des premiers orchestres de la Jamaïque. Geoffrey, le frère de Boscoe, apparut plus tard au générique de mon premier James Bond.

Pendant ce temps, Doorn enchaînait les spectacles de patinage, en Angleterre et sur le continent. Entre les tournées et les auditions incessantes, il nous arrivait de ne pas nous voir pendant de longues périodes, et ma femme commençait à perdre patience en ne me voyant pas percer dans le métier. Un jour, alors qu'elle revenait du Portugal, j'avais réussi à économiser de quoi aller la chercher en taxi à Victoria Station. Nos retrouvailles ne furent cependant pas très chaleureuses et Doorn finit par me dire sans aucun ménagement ce qu'elle pensait de mes capacités d'acteur.

— Tu n'y arriveras jamais. Ton visage est trop lisse, ta mâchoire trop grande et ta bouche trop petite.

Peu de temps après, je fus engagé pour la tournée de *Miss Mabel*, une pièce de R.C. Sherriff. Mary Jerrold, une actrice d'un certain âge, avait le rôle titre. Bien que tout à fait charmante, elle appartenait vraiment à la vieille école. Je me souviens qu'elle me confia tristement que les choses avaient bien changé depuis l'arrivée de la télévision. Elle avait joué dans quelques pièces pour le petit écran et un jour, dans le bus, un homme s'était penché vers elle et avait tout bonnement posé sa main sur son genou avant de lui dire :

— Encore bravo, Molly, ma femme et moi, on aime beaucoup ce que vous faites !

Elle avait été choquée que cet homme lui parlât de façon si cavalière, simplement parce qu'il l'avait vue dans son salon !

Je partageais une loge avec Arthur Lowe, qui deviendrait plus tard célèbre dans le rôle du capitaine Mainwaring de la série *Dad's Army*. Sa femme Joan était la régisseuse de la tournée, qui se passa bien malgré quelques hôtels miteux. Le pire de tous ceux dans lesquels nous descendîmes fut celui de Bath. Charles, un autre membre de la troupe, et moi découvrîmes en arrivant que nous devions partager une chambre sous les toits. Je détestais ne pas avoir ma propre chambre, mais nous n'avions pas le choix et, après tout, Charles était un garçon sympathique. Nos lits se trouvaient aux deux extrémités d'une pièce mansardée, le mien étant situé contre le mur de la chambre voisine. Il n'y avait pas de salle de bains dans l'hôtel et les toilettes étaient au rez-de-chaussée, quatre étages plus bas. Heureusement, nous disposions de pots de chambre, en cas de besoin !

Nous dînâmes dans notre chambre le premier soir. Le repas était tout juste acceptable : des saucisses avec de la purée, des feuilles de salade fatiguées et une sorte de pudding gélatineux accompagné d'une crème qui n'était pas de toute première fraîcheur. Nous n'avions pas encore croisé la tenancière puisque c'était une vieille employée, surnommée Tata, qui nous avait conduits à notre chambre.

Pendant la nuit, j'entendis un raclement de l'autre côté du mur.

— Charlie, tu dors ? chuchotai-je.

— Plus maintenant, imbécile !

— Tu entends ces raclements ?

— Ce sont probablement des souris... ou des rats.

Je n'y fis plus attention et me rendormis. Le lendemain matin, je décidai de savoir qui, homme ou animal, occupait la chambre attenante. En fait, il s'agissait de Mademoiselle Fifi, la strip-teaseuse qui s'effeuillait dans le théâtre en face du nôtre. Je découvris aussi que son lit était collé au mur et qu'elle l'avait partagé – comme elle le fit pratiquement toute la semaine – avec un compagnon plein de vigueur.

Ce vendredi-là, avant d'aller me coucher, je descendis les quatre étages pour me rendre aux toilettes. J'ouvris brusquement la porte, comme on le fait quand on est pressé, et tombai nez à nez avec Mademoiselle Fifi, culotte sur les chevilles, en train de fumer une clope. Elle leva les yeux et, sans plus de manières, me lança, avec un accent du Nord :

— N'oublie pas de fermer la porte en partant, mon gars !

Charles s'en étrangla presque quand je lui racontai l'incident, et dus le retenir pour qu'il n'aille pas vérifier par lui-même

Le samedi soir, Tata nous présenta la note, en même temps qu'elle nous apportait nos saucisses. Nous avions entre-temps décidé que nous refuserions de payer le prix demandé, étant donné qu'on ne nous avait pas prévenus que nous devions partager la chambre. J'annonçai donc à Tata que nous lui donnions une livre de moins. Elle renifla très fort.

— J'appelle ma patronne, dit-elle en quittant précipitamment la pièce.

Dix minutes passèrent avant que la porte ne s'ouvre à nouveau et qu'apparaisse enfin la fameuse tenancière, une forte carrure. Les bras croisés sur sa poitrine généreuse, elle gronda :

— Payez-moi, sinon je vais chercher mon fils au commissariat !

L'occasion était trop belle, et je répliquai du tac au tac :

— Madame, ils ne le relâcheront pas pour une affaire aussi insignifiante !

Le torse de la dame se bomba et je crus que des flammes allaient sortir de ses narines dilatées.

— On va bien voir ! Allez, viens, Tata.

Elles sortirent en prenant soin de claquer la porte. Nous attendîmes une heure mais ni policier ni repris de justice n'arrivèrent jamais.

Le lendemain matin, après que Tata nous eut servi sans un mot le petit déjeuner, nous posâmes une somme que nous estimions amplement suffisante sur la table. En guise d'adieu, nous versâmes les saucisses de la veille et le contenu de la théière dans les pots de chambre que nous rangeâmes sous les lits. En y repensant, nous aurions dû acheter un hareng et le clouer sous la table afin de prévenir les clients suivants qu'il y avait anguille sous roche. Ceci, cher lecteur, est une vieille coutume au théâtre.

Après cette tournée, j'appris que H.M. Tennent, la plus grande compagnie théâtrale britannique de l'époque, organisait des auditions. Deux pièces étaient sur le point d'être montées, *La Petite Hutte* d'André Roussin et une adaptation américaine de *Permission jusqu'à l'aube* de Thomas Heggen.

On me fit venir au Lyric Theatre, à Shaftesbury Avenue, pour l'audition. J'exhibai, comme demandé, mes « superbes pectoraux » et lus quelques répliques. Visiblement, Peter Brooke, le metteur en scène, jugea que j'avais les muscles qu'il fallait ou que mon interprétation était correcte puisque je me retrouvai embauché comme doublure de Geoffrey Toone, qui tenait le rôle de l'indigène sur l'île déserte, et doublure suppléante de David Tomlinson. J'obtenais également un cachet supplémentaire en devenant l'habilleur de Geoffrey Toone pour les matinées. Je devais pour cela le badigeonner de cirage de la tête aux pieds. Le succès, enfin !

J'auditionnai ensuite pour *Permission jusqu'à l'aube*, qui se jouait au Coliseum, à St Martin's Lane. Comme les deux pièces étaient produites par la même compagnie, je pouvais ainsi cumuler un petit rôle dans *Permission jusqu'à l'aube* et être doublure sur *La Petite Hutte*. Si l'un des acteurs principaux de *La Petite Hutte* tombait malade, j'arriverais promptement du Coliseum sans que cela pose problème. On appelait ça « faire du vélo pour la Tennent ».

Au Coliseum, le metteur en scène, Joshua Logan, était une force de la nature qui communiquait parfaitement son énergie aux comédiens. Il y avait là la star hollywoodienne Tyrone Power (Mister Roberts), Jackie Cooper (le sous-officier Pulver), Russell Collins (le docteur du navire) et George Matthews (le capitaine sadique). Après avoir une nouvelle fois montré mes pectoraux, j'obtins le rôle d'un des vingt membres de l'équipage. L'équipe comprenait également une trentaine de cascadeurs et quelques bodybuilders.

Pendant les répétitions, je faisais constamment la navette entre les deux pièces, et pour seulement quinze livres sterling par semaine, mais j'étais devenu un *acteur professionnel* !

Les gigantesques décors de *Permission jusqu'à l'aube* étaient construits sur un plateau rotatif. Au début de la pièce, on voyait une coupe du navire, avec les quartiers du capitaine et le pont où s'activait l'équipage, véritable fourmilière avec des palans et des soutes pleines de marchandises destinées aux navires de guerre dans le Pacifique. Et puis, après un noir, la scène tournait sur son axe pour révéler, au choix, l'intérieur de la cabine de Mister Roberts ou celle du capitaine.

Lors de l'un de ces changements de décor, dans la pénombre, tous les marins étaient censés prendre leur place sur le pont et se tenir parfaitement immobiles dans leur tenue blanche. Un matin que nous répétions cet enchaînement, l'attention du metteur en scène fut attirée par l'un des bodybuilders, qui se tenait les bras en l'air au milieu de la scène.

— Attendez, attendez ! hurla Josh Logan. Comment t'appelles-tu ?

Le type s'aperçut que c'était à lui qu'on parlait, et il répondit, gouailleur :

— *Arfur. Arfur* Mason... m'sieur !

— OK, Arfur. Qu'est-ce que tu fous ?

Le figurant baissa les bras le temps d'expliquer qu'il suivait les instructions du metteur en scène.

— Ben, m'sieur, vous avez dit : « Que personne ne bouge. »

Au début du deuxième acte, Mister Roberts écoutait un garde-côte décrire la folie meurtrière qui régnait sur le rivage, pendant qu'un filet déposait une demi-douzaine de marins ivres morts sur le pont. *Arfur* Mason avait décidé d'étoffer un peu son rôle et, au lieu de se placer dans le filet, il s'était mis dessus pour pouvoir sauter au dernier moment et dire « Bonsoir, Mister Roberts ! » avec un accent catastrophique, mélange de cockney et d'américain.

Leslie Crawford, qui deviendrait un jour ma doublure cascades, était aussi dans le filet. Un soir, lui et ses collègues décidèrent d'attacher les lacets d'*Arfur* au filet. L'atterrissage fut plutôt brutal, le nez du pauvre type allant répandre sang et morve jusque sur les pieds de Tyrone Power. Je ne crois pas que Ty en fut très amusé.

Dans la pièce, Mister Roberts oblige le capitaine à rendre sa liberté à l'équipage. Quand les haut-parleurs annonçaient la nouvelle, l'équipage au grand complet entonnait *Roll Me Over in the Clover.* Tout le monde devait se diriger côté cour, derrière la cabine du capitaine, et se mettre à chanter sous la direction de Jackie Cooper.

Comme nous faisions beaucoup trop de bruit avec nos bottes quand nous nous mettions en place, on nous pria de nous déplacer en chaussettes. Un petit malin avait un soir pris soin de jeter des épingles sur le plancher, ce qui n'amusa pas Tyrone Power et George Matthews qui entendirent, pendant que l'équipage prenait ses marques dans le noir, toute une série de « aïe ! », « quel est le con qui a fait ça ? » et « putain de merde ! ». La direction n'apprécia guère et en vira quelques-uns sur-le-champ.

Le soir de la Guy Fawkes Night[1], un groupe de figurants alluma une caisse de feux d'artifice et la jeta dans la loge de la costumière en chef, au dernier étage du théâtre. L'explosion souffla presque le toit du Coliseum et causa une peur sans nom à la pauvre femme. Ce soir-là, le nombre des chômeurs augmenta un peu plus.

Permission jusqu'à l'aube tint l'affiche pendant environ six mois, jusqu'à ce que le studio de Tyrone Power le rappelle à Hollywood.

Pendant ce temps, au Lyric, tout se passait comme sur des roulettes et ma présence n'était pas requise, excepté pour quelques répétitions dans la semaine. Après la dernière de *Permission jusqu'à l'aube*, je passai donc tout mon temps au troisième étage du théâtre en attendant que quelqu'un se casse la jambe ou attrape une pneumonie. Pour tuer le temps, les doublures jouaient aux cartes, buvaient du thé et se rendaient au Nosh Bar, un traiteur situé en face de l'entrée des artistes réputé pour ses délicieux sandwichs à la viande froide.

De l'autre côté de la rue, par la fenêtre du troisième étage, je pouvais voir la chambre d'une belle de nuit. Ou de jour, c'était selon. Il nous arrivait de chronométrer le temps nécessaire à un monsieur en imperméable pour monter les trois étages, satisfaire ses pulsions, laisser l'argent au-dessus de la cheminée et repartir furtivement par Great Windmill Street. Le plus rapide ne mit que sept minutes ! La fille était perverse ; elle savait que nous l'observions pendant qu'elle vaquait à ses occupations. Aussi, quand elle était de bonne humeur, laissait-elle les rideaux grands ouverts en nous lançant des clins d'œil.

L'entrée des artistes du Lyric était juste à côté du célèbre Windmill Theatre qui, dans les années quarante et cinquante, présentait des revues dénudées, ce qui était toléré dans la mesure où les « mannequins » du spectacle restaient immobiles. L'agitation venait plutôt des spectateurs qui se bousculaient pour avoir les meilleures places. Kenneth More, qui serait garçon d'honneur lors de mon troisième mariage, avait commencé sa

---

1. Une fête protestante commémorant l'échec de l'attentat perpétré par les catholiques contre le Parlement en 1605. Elle est célébrée le 5 novembre par des feux de joie et des feux d'artifice. *(N.d.T.)*

carrière au Windmill, où il était chargé de revisser les sièges renversés par certains clients trop enthousiastes.

Plusieurs acteurs de haut niveau avaient débuté là : Jimmy Edwards, Tony Hancock, Harry Secombe, Peter Sellers, Barry Cryer et le toujours pétillant Bruce Forsythe. Bruce aimait venir au Lyric pour discuter avec David Tomlinson, qui l'appréciait beaucoup. David m'emmenait d'ailleurs parfois prendre le thé avec Bruce... et quelques filles du spectacle. Partiellement rhabillées, je tiens à le préciser.

La distribution de *La Petite Hutte* comptait Robert Morley et Joan Tetzel, David Tomlinson dans le rôle de l'amant et Geoffrey Toone dans celui du naufragé mystérieux. J'eus souvent l'occasion de remplacer Geoffrey au pied levé, mais, comme je n'étais que la deuxième doublure de David, il semblait peu probable que j'aie un jour à pallier quelque défection. Aussi arrivai-je nonchalamment au théâtre, un mercredi, à l'heure du déjeuner, pensant que l'on n'avait pas spécialement besoin de moi. Un régisseur hystérique m'interpella alors pour me hurler que j'étais en retard, que la doublure principale de David avait pris son jour de congé et que j'aurais par conséquent dû me trouver au maquillage une demi-heure plus tôt ! Je m'enduisis précipitamment le visage de cirage et, tout en enfilant mon pantalon, me précipitai juste à temps pour le lever de rideau. Je connaissais mon texte – et celui de mes partenaires, d'ailleurs – mais je ne savais pas grand-chose de la mise en scène. Robert Morley fut génial : il me montra des yeux l'endroit vers lequel je devais aller et je réussis sans trop de casse à terminer la représentation.

En sortant de scène, je tombai sur Binkie Beaumont, le grand patron de H.M. Tennent.

— Tu as été bien cet après-midi, petit, me dit-il.

— Merci beaucoup, monsieur, répondis-je. Ça mérite une augmentation, non ?

M. Beaumont me fixa un instant.

— Tu es marié, non ? demanda-t-il.

— Oui, monsieur. C'est exact.

— Alors, petit, estime-toi heureux d'avoir un emploi. Aïe !

Un mois plus tard, je démissionnai. Je savais que je n'irais nulle part avec eux. Ma carrière au point mort, je décidai de chercher un nouvel agent. Par chance, on me présenta Kenneth Harper, qui me dégota un rôle minuscule dans un film intitulé *One Wild Oat.* J'y rencontrai une autre actrice, très jeune, qui, elle aussi, avait décroché un tout petit rôle. Elle s'appelait Audrey Hepburn mais, contrairement à moi, elle avait réussi à apparaître au générique. Audrey devint bien vite une amie et une collègue que je n'oublierais jamais.

À la maison, les choses n'allaient pas fort. Doorn et moi passions de moins en moins de temps ensemble. Étant donné qu'elle ne croyait toujours pas en moi, je finis par demander le divorce. Au début, ma femme ne voulut pas en entendre parler et, comme au sein de tous les couples en détresse, notre relation se détériora jusqu'au soir où nous nous disputâmes violemment. En sortant du théâtre avec Robert Morley et David Tomlinson, après une représentation de *La Petite Hutte,* je tombai sur Doorn qui avait visiblement envie d'en découdre. Et c'est exactement ce qui se passa, à la grande joie de mes compagnons.

Nous savions tous les deux que ça ne pouvait pas continuer ainsi, et elle accepta finalement que nous nous séparions. À l'époque, la manière la plus simple d'obtenir le divorce était de prouver qu'il y avait eu adultère. En conséquence, la moitié des chambres d'hôtel londoniennes étaient occupées par des hommes et des femmes qui passaient la nuit avec un(e) parfait(e) inconnu(e). Mon tour venu, je me retrouvai dans une chambre près de Russell Square avec une dame qui avait accepté de tenir le rôle de la maîtresse. Quand la femme de ménage ouvrit la porte le lendemain matin, elle nous trouva assis tous les deux au bord du lit. Ah, ha! Pris sur le fait! Avec le recul, toute cette mise en scène était vraiment grotesque. Et la dame en question n'était pas Dorothy Squires, comme on l'a dit parfois, bien que je fisse sa connaissance peu de temps après.

Un nouveau chapitre était sur le point de s'ouvrir, comme on dit.

Betty et Lee Newman, mes amis gallois de Streatham, s'étaient installés dans l'annexe située juste au-dessus du garage de la grande chanteuse Dorothy Squires, dans le quartier de St. Mary's Mount – plus connu sous le nom de The Mount – à Bexley, dans le Kent. Dorothy, que j'appelais Dot ou Squires, occupait le rez-de-chaussée avec sa sœur Renee, le mari de celle-ci, Dai, et leur père Arch. Une petite bande : des Gallois, depuis les cheveux jusqu'au bout des orteils.

Dot était devenue l'une des chanteuses les plus célèbres du pays dans les années quarante et au début des années cinquante. Avec Billy Reid, qui composait ses chansons et dirigeait son orchestre, elle était à l'affiche de tous les théâtres. À vrai dire, elle était l'équivalent des superstars d'aujourd'hui, comme Barbra Streisand, dont les concerts affichent complets à peine les réservations ouvertes. La phrase « *There's no business like show business* » s'appliquait parfaitement à Dot.

Dot avait une multitude d'amis, principalement dans le monde des variétés et de la musique. Le week-end, sa maison ne désemplissait pas de vedettes : Frankie Howerd, Jess Conrad, Hylda Baker, Petula Clark, Diana Dors et bien d'autres encore. Un jour, Renee et Betty m'invitèrent à participer à l'un de ces week-ends. Les gens y étaient totalement différents de ceux que je fréquentais au cours de mes tournées ou au théâtre à Londres. Je fis ainsi, dans un cadre splendide, la connaissance de très grands musiciens, d'humoristes et d'agents.

D'autres invitations suivirent et je trouvai bientôt ma place dans ce cercle. Très à l'aise en société, Dot était aussi très attirante et extrêmement généreuse avec ses amis et sa famille. Elle avait douze ans de plus que moi et j'étais bien sûr ravi de l'attention et de l'intérêt que cette femme extraordinaire me portait. Nous devînmes amants.

Quand Dot n'était pas en tournée, elle faisait le tour des éditeurs de chansons pour dénicher de nouveaux morceaux ou rendait visite à ses collègues au théâtre. Je l'accompagnais si je ne travaillais pas. Elle aimait particulièrement se rendre au London Palladium voir des vedettes comme Johnny Ray, Frankie Lane, Judy Garland et Winifred Atwell. On nous trouvait aussi au Victoria Palace pour découvrir les excellents spectacles comiques du Crazy Gang.

Après la fin des spectacles, les vedettes de tous les théâtres de variétés de Londres se retrouvaient chez Olivelli, un restaurant italien très show-biz dans Store Street où, à un moment ou un autre, chacun se levait et faisait son numéro. Grâce à Dot, j'étais à présent au centre de cet univers merveilleux.

L'été, les week-ends au Mount réunissaient encore plus de monde, probablement à cause de la piscine dont nous profitions tous. Le père de Dot, Arch – que l'on appelait aussi Papa –, nous avouait que les yeux lui sortaient des orbites quand il apercevait Diana Dors et Jackie Collins en bikini.

Je me souviens qu'un week-end une dame du nom de Koringa fut invitée au Mount. C'était une charmeuse de serpents. Pour une raison inexpliquée, Frankie Howerd la prit en grippe. Assis sur un canapé dans le salon, il la foudroyait du regard. Squires lui passa la main dans les cheveux en disant :

— Ne te mets donc pas dans cet état, mon petit Frankie !

Alors qu'elle retirait sa main, nous vîmes avec horreur que les cheveux de Frankie s'étaient coincés dans une de ses énormes bagues, et qu'il s'agissait en fait d'une perruque. En un éclair, elle reposa sa main sur la tête de notre camarade et parvint à défaire le nœud sans qu'il s'aperçoive que son petit secret avait été éventé.

Dot me raconta qu'elle avait un jour partagé une chambre avec Koringa, dans le Nord. Leur hôtesse possédait un chat nommé Tibby qui disparut dès leur arrivée. La pauvre femme le chercha toute la semaine. En vain. Squires m'avoua qu'elle voyait la bosse diminuer dans la gorge du python au fur et à mesure que le reptile digérait sa proie.

Pauvre Tibby.

Parmi les nombreux amis musiciens de Dot, il y avait Norman Newell, qui était régulièrement invité au Mount. Il était l'auteur de dizaines de chansons très connues, dont *Portrait of My Love*, *This is My Life*, *More* et l'adaptation anglaise de *C'est la rose*. En tant que directeur d'EMI Columbia, il produirait aussi une multitude de tubes pour Shirley Bassey, Vera Lynn, Russ Conway, Petula Clark, Judy Garland et Bette Midler, entre autres. Un week-end, Norman arriva accompagné d'une Petula Clark encore adolescente, et je me souviens avec délice de Petula, assise sur les genoux de l'acteur Charles Coburn qui chantait *It's a Long, Long Way from May to December* en remontant mine de rien la main sous sa jupe. Elle était furieuse !

Dot était propriétaire d'un théâtre dans sa ville natale de Llanelli, en Galles du Sud. Entre deux engagements, elle prenait souvent le train pour voir comment les affaires tournaient. Il y avait toujours une voiture à la gare pour elle. Un jour, le chauffeur lui dit :

— Mademoiselle Squires, j'espère que vous me pardonnerez pour l'horrible odeur de résine, de térébenthine et de vernis. Mon crétin de beau-frère vient d'ouvrir une boutique de pompes funèbres et j'ai transporté des cercueils toute la matinée !

Dot le regarda bouche bée.

— Euh, comment vont les affaires ? demanda-t-elle enfin.

— Vraiment bien ! Ils tombent comme des mouches en ce moment !

J'étais tellement fasciné par le monde des variétés que je décidai une année de m'essayer au one-man show pendant la tournée de Dot au pays de Galles. Comme j'étais farceur, j'avais toujours eu envie de tenter ma chance et mon vœu se réalisa un terrible soir de pluie à Pontypridd. Je devais faire des sketches entre chaque numéro mais le public n'avait pas l'air très réceptif. Les quelques personnes qui avaient fait le déplacement étaient en imperméable et tiraient franchement la gueule. Quelques amis humoristes m'avaient dit qu'il fallait faire venir les rires petit à petit : une fois que le public commence à rire, il ne s'arrête plus. Dans mon cas, c'est le silence qui s'imposa progressivement. Pour ne rien arranger, mon trac grandissant me fit oublier les noms des artistes que je devais présenter.

Cette semaine à Pontypridd marqua le début, et la fin, de ma carrière de comique.

J'appris aussi quelque chose d'essentiel au music-hall : ne jamais dire combien d'argent on a récolté. Au cours de l'un de nos bruyants déjeuners du dimanche au Mount, l'un des invités demanda :

— Combien avez-vous fait à Llanelli la semaine dernière, Dot ?

— Oh, ça ne s'est pas trop mal passé, intervins-je naïvement. Onze mille quatre c…

Bam ! Dot me planta son talon dans le tibia.

— C'était de la folie, répondit-elle. Treize mille huit cents !

Plus tard dans l'après-midi, une fois ma douleur passée, je demandai à Dot pourquoi elle avait agi de cette façon.

— Il ne faut jamais dire la vérité à ces idiots. Ils s'imaginent de toute façon que tu exagères déjà !

Un peu déroutant, mais tout à fait exact.

Même si nous avions déjà vu mille fois la silhouette de Manhattan au cinéma, Dot et moi fûmes éblouis, en 1953, par la vue qui s'offrait à nous dans le taxi qui nous amenait d'Idlewild, l'ancien nom de Kennedy Airport. Nous étions arrivés aux États-Unis sur un vol BOAC. Dot espérait rencontrer le succès avec son disque *I'm Walking Behind You.* Quant à moi, je souhaitais simplement réussir à décrocher quelques rôles à la télévision. J'eus de la chance, beaucoup de chance. J'obtins un rendez-vous à la MCA, l'une des plus grandes agences américaines pour la télévision, le cinéma et le théâtre. On demanda à voir mon passeport, qui à l'époque indiquait la profession de son titulaire. Le mien indiquait acteur et manager. Manager, parce que je m'occupais des affaires de Squires.

— Tout va bien, me dirent-ils. Avec votre profession, vous obtiendrez facilement un permis de travail.

Dot et moi nous installâmes dans un petit appartement de Manhattan et je me mis à courir les castings. Le permis arriva, et j'obtins un rôle dans *Robert Montgomery présente...*, une série diffusée sur NBC de 1950 à 1957. Chaque épisode de quatre-vingt-dix minutes, tourné en direct, était produit et présenté par l'acteur Robert Montgomery, ce qui donnait un certain cachet au nouveau médium que représentait alors la télévision. Ses contacts à Hollywood lui permettaient également de faire venir de nombreuses vedettes du cinéma. Je jouai dans deux épisodes.

Une des particularités des chaînes américaines, inconnues jusqu'alors en Grande-Bretagne, était le placement de produits et les sponsors. En l'occurrence, les cigarettes Lucky Strike. Chaque épisode débutait ainsi par les mots « Robert Montgomery vous présente le Théâtre Lucky Strike... ».

Dans le premier des deux épisodes, *World by the Tail*, avec Phyllis Kirk et Diana Lynn, j'interprétai un diplomate français en poste à l'ONU, rôle pour lequel j'avais pris un fort accent. Une de mes répliques était :

— Le dernier diplomate de l'ONU avec qui j'avais rendez-vous est arrivé en chameau sur la 5e Avenue.

Elle passa inaperçue jusqu'au jour de la diffusion, et ce fut la panique. Car, bien entendu, le chameau est l'emblème d'une marque de cigarettes concurrente, et nous ne pouvions y faire allusion ! Ma réplique fut changée sur-le-champ.

Le second épisode, tourné un mois plus tard, s'intitulait *The Wind Cannot Read*. Trente ans plus tard, sur le tournage de mon dernier James Bond, *Dangereusement vôtre*, je discutais avec Christopher Walken de mes débuts aux États-Unis. Il me dit en passant qu'il avait joué enfant dans des pièces à la télévision, et nous nous rendîmes compte qu'à l'âge de dix ans environ il était apparu à mes côtés dans *The Wind Cannot Read* ! Curieusement, le film éponyme que Dirk Bogarde tourna aux studios Pinewood à la fin des années cinquante – en français *Le vent ne sait pas lire* – fut à jamais surnommé *Le Pet analphabète*.

Quelque temps plus tard, MCA reçut un coup de fil d'un producteur, Albert McCleery, qui demanda si le Français qu'il avait vu dans l'épisode sur l'ONU parlait couramment anglais ! MCA avait produit une série dans laquelle Sarah Churchill, l'actrice principale, interprétait différents personnages. Elle s'apprêtait maintenant à jouer Sarah Bernhardt et ils cherchaient un

Français avec un accent anglais pour incarner son fiancé, étant donné qu'elle ne parlait pas français et qu'elle ne voulait pas qu'on lui fasse de l'ombre.

La situation était pour le moins ridicule.

Cependant, ma rencontre avec Albert me porta chance. Il avait produit et mis en scène de nombreux épisodes du *Matinee Theatre* à Hollywood et m'embaucha. Ces pièces en direct, aujourd'hui tombées dans l'oubli, nécessitaient cinq jours de répétitions. Le jour de l'émission, nous devions être au studio à cinq heures du matin. Nous avions ensuite une générale, suivie d'une répétition finale avant la retransmission en direct sur les coups de midi (quinze heures à New York). Nous ne pouvions nous permettre le moindre faux pas.

Dans l'un des épisodes, je jouai le rôle d'un Écossais de quatre-vingt-dix ans qui, le temps d'un flash-back, rajeunissait de soixante ans. Pour me vieillir, j'utilisais des prothèses, un postiche, et une main maquillée avec des rides et des veines profondes. L'autre main n'était pas maquillée et c'était celle que je devais utiliser pour me battre contre le méchant, Patrick MacNee. Un combat à un poing! L'équipe avait une minute et demie pour me démaquiller, au moment du flash-back. Je devais alors prendre soin de cacher ma main de vieillard pour ne me servir que de celle qui n'était pas maquillée. Un exercice assez compliqué...

Après la première répétition, l'adhésif utilisé pour fixer ma prothèse m'arracha un bout de peau. Ce fut un vrai supplice qui m'incommoda six à sept semaines.

Dans un autre épisode, *The Remarkable Jennie Jerome*, je tenais le rôle de Randolph Churchill, le père de Winston, et Coleen Gray celui de ma femme. J'étais un vrai caméléon!

Mon divorce d'avec Doorn fut officialisé en mai 1953. En juillet de la même année, j'épousai Dot à Jersey City. Notre ami Joe Latona, de l'excellent trio comique Warren, Latona et Sparkes, était mon témoin. Étant donné l'ivresse manifeste du préposé à notre mariage, qui affichait une nonchalance certaine, la cérémonie fut assez étrange : « Bon, Dot, est-ce que vous le prenez pour époux? Rog', signez ici. »

Dot s'était acheté pour l'occasion de nouveaux souliers qui lui faisaient un mal de chien. Elle finit par les ôter mais les oublia dans le bureau du préposé. Devinez qui ne figure pas sur les photos du mariage parce qu'il était galamment parti chercher les souliers en question...

Comme Dot devait rentrer en Grande-Bretagne le lendemain pour une émission télévisée, nous ne partîmes pas en lune de miel, et je restai à New York en attendant de voir venir.

En plus des pièces télévisées, j'avais participé à quelques émissions de radio et, mon CV s'étoffant de jour en jour, j'étais bien placé pour obtenir le premier rôle dans *A Pin to See the Peepshow* à Broadway. La pièce de H.M. Harwood et F. Tennyson Jesse racontait de manière romancée le procès Thompson-Bywaters, d'après l'histoire véridique de deux amants meurtriers condamnés à la pendaison. Je devais jouer Leo, inspiré du personnage de Frederick Bywaters. Peter Cotes, le frère des réalisateurs britanniques John et Roy Boulting, mettait en scène. Sa femme, Joan Miller, interprétait le rôle de Julia, inspiré d'Edith Thompson.

À cause du sujet et du tort qu'il aurait pu occasionner à la famille des condamnés, la pièce n'avait jamais reçu d'agrément en Grande-Bretagne, ce qui signifiait qu'elle ne pouvait pas être jouée dans un grand théâtre. Je crois qu'elle avait tout de même été à l'affiche d'une petite salle, et qu'on avait décidé de la monter aux États-Unis, où l'on espérait qu'elle marcherait.

La première eut lieu le 17 septembre 1953... le même jour que la dernière.

À l'époque, il y avait environ huit critiques à New York. Si une pièce se jouait sans acteurs connus, les réservations étaient anémiques et l'on attendait beaucoup de la première, à laquelle étaient invités les journalistes, afin de générer de la publicité pour les représentations suivantes. Dans notre cas, les critiques ne furent pas tendres. Deux journalistes adorèrent, les six autres nous trouvèrent médiocres. Le public fut quant à lui très réceptif, peut-être parce que la plupart des femmes et maris des comédiens étaient dans la salle, ce qui nous avait bien aidés. Mais nous étions sûrs qu'après quelques représentations les gens se presseraient au guichet.

Le soir suivant, j'arrivai au théâtre quinze minutes avant le lever de rideau – je ne faisais mon entrée qu'à la cinquième scène – et trouvai l'équipe prostrée devant l'entrée des artistes. Lorsque je demandai ce qui se passait, on me montra du doigt les affiches. La représentation ainsi que les suivantes avaient été annulées faute de réservations suffisantes. Heureusement, le producteur nous avait payé les deux semaines garanties. Au moins avions-nous un peu d'argent de poche !

Je trouvai une cabine téléphonique et appelai Squires pour l'emmener au cinéma.

Nous allâmes voir *La Tunique,* le premier film tourné en ciné-mascope. Richard Burton, qui était un ami gallois de Dot, y tenait le premier rôle. Après la séance, nous assistâmes au spectacle de Mae West. Mae était une grande excentrique, qui avait lancé sa carrière au cinéma grâce à ses spectacles osés. Sur scène, elle fai-sait venir un par un plusieurs beaux messieurs en cape. Ils tour-naient l'un après l'autre le dos au public et s'exhibaient devant Mae. Elle écartait alors les mains – en fonction de la taille suppo-sée de leur membre – et ouvrait plus ou moins grand la bouche.

Des années plus tard, je fus invité à la fête de lancement de ce qui serait son dernier film, *Sextette*, réalisé par mon grand ami Irving Rapper. Mon collègue 007 Timothy Dalton y parta-geait le premier rôle avec George Hamilton, qui me raconta par la suite une fabuleuse anecdote concernant le tournage. Appa-remment, Mae était incapable de se souvenir de la moindre réplique. On décida donc de l'équiper d'une oreillette, ce qui permettait à Irving de la diriger et de lui souffler son texte.

Quelques jours après le début du tournage, le personnage qu'incarnait George devait frapper à la porte de la caravane de Mae, qui était censée ouvrir et dire :

— Oooh, Oooh, Ooooh !

Ce qu'elle fit, avant d'ajouter :

— Mets-toi plus à droite.

George s'exécuta.

— Non, non, ajouta-t-elle. Mae, c'est à toi que je parle !

Elle répétait les indications qu'on lui donnait !

Une autre fois, au milieu d'une scène, Mae s'exclama :

— Bien reçu. À l'intersection d'Hollywood et Vine…

Elle captait une communication de la police !

Mais revenons à New York, en 1953, où Dot s'activait avec tous ses amis de Tin Pan Alley, pendant que je débutais ma car-rière à la télévision au Brill Building, sur Broadway. Tous les éditeurs et les agents, les compositeurs et les artistes se réunis-saient au bar Jack Dempsey, situé au rez-de-chaussée. Je ne crois pas avoir jamais autant marché qu'au cours de ces quelques mois passés à New York, où les trottoirs sont venus à bout de mes meilleures semelles.

Je pris un jour un taxi pour aller de l'immeuble NBC à Roc-kefeller Plaza jusque chez mes agents à MCA, à l'intersection de Madison et de la 58e Rue, pour un rendez-vous. Comme j'étais en retard, je donnai rapidement un billet d'un dollar au chauf-feur et lui lançai :

— Gardez la monnaie.

D'après le compteur, la course avait coûté soixante-quinze cents.

Le taxi repartit dans un crissement de pneus effroyable, ce qui m'étonna. Aussitôt, je devins rouge pivoine : le billet que j'avais donné au chauffeur n'était pas à l'effigie de George Washington, ni même de Jackson, mais de Benjamin Franklin ! J'avais donné cent dollars, rien de moins. Pas étonnant qu'il ait laissé pour dix dollars de traces de pneus sur Madison. En plus, je ne décrochai même pas le rôle !

Toutes ces démarches finirent quand même par attirer l'attention des agents hollywoodiens à New York, ce qui me permit d'être mis « en attente » d'un contrat à la MGM.

Dot n'eut pas cette chance. Les bonnes chansons sont toujours enregistrées par plusieurs artistes et, dans le cas présent, c'est Eddie Fisher, très connu à l'époque, qui remporta un énorme succès avec *I'm Walking Behind You*.

Comme MGM n'avait pas encore donné suite, nous décidâmes de rentrer en Grande-Bretagne où je fus engagé dans *Le Château de Cassandra,* une nouvelle pièce de Dodie Smith. J'étais ravi de travailler avec Virginia McKenna, que j'avais vue quelques mois plus tôt dans *The Cruel Sea*. Il y avait aussi Andrew Ray, encore adolescent, Richard Greene – avant *Robin des Bois* –, Yvonne Furneaux, Vivian Pickles et Bill Travers qui deviendrait plus tard le mari de Virginia.

Avant les répétitions, j'annonçai au producteur et metteur en scène, Murray McDonald, que la MGM avait pris une option mais que je n'avais pour le moment rien de ferme. Quoi qu'il en soit, il était possible qu'ils m'appellent. Murray m'assura qu'il était prêt à prendre le risque et insista pour que je joue la pièce dans le West End.

Au cours d'une brève tournée en province destinée à roder la pièce avant de la jouer à Londres, Murray demanda à son ami, le grand metteur en scène de théâtre Tyrone Guthrie, de venir nous voir à Bournemouth pour nous donner son avis. Guthrie nous fit asseoir sur scène en demi-cercle le lendemain matin et déclara qu'il avait « regardé la pièce avec la plus grande attention » et que ça « fouettait » un peu trop. Je n'ai jamais compris ce qu'il voulait dire par là, mais il allait changer quelques petites choses dans la mise en espace et peut-être atténuer le côté grosse farce.

Il nous demanda alors de le prévenir s'il coupait dans une de nos répliques préférées, parce qu'il ne voulait pas que l'on dise après son départ que cet « enfoiré » avait « foutu la merde avec ses conneries ! ». Un silence pesant tomba sur l'assistance tandis que nous nous tournions comme un seul homme vers la fraîche et innocente Virginia. Comme elle n'était jamais allée plus loin que « flûte » dans la grossièreté, nous nous attendions à la voir perdre connaissance.

Un jour, mes agents m'annoncèrent que la situation avait enfin évolué à la MGM et que je devrais bientôt partir pour les studios de Culver City. Murray McDonald me demanda de jouer la pièce encore trois semaines à l'Aldwych Theatre. La dernière eut lieu peu de temps après mon départ. Non, ce n'est pas parce que le public regrettait mon absence !

Il fallait s'y attendre : c'est à ce moment-là que j'eus ma première − et dernière − bonne critique au théâtre. Elle était si enthousiaste que la Royal Shakespeare Company à Stratford me demanda de rejoindre leur troupe. Après avoir trimé pendant des années, je venais en quelques jours de recevoir deux offres : Hollywood et ses films, ou bien Stratford, où je pourrais perfectionner mon art et devenir un acteur shakespearien accompli... La décision ne fut pas vraiment dure à prendre : je choisis celle qui payait le plus !

Dot jouait au Chelsea Empire quand je partis pour Hollywood. Je me souviens qu'elle partageait la vedette avec les chanteurs Malcolm Vaughan et Kenny Earle. Le soir de mon départ, quand je quittai sa loge, une jeune actrice pleine de talent, Joan Dowling, qui était mariée à Harry Fowler, était venue rendre visite à Malcolm et Kenny. Quelques semaines plus tard, la veille de mon premier jour à la MGM, j'appris qu'elle s'était suicidée. La nouvelle me bouleversa.

5

Les années MGM

« La passion sans la pression ! »

Le 1ᵉʳ avril 1954, jour propice aux plaisanteries, je me présentai devant M. Hollywood, le bien nommé gardien des studios Metro-Goldwyn-Mayer, à Culver City. Le premier jour de tournage de *La dernière fois que j'ai vu Paris* me fit découvrir un monde nouveau et excitant.

J'arrivais à la MGM alors que le système des contrats et l'âge d'or des studios touchaient à leur fin. Le monde du cinéma ressentait les effets de la télévision, mais refusait de reconnaître ou d'admettre l'importance croissante du petit écran en tant que moyen de divertissement. Sottement, les studios interdisaient aux acteurs sous contrat de jouer dans quelque production télévisée que ce soit. Bien entendu, tout cela changerait mais, pour l'heure, j'étais heureux d'être une vedette de cinéma.

Je me rappelle avoir découvert l'imposant Irving Thalberg Building, qui surplombait le parking de la MGM. À sa gauche se trouvaient les bureaux d'Al Trescony, chef du département des artistes, et de Lilian Burns, qui donnait des cours d'art dramatique. J'apprendrais à bien connaître ces bureaux.

En quittant le parking, je passai devant le département des costumes où naissaient les créations des grands Walter Plunkett et Helen Rose. En face, une ruelle menait à l'échoppe du barbier. Je ne suis jamais passé devant sans y voir Keenan Wynne se faire raser. Puis il y avait la cantine où déjeunaient des stars comme Lana Turner, Debbie Reynolds, Jane Powell, Kathryn Grayson, Howard Keel, Glenn Ford, Eleanor Parker, Walter Pidgeon, Ava Gardner et un très jeune Leslie Nielsen. MGM se montrait à la hauteur de son slogan : « Plus d'étoiles qu'il n'y en a dans le ciel. » Les scénaristes, producteurs, compositeurs et musiciens se retrouvaient chaque jour à leur table préférée. Je déjeunais quant à moi souvent avec les compositeurs, qui avaient tous des accents d'Europe centrale. Je me demande souvent ce qu'Hollywood serait devenu si Adolf Hitler n'avait pas contraint autant d'artistes à fuir l'Europe.

À l'époque, le domaine de la MGM comportait toutes sortes de décors permanents, plus étonnants les uns que les autres : une voie de chemin de fer, des rues de New York, des lacs et des rivières, les rues de la série *Andy Hardy*, ainsi que des vestiges du *Chant du Missouri* et de *Show Boat*. Certaines rues étaient surplombées de bâches géantes afin de pouvoir servir par n'importe quel temps. Ces décors ont aujourd'hui laissé place à des quartiers résidentiels. Mais peut-être y entend-on encore, par certaines nuits, les échos des combats d'*Autant en emporte le vent* ou Gene Kelly danser dans les flaques de *Chantons sous la pluie*.

À vingt-six ans, nouveau venu à Hollywood, je découvrais les rouages d'un studio américain, un monde auquel je ne me sentais pas tout à fait étranger grâce à mes innombrables visites au cinéma Odeon de Streatham. Difficile cependant de ne pas être impressionné par les extraordinaires plateaux qui dominaient le terrain : ces hangars gigantesques, sans fenêtres, auxquels on accédait par d'immenses portes coulissantes, se comptaient par dizaines. Rien à voir avec les deux plateaux d'Alexandra Palace, dans lesquels j'avais fait mes débuts à la télévision.

En me frayant un chemin dans un couloir de loges, au milieu de personnes plus ou moins habillées qui s'affairaient de part et d'autre, je remarquai que toutes les portes étaient ornées de plaques aux noms de grands acteurs. Lorsque j'arrivai enfin devant celle qui portait mon nom, je fus ravi de découvrir qu'il était écrit sans faute ! Je l'admirai pendant quelques instants, prenant alors véritablement conscience que Roger Moore était arrivé à Hollywood !

Naturellement, la taille et l'emplacement de votre loge dépendaient de votre importance ou de celle de votre rôle. La mienne, par exemple, était toute petite et plutôt éloignée du plateau où nous tournions. Je n'eus même pas le temps de m'admirer dans le miroir que le premier assistant vint me chercher pour m'expédier au maquillage, et de là sur le plateau. Curieusement, je ne me souviens pas d'avoir eu le trac. Comme j'étais arrivé au studio trois semaines plus tôt, j'avais eu l'occasion de faire quelques rencontres. Cependant, me retrouver propulsé au milieu d'un décor inconnu, avec ces merveilleuses odeurs de maquillage, de colle et de bois et tous ces corps de métier qui s'activaient, aurait dû me déstabiliser. Peut-être étais-je trop exalté pour m'en apercevoir...

Mon premier film hollywoodien fut réalisé par Richard Brooks. *La dernière fois que j'ai vu Paris* était l'adaptation d'une nouvelle de Francis Scott Fitzgerald, *Retour à Babylone*, transposée dans le Paris de l'après-guerre. Les noms d'Elizabeth Taylor et Van Johnson figuraient en tête du générique. Le mien n'apparaissait que beaucoup plus loin, dans la liste des seconds rôles.

Elizabeth Taylor arriva pour les premières prises, ravissante dans une robe dont le décolleté avantageux mettait en valeur une poitrine délicieusement bombée. Je découvris à cette occasion la censure exercée par la direction du studio, incarnée ce jour-là par une femme à l'air austère. Elle protesta contre le décolleté de la robe d'Elizabeth et contre le point de vue imprenable que l'objectif de la caméra offrait sur la vallée séparant ces deux collines magnifiées par un début de grossesse.

Richard Brooks n'apprécia pas du tout de s'entendre dire que l'angle de sa caméra était trop plongeant et qu'il fallait le modifier pour ne pas choquer l'Amérique profonde. Cependant, la position du studio prévalut. La caméra fut abaissée, le clap de début résonna et je me préparai à donner un coup de poing en pleine mâchoire à Van Johnson. En y repensant, je me souviens avoir été un peu nerveux à l'idée que je pourrais casser les dents d'une vedette idolâtrée par le public féminin.

Au fil des semaines, je découvris le vrai pouvoir des stars. Je m'explique : j'avais une vague scène d'amour avec Elizabeth Taylor. On commença par un plan général qui montrait la pièce dans laquelle nous étions, puis la caméra s'avança pour un gros plan sur ma partenaire et la journée se termina. Bill Shanks, l'assistant réalisateur, m'expliqua que nous recommencerions le lendemain matin avec mon gros plan, et qu'il serait tourné sans Elizabeth. Quelqu'un d'autre me donnerait la réplique hors champ. J'en fus ébranlé ! Avais-je fait quelque chose qui l'avait contrariée ? Pas du tout : la tâche était simplement indigne d'elle. Je ne veux pas critiquer Elizabeth, c'est une grande actrice et une grande star, mais je crains qu'elle ait été un peu trop gâtée par le système. Ce jour-là, je décidai que je serais toujours disponible pour dire mes répliques hors champ.

Un jour, pendant le tournage, je pris un café avec Eva Gabor à la cafétéria. Avant que nous ayons terminé, Bill Shanks arriva et annonça à Eva qu'elle était attendue sur le plateau pour la prise suivante.

— Oh chérrri, je ne portais pas cette bague dans la dernière prise, dit Eva en retirant un énorme bijou en diamants. Il faut que je l'enlève pour le raccord. Peux-tu me la garder ?

Elle confia la bague à Bill, qui la rangea dans sa poche en demandant si elle avait de la valeur.

— Oui, environ quarante mille dollars, répondit-elle.

— Mon Dieu ! s'exclama Bill. Et si jamais je la perdais ?

— Ne t'inquiète pas, chérrri, répondit Eva. Je n'ai travaillé dur que deux nuits d'affilée pour l'obtenir.

C'était la différence entre Eva et sa sœur. Je suis sûr que Zsa Zsa l'aurait eue en une seule nuit !

Chaleureusement accueilli par les autres comédiens et les techniciens du film, je me sentis très vite à l'aise dans mon nouvel environnement, presque invulnérable. Van Johnson se montra particulièrement aimable à mon égard.

Sur le plateau, ou juste à l'entrée, chaque vedette avait sa propre caravane en bois, qui la suivait d'un endroit à l'autre. Arrivé à un certain niveau de notoriété, vous pouviez vous arranger pour la faire décorer à votre convenance. Johnson n'en manquait pas, même si ce film-ci serait son dernier pour le studio ; il avait passé sept ans à la MGM. Sa caravane était pleine de souvenirs, avec des meubles et des accessoires garnis d'un assez joli cuir. Un matin, tandis que je buvais un café avec lui, Edmund Purdom passa la tête par la porte de sa caravane. Il était, lui aussi, sous contrat avec le studio depuis plusieurs années et au sommet de sa carrière hollywoodienne.

— C'est ton dernier film ici, n'est-ce pas, Van ? demanda Purdom.

— Oui... en effet, répondit Johnson avec une certaine hésitation.

— Excellent ! Je vais pouvoir demander qu'on me donne ta cawavane quand tu sewas parti – il avait pris l'habitude de prononcer les r comme des w. Je me débawassewai de ça... je gawdewai ça...

Derrière ses taches de rousseur, je vis Van pâlir au fur et à mesure qu'Eddie inspectait la caravane pour inventorier ce qu'il allait jeter et ce qu'il changerait après son départ. Je compris soudain que, si une vedette de sa stature pouvait être aussi facilement remplacée, je n'étais peut-être pas aussi invulnérable que je le pensais.

Des années plus tard, lorsque je révélai à Van que *La dernière fois que j'ai vu Paris* avait été mon premier film, il en fut mortifié et me pria de l'excuser.

— Si j'avais su que tu étais débutant, j'aurais pu t'aider bien davantage !

Il était vraiment très attentionné et plein de prévenance. Il est vrai que j'étais véritablement novice à l'époque. Certes, j'étais ravi de ce qui m'arrivait mais j'avais encore du mal à y croire. Acteur sous contrat, britannique de surcroît, je me situais en bas de l'échelle.

Plusieurs compatriotes, dont Eddie Purdom, avaient la réputation d'être capricieux, ce qui n'était pas du tout du goût des studios. J'étais quant à moi trop fraîchement arrivé et trop bien élevé pour envisager de le devenir, même si j'aurais eu des raisons de me plaindre.

La seule personne que je connaissais vraiment à Hollywood, autrement que par écran interposé, était Jeff Hunter, un joli garçon, acteur sous contrat à la Twentieth Century Fox. Nous nous étions rencontrés dans un gymnase, à Londres, alors que j'officiais comme doublure dans *La Petite Hutte*. Puisque je devais me pavaner en pagne tout au long de la représentation, j'avais décidé de me muscler un peu. Jeff était à ce moment sur le point de partir à Malte pour tourner l'adaptation d'un roman de C.S. Forester, *Sailor of the King*, et il avait eu la même idée. Ainsi naquit une solide amitié entre nous, au point que c'est en l'honneur de Jeff que j'ai nommé mon fils aîné Geoffrey. Mon ami, qui vivait sur Coldwater Canyon avec sa femme, la belle Barbara Rush, nous fit découvrir la ville, à Dot et à moi, et nous aida à trouver un logement à Westwood, notre quartier préféré. Nous emménageâmes dans un petit appartement sur Gayley Avenue, au milieu des foyers d'étudiantes de l'UCLA.

Avant de quitter l'Angleterre, j'avais conclu un marché avantageux avec l'acteur Richard Greene. Il m'avait dit qu'il n'envisageait pas de revenir à Los Angeles mais qu'il y possédait une très jolie voiture, un cabriolet Alvis gris métallisé doté d'une capote en cuir rouge. À Londres, je venais d'acheter une Vauxhall toute neuve. Nous échangeâmes donc nos véhicules, ce qui se révéla être une bonne affaire pour moi. Au volant de mon élégante voiture, dans laquelle je pouvais me pavaner dans le plus pur style hollywoodien, le trajet de Gayley Avenue à Culver City ne me prenait pas plus de dix minutes.

Au cours de ma première semaine, Jeff m'emmena à une fête organisée dans la maison de Rhonda Fleming, une des plus belles femmes de Hollywood, que j'étais évidemment très impatient de rencontrer. La maison, blanche et entourée de grandes colonnes, semblait tout droit sortie d'*Autant en emporte le vent*. Située dans le quartier chic de Bel Air, elle était adossée à une falaise, ce qui avait permis d'aménager une cascade artificielle à l'intérieur. Jeff sonna et la porte s'ouvrit sur une apparition entièrement vêtue de blanc portant une longue chevelure rousse.

— Rhonda Fleming, enchantée, dit-elle en me serrant la main.

— Oui, je sais, répondis-je assez maladroitement.

Elle me proposa un verre, que j'acceptai. Un jus de fruits frais à la main, je fus conduit vers le patio où un groupe d'acteurs, d'agents et d'autres représentants d'Hollywood formaient un grand cercle en se tenant par la main.

Mon Dieu, déjà ? pensai-je. *Tout ce que j'ai entendu dire sur les mœurs dissolues de Hollywood est-il donc vrai ?*

En fait, ils priaient. Contre la bombe atomique ! Je m'assis donc en prenant la main de Rhonda, et priai à mon tour... pour que la prière prît fin rapidement.

Une autre grande beauté de Hollywood, Grace Kelly, entra comme un ouragan dans les locaux du département publicité de la MGM un jour où je passais par là. Elle était furieuse. Apparemment, ils avaient surimposé son visage sur la poitrine d'Ava Gardner pour les affiches de *L'Émeraude tragique*. Elle refusait d'être affublée de gros seins, considérant qu'elle n'était pas « faite comme Ava ». Si elle avait vu ce qu'ils me firent plus tard ! Ma tête fut un jour collée sur le corps de Steve Reeves alors que je n'ai jamais eu ses muscles. En tout cas, pas à l'époque.

Au département publicité, je rencontrai un compatriote, l'attaché de presse Jerry Pam, qui devint l'un de mes plus proches amis. Jerry aimait recevoir chez lui, sur Dick Street, dans une maison minuscule où je me demandais souvent comment il parvenait à caser autant de monde. Parmi ses nombreuses prouesses, Jerry orchestra l'arrivée des Beatles aux États-Unis et le cirque médiatique qui s'ensuivit.

Peu de temps après notre rencontre, Jerry s'établit comme attaché de presse indépendant, et je devins l'un de ses premiers clients. Je le suis encore aujourd'hui. J'ai toujours plaisir à le retrouver lorsque je me rends à Los Angeles ou qu'il vient dans le sud de la France, où se tiennent nos réunions du Côte d'Azur Wine Club, pour partager quelques grandes bouteilles, des conversations endiablées et des plats délicieux.

Mon contrat me liait à la MGM pour sept ans, comme c'était l'usage, avec des « options ». Grâce à ces clauses particulières, rédigées en leur faveur pour la plupart, mes employeurs pouvaient se débarrasser de moi à n'importe quel moment. Tous les artistes étaient engagés pour quarante semaines par an avec un salaire étalé sur cinquante-deux. Le mien se montait royalement à quatre cents dollars hebdomadaires.

L'argent mis à part, je trouvais la vie à Hollywood fantastique. Elle correspondait à tout ce que j'avais espéré, et plus encore. Il y faisait toujours beau, contrairement à Londres, et les rues étaient bordées de palmiers qui semblaient grimper jusqu'au ciel. Dans cette ville, tout semblait possible. J'étais jeune et me fis rapidement des amis, en grande partie grâce à Jeff Hunter. Nous étions de toutes les fêtes et fréquentions les lieux branchés, des bars tels que The Luau, Don the Beachcomber – où ils préparaient d'excellents cocktails au rhum – ou Scandia, sur le Strip, où l'on mangeait de délicieuses saucisses le dimanche matin.

Dot enchaînait les voyages entre Hollywood et le Royaume-Uni à cause de ses obligations professionnelles mais, dès que nous en avions l'occasion, nous allions jouer au bowling avec nos amis, dont James Mason et Diana Dors, alors au sommet de sa gloire. Une des salles que nous fréquentions possédait une piste privée. Nous nous y retrouvions en bande pour boire une bière et disputer quelques parties, si possible avec notre compatriote Eunice Gayson lorsqu'elle était en ville.

Diana était séparée de son premier mari, Dennis Hamilton. Un après-midi, je reçus un appel à la maison d'un journaliste du *Daily Mirror* – je crois qu'il s'agissait de Jack Bentley – qui souhaitait me demander si je savais où se trouvait Diana. Elle était justement assise en face de moi. Je demandai ce qu'il voulait.

— Dennis Hamilton est mort, dit-il. Nous voulons la prévenir.

Bentley voulait recueillir les réactions de Diana, aussi ne lui dis-je pas qu'elle se trouvait avec moi. Du coup, je dus lui annoncer la nouvelle, et je savais que même s'ils étaient en plein divorce Diana avait conservé beaucoup d'affection pour Dennis. Elle décida alors de rentrer à Londres. J'effectuai la réservation pour elle et réussis à l'emmener en voiture jusqu'au pied de l'avion afin d'éviter les journalistes. Les formalités aéroportuaires étaient plus simples à l'époque.

Entre deux films, les acteurs sous contrat devaient régulièrement tourner des bouts d'essai. Heureusement, on ne me demanda jamais de passer une audition pour une des comédies musicales de la MGM. Il faut dire que j'avais fortement insisté, lors de mon engagement, sur le fait que je ne savais pas chanter. Pour en convaincre tout le monde, j'avais chanté horriblement faux dès les premières notes jouées par les musiciens. Je n'avais aucune envie de tourner une comédie musicale, et mes employeurs s'accordèrent à penser que je n'avais pas tort. J'étais loin de me douter à quel point je les apprécierais par la suite en tant que spectateur.

Quelques mois passèrent, ponctués par des auditions et des bouts d'essai, avant que Dot et moi fussions invités à l'avant-première de *La dernière fois que j'ai vu Paris*, mes tant attendus débuts à Hollywood. C'était une soirée de gala, dans une salle de cinéma sur Olympic Boulevard. J'étais très excité à l'idée d'être assis là et de pouvoir contempler à l'écran le fameux lion rugissant de la MGM et de voir défiler les noms des acteurs : Elizabeth Taylor, Van Johnson, Donna Reed, Walter Pidgeon, Eva Gabor, George Dolenz et... Roger Moore ! Mais l'excitation laissa rapidement place à la peur, et je m'enfonçai dans mon siège en attendant ma première scène, en proie à une angoisse terrible. Quand la scène en question arriva, un murmure sembla parcourir la salle. J'étais comme fasciné par l'écran et éprouvai en même temps une sensation très étrange et plutôt intimidante en constatant que je n'étais pas tout à fait aussi bon que je le pensais. Quoi qu'il en soit, j'avais *réussi* : j'étais à l'affiche d'un film, à Hollywood, dans un vrai rôle.

Au bout de six mois, l'échéance de la première option de mon contrat arriva, et le studio semblait prêt à me garder encore un peu. Afin d'être mieux logés, Dot et moi quittâmes notre appartement pour en louer un autre, au dernier étage d'un immeuble situé tout près de là, sur Levering Avenue. Nous avions désormais une grande terrasse privée et une piscine que nous partagions avec quelques occupants. Nos voisines étaient plutôt sympathiques : il s'agissait de jeunes hôtesses de l'air ! Un autre de nos voisins n'était autre que William Shatner, qui deviendrait célèbre grâce à la série *Star Trek*. Nous passâmes de nombreuses soirées, tous ensemble au bord de la piscine à boire quelques verres. Un peu plus tard, Christine Jorgensen s'installa dans le quartier. Ce soldat originaire du Bronx avait changé de sexe après une opération et des traitements hormonaux au Danemark, en 1952, au tout début de ce genre d'intervention. Une des plaisanteries qui circulaient voulait que Christine ait annoncé qu'elle et moi allions tourner l'adaptation d'*Elle*, de H. Rider Haggard, sans préciser lequel des deux rôles je jouerais.

J'avais fait la connaissance de Christine chez Noël Coward, à New York. Une autre superbe blonde, Christine Norden, que j'avais connue à Londres, était également présente. Elle s'était envolée pour les États-Unis afin d'épouser un type nommé Dodge qui se révéla ne pas être une bonne affaire. Quoi qu'il en soit, les deux Christine se détestèrent cordialement ce soir-là. Norden crut voir une rivale en Jorgensen. L'atmosphère fut glaciale.

Il y avait toujours une fête quelque part à Hollywood, et notre cercle d'amis s'étoffait. Les soirées étaient réparties en trois catégories : A, B et C. Un acteur sous contrat appartenait à la catégorie B. Ceux qui couraient le cachet étaient en C. La liste A était naturellement réservée aux stars. Celles-ci s'abaissaient rarement à assister à une fête donnée par un B, et les membres de cette catégorie vivaient dans l'espoir d'être un jour invités dans une fête A. Nous étions tous ainsi catalogués, et il n'était pas aisé de passer dans la catégorie supérieure.

Red Buttons et sa femme Helayne faisaient également partie de nos amis à Westwood. J'avais prévu un soir de les emmener dîner et de leur téléphoner avant de passer les chercher. Red venait de rentrer d'Afrique où il avait tourné un film avec John Wayne. Là-bas, il était tombé sous le charme des *bush babies*, des animaux nocturnes, pas plus gros qu'un écureuil, dotés de sortes de ventouses au bout des pattes dont ils se servent pour sauter de branche en branche. En dépit de leur petite taille, les *bush babies* sont réputés pour la puissance de leur cri strident, comparable à celui d'un bébé, d'où leur nom. On peut les attraper en plaçant sur le sol une soucoupe remplie de bière : poussé par la curiosité, le *bush baby* descend de son arbre, s'approche, goûte la bière... et finit ivre mort. Red avait ramené un de ces animaux et l'aimait beaucoup. Mais cela l'obligeait à garder ses portes et ses fenêtres fermées, car l'animal sautait d'un mur à l'autre en volant à travers les pièces.

En arrivant pour notre rendez-vous, je trouvai Red et Helayne en larmes. Apparemment, Red était allé aux toilettes et, après s'être soulagé, avait naturellement tiré la chasse d'eau. À ce moment précis, leur *bush baby* avait fait irruption dans la pièce, était tombé dans la cuvette et avait été aussitôt emporté. Il paraît qu'à New York, les gens se débarrassent ainsi de bébés alligators et que les égouts de la ville grouillent de spécimens adultes. Dans ceux de Los Angeles, on trouve peut-être des colonies de *bush babies*!

Mon film suivant, *Mélodie interrompue,* de Curtis Bernhardt, racontait l'histoire véridique de Marjorie Lawrence, la célèbre soprano australienne atteinte de polio qui avait lutté contre sa maladie et était parvenue, contre toute attente, à en guérir. Eleanor Parker jouait le rôle de la chanteuse, Glenn Ford, celui de son mari, et moi celui de Paul, le frère cadet de Marjorie.

Nous tournâmes la scène d'ouverture dans un ranch hors de Los Angeles. Le film commence par un gros plan sur un coq en train de chanter, puis la caméra se déplace pour dévoiler une ferme. Je sors d'une grange en tirant un cheval par la bride et Eleanor se précipite hors de la maison pour monter dessus. Rien de plus simple! Mais, alors que nous nous préparions à tourner, le cheval, qui n'avait visiblement pas lu le scénario, décida de me marcher sur le pied et de ne plus en bouger. Après avoir réussi à me dégager tant bien que mal, je m'enfuis à cloche-pied en lâchant une bordée d'injures. Un journaliste ou quelque attaché de presse devait se trouver sur le plateau ce jour-là car l'incident fut rapidement rapporté dans différents journaux... dans une version passablement enjolivée. À les croire, j'avais été piétiné à mort par des chevaux sauvages. Ce soir-là, mon téléphone sonna. C'était ma mère, qui appelait de Londres. L'information avait traversé l'Atlantique!

Eleanor Parker se montra très gentille avec moi. Elle m'apprit beaucoup sur les techniques de jeu au cinéma, très différentes de celles du théâtre. Si vous haussez les sourcils sur scène, le premier rang s'en apercevra peut-être. Mais si vous faites la même chose au cinéma, on ne voit que ça.

Pendant la mise en place, il lui arrivait de me conseiller:

— Oh, je pense que tu devrais venir te mettre là, Roger. C'est ici que tu seras le mieux pour cette scène.

Je répondais que le réalisateur m'avait demandé de me placer ailleurs, mais elle me faisait signe de m'approcher et me murmurait:

— Mets-toi là, chéri.

Un jour, je dis à Eleanor que je trouvais que Glenn Ford était un homme charmant et un acteur remarquable.

— Viens l'observer demain, me répondit-elle avec une lueur ironique dans le regard.

Le lendemain, Eleanor avait une scène importante, où elle devait se traîner à terre, en pleine crise de larmes. Sous mes yeux, Glenn Ford s'ingénia à rater toutes les premières prises, jusqu'aux environs de la neuvième, où il lança :

— Ouais, celle-là me plaît. On la garde !

À ce stade, Eleanor était épuisée. Elle avait tout donné dans les prises précédentes et sa performance s'en ressentait manifestement. Face à une partenaire ainsi diminuée, le dynamique Glenn Ford paraissait très à son avantage.

— Tu as compris ce que je voulais dire ? me demanda ensuite Eleanor.

Glenn me révéla, lui aussi, une ou deux ficelles du métier. Ainsi, quand vous jouez une scène à deux, il faut toujours placer le pied le plus proche de la caméra vers l'objectif, ce qui entraîne les épaules et le visage, afin d'éviter de n'apparaître que de profil. Du coup, au moment de tourner, Glenn recula légèrement par rapport à la position qu'on lui avait désignée pour être davantage face à la caméra. Et moi, qui n'étais pas dupe, je fis de même. Il fit de nouveau quelques pas vers le fond de la scène, et je le suivis. À un moment, le réalisateur finit par intervenir :

— Si vous continuez à reculer comme ça, vous allez sortir du décor !

Je commençais à me sentir installé à la MGM et pensais connaître tout le monde. Je lançais des bonjours joyeux à Ava Gardner, Debbie Reynolds, Vic Damone et leurs semblables, qui se demandaient probablement qui j'étais !

Dans mon film suivant pour la MGM, *Le Voleur du roi*, j'eus la chance de côtoyer David Niven, qui jouait le duc de Brampton, et d'apprendre à mieux le connaître. Je l'avais rencontré quand je travaillais pour Publicity Picture Productions à Soho, en 1943. Conseiller technique de l'armée sur les films de formation que nous produisions, il n'avait évidemment pas remarqué le grouillot que j'étais à l'époque. Je lui expliquai comment, pendant les années de vaches maigres où j'étais mannequin, un photographe s'était servi de mon visage pour illustrer la publication en feuilleton de son premier livre. Niv avait des histoires formidables, qu'il racontait avec énormément d'humour, et si souvent qu'il finissait lui-même par y croire, alors qu'elles étaient enjolivées. Ce tournage fut le début d'une longue amitié.

George Sanders était également au générique. Il avait déjà interprété le Saint à plusieurs reprises, alors qu'il me faudrait encore attendre quelques années pour porter l'auréole. Un soir, alors que George et moi passions devant M. Hollywood en quittant le studio, un groupe de chasseurs d'autographes se tenait à l'entrée. George en signa consciencieusement quelques-uns lorsqu'une fillette lui lança :

— J'ai vu tous vos films, monsieur Sanders !

George la regarda droit dans les yeux et lui répondit sèchement :

— Citez-m'en un seul.

L'expression mortifiée de la fillette faisait peine à voir.

Cette phrase, j'ai toujours redouté d'avoir à la dire à un fan.

George était très caustique et très paresseux. Il avait fait spécifier dans son contrat qu'il aurait droit à trente minutes de pause à chaque changement de costume – et, comme nous tournions un film historique, ils étaient nombreux. Il était également stipulé qu'une chaise longue devrait être mise à sa disposition afin qu'il puisse se reposer quand l'envie lui en prendrait. George, qui jouait le rôle de Charles II, passait la plupart des scènes sur son trône. À la fin de la prise, quand on lui disait qu'il pouvait se lever, il lui arrivait de répondre :

— Non, merci. Je vais rester ici.

Il fermait alors les yeux et s'endormait. C'était un homme étonnant !

Je revis George des années plus tard, un jour où je tournais un épisode du Saint aux studios ABPC d'Elstree alors qu'il tournait sur un autre plateau. C'était étrange de croiser l'homme qui avait contribué à rendre ce rôle célèbre. Sa vie avait pris à l'époque une tournure tragique. Il avait investi une grande partie de son argent dans une entreprise de saucisses qui avait fait faillite, le ruinant brutalement. Quelle tristesse ! Il se suicida à soixante-cinq ans. Je ne peux oublier qu'il avait un jour annoncé à David Niven son intention de mettre fin à ses jours quand viendrait l'âge de la retraite.

J'ai l'impression que tous les acteurs britanniques d'Hollywood, ou ceux qui jouaient des rôles d'Anglais, travaillaient sur ce Voleur du roi. Une petite bande d'artistes anglais était établie depuis un certain temps à Hollywood, mais je n'en faisais pas vraiment partie, même s'il m'arrivait de dîner avec Cecil Kellaway et ses invités Cedric Hardwicke, Gladys Cooper, Robert Hardy, etc. Il n'y avait pas de rivalité entre nous, plutôt un esprit de camaraderie.

Le scénario du *Voleur du roi* était signé Christopher Knopf, fils de notre producteur Edwin, le film étant réalisé par Robert Z. Leonard. Surnommé « Pop » Leonard, il était retraité mais avait accepté de reprendre du service pour faire plaisir au studio. Inspiré de l'histoire du capitaine Blood, il s'agissait d'un vrai film de cape et d'épée dans lequel Edmund Purdom et moi-même incarnions des voleurs de grand chemin.

Véritable légende vivante à Hollywood, Sydney Guilaroff, le chef coiffeur du film, m'aimait bien. Il me donnait toujours la perruque la plus longue. Un jour, alors qu'on me l'ajustait, je remarquai une dame dans le fauteuil voisin. La coiffeuse tendait la peau de son visage avec des rubans adhésifs ! Quand ils furent tous en place, elle lui posa sa perruque, et la dame se tourna alors vers moi. C'était Marlène Dietrich, qui tournait *Le Tour du monde en 80 jours* aux studios Goldwyn, un peu plus loin, mais n'aurait laissé personne d'autre que Sydney s'occuper de sa coiffure.

Pendant le tournage, je fus convoqué par Dory Schary, le redouté patron de la MGM, qui avait évincé son prédécesseur, Louis B. Mayer. Il m'informa que mon film suivant serait *Diane de Poitiers*, avec Lana Turner. Quelques années plus tôt, Edmund Purdom avait travaillé avec Lana sur *Le Fils prodigue*. De retour sur le plateau, je lui fis part de mon excitation à l'idée de ce premier rôle qui allait sûrement me donner accès aux fêtes de la catégorie A.

— Je suis content pour toi, si tu n'as rien contre un peu d'alcool et de sexe sur le plateau, me répondit-il.

Sa réaction me déçut, mais j'appris plus tard qu'il avait été en pourparlers pour le rôle. J'imagine que Lana Turner n'avait pas eu envie de retravailler avec lui.

Pendant le tournage du *Voleur du roi*, Edmund – qui en était alors à son deuxième mariage, si je ne m'abuse – avait une aventure avec Linda Christian, l'épouse de Tyrone Power. Comment l'en blâmer ? Linda était l'une des plus belles femmes de Hollywood. Bien avant l'ère des mobiles, les plateaux étaient équipés de téléphones montés sur une sorte de trépied afin de pouvoir les déplacer. Chaque fois que nous étions sur le point de tourner, Edmund recevait un appel qui obligeait tout le monde à l'attendre. C'était un excellent acteur, mais il s'intéressait davantage à la musique... et à Linda Christian.

Un jour, alors qu'il était en train de nous faire attendre pour la énième fois, Niven le regarda et déclara, mi-figue, mi-raisin :

— Vous ne trouvez pas qu'il est un peu emmerdant ?

Malheureusement pour lui, pendant ses années de gloire, Eddie avait réussi à se fâcher avec les deux chroniqueuses les plus influentes d'Hollywood, Hedda Hopper et Louella Parsons. Après avoir quitté la MGM, il fut engagé dans un film que devait réaliser Irving Rapper. Celui-ci lui demanda de l'accompagner pour rencontrer la productrice, qui avait des doutes à son sujet à cause des ragots colportés par les deux commères. Irving lui avait bien sûr assuré qu'Eddie était quelqu'un de bien, injustement calomnié.

— Eddie, je voudrais te présenter notre productrice, Harriet Parsons, dit Irving en arrivant au rendez-vous.

— J'espèwe que vous n'êtes pas de la famille de cette vieille vache de Louella, laissa tomber Eddie après un silence.

Or, il se trouvait que c'était justement sa fille ! Pourtant, ce sacré Eddie réussit à obtenir le rôle.

Nous savions tous que *Le Voleur du roi* ne serait pas sélectionné aux Oscars. Pourtant, certains faisaient semblant de l'ignorer. À contrecœur, j'acceptai d'assister à une projection-test, accompagné des autres acteurs, des producteurs et des cadres du studio, pour tester les réactions du public. Au fur et à mesure que la projection avançait, les spectateurs semblaient de plus en plus agités. Au bout d'un moment, je crus même qu'ils allaient finir par jeter les fauteuils sur l'écran pour mettre un terme à ce supplice. C'est alors qu'une réplique déclencha, involontairement, l'hilarité générale.

Edmund et moi étions enchaînés dans la Tour de Londres. Ann Blyth, qui jouait le rôle de Lady Mary, était venue rendre visite à Michael, interprété par Edmund, et avait réussi à lui donner un couteau. Après son départ, Michael réussissait à détacher ses chaînes du mur, puis les miennes. Nous grimpions dans la cheminée afin de nous évader mais découvrions qu'elle était obstruée par des barreaux. Michael parvenait à en défaire un, qu'il me tendait pour que je le débarrasse de ses menottes.

— Arrache-les, disait-il sur un ton dramatique.

— Je risque de te casser le bras ! répondais-je.

— Tant pis, concluait-il avec une désinvolture qui fit hurler de rire le public.

Je m'étais demandé si c'était par népotisme que le fils du producteur avait été engagé comme scénariste. Maintenant, j'étais fixé. Si j'avais prévu que des rires accueilleraient cette horrible réplique, je fus surpris de les voir redoubler quand mon personnage grimpa derrière Edmund en lui demandant, le plus sérieusement du monde, de faire attention parce qu'il faisait tomber de la suie et qu'une grosse brique venait de lui rebondir sur les épaules. Quels dialogues mémorables !

Pas trop affecté par les critiques que reçut *Le Voleur du roi*, je pensais déjà à des lendemains plus excitants et à Lana Turner.

Diane de Poitiers fut réalisé par David Miller sur un scénario de Christopher Isherwood. Mon personnage, le prince Henri, était un paresseux bourru qui aimait se battre. Lors des essayages de costumes, qui s'éternisèrent, quelqu'un fit remarquer que mes jambes n'étaient pas assez musclées. Peut-être fallait-il les rembourrer ? On fit des moulages pour fixer des prothèses en caoutchouc sous mes collants qui m'obligeaient à marcher les jambes écartées et me donnaient l'air ridicule. Je protestai tant et si bien que l'affaire remonta jusqu'au bureau de Benny Thor, le numéro deux de la MGM, qui avait la réputation d'être sans pitié. C'était à lui qu'il revenait de décider si j'aurais à porter ces faux muscles.

En arrivant, je restai planté devant la porte de son bureau, comme un gamin envoyé chez le proviseur. Benny Thor ne m'accorda même pas un regard.

— Est-ce qu'il les porte ? grommela-t-il.

Les assistants serviles qui composaient son entourage acquiescèrent. Benny leva les yeux.

— Dites-lui de les enlever, grommela-t-il, m'ignorant totalement.

Je fus conduit dans la pièce voisine, le temps d'ôter les prothèses.

— Est-ce qu'il les a enlevées ? demanda-t-il à mon retour.

Quand ses assistants lui dirent que oui, il regarda le résultat et, sans cesser de m'ignorer, leur lança :

— Bon, il n'en a visiblement pas besoin.

Notre roi Salomon avait rendu son jugement, et je fus donc autorisé à faire le film sans prothèses.

J'appris que Geoffrey Toone, dont j'avais été la doublure au théâtre, allait passer par Los Angeles après un séjour en Australie. Il avait toujours prédit que je deviendrais une star.

— Toutes mes doublures sont devenues célèbres, avait-il coutume de dire. Errol Flynn était ma doublure, vous savez ?

Ayant plutôt bien réussi, je lui témoignai ma reconnaissance en suggérant son nom pour le rôle du duc de Savoie. Quand Geoffrey vint rencontrer l'équipe, tout se passa bien. Il était parfait. On l'envoya donc chez la costumière essayer toute une série d'habits. À chaque changement de costume, il lui fallait marcher près d'un kilomètre pour aller montrer le résultat au producteur, dont le bureau se trouvait dans le Thalberg Building, et autant pour revenir. Après une dizaine de costumes et une vingtaine de trajets, quand on lui annonça qu'il n'avait toujours pas l'air d'un duc, Geoffrey explosa.

— J'ai joué des putains de ducs et des foutues reines plus souvent que vous n'avez avalé d'œufs au petit déjeuner ! hurla-t-il.

Les essayages cessèrent, et Geoffrey obtint le rôle.

Le casting de ce film était pour le moins surprenant. Pedro Armendariz, un Mexicain, jouait le roi de France. Le citoyen britannique que j'étais interprétait son fils, Henri. Dans le rôle-titre, Lana, une Américaine, incarnait elle aussi une Française. Quand il s'agit de distribuer le rôle de ma femme, Catherine de Médicis, Nicole Maurey fut écartée en dépit d'excellents bouts d'essai qu'elle avait passés avec moi. Le motif ? Elle était française et cela s'entendait à son accent ! Ils engagèrent à sa place une Italienne, Marisa Pavan. Je n'y vis aucune objection, car Marisa était charmante et très talentueuse.

Un des bénéfices que je retirai de ce film fut d'avoir appris à embrasser. Car malgré mes vingt-huit ans et mes deux mariages au compteur, ma technique fut remise en question. Dans une horrible scène, Diane, qui avait été chargée par le roi de transformer son rustaud de fils en gentleman, et moi apprenions la mort de mon père. Je devais alors me tourner vers Lana Turner et dire :

— Vous m'avez fait prince. Maintenant, faites de moi un roi !

Lors de la première prise, nos lèvres s'unirent et je lui donnai un baiser d'anthologie. Lana se mit alors à tousser, me repoussa et cria :

— Coupez, coupez !

Puis elle se tourna vers moi.

— Chéri, tu embrasses bien, mais quand une dame dépasse les trente-cinq ans, elle doit faire attention à son décolleté. Pourrais-tu recommencer, avec la même passion, mais sans les écraser ?

La passion sans la pression ! Voilà une leçon pour laquelle je serai éternellement reconnaissant à Lana.

Dans le film, un devin prédisait que Henri mourrait « dans une cage en or ». Suivait une scène de chasse où je devais être sauvagement attaqué par un sanglier. Pas d'effets spéciaux numériques ou d'automates électroniques à l'époque : le studio possédait un vrai sanglier. Le décor était constitué de feuillages d'automne formant une sorte de cage dorée qui devait laisser croire au public qu'Henri était sur le point de mourir.

Comme il était impossible d'apprendre au sanglier à sauter, les accessoiristes installèrent dans les buissons une planche orientée à quarante-cinq degrés qui lui servirait de rampe de lancement. Positionnés derrière l'animal, ils allumèrent ensuite une sorte de fer à souder. Soudain, une forte odeur de bacon grillé et de poils roussis se répandit dans l'air, et le sanglier partit en trombe.

Dans le plan suivant, la bête était censée m'avoir jeté à terre. Pour le tourner, ses pattes arrière avaient au préalable été entravées et ses mâchoires fermées avec du fil d'acier. Les bras passés autour de son cou, je ne risquais donc rien. Du moins, c'est ce que tout le monde croyait. Mais l'animal se mit soudain à me soulever et à se débattre comme un fou furieux. J'appris à cette occasion que les muscles les plus puissants d'un sanglier sont ceux de son cou. Les bleus dans mon dos mirent des jours à disparaître. Je me consolai en dévorant des sandwichs au bacon au petit déjeuner le restant de la semaine.

Sans respecter la chronologie, nous devions tourner ensuite la scène finale, celle du tournoi. Je portais à cette occasion la panoplie du parfait chevalier : l'armure, les gantelets articulés, les protections des jambes et des pieds, la totale ! Ainsi équipé, j'avais fière allure à cheval.

Nous tournions en cinémascope, donc avec un cadre très large. En ma qualité de souverain, il m'appartenait de chevaucher en tête de mes chevaliers et de faire entrer assez rapidement tout le monde dans le champ de la caméra. À cause de l'armure, je perdis les étriers en éperonnant mon cheval. J'essayai de rester en selle en serrant mes genoux couverts de métal, tandis que ma monture filait à toute allure vers le fond du décor. Lorsqu'il s'aperçut qu'il ne pouvait pas aller plus loin, le cheval tourna brutalement à droite tandis que, conformément aux lois physiques énoncées par Isaac Newton, je continuai tout droit.

En revenant à moi, j'eus l'impression d'être allongé sur une table d'opération. Le soleil m'éblouissait et tous les visages étaient penchés vers moi.

— Découpez son armure! dit une voix.

Puis Lana apparut dans mon champ de vision et demanda :

— Comment va sa queue?

Cela mérite une explication. Pendant le tournage, nous nous racontions des histoires drôles entre les prises. Une de nos préférées était du réalisateur, David Miller. Elle racontait les débuts au Metropolitan Opera de New York du grand ténor Enzio Pinza. La salle était pleine de tiares, de colliers de diamants et de beaux messieurs en smoking. Tandis que s'élevaient les premières notes et que Pinza s'avançait, un ivrogne au premier rang lui cria :

— Chante *Melancholy Baby*!

La musique s'arrêta. On entendit des « chut! » puis le chef d'orchestre frappa son pupitre du bout de sa baguette et la musique reprit.

— Chante *Melancholy Baby*! hurla à nouveau l'ivrogne.

Après trois nouvelles interruptions, Pinza s'approcha du bord de la scène en protégeant du revers de la main ses yeux de l'éclat des feux de la rampe.

— Mais je ne connais pas *Melancholy Baby*, expliqua-t-il.

— Alors, montre-nous ta queue! riposta l'ivrogne.

Cette histoire pliait systématiquement l'équipe de *Diane de Poitiers* en quatre et c'est à elle que Lana faisait référence. Heureusement, je ne m'étais rien cassé, mais j'avais mal partout, y compris à l'amour-propre. Après une nuit désagréable à l'hôpital Queen of Angels, je fus renvoyé chez moi, et retournai au studio dès le lendemain.

À propos de queue, il faut que je vous parle de OK Freddy. Habitué des plateaux de la MGM, OK Freddy était un figurant extrêmement bien « monté ». Les jours où le plateau était ouvert au public, il sortait son engin et l'exhibait pour cinquante *cents*. Environ un millier de spectateurs pouvant être présents en de telles journées, l'exercice se révélait profitable.

Errol Flynn faisait souvent appel à ses services quand il donnait des dîners. Freddy, en queue-de-pie et nœud papillon blancs, plaçait son outil sur un plat, au milieu de quelques feuilles de cresson, qu'il présentait successivement à tous les convives. Un jour, en toute connaissance de cause, une fille entreprit d'y planter sa fourchette. Errol devint furieux, car ce fut la fourchette qui se tordit!

La carrière musicale de Dot remportait un vif succès en Grande-Bretagne ; elle faisait salle comble dans tout le pays et y passait de ce fait beaucoup de temps. Mais elle venait me rejoindre à Hollywood dès qu'elle le pouvait. Un soir qu'elle était là, pendant le tournage de *Diane de Poitiers*, je reçus une petite leçon fort utile. Après une dure journée de tournage, j'étais rentré à la maison fatigué et affamé. Apprenant que le dîner n'était pas prêt, je ne cachai pas ma frustration.

— Bon sang, ça ne va pas du tout. Je dois me lever tôt demain matin, moi !

La volcanique Galloise me jeta un regard furieux.

— Ne fais pas ton putain de roi Henri avec moi ! répliqua-t-elle sèchement.

Je peux vous assurer que, depuis lors, je prends toujours grand soin de laisser mes soucis de la journée derrière moi en rentrant à la maison.

La traditionnelle fête de fin de tournage se tint à la MGM, dans le décor de boîte de nuit qui avait été créé pour *Les Pièges de la passion*, avec Doris Day et James Cagney. J'avais pour ce film donné la réplique à Jenny James pendant ses tests. Je savais que je n'aurais pas le rôle, puisque Cagney était déjà engagé, mais c'était avec ce genre de tâche qu'on occupait les acteurs sous contrat entre deux films. Et j'avais ainsi pu découvrir avant les autres ce magnifique décor, qui convenait à merveille à ce genre de fête somptueuse.

Je m'assis ce soir-là avec mon verre sur les marches qui menaient à la piste de danse. Bientôt, Lana Turner s'installa derrière moi et commença à me masser les épaules. À dire vrai, je trouvai ça très agréable. C'est alors que j'entendis une voix masculine dire :

— Bonsoir, chérie.

Lana cessa immédiatement de me masser, et je me retournai pour découvrir Lex Barker, son mari, un géant de deux mètres. J'avais compris le message.

En dépit de tous nos espoirs, *Diane de Poitiers* fut un échec retentissant et le studio me renvoya. J'avais passé deux ans à la MGM et il en restait cinq avant la fin de mon contrat. Les films que j'avais faits pour le studio n'avaient pas eu beaucoup de succès et je me retrouvais catalogué acteur de films historiques, un genre que le public commençait à bouder.

Peu de temps auparavant, on m'avait proposé le rôle principal d'une grosse production télévisée mais le studio avait refusé de me laisser partir, ou plutôt de louer mes services, prétextant que les acteurs de la MGM ne faisaient pas de télé. Trois mois plus tard, juste avant mon renvoi, ils me demandèrent de participer à un programme appelé *MGM Presents*, une émission d'une demi-heure diffusant des extraits de films du studio. L'idée serait reprise quelques années plus tard avec un immense succès par Jack Hayley Jr., le producteur d'*Il était une fois à Hollywood* et *Hollywood, Hollywood*, mais j'étais furieux qu'ils m'empêchent de saisir une occasion en or pour me proposer une émission minable.

Le studio publia finalement le communiqué suivant : « D'un commun accord, MGM et Roger Moore ont décidé de mettre un terme au contrat qui les liait. » Mais tout le monde savait qu'il signifiait en fait : « Casse-toi. »

Mon horizon professionnel semblant bouché à Hollywood, je décidai de rentrer en Angleterre. Je reçus alors un appel téléphonique qui tomba à point nommé. Charles Russell et Lance Hamilton, les managers de Noël Coward, venaient d'acheter la Thunderbird flambant neuve de Robert Wagner et voulaient l'expédier à leur client en Angleterre. Ils me proposèrent de la conduire jusqu'à New York et de faire la traversée à bord du *Queen Mary*. J'acceptai avec enthousiasme.

Mais je n'étais décidément pas verni à cette époque. Ma première et dernière croisière sur le *Queen Mary* fut la pire qu'on puisse imaginer. Il fit un temps épouvantable. À part moi, tous les passagers furent malades durant la traversée. Gore Vidal, encore jeune, était des nôtres. Entre deux violents coups de roulis, je réussis à le prendre en photo avec mon appareil. Il faut croire que ce cliché lui plut car il s'en servit pour la page de garde de plusieurs de ses livres.

Je me réinstallai donc à Bexley avec Dot en me demandant ce qu'il allait advenir de moi, pauvre acteur rejeté par Hollywood. Retrouverais-je un jour du travail ? Étais-je destiné à me faire entretenir ?

Trois longues semaines plus tard, on me proposa de retourner à New York afin de jouer dans une adaptation télévisée de *Heureux mortels*, de et avec Noël Coward. Manifestement, il m'était reconnaissant de ne pas avoir abîmé sa voiture !

La pièce devait être diffusée en direct, comme au temps de mes débuts à la BBC, et nous disposions de trois semaines de répétitions pour tout mettre au point. Edna Best jouait la mère, Coward, le père. J'interprétais Billy, le fiancé de leur fille

Queenie, à laquelle Patricia Cutts prêtait ses traits. Coward insistait pour que tout le monde sache ses répliques par cœur dès la première lecture, sans même attendre la première répétition. Il n'aimait pas voir les acteurs arriver, comme c'était souvent le cas, leur texte à la main. Ça ne me posait pas de problème : je connaissais la pièce pour l'avoir jouée à la RADA et, quelques fois, au théâtre. Je profitai de la traversée en avion pour me la remettre en tête.

Patricia Cutts, pour sa part, ne la connaissait pas parfaitement. Elle hésitait fréquemment, tant et si bien que Coward finit par se lever brusquement en disant :

— Cette scène a besoin de rythme ! J'ai eu le temps de lire un livre, de faire mon tricot et de tirer ma révérence avant que tu ne craches ta réplique !

Travailler avec le « Maître » constitua une expérience formidable. Noël Coward me donna de précieux conseils et fourmillait d'anecdotes fabuleuses. Un soir, pendant les répétitions, nous sortîmes sur Broadway pour aller voir *Le Journal d'Anne Frank*. Nous avions pris quelques verres avant la pièce, puis nous étions allés dîner. Après la pièce, nous nous retrouvâmes tous dans son appartement. Il devait être deux heures du matin quand je décidai de partir, mais je tins d'abord à le féliciter.

— Nous avons passé la journée à travailler, nous avons bu des cocktails, vu une pièce, dîné, nous voilà chez toi pour boire un verre... Pendant tout ce temps, tu n'as pas arrêté de parler, sans jamais te répéter.

— Rien de plus facile quand on ne parle que de soi, répondit-il.

Il avait un esprit vif et extrêmement brillant. On pourrait remplir des livres avec ses bons mots. Un de ses excellents conseils fut de me recommander de ne jamais refuser un rôle, « parce qu'on n'est acteur que si on a du travail ».

Une de mes histoires préférées à son sujet est celle du jour où l'un de ses nombreux neveux l'appela à la fenêtre pour regarder deux chiens en train de forniquer.

— Que font-ils, oncle Noël ? demanda le garçon.

— Le chien de devant a perdu la vue, répondit Noël sans la moindre hésitation. Son ami est en train de le pousser jusqu'à l'hôpital pour aveugles de St. Dunstan.

Je fus le témoin privilégié d'un autre de ses traits d'esprit caractéristiques lorsqu'il fut l'invité de *Person to Person*, une émission télévisée dans laquelle Edward R. Murrow, l'un des plus prestigieux journalistes américains, interviewait depuis son studio des célébrités chez elles. J'eus la chance d'être chez Noël Coward, à New York, lors de l'enregistrement.

Après les platitudes d'usage, Murrow, son éternelle cigarette au bout des doigts, demanda :

— Noël, vous êtes acteur, auteur, compositeur, metteur en scène, et vous vous produisez dans les cabarets. Quel est le secret de votre prodigieuse énergie ?

— Il tient en un mot, Ed. Relaxation.

— Dans ce cas, la question qui brûle les lèvres de toute l'Amérique est : Que fait Noël Coward pour se détendre ?

— Si je vous répondais, votre chaîne serait interdite d'antenne, répliqua Noël.

— Au contraire, je crois que notre mesure d'audience serait exceptionnelle !

— Très bien, Ed. J'ai effectivement un secret, et je vais vous le révéler. Je peins. J'ai d'ailleurs une toile à côté de moi. Dites-moi ce que vous en pensez.

Il se pencha pour saisir une assez jolie aquarelle, représentant une scène portuaire, qu'il présenta à la caméra.

— Très joli, Noël, reprit Murrow. Quelle est votre technique ?

— Mes amis disent que c'est du fauve-qui-peut !

À la même époque, Claudette Colbert était la vedette d'une autre pièce de Coward et, comme Patricia Cutts, elle avait des difficultés à apprendre son texte. Le jour de la répétition générale, elle savonna toutes ses répliques.

— Oh, Noël ! Je suis affreusement désolée, dit-elle au metteur en scène. Je pouvais pourtant les réciter à l'envers avant de venir !

— Ça me fait une belle jambe, répliqua-t-il. Contente-toi déjà de les dire à l'endroit !

Quelques années plus tard, à Los Angeles, nous allâmes voir Claudette dans une autre pièce avec ma femme Luisa, Gregory et Veronique Peck, Kirk et Anne Douglas, et Frank Sinatra. Nous sortions parfois ainsi tous ensemble. Claudette partageait l'affiche avec Rex Harrison, qui n'était pas très apprécié de notre groupe. Aussi, après le spectacle, nous emmenâmes Claudette dîner mais le laissâmes en plan !

Ceci me rappelle une histoire que me raconta Stanley Holloway. Il était en train de dîner avec Rex dans un restaurant lorsqu'un homme s'approcha.

— Monsieur Harrison ! Je vous prie de m'excuser mais je suis un de vos plus fervents admirateurs.

— Du vent! lança Rex.

Après leur dîner, le même type les attendait dehors, un papier à la main, dans l'espoir de recueillir un autographe.

— Je suis désolé, monsieur Harrison. Je n'aurais pas dû interrompre votre repas. J'ai donc attendu que vous finissiez de manger...

— Fous le camp! répondit à nouveau Rex.

Sans hésiter, le type l'envoya au tapis. Stanley ne put s'empêcher d'éclater de rire.

Mais revenons à la pièce. Les critiques furent plutôt élogieuses à mon égard et Coward me surnomma « notre petit voleur de scènes ». J'aime à penser que ces critiques contribuèrent à me faire engager dans quelques autres téléfilms aux États-Unis. Ils étaient diffusés en direct et enregistrés grâce au kinescope, une technique de reproduction assez médiocre obtenue en filmant un moniteur vidéo à l'aide d'une caméra 16 ou 35 millimètres. Je ne pense pas qu'aucun de ces enregistrements ait survécu. Dans le cadre du Goodyear Television Playhouse, je jouai dans l'adaptation d'une aventure de Miss Marple, *Un meurtre sera commis le...* Le rôle de Miss Marple était tenu par Gracie Fields, une grande vedette du théâtre et de la chanson des années trente et quarante. Elle avait fait scandale au début de la guerre en épousant un Italien, Monty Banks, et en s'exilant outre-Atlantique pour lui éviter l'internement. Pourtant, elle ne perdit jamais la faveur du public britannique. Elle n'était pas vraiment jolie mais elle incarnait parfaitement la fille d'à côté, telle une gamine du Lancashire.

En 1956, Gracie était mariée à un autre Italien, électricien celui-ci, prénommé Boris. Après les répétitions, nous nous rendîmes aux studios de NBC à Brooklyn. Pour ce voyage, on nous demanda, à Miss Fields et à moi, si nous ne voyions pas d'inconvénient à partager une limousine, ce que j'acceptai très volontiers. Je fus cependant effaré de voir cette femme âgée caresser le genou de son mari pendant le trajet en disant:

— Il n'est pas mignon comme tout, mon Boris?

J'étais loin de me douter que j'éprouverais un jour une passion similaire, non pour les genoux de Boris mais pour ma Kristina chérie, à soixante-dix ans passés. J'en ai aujourd'hui quatre-vingt-un et mes sentiments sont toujours aussi forts.

Après quelques mois à New York, l'automne approchant, je décidai de retourner en Angleterre. Noël Coward voulait que je joue dans *The Family Tree*, au Connaught Theatre de

Worthing. La pièce était écrite par Richard Buckle, le critique de ballets du *Times*, un homme aussi charmant qu'excentrique, qui me raconta qu'il avait servi dans le régiment des Scots Guards pendant la guerre. Un jour, il avait été parachuté derrière les lignes ennemies. Sans avoir tué personne ni accompli de haut fait, il en était revenu avec une robe de mariée sous le bras, qu'il porta fièrement le soir même au dîner.

Elspeth March et Daniel Massey étaient mes partenaires dans cette pièce. Elspeth avait longtemps été l'épouse de Stewart Granger, le héros de mon enfance, et je souhaitais naturellement qu'elle me parlât de lui. Nous savions tous qu'il s'appelait James Stewart mais qu'il avait dû changer de nom à cause de son homonyme célèbre.

Heureusement, Elspeth aimait beaucoup partager ses souvenirs. À la fin du tournage de *Waterloo Road*, l'un de ses premiers grands films, Jimmy avait accompagné Elspeth à la maternité. En dépit de grossesses difficiles et de plusieurs fausses couches, ils comptaient s'y rendre en bus. Soudain, la valise que portait Jimmy s'ouvrit, répandant tout son contenu sur le trottoir. Pendant qu'il rangeait à la hâte les soutiens-gorge d'Elspeth et un assortiment de layette, un petit attroupement se forma. Jimmy se retourna brusquement et cria aux badauds :

— Arrêtez de vous moquer de moi ! Je suis une vedette de cinéma !

Je ne suis pas sûr qu'ils le trouvèrent tout à coup plus sympathique...

Plutôt que de chercher un logement à Worthing, je décidai de rentrer chaque soir à Bexley en voiture après le spectacle. Les autoroutes n'existaient pas à cette époque, mais les routes étaient désertes et le trajet n'était pas bien long. Je fis ainsi l'aller-retour avec plaisir pendant quelques semaines, sans savoir que je ne remonterais pas sur scène avant plusieurs dizaines d'années, ce qui ne fut probablement pas pour déplaire aux critiques.

Vers la fin de 1956, Ivanhoé, le chevalier à l'armure étincelante, vint à moi. Interpréter ce rôle présentait des avantages – il s'agissait d'une série, avec un an de travail garanti assorti de vacances – et des inconvénients : c'était une production télévisée, et j'aurais nettement préféré travailler pour le cinéma. Cependant, gardant à l'esprit ce que m'avait dit Noël Coward à propos des acteurs au chômage, j'acceptai la proposition qui m'était faite. De nombreux préjugés circulaient à l'encontre des acteurs de télévision, mais ce n'est qu'après avoir tourné la moitié de la série que je m'inquiétai d'être ainsi catalogué et de ne plus jamais tourner de longs métrages. Les acteurs de productions télévisées portaient alors une marque d'infamie en Grande-Bretagne. Même s'ils étaient nombreux à venir du cinéma, rares étaient ceux qui parvenaient à accomplir le chemin inverse.

Nous filmâmes un pilote en couleur pour *Ivanhoé* aux studios ABPC d'Elstree, au mois de novembre, et j'eus aussitôt de sérieux doutes. Depuis des remparts en carton-pâte, un figurant devait crier :

— Abaissez le pont-levis pour sire Ivanhoé de Rutherwood!

Mais le mieux qu'il réussit à faire, en une dizaine de prises, fut :

— Baissez le pont pour sire Robin d'Ivanhood!

Les producteurs semblaient juger que des acteurs compétents leur coûteraient trop cher. Étais-je en train de commettre une terrible erreur?

Quand arriva le moment de tourner les extérieurs de ce pilote d'une demi-heure, il n'y avait plus de feuilles sur les arbres de la forêt de Sherwood. Aussi nous envolâmes-nous pour la vallée de San Fernando, en Californie. Je jugeais que c'était de la pure folie, mais cela signifiait aussi que la situation était sans doute moins alarmante que je ne l'avais craint.

La télévision couleur n'existant pas en 1956, le reste du pilote fut tourné en noir et blanc. Cela coûtait évidemment moins cher, mais c'est aussi la raison pour laquelle il ne fut jamais rediffusé.

Je réussis à faire engager sur ce tournage quelques amis de Los Angeles. Parmi eux, Keith McConnell, un Irlandais. À l'audition, on lui demanda s'il savait monter à cheval.

— Je suis irlandais, leur répondit-il simplement.

Ils en déduisirent qu'il devait savoir monter comme Gordon Richards.

Puis vint le moment de tourner la scène où, rentrant chez lui, Ivanhoé tombe dans une embuscade. Tandis que le chevalier ennemi et ses hommes s'approchaient de moi en brandissant leurs lances et leurs épées, le réalisateur David McDonald cria :

— Allez, en selle, Keith!

— Je ne monterai pas sur ce foutu machin, rétorqua celui-ci.

Finalement, toute une équipe d'accessoiristes et d'assistants hissèrent mon ami sur le cheval où il se tint, raide comme un piquet.

— Pas question que je bouge, prévint-il.

Pendant la prise, en bon chevalier anglais, il devait dire :

— Sire Ivanhoé de Rutherwood, sire Maurice de Beresford souhaite s'entretenir avec vous.

Au lieu de quoi il annonça, avec un accent irlandais à couper au couteau :

— Euh, sire Ivanhoé, sire Maurice veut vous causer.

L'autre ami que je fis engager, Tony Dawson, s'était rendu célèbre par son rôle dans *Le crime était presque parfait*, et figurerait plus tard à l'affiche du premier James Bond. Tout comme George Sanders, il était capable de s'endormir en un instant. Après une scène dans laquelle il portait une armure complète, il décida de s'allonger dans l'herbe et de s'accorder un petit somme. Personne ne prêta attention à lui et l'équipe poursuivit le tournage dans un autre coin de la forêt. Quand il se réveilla, il était entouré d'un groupe d'enfants en train de se demander s'il était mort. Une réaction bien compréhensible quand on trouve un chevalier en armure couché dans une clairière !

Robert Brown, qui jouait le rôle de Gurth, devint un ami proche avec qui je travaillai à plusieurs reprises, notamment sur plusieurs James Bond. Mais il possédait un gros défaut : il était très souvent sujet au fou rire. Je me souviens d'une scène en particulier dans laquelle Ivanhoé s'adressait à un groupe de chevaliers installés autour d'une table. Une porte s'ouvrait à l'arrière-plan, la caméra passait par-dessus mon épaule, et Bob s'avançait pour me dire :

— Sire Ivanhoé, le prince Jean est arrivé avec ses troupes à Runnymede.

J'avais alors une de ces répliques ridicules :

— Selle mon cheval, fidèle Gurth ! Nous irons donc à sa rencontre.

Dès les premiers mots, Bob se mit à sourire et ne put bientôt plus se contenir.

— Coupez, cria Bernie Knowles, le réalisateur. On la refait.

Deuxième prise. Nous recommençâmes la scène. Mais, cette fois, c'est moi qui éclatai de rire en arrivant à la réplique fatidique.

Au bout de onze prises, Bernie commençait à perdre patience.

— On va tous s'asseoir et boire une bonne tasse de thé, suggéra-t-il avec son accent du Yorkshire. On reprendra quand tout le monde sera calmé.

Aucun problème ne résiste à une tasse de thé. Un quart d'heure plus tard, nous étions de retour sur le plateau. Tout le monde était en place. Le clap fut donné. Mais, au moment de lancer la scène, une hésitation dans la voix de Bernie transforma le traditionnel « Action! » en « Anxieux! ». Il n'en fallut pas davantage pour que tout le plateau succombe à nouveau. Pour simple qu'elle fût, cette scène semblait maudite et nous ne pûmes l'achever que le lendemain.

Une sorte de routine s'installa rapidement. La production étant basée à Beaconsfield, je résidais pendant la semaine au Crown Inn, à Penn. Je me levais de bonne heure et, en essayant de ne réveiller personne, descendais me préparer du thé et savourer quelques fines tranches de pain grillé. Ensuite, je partais pour le studio au volant de ma Ford Zodiac, équipée de spoilers et du kit continental, avec la roue de secours installée hors du coffre. Le soir, je mangeais au Crown ou dans l'un des pubs locaux, et j'étais de retour le week-end à Bexley pour retrouver famille et amis. Le dimanche, Dot invitait souvent du monde à déjeuner, parmi lesquels nombre de collègues dont la liste ressemblait à un bottin du monde du spectacle britannique.

L'emploi du temps était bien rempli sur le plateau d'*Ivanhoé*. Nous n'avions que cinq jours pour tourner un épisode, ce qui représentait de longues journées de travail et beaucoup d'efforts physiques, chaque épisode comportant trois scènes de combats à l'épée. Des acteurs de renom faisaient souvent des apparitions, généralement dans des rôles de méchants. Chaque fois, ils arrivaient en pensant que leur expérience leur éviterait d'avoir à se faire doubler pour les scènes de combats. Ma doublure, Les Crawford, et moi leur offrions alors une petite démonstration. En constatant notre virtuosité, ils admettaient généralement qu'il était plus prudent d'avoir recours au cascadeur.

Un jour, je reçus un appel surprise de Lana Turner, qui était en Angleterre pour le tournage d'un film intitulé *Je pleure mon amour*. L'un de ses partenaires, un jeune et séduisant acteur écossais, répondait au nom de Sean Connery. Je me demande souvent ce qu'il est devenu... Lana m'expliqua qu'elle avait loué une maison sur Bishop's Avenue, une artère plutôt chic du nord de Londres, qu'elle y donnait une réception et qu'elle comptait sur ma présence. Je connaissais déjà l'endroit : il appartenait à l'un des Bernard Brothers, des mimes amis de Dot, dont le numéro remportait un franc succès.

À mesure que les invités arrivaient, Lana leur collait une étiquette sur la poitrine. Sur la mienne, on pouvait lire « Roger le preux », en référence à Ivanhoé, naturellement. Parmi les invités se trouvait un homme brun à la peau mat. Sur la sienne était écrit « Johnny Dago ». Je le vis très peu pendant la soirée, au cours de laquelle nous bûmes, mangeâmes, bûmes encore et dansâmes.

De nombreux invités étaient déjà partis quand Lana m'invita à danser, ce qui n'était pas mon fort. Je la pris dans mes bras et la fis tourner sur la piste en m'efforçant de ne pas trop lui écraser les pieds. Soudain, un frisson me parcourut la nuque. « Johnny Dago », appuyé dans l'embrasure de la porte, nous fixait d'un air sévère.

Une petite voix intérieure me souffla :

— Roger, le moment est venu de rentrer chez toi !

Je pris congé et quittai la maison.

Quelques semaines plus tard, je lus dans les journaux que « Johnny Dago » – plus connu sous le nom de Johnny Stompanato, un gangster avec qui Lana avait une liaison depuis son récent divorce d'avec Lex Barker – avait été extradé par Scotland Yard pour avoir frappé Lana et être entré illégalement au Royaume-Uni avec un passeport au nom de John Steele. J'appris également que le gangster, persuadé que Lana avait une aventure avec Sean Connery, s'était présenté sur le plateau du film qu'ils tournaient ensemble et qu'il avait menacé Sean avec un pistolet. Sean lui avait arraché son arme et l'avait envoyé au tapis d'un crochet du droit – un geste digne de James Bond !

Quelques mois plus tard, nous fûmes choqués, mais pas vraiment surpris, d'apprendre que Stompanato avait été poignardé à mort, apparemment par Cheryl Crane, la fille adolescente de Lana, après une violente querelle dans sa maison de Beverly Hills.

À son arrivée en Californie, Stompanato avait travaillé pour Mickey Cohen, un des plus célèbres gangsters de la côte Ouest. J'avais croisé Cohen une fois, dans un club où j'étais allé voir le grand Don Rickles, un comique hors pair connu sous le nom de « Maître de l'insulte ». Gary Cooper était également dans la salle ce soir-là. Rickles commença par diriger ses blagues contre lui avant de porter son attention sur moi. Il me qualifia de bellâtre de service pour le compte de la Warner Bros, puis s'en prit à Cohen, qu'il traita de sale truand. Il se ravisa aussitôt et, tombant à genoux sur scène, le supplia les mains jointes de l'épargner, expliquant qu'il avait juste voulu plaisanter et qu'il avait beaucoup d'admiration pour *monsieur* Cohen.

Les rôles féminins étaient rares sur *Ivanhoé*. Adrienne Cori participa à un épisode et je me souviens qu'elle agaça beaucoup à cette occasion Jimmy Harvey, notre cameraman. À un moment donné, elle observa son reflet dans le filtre de l'objectif et remarqua :

— Oh, Jimmy, j'ai une ombre sur le nez !

— Si tu le pointais dans la bonne direction, rétorqua-t-il, tu n'aurais pas ce problème !

Une autre fois, un des producteurs américains de la Columbia arriva avec une fille dotée de volumineuses glandes mammaires, et exigea qu'elle apparaisse dans un épisode. Le réalisateur tenta d'expliquer à notre patron, qui avait la réputation de draguer toutes les starlettes qui passaient, qu'il n'y avait pas de rôle pour elle, mais il reçut l'ordre de lui en trouver un. Soit. Dans chaque scène, ses seins apparaissaient au bord de l'image, à droite ou à gauche. Elle n'avait pas une seule réplique à dire, il lui incombait juste de se tenir de profil à l'endroit indiqué, avec son 100 D. Comme le sol était couvert de sable, de paille et de liège, il était impossible d'y tracer des marques à la craie pour matérialiser l'endroit où je devais me placer afin d'être à la bonne distance de l'objectif. On posait donc un bâton à l'endroit désiré. Après quelques jours, cette fille, qui n'avait pas une ligne de dialogue, demanda :

— Et moi, pourquoi est-ce que je n'ai pas de bâton ?

Tous les gars se seraient bien dévoués... mais passons. On lui en trouva finalement un.

— C'est là que je dois mettre mes pieds ? demanda-t-elle alors.

— Non, cocotte, tes nichons ! hurla un technicien depuis son échafaudage.

Comme je l'ai dit, nous avions souvent des invités dans la série. Christopher Lee joua ainsi le rôle de Otto le Hun, dans un épisode réalisé par Lance Comfort. Nous tournions en extérieur depuis des jours dans des conditions atmosphériques épouvantables. Nous devions filmer un duel entre Otto et Ivanhoé pour que ce dernier obtienne la liberté d'un serf, joué par un jeune acteur de treize ou quatorze ans. En attendant que le ciel se dégage, Christopher dit quelque chose qui sonnait comme :

— Will dieses verfluchte Wetter, das überhaupt frei ist, ist es nicht genug gut.

Le gosse le regarda, ébloui.

— Ma parole, vous parlez allemand !

— Oui, répondit Christopher du tac au tac, ainsi que le portugais, le français, l'italien, trois dialectes d'urdu, le swahili...

Il poursuivit ainsi l'énumération pendant un moment, et le fait est qu'il parle effectivement toutes ces langues.

Finalement, Wardour Street nous fit savoir que nous ne pouvions plus attendre et qu'il fallait tourner en dépit du mauvais temps. Il bruinait quand Lance demanda à tout le monde de se mettre en place.

Johnny Briggs, mon habilleur, accourut alors et dit d'une voix très affectée :

— Monsieur Comfort, monsieur Comfort, vous ne pouvez pas tourner maintenant!

— Et pourquoi donc? demanda Lance.

— Parce que l'armure de Roger va rouiller! répondit Johnny, la main sur la hanche.

Je travaillais souvent avec Johnny; son merveilleux sens de la repartie n'était jamais pris en défaut. Un jour, un groupe de cascadeurs traînait non loin de l'endroit où Johnny cousait des boutons. Un de ces hommes lisait l'horoscope dans le journal et demanda à Johnny quel était son signe.

— Scato, ascendant vierge, lui répondit-il.

Après une journée passée à monter à cheval, me rouler dans la boue et Dieu sait quoi encore, j'avais coutume de prendre un bain. Johnny me mettait alors une serviette chaude sur les épaules et murmurait :

— Hmmm, les fesses de mon Hardy sont plus rebondies.

Il parlait de Hardy Krüger avec qui il avait travaillé, un an plus tôt, sur un film intitulé *L'Évadé du camp 1*. Des années plus tard, Hardy et moi tournâmes ensemble *Les Oies sauvages,* et je dus alors admettre que son postérieur était effectivement plus joli que le mien.

Tiens, encore une anecdote à propos de Johnny Briggs! Je prenais un café dans ma loge un matin quand un troisième assistant, un débutant, frappa à ma porte en disant :

— On vous demande sur le plateau, Roger.

Il avait presque fait demi-tour quand Johnny le rappela.

— Reviens ici, petit! Quand on t'envoie chercher une starrrr de cinéma dans sa loge, tu frappes à la porte et tu attends la permission d'entrer. Quand tu l'as, tu entres et tu dis : « Monsieur, tout le monde est prêt sur le plateau. Je vous prie de bien vouloir nous y rejoindre quand *vous* le voudrez, monsieur. » Ensuite, tu t'en vas.

Pendant trois mois, l'assistant s'imagina que Johnny était le producteur!

Quand la série toucha à sa fin, je me mis à rechercher du travail à la télévision. Mon père me suggéra d'adapter moi-même *The Toff* de John Creasey, romans d'aventure qui mettaient en scène l'honorable Richard Rollinson, et *Le Saint* de Leslie Charteris. Ayant vu les films avec George Sanders, j'aimais assez cette dernière idée. Je tentai sans trop y croire d'acquérir les droits des romans de Charteris. Mais ni moi ni l'idée d'une série télévisée ne pûmes convaincre l'auteur et je fis chou blanc.

Heureusement, je reçus quelques propositions des États-Unis. Certes, il s'agissait toujours de télévision, et non de cinéma, mais je pensai une fois de plus au conseil d'oncle Noël. J'eus un premier rôle dans un épisode de la série *Le Troisième Homme*, avec Michael Rennie. Nous avions une scène dans laquelle il devait m'attraper par le col et me tirer à lui. J'avais enfilé exprès un pull assez ample ; pourtant, prise après prise, il m'attrapait systématiquement par les pectoraux, qui étaient assez développés. À la cinquième prise, je lui donnai un coup de pied dans le tibia, histoire d'attirer son attention.

Un autre acteur britannique, Max Adrian, jouait également dans cet épisode. Il arriva un matin l'air plutôt fatigué, expliquant qu'il avait mal dormi.

— Ah, ah! Rongé par le remords? demandai-je.

Il hocha la tête.

— De quoi s'agit-il? insistai-je.

— Plutôt des choses que je n'ai pas faites. Il m'est arrivé de ne pas appeler ma mère alors que j'en avais l'occasion. Maintenant, il est trop tard. Elle est décédée.

Soudain submergé par une vague d'émotion, le mal du pays et peut-être bien un sentiment de culpabilité, je laissai aussitôt tout en plan pour téléphoner à mes parents. Quelle joie d'entendre leurs voix chaleureuses à l'autre bout du fil! À partir de ce jour, je pris soin de les appeler chaque fois que je le pouvais, durant mes tournages ou au cours de mes voyages. Aujourd'hui que je ne suis plus en mesure de le faire, ces conversations me manquent terriblement.

J'eus également un rôle dans la série *Alfred Hitchcock présente...* Chaque épisode commençait et finissait par quelques mots du grand homme, qui ne mettait naturellement jamais les pieds sur le plateau. Celui auquel je participai, partageant la vedette avec Hazel Court, s'intitulait *Trafic de bijoux*. Il n'était pas particulièrement mémorable, mais il me permit de rester à Los Angeles, au cœur de l'action.

J'en étais à me demander si je referais un jour du cinéma quand je reçus un appel de mon agent. Il avait obtenu un rendez-vous pour moi à la Warner Bros. Un contrat en perspective? Enfin un film?

6

Les années Warner

« Gee, haw, whoa, ce que vous voulez,
mais en avant! »

Warner Bros se moquait éperdument que j'aie été viré de la MGM. Ils croyaient fermement en moi et me firent signer en 1958 un contrat de sept ans. *Quand la terre brûle*, réalisé par Irving Rapper, fut le premier projet qu'ils me proposèrent. Jean Simmons était pressentie pour tenir le rôle féminin principal et elle souhaitait que Stewart Granger lui donne la réplique. Le réalisateur voulait quant à lui Dirk Bogarde. Ce désaccord était connu de tous, et créait de ce fait bien des tensions.

Dirk, que je n'avais pourtant jamais rencontré, tenta de calmer les esprits en soufflant mon nom à Irving. Je passerais des années à tenter de le remercier de vive voix mais, même lorsque nous habitions tous les deux dans le sud de la France, dans les années soixante-dix, son manager et associé Tony Forwood refusa toujours de m'accorder une entrevue. Je n'ai donc jamais pu lui témoigner mon éternelle reconnaissance pour avoir été à l'origine de mon contrat chez Warner Bros.

Je fis des essais avec Gladys Cooper, qui ne fut pas retenue : elle aimait un peu trop le soleil et n'avait donc pas le teint blanc laiteux requis pour incarner une nonne. Quant à moi, je semblais leur convenir, sauf que j'étais un peu trop anglais. Comment ça, trop anglais? Je devais jouer le rôle du neveu du duc de Wellington! Je compris que j'étais engagé quelques jours plus tard, quand la production m'envoya chez Joe Graham, le répétiteur, qui nous faisait travailler la diction et, le cas échéant, l'accent que nous devions prendre.

Joe était quelqu'un d'exceptionnel. Il avait réalisé plusieurs films pour le studio et la légende veut que Jack Warner, le grand patron, lui ait dit un jour :

— Joe, vous êtes né pour réaliser des films pour moi.

Et Joe de répondre :

— Non, Jack, c'est vous qui êtes né pour me permettre de faire des films !

Cet homme était une énigme pour tout le monde. Il était végétarien, ce qui était rare à l'époque, malentendant et affichait un sérieux à toute épreuve. Or, je passais mon temps à lui jouer des tours.

Un jour, je lui demandai s'il en était irrité. Il me dévisagea d'une curieuse façon et me demanda de répéter, ce que je fis.

— Une minute, dit-il avant d'allumer son sonotone...

Joe se posait beaucoup de questions, et il me demanda un jour si je croyais en Dieu. Je trouvais cela étrange venant d'un répétiteur, mais j'opinai du chef, en lui précisant toutefois que ma vision de Dieu n'était pas celle d'un homme avec une grande barbe blanche, perché sur un nuage.

— Pour moi, Dieu est intelligence, expliquai-je. Je Le vois comme le créateur suprême.

— Vous êtes sur la bonne voie, me répondit-il de façon énigmatique.

Puis il m'exposa sa théorie. Selon lui, si je pensais que notre univers avait été créé par une entité intelligente, il y avait forcément une raison derrière celle-ci, probablement liée au fait que nous étions tous en quête permanente de savoir. Il ajouta que, à partir du moment où l'on jugeait divins les dons que l'on possédait, ne pas les utiliser était le plus grand péché. Dans un tout autre registre, il me fit un jour remarquer :

— Vous mesurez un mètre quatre-vingt-six. Pourquoi essayez-vous toujours de passer inaperçu ? Redressez-vous, bon sang ! Vous n'avez jamais fait d'études, n'est-ce pas ?

— Non.

— Et vous craignez de dire des bêtises ou de mal prononcer un mot.

— Oui.

— C'est pour cela qu'ils vous trouvent trop anglais. Vous serrez constamment les lèvres, de peur qu'une absurdité sorte de votre bouche.

J'étais abasourdi.

— Quand nous travaillons ensemble, ne vous préoccupez pas de bien prononcer ou de faire attention à ce que vous dites. Nous sommes là, tous les deux, pour corriger tout cela.

Nos conversations étaient toutes du même acabit. Joe devint avec le temps quelqu'un de très important dans ma vie, qui travailla avec moi sur tous mes films pour la Warner. Je m'aperçus après quelques heures en sa compagnie que je parlais beaucoup plus facilement avec les gens, sans plus me soucier de ce que l'on pensait de moi. Joe m'apprit énormément sur le métier d'acteur, la nature humaine et l'humanité en général. Bien plus qu'un simple coach, il fut pour moi comme un psychanalyste. Je lui en serai éternellement reconnaissant.

Les extérieurs de *Quand la terre brûle* furent tournés dans le ranch que possédait Warner Bros à Calabasas, qui n'était à l'époque qu'une série de collines s'étendant à perte de vue et uniquement peuplées de chevaux. Nous tournâmes également dans les locaux de la MGM, car nous avions besoin pour la scène d'amour entre Carroll Baker, l'actrice principale, et moi, d'un pont et d'une rivière, ce dont le studio disposait. Personne ne se rendit compte jusqu'au visionnage des rushes qu'un filet de bave de plus de vingt centimètres luisait entre nos lèvres ! Nous dûmes donc refaire une prise, pour mon plus grand plaisir.

Ce tournage donna naissance à deux grandes amitiés. Outre Irving Rapper, qui était un formidable directeur d'acteurs, je fis la connaissance de Gordon Douglas, qui avait été imposé par Irving pour régler les scènes de combats et d'action. Jamais il ne tenta d'imposer ses idées, ce qui fut suffisant pour me le rendre sympathique.

Pour la scène de la bataille de Waterloo, je portais des hauts-de-chausses blancs, une veste cintrée et un casque en cuivre. Je ne pouvais malheureusement rien mettre en dessous, pas même des dessous ordinaires, car cela se serait vu à l'écran. La solution fut de me faire porter une gaine de toréador, celle que portait Rosalind Russell dans *Ma Tante*. Grâce à cela, je me sentais plus à l'aise ! Mais après une journée de tournage à cheval sous une chaleur écrasante, mes fesses étaient en compote. J'en porte aujourd'hui encore les marques.

Le neveu du duc que j'incarnais était à la tête de deux cents cavaliers. J'attendais patiemment le début de la scène, à quelques encolures devant les autres, lorsque le responsable des effets spéciaux vint me prévenir :

— Bon, Roger, il va y avoir quelques explosions.

Je suis toujours un peu effrayé quand la personne qui m'avertit de cela a deux doigts en moins! Lorsque je lui demandai où elles auraient lieu, il me désigna un bosquet.

— À quel moment? m'inquiétai-je.

— Dès que tu auras dépassé les arbres, et juste avant que tes poursuivants n'arrivent.

Mais la séquence avait à peine commencé qu'un arbre explosa non pas derrière, mais devant moi! Mon cheval fit alors un écart et je fus désarçonné. En tombant, les boucles de mes hauts-de-chausses se plantèrent dans mes genoux; le sang coulait jusque dans mes bottes. J'étais terrorisé et m'époumonai à appeler à l'aide, mais, comme nous tournions sans le son, l'équipe pensait, de là où elle était, que je riais fièrement. À cette époque, il était courant de filmer les scènes sans le son, selon la technique du « M.O.S. », un terme que l'on doit à un réalisateur hongrois qui, se tournant un jour vers l'ingénieur du son, lui dit dans un accent à couper au couteau : « Nous tourrrner ça. *Mais Omettrrre Son.* »

Lors d'une autre prise, Torin Thatcher, l'acteur qui incarnait le duc de Wellington – et qui, soit dit en passant, essaya un jour sans succès de rouler une pelle à Squires –, se trouvait sur les hauteurs. Il avait une vue imprenable sur la bataille, et sur moi, son neveu, à terre. Comme indiqué dans le scénario, j'avais perdu mon casque du fait de l'explosion et j'étais censé le récupérer, étonné d'être toujours vivant. Gordon Douglas me cria de sa voix rauque :

— Roger, quand je dirai « action! », quelques chevaux passeront au galop autour de toi, mais ne t'inquiète pas.

Effectivement, deux chevaux passèrent devant moi, et trois derrière. Mais au moment où Gordon me criait de récupérer mon casque, un sixième surgit de nulle part et l'écrasa dans la boue sous ses sabots.

— Prends le casque, aboya Gordon.

— Je ne le trouve pas! Je ne trouve pas ce foutu casque! hurlai-je.

Je ne revivrais ce jour pour rien au monde.

En dépit de ces incidents, je m'amusai beaucoup sur le tournage et appréciai d'être à nouveau acteur à Hollywood. Le cinéma offre en général davantage de souplesse au niveau de l'emploi du temps et plus d'argent que la télévision. *Quand la terre brûle* représentait un début idéal chez Warner. Je me sentais libéré.

En 1959, le célèbre ténor irlandais Josef Locke, fraîchement débarqué à Los Angeles en provenance de Manchester, s'installa en face de chez nous en compagnie de sa toute jeune épouse. Leur appartement se situait de l'autre côté de la piscine. Nous connaissions bien Josef qui passait nous voir de temps en temps pour parler de choses et d'autres. Il nous dit un jour que sa femme lui menait une vie impossible et nous avoua que ce n'était pas lui qui avait voulu s'installer en Californie. Sa belle-mère habitant déjà Los Angeles, où elle avait suivi son fils, la femme de Josef avait naturellement voulu se rapprocher de sa famille. Ce qui tombait plutôt bien étant donné que les services fiscaux anglais réclamaient une forte somme d'argent à Josef, qui se laissa donc convaincre.

C'était un baratineur de première. Un soir que nous roulions tous les deux dans sa voiture, il se fit arrêter pour une infraction mineure. Il s'adressa au policier avec un accent irlandais trois fois plus prononcé que d'habitude, et nous repartîmes sans contravention. Le policier était lui aussi irlandais !

Plus le temps passait et moins Joe supportait la relation fusionnelle entre sa femme et sa belle-mère.

— Elle ne supporte pas que je jure, me dit-il un jour. C'est d'un chiant !

Aussi décida-t-il de la quitter. Mais, auparavant, il souhaitait récupérer de l'argent qu'il avait déposé en son nom dans une banque de Dublin. Il lui présenta donc une feuille blanche à signer en prétextant que les douanes américaines avaient besoin de sa signature. Elle s'exécuta sans réfléchir. Puis, au-dessus de sa signature, il écrivit « merci de bien vouloir transférer l'intégralité de mon compte sur celui de mon mari » puis cacheta l'enveloppe et l'expédia. Il passa les matinées suivantes à intercepter le courrier jusqu'au jour où il reçut une lettre lui confirmant que le virement avait bien été effectué.

Une autre fois, il se plaignit à ma femme d'avoir dépensé une fortune en manteaux de fourrure pour la sienne. Peu de temps après, un matin, il arriva à la maison avec deux valises pleines à craquer de visons, nous demandant de les cacher.

Le lendemain, l'affaire était bouclée. Elle le quitta sur-le-champ, ce dont il se moquait éperdument.

— Ça y est ! On se sépare ! nous annonça-t-il. De toute façon, elle n'a jamais rien fait pour moi. Tu te rends compte qu'elle ne m'a jamais préparé un seul petit déjeuner, cette conne ?

Mais une semaine plus tard, Josef vint prendre un verre sur notre terrasse.

— Roger, j'ai encore les bijoux à récupérer, lâcha-t-il.

Je le conduisis à l'autre bout de la ville, où habitait la mère de sa femme, et l'attendis pendant qu'il passait un appel téléphonique depuis une cabine publique. Je ne sais pas ce qu'il leur raconta mais au bout d'une minute ou deux, les deux femmes sortirent de l'immeuble et partirent en courant. Josef se précipita alors vers l'escalier de secours et reparut quelques minutes plus tard, les mains pleines de bijoux. J'étais devenu le complice d'un cambriolage !

— Qu'elle aille au diable ! dit-il en entrant dans la voiture.

— Comment va-t-elle faire pour vivre maintenant, Joe ? Tu lui as tout repris !

— Elle n'aura qu'à se prostituer, répondit-il avec hargne.

Josef pouvait se comporter comme un parfait goujat mais il avait des côtés charmants. Par exemple, à la fin de chacun de ses concerts somptueux qui ravissaient le public, il demandait aux gens ce qu'ils voulaient l'entendre chanter. Un jour que j'étais dans l'assistance, quelqu'un demanda *Mother Macree*.

— *I'll Take You Home Again Kathleen*, vous dites ? Très bien, c'est parti !

Josef ne séjourna que peu de temps à Los Angeles. Il repartit vite pour l'Irlande et se fit oublier du fisc.

Entre ses tournées et ses concerts en Angleterre, Dot se produisit au Moulin Rouge à Hollywood. L'un de ses plus grands fans était alors Elvis Presley, encore tout jeune débutant à l'époque, qui assista à la quasi-totalité de ses spectacles et lui demandait sans cesse de chanter *This Is My Mother's Day* ! Il vint un jour la féliciter en coulisse et, mort de trac, se présenta à moi.

— Moi, c'est Roger, répondis-je.

— Comment allez-vous, monsieur ? me demanda-t-il. Je suis ravi de vous rencontrer, monsieur.

Il m'appela ainsi « monsieur » un nombre incalculable de fois lors de cette brève rencontre, comme si je l'impressionnais. Elvis Presley, impressionné par Roger Moore ! Il déclara ensuite à Dot combien il l'admirait, espérant obtenir un jour ne serait-ce qu'une infime partie de son succès. S'il avait su ! Et moi donc ! Je l'aurais signé immédiatement. Car, après tout, j'étais aussi manager, c'était inscrit sur mon passeport !

Warner Bros, comme la MGM, fonctionnait avec une écurie d'acteurs sous contrat, même si la plupart travaillaient pour la télévision. Ce studio était le plus gros producteur télé de l'époque et de nombreuses émissions étaient tournées sur ses plateaux. Au début, mon contrat stipulait que je pourrais *peut-être* travailler pour la télévision, mais pendant le tournage de *Quand la terre brûle*, je signai un avenant et fis une apparition dans un épisode de *Maverick*, aux côtés de Jim Garner et Jack Kelly, qui jouaient Brett et Bart. En fait, le studio, qui cherchait plus ou moins un remplaçant à Jim, avait décidé de me tester. Le réalisateur, Les Martinson, était surnommé « Le pleurnichard » parce qu'il se plaignait sans cesse.

— Cet enfoiré de Garner ne veut pas du rôle ! Kelly n'arrête pas de faire le pitre ! Il va encore se mettre à pleuvoir ! se lamentait-il dès que le soleil disparaissait un instant.

Avant de reprendre le rôle de James dans *Maverick*, on me proposa *The Alaskans*. Depuis *Ivanhoé*, j'avais l'habitude des petits budgets, des emplois du temps serrés et des tournages à la chaîne. Mais les épisodes de *The Alaskans* duraient une heure, le double de ceux d'*Ivanhoé*. J'en sortirais probablement épuisé, mais je fus rassuré en apprenant qu'il s'agissait d'une grosse production, ce que je vérifiai en pénétrant sur le plateau numéro 12 de la Warner, à Burbank, transformé en campement dans le Yukon, entouré de fausses montagnes et d'arbres vissés au sol. En actionnant une simple manette, d'immenses cuves au plafond déversaient des tonnes de neige artificielle à base de gypse et de corn flakes, auxquels s'ajoutaient parfois des clous de vingt centimètres et des copeaux de bois. Il ne faisait pas bon se trouver sous une avalanche !

Les conditions de tournage étaient épouvantables. L'air était chargé de fines particules de poussière, certainement de l'amiante, et les acteurs étaient bien sûr les seuls à ne porter ni masque ni lunettes. Nous étions obligés d'aller deux fois par jour à l'infirmerie afin de nous faire nettoyer les yeux.

On fit appel aux chiens de traîneaux de Sun Valley, qui semblaient tout heureux de voir un ersatz de neige en plein été. Les traîneaux étaient quant à eux équipés de roulettes afin de faciliter leur maniement. J'appris à dire *gee* pour tourner à droite, *haw* pour tourner à gauche, *mush* pour aller tout droit et *whoa* pour ralentir ou s'arrêter.

Un jour, après que le réalisateur eut crié « action ! », j'entrepris de descendre la piste artificielle avec mon attelage. Au premier arbre, le chien de tête s'arrêta pour soulager sa vessie, suivi des huit autres. Je me souviens que je les implorai :

— Allez, les toutous, *gee, haw, whoa,* ce que vous voulez, mais en avant !

Pour les besoins d'une autre scène, nous tournâmes dans les rues enneigées de Skagway. La température dépassait allègrement 30 °C ce jour-là et nous devions porter des bottes fourrées, des gants et des parkas ! À la fin de la journée, l'odeur était insoutenable. Mais, au moins, j'avais maigri.

La très séduisante Dorothy Provine, originaire de Seattle, était notre jeune première. Jeff York, qui avait été sous contrat chez Disney, tenait l'autre premier rôle masculin. Il était adorable mais avait tendance à boire plus que de raison. Le matin, si rien n'était prêt à son arrivée, il disparaissait dans le Ranch House, le bar situé en face du studio. Un jour, notre directeur de production, un ancien sergent-major des Marines, crâne rasé et moustache imposante, fut chargé d'aller le chercher. Mais ce fut Jeff qui revint une heure et demie plus tard en portant l'ex-sergent, ivre mort. Il lui avait raconté qu'il fêtait un gros héritage, mais j'appris par la suite que c'était l'une de ses excuses habituelles.

Nous eûmes de nombreux réalisateurs de talent sur la série, notamment Robert Altman. Pendant quelques semaines, une grève des scénaristes nous avait obligés à recycler les histoires d'autres séries, en modifiant simplement les noms des personnages. Ces scénarios recyclés étaient signés « W. Hermanos », Warner Bros en espagnol ! Une de mes répliques, empruntée à Jim Garner dans *Maverick,* commençait ainsi par : « Comme disait mon vieux papa... » J'optai ce jour-là pour la fantaisie et le remplaçai par : « Comme disait ma grand-mère paternelle... » Quel talent d'improvisateur !

Comme toutes les séries télévisées, nous avions notre lot d'invités vedettes. Je me souviens tout particulièrement d'une adepte de la méthode Stanislavski qui avait le don de m'agacer prodigieusement. Dans une scène, elle devait se faire tuer et me demanda très sérieusement :

— Qu'est-ce que ça fait d'être tuée par balles ?

— J'imagine que vous vous effondrez, répondis-je.

— Non, je voulais dire, à l'*intérieur.*

— Probablement une hémorragie...

— Non, non, *mentalement.*

— Bon, est-ce qu'on vous a par exemple déjà botté les fesses ?

Je joignis le geste à la parole et m'enfuis à toutes jambes pour échapper à sa fureur.

Mon expérience chez les habitants du Yukon s'arrêta là. Warner Bros avait beau croire en la série, le public n'était pas au rendez-vous. Je n'en fus pas fâché.

Je conduisais tous les jours ma Jaguar XK150 pour me rendre à Burbank mais elle avait tendance à caler et à ne plus redémarrer. Un jour, je me rendis au hall d'exposition de Jaguar sur Hollywood Boulevard, juste avant l'heure de la fermeture. Le concessionnaire possédait un garage au premier étage. Lorsqu'on m'indiqua que la réparation prendrait un ou deux jours, je devins furieux. En me la jouant « je suis une star de cinéma, moi, monsieur ! », à la Stewart Granger, je décrétai sèchement :

— Soit vous la réparez maintenant, soit je préviens la presse ravie que vous n'avez pas voulu vous en occuper.

Ils s'attelèrent aussitôt à la tâche et me la rendirent rapidement. Une méthode à utiliser avec parcimonie, mais qui peut se révéler efficace !

On se posait beaucoup de questions à propos de ma relation avec Dorothy Provine, l'actrice de *The Alaskans*. Nous étions en effet devenus très proches, notamment parce qu'elle était extrêmement timide en dépit de sa jeunesse et de sa grande beauté, ce qui était pour le moins rare à Hollywood. Nous passions beaucoup de temps ensemble, au travail et à l'extérieur des studios, et Squires finit par s'en inquiéter. Fort heureusement, une tournée des cabarets au Royaume-Uni la tint éloignée pendant quelque temps et la tension retomba.

C'est à cette époque que Dot et moi passâmes l'une de nos soirées les plus gênantes. Alors qu'elle était rentrée à Los Angeles pour quelques jours, nous assistâmes un dimanche au spectacle de Lenny Bruce, en compagnie de l'agent de Dot, le célèbre Billy Marsh. Lenny pratiquait un humour extrêmement décalé et son spectacle nous plut énormément jusqu'au moment où il fit une remarque négative sur le Palladium, à Londres. À la consternation générale, Dorothy, qui avait déjà avalé trois gin tonic, le prit à partie.

— Tu aimerais bien pouvoir y jouer, espèce de connard !

Je ne savais plus où me mettre. Lenny Bruce était furieux.

— Ta gueule ! lança-t-il.

— La tienne ! répondit Dot, et les insultes fusèrent.

Billy et moi tentâmes, sans succès, de la faire taire, et je finis par réclamer l'addition. Lenny proposa alors royalement de nous inviter, ce qui n'arrangea évidemment pas la situation. Dot perdit complètement les pédales, et les noms d'oiseaux se mirent à nouveau à pleuvoir. Nous prîmes piteusement la fuite, entraînant notre diva galloise avec nous.

Comme un idiot, j'avais tout de même réglé la note.

Après avoir respiré de la neige artificielle pendant des semaines, dû composer avec des chiens qui refusaient d'avancer et des scénarios recyclés, j'appris avec soulagement que mon nouveau projet chez Warner serait un long métrage, *Au péril de sa vie*, réalisé par mon ami Gordon Douglas. Peter Finch et Angie Dickinson étaient les vedettes principales de ce film dont le tournage avait démarré alors que je travaillais encore sur *The Alaskans*. Aussi mon premier jour coïncida-t-il avec le dernier de Peter Finch. Même si nous n'avions aucune scène ensemble, la production voulait que nous nous soumettions à une séance de photos promotionnelles. Peter laissa alors entendre qu'une caisse ou deux de Dom Pérignon seraient les bienvenues et nous arrivâmes à la séance ivres morts, sans trop savoir combien de bouteilles nous avions bues. Je crois que cela se voit sur les photos.

Bien qu'entièrement tourné en studio, le film était censé se dérouler au Congo belge, et reprenait pour ce faire des plans d'*Au risque de se perdre*, avec Audrey Hepburn ! Les raccords sont assez évidents.

Je retravaillai bien volontiers avec Gordon, et Angie Dickinson se révéla une partenaire charmante. Tous les matins, elle arrivait en le saluant ainsi :

— Bonjour, mon cœur !

— Salut, Angie, répondait-il de sa voix râpeuse.

Ils s'enlaçaient alors, leurs hanches se frottant de façon suggestive.

Je confiai un jour à Gordon que j'aurais bien aimé participer à un tel rituel. Il me répondit, très pince-sans-rire, que je n'étais vraiment pas son genre.

Vers la fin du tournage, je sondai la direction pour savoir quel serait mon prochain rôle. Hélas, mes craintes étaient justifiées : Jim Garner avait abandonné *Maverick* et Warner me confiait le rôle de Beau, le cousin anglais de Brett Maverick. La production me soutint mordicus que je n'étais pas embauché en remplacement de Jim, mais je constatai cependant que mes costumes portaient encore son nom... Ce projet ne m'excitait pas particulièrement, surtout après ce que j'avais vécu sur *The Alaskans*, mais le studio me laissa miroiter de futurs longs-métrages et je fis contre mauvaise fortune, bon cœur. Je trouvai même certains scénarios assez drôles.

Un jour, lors d'une de ces interminables interviews que nous étions contraints d'accorder pour promouvoir la série, je déclarai à un journaliste :

— Ce sont les bottes des cow-boys qui sont responsables de la violence et de tous ces massacres pendant la conquête de l'Ouest.

L'homme me regarda, incrédule. J'enfonçai alors le clou.

— Elles vous écrasent les orteils, et ça fout vraiment en rogne.

À la parution de l'article, le gendre de Jack Warner, William T. Orr, responsable de la division télévision du studio, me passa un savon.

— Acme, notre fournisseur de bottes, n'est pas du tout content de la publicité que vous venez de lui faire !

Je m'excusai platement, mais profitai d'une autre interview pour préciser que les cow-boys portaient tous des bottes Acme !

Lee Van Cleef fut l'un des invités de la série, et sa prestation coïncida avec le voyage de mes parents à Hollywood. Ces deux Londoniens pure souche furent éblouis par ce premier voyage en Californie, notamment maman qui adorait les westerns en général et ceux de Lee Van Cleef en particulier. Elle fit sa connaissance sur le plateau et je crois que ce fut l'un de ses plus beaux souvenirs.

Mes parents s'étaient fait arrêter par la douane à leur arrivée à Los Angeles. Comme on leur avait dit maintes fois à Londres que la nourriture américaine était affreuse, ils avaient rempli leurs bagages de saucisses Walls ! Une attitude typique des Anglais à l'étranger, dont je fais partie... Un exemple ? Dans les années quatre-vingt, alors que je résidais dans la magnifique ville de Gstaad, je reçus un jour un appel téléphonique de Michael Caine.

— Salut Roger. Je suis avec Leslie Bricusse et Bryan Forbes. Nous parlions de toi et de ta vie huppée en Suisse. Que fais-tu, en ce moment ?

— Pour tout te dire, je suis devant un épisode de *Dad's Army*, et je déguste des haricots blancs à la sauce tomate.

La grande classe, non ?

Retour à Hollywood et à *Maverick*. Malgré le départ de Jim Garner, Jack Kelly – qui interprétait Bart – était resté sur la série. Nous nous entendions à merveille, sur les tournages et en dehors. Jim Garner et moi nous rendions fréquemment, avec nos épouses respectives, chez Jack, sur Sunset Boulevard, pour

jouer au poker. Je perdais souvent, mais comme le dit l'adage :
« Malheureux au jeu, heureux en amour ! »

Un épisode d'une heure se tournait en cinq ou six jours,
autant qu'un épisode d'*Ivanhoé*, qui durait pourtant deux fois
moins longtemps. Certes, je ne travaillais pas sur un chantier,
mais les journées de travail étaient longues et bien remplies.
Contrairement à leurs confrères britanniques, les techniciens
américains étaient moins syndiqués, et nous ne cessions le tournage qu'une fois tous les plans mis en boîte. Pas question de
s'arrêter à cinq heures tapantes !

Cependant, Jim Garner, Clint Walker et moi-même – tous
trois sous contrat avec Warner – prîmes la tête d'une délégation
pour revendiquer de meilleures conditions de travail. Nous
avions été choisis par des confrères qui préféraient ne pas
monter au créneau. Nous rencontrâmes Ronald Reagan, alors
directeur de la Screen Actors Guild, mais ce dernier, en dépit
de nos arguments, ne nous prêta qu'une oreille polie. Notre
démarche ne fut pas du goût du studio, qui installa, pour nous
punir, une pointeuse dans la salle de maquillage. Je refusai de
rentrer dans leur jeu et m'occupai dorénavant de me maquiller
moi-même, mais cela ne fut pas du goût de certains, et j'entendis plusieurs fois dire que je n'avais pas pointé et n'étais donc
pas passé au maquillage. Je me présentais alors sur le plateau
en proclamant fièrement :

— Je suis prêt à tourner, allons-y.

Jack Kelly et moi étions sur la même longueur d'onde à ce
sujet, et il donna un jour un grand coup de pied dans la pointeuse. Warner m'en voulut tellement qu'ils imposèrent dans la
série un acteur que je détestais – et que je ne nommerai pas.
J'avais eu le malheur de jouer au théâtre avec lui à Londres puis à
Hollywood dans différentes séries. Chaque fois, j'avais constaté à
quel point il était arrogant et tout bonnement odieux. Un matin,
je trouvai l'une des coiffeuses en pleurs après qu'il s'était montré
particulièrement grossier à son égard. Je m'en fus le trouver.

— Écoute, lui dis-je. Je m'étais promis de ne plus jamais te
parler en dehors du travail, mais cette fois, tu es allé trop loin.
Pourquoi es-tu si méchant avec les gens ?

— Je ne fais pas ce métier pour avoir le prix de camaraderie, me répondit-il, mais pour devenir un grand acteur.

— Eh bien tu ferais peut-être bien de te concentrer sur le
prix de camaraderie, rétorquai-je. C'est sans doute la seule
récompense que tu obtiendras jamais.

Il me courut après dans tout le studio et je pense qu'il m'aurait étripé s'il m'avait rattrapé. Qu'importe, il est depuis parti en salle de « dé-montage », comme disait Tony Curtis quand une vedette hollywoodienne trépassait.

On dit que l'Angleterre et l'Amérique sont deux pays divisés par une langue commune. J'en fis l'expérience sur *Maverick* lorsqu'on me convoqua au doublage afin de réenregistrer certains de mes dialogues. Mes employeurs me reprochaient d'insister un peu trop sur certains mots ou de les avoir mal prononcés. J'étais définitivement trop anglais pour Hollywood !

Au cours de ma dernière saison sur *Maverick*, Warner me proposa un autre long-métrage, *Gold of the Seven Saints* – en français *Le Trésor des sept collines* –, un film au titre prémonitoire car chaque mot correspondait à une étape de ma carrière future, ce que j'ignorais évidemment à l'époque. Je tournerais *Gold* en Afrique du Sud en 1974, serais le Saint et incarnerais sept fois l'agent 007 !

Sous la direction de Gordon Douglas, j'y partageais la vedette avec Clint Walker. Cet homme était une force de la nature. On raconte qu'il fit un jour une chute à ski et que son bâton lui transperça la poitrine. Il termina malgré tout sa descente et se rendit seul à l'hôpital.

Le Trésor des sept collines raconte l'histoire de deux chercheurs d'or : Shaun Garrett, que j'incarnais, et Jim Rainbolt, le personnage de Clint. En rentrant d'une expédition, une de leurs montures, chargée d'or, meurt d'épuisement. Shaun se rend dans un village voisin pour voler un cheval, mais il se fait prendre et doit rembourser l'animal avec une pépite. Du coup, les habitants se lancent à la poursuite des deux compères pour découvrir où se trouve le gisement, tandis que ces derniers se réfugient à Seven Saints.

Le film fut tourné à Moab, dans l'Utah, où une mine d'uranium avait été découverte quelques années plus tôt. Du jour au lendemain, trois ou quatre mille hommes avaient envahi l'endroit, installant des caravanes à perte de vue. Le seul restaurant du coin faisait également office de tribunal : le juge n'était autre que le cuisinier ! On nous y servait d'énormes steaks frites arrosés de verres de Jack Daniels et de bière.

Il faisait une chaleur torride à Moab. Nous devions en permanence nous hydrater, l'atmosphère étant si sèche que notre sueur s'évaporait instantanément et que nos lèvres gerçaient.

Nos costumes devaient être huilés pour donner l'impression que nous transpirions.

Pour les besoins d'une scène, l'équipe investit une corniche qui surplombait la jonction de la Green River et du Colorado d'un à-pic vertigineux de plus de six cents mètres. En y arrivant, Bill Kissell, notre assistant réalisateur, sortit de sa voiture, vint jeter un coup d'œil puis remonta prestement dans son véhicule ! Clint et moi devions nous en approcher à cheval, une scène au cours de laquelle mon personnage devait raconter des blagues et chanter. Pourtant, j'étais loin d'être rassuré. Lors d'une prise, Gordon demanda à Clint de rire à l'une de mes plaisanteries.

— Impossible, lui répondit mon partenaire.

— Et pourquoi donc ?

— Je ne la trouve pas drôle.

— Je me moque de savoir ce que tu en penses, insista Gordon. Le personnage estime qu'elle l'est, alors tu dois rire.

Clint me prit alors par l'épaule et m'entraîna à l'écart.

— Rog, comment fais-tu pour rire ? me demanda-t-il.

— Tu veux dire, la technique ?

— Ouais.

— Tu expires complètement, et quand tu inspires à nouveau, tu fais vibrer tes cordes vocales. Ha ha ha !

— Non, je ne peux pas faire ça, dit-il. Pour qu'elle me fasse rire, il faut que ta blague me surprenne.

Je me mis donc à lui raconter tout un tas de bêtises et finis par lui arracher un sourire. C'était assez étrange. Croiriez-vous qu'il existe des gens qui ne savent pas rire ?

Le parcours de Gordie, notre réalisateur, était fascinant. New-Yorkais de naissance, il était monté sur les planches dès son plus jeune âge, avant que le mythique Hal Roach ne lui donne sa chance en tant que gagman sur les *Petites Canailles* puis sur les films de Laurel et Hardy. C'est à lui que l'on doit notamment le fameux « pouce-briquet » de Stan Laurel.

Un soir où nous dînions ensemble, Gordie me raconta quelques anecdotes sur Hal Roach, qui était un sacré farceur. L'une de mes préférées était celle-ci : Roach avait invité un scénariste de New York à venir travailler quelques jours à Hollywood. Un soir, il le convia à dîner chez lui et sa femme, Mary. Après le repas, on allait servir le digestif quand Roach se rendit compte qu'il était à court de Courvoisier. Il s'excusa et partit en acheter à l'épicerie du coin. Aussitôt, Mary se tourna vers le jeune homme et lui dit :

— Tu es plutôt mignon.

— Euh, merci, répondit l'autre, rouge de confusion.

Sans crier gare, elle se précipita vers lui, souleva sa jupe et lui ordonna :

— Prends-moi !

Effrayé à l'idée de se faire surprendre par son patron mais très excité, le type céda finalement à la tentation et ils firent l'amour sur le tapis. À son retour, Roach les trouva en train de discuter comme si de rien n'était. Après le digestif, le scénariste, très mal à l'aise, leur souhaita rapidement une bonne nuit et s'en alla.

Le lendemain, les deux hommes étaient au travail dans le bureau de Roach quand le téléphone sonna.

— C'est pour le scénariste, dit la secrétaire.

Celui-ci prit le combiné.

— Allô, qui est à l'appareil ?

— C'est Mary, répondit la voix au bout du fil.

— Ah ! Euh... bonjour, tante Winnie. Comment allez-vous ?

— Viens me retrouver tout de suite à la maison, petit coquin, j'ai tellement envie de toi, souffla Mary.

— Mais je suis en plein travail, bafouilla-t-il.

— Radine-toi immédiatement ou je raconte tout à Hal, s'emporta-t-elle.

Le scénariste demanda donc à Roach de bien vouloir l'excuser, prétextant que sa tante venait de débarquer en ville et qu'elle avait quelques menus soucis.

Leur liaison dura ainsi deux semaines. Plus les jours passaient et plus le scénariste était épuisé, et par conséquent moins productif. Au cours d'une de leurs réunions, Roach lui déclara :

— Vous savez où je veux en venir avec le scénario ? Je veux que l'on comprenne que ces deux hommes ont une relation particulière. Quelque chose d'impossible à partager avec une femme. Attention, rien de sexuel, soyons clair. Juste une complicité typiquement masculine, un sentiment de confiance mutuelle, comme celle que nous avons, vous et moi.

Le scénariste devint blême, souhaitant disparaître dans un trou de souris.

— La confiance, reprit Roach. Vous voyez ce que je veux dire ? Un peu comme je vous fais confiance avec ma femme. Oui, oui, ma femme. Je ne parle pas de la pute que je paye cinquante dollars par jour pour se faire passer pour elle !

À ces mots, le scénariste bondit de sa chaise et tenta d'étrangler Roach ! Il avait certes été le dindon de la farce, mais il avait pris du bon temps pendant quinze jours, tous frais payés !

Gordie fit également les frais des facéties de Hal. Peu de temps après qu'il s'était installé à Los Angeles, Roach l'invita à dîner chez lui à vingt heures. Gordie ignorait alors que Roach avait également invité une dizaine de convives à dix-neuf heures, à qui il avait raconté que le type qui allait arriver sortait tout juste de prison après avoir purgé une peine pour assassinat ; que c'était l'alcool qui l'avait poussé au crime mais qu'au fond c'était quelqu'un de bien. Il avait aussi prévenu les invités de tout faire pour l'empêcher de boire. Quand Gordie arriva, Roach fit les présentations. Comme tout le monde avait un verre à la main, Gordie demanda s'il pouvait boire quelque chose. Certains reculèrent aussitôt. Quand il insista, tous partirent en courant !

L'atmosphère était bonne sur le tournage du *Trésor des sept collines*. Surtout, j'avais enfin un « vrai » personnage à interpréter, celui d'un alcoolique irlandais qui aimer danser et chanter. J'aurais aimé continuer à travailler avec Gordie mais, une fois encore, mes espoirs furent réduits à néant, car Warner me proposa une nouvelle série TV, *Les Fantastiques Années 20*, l'histoire d'un journaliste à Chicago à l'époque de la prohibition. Warner produisait la plupart des séries télévisées de cette époque : *77 Sunset Strip, Hawaii Police d'État, The Alaskans, Maverick, Bronco, Bourbon Street Beat...* Et nous étions une cinquantaine d'acteurs sous contrat à passer de l'une à l'autre. Filles et garçons, nous étions tous interchangeables. Aussi, quand Warner me proposa cette énième série, dans laquelle je devais jouer un Anglais qui se prenait pour un cow-boy, je décidai de leur tirer ma révérence.

Je crois de toute façon qu'ils n'étaient pas non plus très satisfaits de notre association. Je trouvais cependant dommage qu'après seulement deux ans, et malgré quelques films intéressants, Warner Bros ne me propose plus que des séries. Si encore elles avaient été originales ! Même si j'aimais Hollywood, je n'avais pas l'intention d'accepter n'importe quoi pendant cinq ans en attendant la fin de mon contrat. Nous étions en 1961, et Hollywood était en pleine mutation, mais pas forcément dans le bon sens du terme. Il était temps pour moi de partir vers d'autres horizons.

De son côté, Squires rencontrait un énorme succès au Royaume-Uni, en Australie et en Europe, et nous ne passions que peu de temps ensemble, trop occupés que nous étions par nos carrières respectives. Je m'en remis alors à mon agent, Irving Leonard, qui était également celui de Jim Garner et de presque tous les acteurs sous contrat avec Warner Bros, pour me trouver du travail. Il avait réussi à convaincre Clint Eastwood de partir tourner un film en Italie pour quinze mille dollars, soit beaucoup moins que les salaires hollywoodiens en vigueur. Bien lui en prit cependant, puisqu'il s'agissait du premier western spaghetti de Sergio Leone, *Pour une poignée de dollars*, qui lança la carrière de Clint.

Étant un peu connu en Italie, j'acceptai à mon tour sur les conseils d'Irving le premier rôle d'un film italien, malgré le cachet anémique. C'est ainsi que je m'envolai pour Rome tourner *L'Enlèvement des Sabines*.

Je reçus le scénario, ou plutôt l'une de ses nombreuses versions, tant le casting était international : il y avait entre autres des Anglais, des Français, des Allemands, des Yougoslaves et des Italiens. Le film racontait l'histoire de Romulus et Remus et la fondation de Rome. Je me demande encore si un Anglo-Saxon blond aux yeux bleus était le choix le plus judicieux pour incarner Romulus, élevé par une louve, mais puisqu'ils me payaient...

Je quittai d'abord Los Angeles pour Paris, où je rencontrai les producteurs du film, l'Italien Enrico Bomba et son associé français Alexander Salkind, qui produirait plus tard *Superman* avec son fils Ilya. Alex habitait non loin des Champs-Élysées, tout près de l'hôtel George V. Après le déjeuner, nous allâmes nous promener sur la célèbre avenue et entrâmes chez un tailleur.

Il lui expliqua en français qu'il s'apprêtait à faire un très gros film dont j'étais la star et que j'avais besoin d'un costume. Flairant la bonne affaire, le tailleur prit mes mesures. Alex les nota, le remercia, et nous sortîmes de la boutique. Il téléphona ensuite à Rome pour donner mes mensurations afin que l'on préparât mes vêtements, qui n'étaient rien d'autre que des toges. Ces méthodes auraient dû m'alerter sur le caractère bas de gamme de la production que je m'apprêtais à tourner !

Je m'envolai ensuite pour Rome où je rencontrai mes partenaires ainsi que l'équipe technique. Le réalisateur, Richard Pottier, était né en Hongrie mais il avait vécu presque toute sa vie en France. La Française Mylène Demongeot interprétait Rea, et le rôle de Dusia avait été confié à l'Italienne Scilla Gabel. Il y avait également Luisa Mattioli, sous contrat avec Enrico Bomba, une toute jeune beauté qui jouait le rôle de Silvia.

Luisa, qui avait été présentatrice télé, fut chargée de m'interviewer à l'occasion d'une conférence de presse que nous donnâmes pour la télévision italienne. Cette interview fut d'autant plus instructive que je ne connaissais pas l'italien et qu'elle ne parlait pas anglais. Nous parvînmes malgré tout à nous comprendre malgré la barrière de la langue...

Quand mon costume fut prêt, on nous envoya à Zagreb, en Yougoslavie. Nous débarquâmes dans une sorte d'entrepôt aménagé qui n'avait vraiment rien d'un studio hollywoodien. Étant donné que pratiquement personne ne parlait anglais, je me sentais terriblement seul. Au premier jour de tournage, les Romains, dirigés par moi-même, pénétraient dans le village des Sabines portant des litres de vin afin de saouler les hommes. Les femmes étaient ensuite kidnappées puis violées. Tout le monde parlait dans une langue différente. Mon français était approximatif, mon italien nul, et je vous laisse imaginer mon niveau d'allemand et de serbe. Ce fut un véritable chaos.

L'assistante réalisatrice s'appelait Beka. Non contente de donner des ordres aux figurants avant le début d'une scène, elle continuait pendant la prise, dans sa propre langue, sans se soucier de nos dialogues. Je trouvais cette méthode particulièrement déroutante, aussi lui demandai-je pourquoi elle agissait ainsi.

— Parce qu'ils sont *stoupides*, me répondit-elle.

Je lui expliquai alors que j'étais moi-même probablement *stoupide*, car cela me déconcentrait.

Dans ma première scène, je donnai la réplique à Mylène Demongeot, qui parlait en français. Dès que ses lèvres arrêtaient de bouger, je savais que je devais enchaîner avec mon texte. Elle poursuivait, toujours en français, ses lèvres s'immobilisaient à nouveau, et je disais la suite. Nous nous sortions plutôt bien de ce petit jeu, avec Beka en fond sonore qui beuglait ses ordres en serbe, quand un individu vêtu d'une toge blanche surgit de nulle part et m'asséna un violent coup de poing à la mâchoire. J'en tombai à la renverse.

— Coupez! Coupez! cria le réalisateur. Roger, où es-tu?

— Par terre.

— Qu'est-ce que tu fais par terre?

— Ce type vient de me foutre un coup de poing!

— Beka! Pourquoi a-t-il fait ça? demanda le réalisateur.

— Parce qu'il est saoul, répondit-elle.

— Dites, si ce type est bourré, vous devriez le virer, intervins-je.

Le 14 octobre 1927, Lilly Moore, née Pope, mit au monde un ravissant bambin de
58,4 centimètres – ici âgé de trois mois environ. Dès leur première tentative, mes
parents avaient atteint la perfection !

Avec mon père, George Alfred Moore, à Stockwell, au sud de Londres.

Mon oncle Len, le frère de maman, et sa femme Lily, Amy, une sœur de maman, et maman. Ma cousine Doreen a la chance de poser à côté du plus séduisant des garçons de son âge.

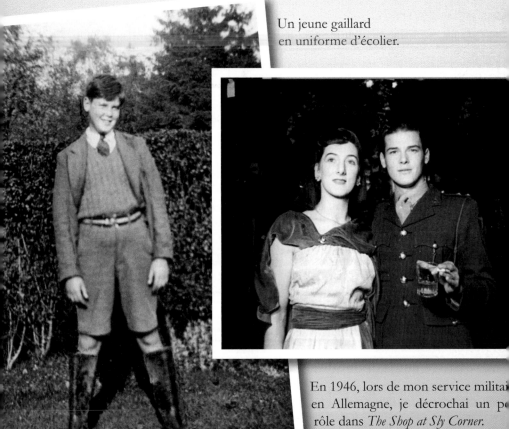

Un jeune gaillard
en uniforme d'écolier.

En 1946, lors de mon service militai[re]
en Allemagne, je décrochai un p[etit]
rôle dans *The Shop at Sly Corner.*

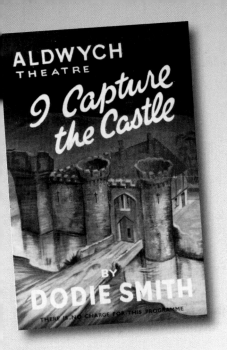

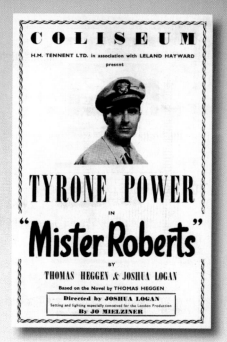

Je fis l'une de mes premières apparitions sur les planches dans *I Capture the Castle*.

En 1953, je fus engagé comme doublure dans *Permission jusqu'à l'aube* (*Mister Roberts,* en anglais), de Thomas Heggen, et *La Petite Hutte*, d'André Roussin, deux productions de la compagnie H.M. Tennent.

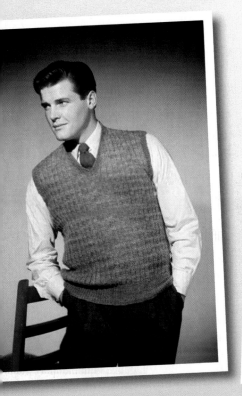

attendant le grand rôle, il m'arrivait, ur arrondir les fins de mois, de jouer ns des romans photos ou de poser pour s fabricants de tricots.

Mon premier portrait officiel de la Metro-Goldwyn-Mayer. Vous remarquerez l'ondulé de la mèche... Quel style !

Fin 1956, le chevalier à l'armure étincelante vint à moi. Nombreuses étaient les scènes d'action et de combat dans cette série extrêmement physique. Ci-dessous, en 1958, Ivanhoé (votre serviteur) tente d'empêcher le prince Jean (Andrew Keir) d'étrangler son fidèle Gurth (Robert Brown).

Hollywood, me voilà ! *Quand la terre brûle* (1959), d'Irving Rapper, fut le premier projet que me proposa Warner. Comme quoi mes craintes de demeurer à jamais catalogué acteur de séries télévisées étaient infondées.

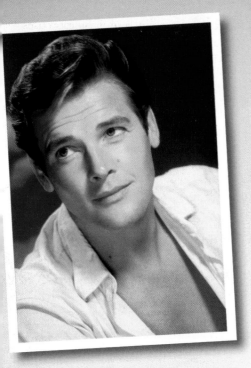

Mon portrait officiel signé Warner. Et toujours cette coupe impeccable !

Entre 1959 et 1960, j'interprétai Silky Harris dans la série *The Alaskans*, au côté de Dorothy Provine.

Avec Beau Maverick, je partageais le goût des jeux de hasard, une addiction que j'ai heureusement perdue.

Une scène passionnée avec la belle Angie Dickinson dans *Au péril de sa vie* (1960).

En 1961, sur le tournage du *Trésor des sept collines*, un film au titre anglais – *Gold of the Seven Saints* – prémonitoire pour la suite de ma carrière.

Avec Dorothy Squires, de retour en Angleterre au début des années soixante.

L'auréole me va si bien ! Vous ne trouvez pas ?

Dans *Un mari plein de talent*,
le tout premier épisode du *Saint*,
Derek Farr s'était travesti
en Mme Jafferty.

Le producteur de la série, Bob Baker,
avait eu la finesse de n'accorder à Leslie
Charteris aucun droit de regard
sur les scénarios.

Mes débuts de réalisateur, lors du quarantième épisode de la série, intitulé
Le Thé miracle.

La fameuse Volvo P1800 de Simon Templar, dont il existe aujourd'hui une douzaine d'«originaux».

Volvo nous avait même fourni l'habitacle d'une voiture pour les gros plans !

Lois Maxwell, mon ancienne complice de la Royal Academy of Dramatic Art, qui joua dans deux épisodes du *Saint*, allait devenir *ma* première Miss Moneypenny.

À l'instar de Brett Sinclair et de James Bond, Simon Templar a toujours aimé les jolies femmes... et les bonnes manières.

Songeur! Qui aurait pu prédire en effet que l'aventure du *Saint*, dont les cent dix-hui
épisodes firent le tour du monde, durerait sept ans?

En 2004, je retrouvai Johnny Goodman (à gauche) et Bob Baker, directeur
de la production et producteur du *Saint*, à l'occasion d'enregistrements de
commentaires pour la sortie d'un DVD.

ıx photos du tournage de *La Seconde Mort d'Harold Pelham* (1970), de Basil Dearden,
des premiers films où l'on m'a donné l'occasion d'exprimer mon talent!

Derrière les studios d'Elstree, pendant le tournage de *La Seconde Mort
d'Harold Pelham*, Deborah et Geoffrey s'amusent à tracter leurs parents,
Luisa et moi.

L'Américain sans manières et l'aristocrate anglais devinrent bons amis sur le tournage d'*Amicalement vôtre*.

La quintessence du style anglais...
Raffinement et élégance,
c'est tout moi !

Lew Grade (au centre), mon ami et mentor, venait rarement sur le tournage des séries qu'il produisait. Il ne se déplaça qu'une fois aux studios de Pinewood au cours des vingt-quatre épisodes d'*Amicaleme vôtre* qui furent réalise Il était ce jour-là accompagné de notre producteur Bob Bake (à droite).

Plusieurs scènes d'*Amicalement vôtre* furent tournées dans le sud de la France. Là, Tony et moi devisions sur La Croisette, à Cannes. Mais mon partenaire semblait distrait. Sans doute une jolie Française...

Une pause entre deux prises. De gauche à droite : Joan Collins, moi, Johnny Goodman, Tony Curtis et Bob Baker. Joan feignait-elle d'ignorer Tony, qui l'avait peu de temps auparavant traitée de conne ?

Comme nombre de séries télévisées, *Amicalement vôtre* a accueilli des invités de marqu[e]. Je fus particulièrement fier de pouvoir donner la réplique à Terry-Thomas, l'une [de] mes idoles comiques.

L'immense Gladys Cooper apparut pour la dernière fois à l'écran dans cet épiso[de] intitulé *L'Héritage d'Ozerov*.

Le titre «Ton Altesse», dont Tony aimait m'affubler, prend ici toute sa signification.

Sur le tournage, nous multipliions les facéties ; ce fut sans doute l'une des raisons pour laquelle la série connut un tel succès, en Europe du moins.

Lord Brett Sinclair au volant de sa célèbre Aston Martin DBS coupé – un 6 cylindres badgé V8 –, place de la Concorde, à Paris.

Sherwood House, à Denham, notre première propriété familiale, où plusieurs scène
d'*Amicalement vôtre* furent tournées.

Bien qu'ayant arrêté la cigarette, je
m'octroyais encore un cigare de temps
à autre. Ici, dans le jardin de la maison
de Denham au début des années
soixante-dix.

Moins raffiné, mais toujours avec un cigare,
lors de mon premier séjour en Afrique du S
en 1973, sur le tournage de *Gold*.

— Non, dit Beka, il *joue* un homme saoul.

— Écoutez, d'habitude, on parle de ce genre de situation à l'avance, m'offusquai-je. Que je sois au moins prévenu qu'on va me casser la figure !

La pause déjeuner intervint, copieusement arrosée de vin rouge, puis Pottier m'annonça que, dans la séquence suivante, je devais arriver au galop. Puis mon cheval se cabrerait, je tomberais, et je me relèverais en tirant mon épée.

— Attendez, m'exclamai-je. J'arrive à cheval, puis on coupe, et on raccorde avec une doublure qui tombe de l'animal.

— Vous quoi ? Une doublure ? Je pas comprends, rétorqua Pottier qui, tout à coup, ne parlait plus anglais.

Je remerciai alors intérieurement mon agent, bien au fait des particularités de l'industrie cinématographique italienne, qui avait tenu à spécifier à la signature du contrat que l'on me fournirait du maquillage, des vêtements, une loge pour m'habiller et une doublure pour exécuter les cascades... Je rappelai ce détail à Pottier, qui convoqua Beka sur-le-champ. Je les entendis marmonner, puis elle désigna l'un des figurants et m'ordonna de retirer mes vêtements.

— Pardon ? fis-je.

— Déshabillez-vous. Il a besoin de vos vêtements pour vous doubler.

Je lui rétorquai qu'ils n'avaient qu'à lui en confectionner.

Et nous n'en étions qu'au premier jour du tournage !

Un matin, je montai dans une voiture avec Folco Lulli, qui interprétait Titus, pour nous rendre sur le lieu de tournage. Bien qu'il parlât italien, je réussis à saisir quelques mots au vol qui n'étaient pas tendres envers la production. Puis il se racla la gorge et cracha par la vitre. Malheureusement, celle-ci était fermée ! J'explosai de rire.

Heureusement, plus le tournage avançait et plus je me rapprochais de la sublime Luisa Mattioli. Nous avions tous les deux le mal du pays et, comme je le disais, la langue n'était vraiment pas un problème entre nous. Hochement de tête et clin d'œil sont bel et bien des signes universels...

Le reste du tournage fut épouvantable, et ma déception et ma frustration atteignirent leur comble quand je me rendis compte qu'ils traînaient des pieds pour me verser mon salaire. Je crois même qu'ils ne me payèrent que parce que le producteur Enrico Bomba voulait que je joue dans l'une de ses nouvelles productions, *No Man's Land.* Il me fit miroiter la présence de

Luisa au générique, et comme je voulais rester à Rome avec elle, j'acceptai. Nous vivions tous les deux une grande histoire d'amour et étions devenus inséparables.

Dans ce film, j'incarnai un soldat italien aux côtés de Carl Schell, le frère de Max, qui jouait un nazi particulièrement retors, et de Pascale Petit dans le premier rôle féminin. Le réalisateur, Fabrizio Taglioni, tentait de donner une cohérence au projet. Était également présent un acteur que j'aimais beaucoup, Memmo Carotenuto, dont le nez était incroyablement tordu. Quand je me mis à parler un peu mieux italien, je lui demandai ce qui lui était arrivé. Il me raconta que, lors d'un tournage où il incarnait le Christ, la croix sur laquelle il était entravé s'était mise à vaciller quand tous les figurants étaient tombés à genoux pour prier. Ne voulant pas interrompre la prise de vue, il avait murmuré :

— Aidez-moi, aidez-moi.

Mais les figurants, pensant qu'il s'agissait d'une réplique du scénario, n'avaient pas bougé. La croix était finalement tombée, et Memmo avait atterri sur le nez.

Il y eut beaucoup de tensions sur le tournage de *No Man's Land*. Le manque de communication entre les gens et le scénario insipide m'en laissèrent un très mauvais souvenir. Mais je n'étais pas en position de refuser du travail, aussi fis-je du mieux que je pus. Heureusement, ma carrière italienne s'arrêta là : une nouvelle série télévisée m'attendait en Angleterre.

7

L'arrivée du Saint

« Tu dis : "Mesdames et messieurs..."
et puis modestement. »

Comme je l'ai évoqué, j'avais déjà tenté d'acheter les droits du *Saint* à son auteur, Leslie Charteris. J'étais donc fortement intéressé par la possibilité de tenir le rôle principal dans la nouvelle série télévisée de Lew Grade. C'est à Venise que la proposition, accompagnée du scénario du premier épisode, me fut transmise par mon agent Dennis Van Thal. Mes films italiens n'avaient pas fait de moi une star internationale, contrairement à Clint Eastwood, et je n'avais pas l'intention de rester en Italie pour y tourner des films anodins. Lorsque Dennis vint me rendre visite pour discuter de la série, je lui expliquai que je trouvais le scénario un peu long pour ce qui n'était après tout qu'un épisode d'une demi-heure, sur le modèle d'*Ivanhoé*. « Ils m'ont confirmé la durée de trente minutes, m'assura-t-il. Je suppose qu'ils couperont des répliques. »

Mais je n'étais pas convaincu car il y avait vraiment énormément de texte. Dennis envoya alors un télex à l'un de ses assistants à Londres pour avoir confirmation de la durée des épisodes, ce qui, bien entendu, aurait une incidence sur le contrat et l'offre qui m'étaient soumis. Assuré de signer pour vingt-six épisodes de trente minutes chacun, je rencontrai finalement les producteurs Bob Baker et Monty Berman, qui ne me demandèrent même pas de faire un essai : j'avais le rôle, et étais très impatient de commencer.

Peu de temps après la signature du contrat, Lew Grade me demanda de participer à une conférence de presse. Cet homme adorait être sous les feux des projecteurs et passait pour cela son temps à faire des annonces. Assis à ses côtés avec les producteurs, je l'écoutai accueillir l'auditoire et déclarer qu'il était « excité à l'idée de tourner ces vingt-six épisodes d'une heure ».

— Une demi-heure, le corrigeai-je poliment.

Mais Lew poursuivit son intervention sans me prêter attention.

— Une *demi*-heure, insistai-je.

— Non, les épisodes durent une heure, répondirent en cœur Bob et Monty.

Ce n'était pas du tout ce que j'avais signé.

— Alors il va falloir que l'on renégocie, dis-je.

— Comment ça? Tu as donné ton accord! s'exclama Lew, offusqué.

Heureusement, nous parvînmes à un compromis et l'assistant de Dennis Van Thal fut prestement renvoyé.

Je pensais que la série durerait une saison, peut-être deux, mais jamais je n'aurais imaginé qu'elle tiendrait sept ans, pour un total de cent dix-huit épisodes. Ce fut une période très heureuse pendant laquelle je pus jouer un rôle taillé pour mes capacités limitées.

Bien que la série fût adaptée des histoires et personnages de Leslie Charteris, le producteur Bob Baker eut la finesse de ne lui accorder aucun droit de regard sur les scénarios, limitant sa contribution à de simples commentaires. Charteris ne se priva pas d'exercer ce privilège, parfois de manière acerbe mais toujours très drôle, par le biais de longues notes qu'il nous adressait dans des enveloppes qui avaient déjà servi. L'un des épisodes, écrit par notre scénariste Harry Junkin, fut ainsi renvoyé par ses soins avec la mention: « Bon pour la poubelle. »

Les récits de Charteris étaient pour la plupart des nouvelles. Nous devions cependant remplir des épisodes d'une heure, et nous constatâmes que, si ses histoires offraient un début et une fin tout à fait adéquats, le milieu était à réécrire, ce qui incombait aux scénaristes. Évidemment, lors de la réécriture, certains détails ou personnages étaient modifiés, ce qui mettait Charteris hors de lui. Il était extrêmement protecteur et possessif pour tout ce qui touchait à son œuvre. À vrai dire, il s'identifiait à Simon Templar! Il détestait les trouvailles et les changements de la production et n'hésitait jamais à nous en faire part. Je ne me souviens plus si ses critiques se firent plus rares ou non après la première saison, quand nous nous mîmes à écrire nos propres histoires. En tout cas, Bob fit preuve de beaucoup de diplomatie. Au fond, je crois que Charteris aimait surtout avoir la possibilité de se plaindre.

Plusieurs films inspirés de ses romans avaient déjà été tournés dans les années trente, quarante et cinquante. Je les avais tous vus et étais tout à fait d'accord avec les producteurs pour tenter une approche différente. Nous décidâmes ainsi que, pour la séquence d'ouverture, Simon Templar s'adresserait directement au public. Le nouveau ton serait ainsi immédiatement donné et les téléspectateurs impliqués. Je hausserais un sourcil, les yeux au ciel, et la caméra s'attarderait sur le halo au-dessus de ma tête. Quelqu'un dirait : « Vous êtes le célèbre Simon Templar ! » ou quelque chose de ce genre et le générique débuterait, avec la célèbre musique d'Edwin Astley.

Le dimanche soir, de nombreux jeunes téléspectateurs avaient le droit de regarder *Le Saint* avant d'aller au lit. Aujourd'hui encore, il m'arrive de rencontrer des gens qui me disent combien ils étaient heureux lorsqu'on leur accordait ce privilège. Ce sont souvent des personnes qui sont devenues grands-pères ou grands-mères. Il n'en faut pas plus pour qu'un vieil acteur se sente vraiment vieux !

Luisa et moi étions donc amoureux, et je me rendis compte lors de nos séparations combien elle me manquait. Je ne suis pas très fier d'avoir quitté Dorothy Squires pour elle. Dot et moi avions partagé beaucoup de choses et mon comportement à cette époque lui causa une immense peine. Je ne m'en étais pas aperçu, mais les longues périodes passées éloignés l'un de l'autre avaient de toute évidence eu un impact sur notre couple. Et je ressentais alors l'envie d'écouter mon cœur, qui désormais appartenait bel et bien à Luisa.

Mais j'ai toujours été un romantique incurable et je n'ai jamais cessé d'aimer Dot. Nous avions vécu ensemble de très beaux moments que nous n'aurions échangés pour rien au monde. Je ne crois pas que l'on puisse cesser d'avoir des sentiments pour quelqu'un qui a joué un si grand rôle dans votre vie, quelle que soit la manière dont la relation a pris fin. Je ne crois pas qu'elle ait non plus jamais cessé de m'aimer, ce qui expliquerait qu'elle ait si longtemps refusé de m'accorder le divorce.

Vers la fin de sa vie, en 1998, alors qu'elle était gravement malade et manquait cruellement d'argent, je repris contact avec elle. Je fis ce que je pus pour lui apporter quelque réconfort dans les derniers mois, et sans lui demander de me pardonner de l'avoir quittée, je fus soulagé de l'entendre dire qu'elle était heureuse que j'aie trouvé mon bonheur avec Kristina, ma quatrième femme.

— Cette fois, c'est la bonne, Roger, n'est-ce pas?

— Je crois bien que oui, Dot, répondis-je.

Cependant, en 1961, l'échec d'un mariage ne constituait pas un motif suffisant de divorce. Et il me fallait de toute façon l'accord de Dot, qui n'était pas disposée à me faciliter la tâche.

Luisa était quant à elle catholique pratiquante, déchirée entre ses principes religieux et son amour pour moi, mais elle accepta de quitter Rome pour s'installer en Angleterre. Nous emménageâmes dans un trois pièces avec jardin à Mill Hill, à environ vingt minutes en voiture des studios Elstree, où je tournais *Le Saint*.

Le tout premier jour de tournage sur la série eut lieu à Cookham, dans le comté de Buckingham. Derek Farr, habillé en Mme Jafferty, devait traverser la route au moment où Simon Templar passait dans sa Volvo P1800. Le plan était relativement simple. J'attendais patiemment hors champ, comme on le fait sur les tournages anglais, que le soleil revienne et qu'un assistant me fasse signe, lorsqu'un policier à vélo s'arrêta près de moi. Il me regarda, examina mon véhicule, et descendit de sa bicyclette.

— C'est une voiture très étrange, déclara-t-il. Et la plaque d'immatriculation l'est tout autant.

Bien entendu, c'était la plaque « ST1 ».

— Oui, répondis-je sans réfléchir, elle est fausse.

Le policier sortit son carnet et son stylo au moment précis où l'on me faisait signe de démarrer. Je partis donc en trombe, passai devant la caméra, et revins me garer au même endroit, où le policier m'attendait encore, interdit. Personne ne lui avait signalé qu'il y avait un tournage dans les environs.

Chaque épisode nécessitait huit jours de tournage, et nous travaillions rarement le week-end, ce qui me permettait d'avoir une certaine routine. Je me levais chaque jour à six heures pour faire ma gymnastique car je détestais les salles de sport, préférant travailler seul chez moi. Je prenais ensuite mon petit déjeuner et arrivais au studio à sept heures et demie.

Comme le personnage, je conduisais une Volvo P1800. Lors de la phase de préproduction, quand nous discutions de la voiture que conduirait Simon Templar, nous étions tombés d'accord pour le doter d'une Jaguar. J'avais alors annoncé que j'achèterais la même voiture que le Saint afin de pouvoir disposer de deux véhicules – en espérant naturellement que le concessionnaire nous ferait un prix. Ainsi, lorsque la première équipe tournerait, la seconde pourrait utiliser l'autre voiture pour des plans ne nécessitant pas ma présence.

Johnny Goodman, notre directeur de production, appela donc la filiale Jaguar à Coventry et expliqua que nous aurions besoin de deux voitures pour une nouvelle série télévisée.

— Quand en aurez-vous besoin, monsieur Goodman?

— La semaine prochaine, répondit Johnny.

— Impossible, lui répliqua-t-on. Il y a six mois d'attente.

— Je comprends, mais c'est pour une série *télévisée*, qui sera diffusée dans le monde entier. Pensez à la publicité que cela fera à votre société.

— De la publicité? s'exclama le vendeur. Ce n'est vraiment pas nécessaire. Nos commandes annuelles s'élèvent à quelque deux cent cinquante millions de livres et nous n'arrivons déjà pas à les honorer.

La conversation s'arrêta là. Johnny feuilleta quelques magazines automobiles et me montra une photo de la Volvo P1800. Elle était magnifique. Il n'eut qu'à saisir le téléphone et, le surlendemain, deux voitures nous étaient livrées, ainsi que de quoi décorer l'intérieur d'un troisième véhicule pour les gros plans. Et chaque année, le constructeur nous fournissait de nouveaux modèles. Il y a donc eu plusieurs Volvo P1800, raison pour laquelle je suis toujours amusé d'entendre des gens proférer qu'ils possèdent la Volvo originale. Ils sont en réalité propriétaires de l'un des douze véhicules utilisés dans la série au fil des années.

Les épisodes du *Saint* avaient souvent pour cadre des pays exotiques, mais, les budgets n'étant pas bien élevés à l'époque, nous n'avions pas les moyens de tourner en décors réels. Nous devions donc faire passer les paysages anglais pour des contrées lointaines, avec plus ou moins de bonheur. Il suffisait d'un palmier en plastique, de plaques d'immatriculation étrangères et d'un sous-titre judicieusement incrusté pour que les plateaux d'Elstree nous transportent en France, en Espagne, en Italie, en Suisse ou même aux Bahamas.

Bien sûr, c'était toujours en plein hiver que je me trouvais aux Bahamas ou dans le sud de la France, en chemisette sous les projecteurs, au beau milieu des feuilles mortes qui virevoltaient dans le vent glacial! Vous me direz que l'on ne conduit pas du même côté dans ces pays qu'en Angleterre. C'est exact, mais ce n'était pas un problème : nous retournions simplement la pellicule. L'artère principale de Borehamwood devenait ainsi celle de n'importe quelle bourgade étrangère...

Mais je détestais le travail en studio et rêvais de pouvoir un jour tourner sur les lieux mêmes de l'action. Mon souhait serait exaucé sur *Amicalement vôtre*, mais j'aurais alors rapidement la nostalgie des jours où je pouvais rentrer chez moi chaque soir. Comme vous pouvez le constater, les acteurs ne sont jamais satisfaits.

L'autre avantage du *Saint* était la formidable équipe que nous avions réunie. Nombre de ses membres, comme Alec Mills et Jimmy Devis, nos cameramen, June Randall, notre merveilleuse scripte, Johnny Goodman et Peter Manley, nos directeurs de production, et Malcolm Christopher, notre irremplaçable *location manager*, sont toujours des amis. Nous formions une grande famille, rassemblée dix heures par jour dans la bonne humeur.

L'intervalle entre chaque saison était assez court. Je crois me souvenir que j'avais deux mois de libertés pendant lesquels je devais souvent assurer la promotion de la série. Luisa et moi nous arrangions donc pour prendre nos vacances en fonction de mes engagements. Nos destinations préférées étaient alors Magaluf et Palma, sur l'île de Majorque, bien avant que les côtes des Baléares ne soient défigurées par les hordes de touristes.

Nous allions également rendre visite à mes « beaux-parents » à Rome quand nous en avions l'occasion. Je me souviens d'un jour où nous rentrions en Angleterre par la route, via la Suisse. Je n'avais jamais visité Genève auparavant, contrairement au Saint, qui avait déjà effectué ce voyage en studio ! Je me dis que cela ferait une étape agréable et nous descendîmes à l'hôtel Beau Rivage, où le directeur me demanda si j'acceptais de me faire photographier avec sa fille. Évidemment, je ne refusai pas. Au moment de régler la note, la direction m'annonça qu'elle était honorée de prendre en charge le séjour de Simon Templar. Lors de notre séjour genevois, un chauffeur de taxi me fit également cadeau d'une course. Être célèbre présentait indubitablement des avantages !

Je dois dire ici que les taxis londoniens, qui sont certainement les meilleurs au monde, ont bien souvent refusé que je les paie ces dernières années, me demandant de reverser le prix de la course à l'Unicef. Je suis très touché de ces marques de générosité. À l'inverse, les pires sont assurément les new-yorkais. De nos jours, il faut s'accommoder de chauffeurs constamment pendus au téléphone qui ne savent même pas où ils vont alors qu'il est si facile de se repérer dans Manhattan. Peut-être n'ai-je toujours pas digéré les cent dollars que j'avais payés par erreur en 1953...

L'une de nos premières *guest stars* sur *Le Saint* fut Warren Mitchell, qui fit un certain nombre d'apparitions dans la série, la plupart du temps comme chauffeur de taxi italien, alors qu'il n'en parlait pas un mot, excepté les insultes que Luisa m'avait apprises et que je lui apprenais à mon tour. J'espère que le public ne comprenait pas ce qu'il disait... Jane Asher, qui avait environ seize ans à l'époque, fut également invitée sur la série. Il m'arrivait souvent de prendre une craie et de faire des croquis sur une rangée de plaques peintes en noir placées le long d'un mur. Un jour, je dessinai un portrait de Jane avec son compagnon de l'époque, un jeune musicien du nom de Paul McCartney, que j'entourai d'un cœur avec du houx. J'en fus si satisfait que je décidai d'en faire ma carte de Noël cette année-là.

— Oh non, me supplia Jane, ne faites pas cela. Si l'on apprend que nous sortons ensemble, la carrière de Paul sera ruinée.

— Quelle carrière ? demandai-je sans comprendre.

Je n'avais pas vraiment pris la mesure du personnage !

J'eus également comme partenaires d'exception pendant ces années la jeune Julie Christie, Jackie Collins, Erica Rogers, Annette Andre, Lois Maxwell, Nicola Pagett, Eunice Gayson, Jennie Linden, Sue Lloyd, Justine Lord, Suzanne Lloyd, Mary Peach, Jean Marsh, Imogen Hassall, Veronica Carlson, Samantha Eggar, Shirley Eaton, Kate O'Mara, Alexandra Stewart et tant d'autres. Le sujet fut d'ailleurs abordé lors d'une interview pour la chaîne HTV.

— Vous avez joué Ivanhoé, Maverick et maintenant le Saint, constata le journaliste. Vous en avez eu, des jolies filles !

— Je ne peux pas vous laisser dire ça ! répondis-je en éclatant de rire.

Il n'avait pas l'air de se rendre compte qu'il me mettait dans une situation délicate ! Chaque fois que je revois l'interview – elle est disponible sur YouTube –, je ressens la même gêne qu'à l'époque.

Un jeune acteur, Oliver Reed, interprétait un méchant dans l'épisode intitulé *Le Roi des mendiants*. Généralement, on apprenait qui était le coupable dans l'avant-dernière scène. Pour cet épisode, celui-ci était abattu et devait sortir du champ tandis que la caméra s'approchait de moi. Oliver, sachant que c'était sa dernière chance de montrer son talent, reçut la balle en tournoyant, sursauta et tomba au ralenti afin de sortir du cadre le plus tard possible.

Nous fîmes trois autres prises, chacune le mettant plus longtemps en valeur que la précédente. Pris par le temps et à court de patience, le réalisateur laissa la caméra tourner et me fit signe de continuer. Tandis que je commençais à donner la clé de l'énigme, j'entendis un râle en provenance du plancher. Pensant qu'Oliver essayait de me faire rire, je tentai de rester concentré, mais les râles s'amplifièrent et je me rendis alors compte qu'Oliver était étendu de tout son long, la langue gonflée. Je me précipitai pour lui venir en aide.

— Pourquoi t'es-tu arrêté ? demanda le réalisateur.

— Oliver fait un malaise, criai-je. Il devient bleu !

— Ah oui. Au temps pour moi. Faites venir l'infirmière, répondit-il nonchalamment.

Cet incident fut heureusement sans conséquence et Oliver retravailla avec nous sur un épisode intitulé *Sophia* que je mis moi-même en scène. Il était alors devenu l'un de nos principaux méchants. Quel formidable acteur ! Il était selon moi l'un des meilleurs ennemis du Saint, et je ne manquai pas de le lui dire.

Des années plus tard, alors que je m'apprêtais à interpréter Sherlock Holmes dans un téléfilm tourné à Hollywood, notre producteur m'annonça :

— Oliver Reed sera de passage la semaine prochaine. Je pense qu'il ferait un excellent Moriarty. Je crois que vous le connaissez.

J'acquiesçai.

— Pourriez-vous le contacter ? Il est descendu au Beverly Wilshire.

J'appelai donc Oliver pour lui expliquer la situation.

— Vous rappelez-vous ce que vous m'avez dit un jour ? me demanda-t-il.

— Quoi donc ?

— Nous étions à la soirée des BAFTA au Hilton, à Londres, et vous m'avez déclaré : « Vous êtes très bien dans les rôles de méchants, mais la comédie, ce n'est pas votre tasse de thé. »

— Oui, je m'en souviens, répondis-je.

— Figurez-vous que je viens de terminer une comédie et que j'y ai été excellent. Alors, oubliez-moi pour Moriarty. Oups !

Je rencontrai un autre jeune acteur à l'époque du *Saint*. Nous ne travaillâmes hélas jamais ensemble sur la série, mais il devint par la suite l'un de mes meilleurs amis. Vers le milieu de 1964, je traversais Piccadilly quand deux comédiens vinrent à ma rencontre. L'un était Terence Stamp, l'autre un grand blond à lunettes, assez beau gosse, que j'avais vu la veille dans une fiction télé écrite par Johnny Speight.

— Vous irez loin, très loin, lui déclarai-je après l'avoir salué.

— Putain, vous êtes Roger Moore ! répondit-il.

Il s'agissait de Michael Caine, qui deviendrait effectivement la star que l'on sait.

On me demandait souvent à cette époque de participer à des galas de charité. Le Variety Club of Great Britain était l'un de mes préférés. J'acceptai également d'assister aux courses de York avec quelques actrices de l'ABPC : Sylvia Syms, Rita Tushingham, Liz Fraser et une jeune starlette qui me fit si forte impression que j'ai oublié son nom. Quoi qu'il en soit, nous partagions à cette occasion un compartiment dans le train et commençâmes une partie de poker, excepté la starlette qui resta à l'écart, admirant son reflet dans deux miroirs, l'un pour son profil gauche, l'autre pour le droit. Elle était manifestement très imbue de sa personne.

— Mon nez n'est-il pas trop grand ? demanda-t-elle au bout d'un moment en repositionnant ses miroirs.

Sylvia la regarda et dit, assez fort :

— C'est bien la première fois que je voyage avec une star comme toi !

Je n'ai plus jamais entendu parler d'elle.

Harry Junkin, notre scénariste sur *Le Saint*, était un Canadien très bavard qui mesurait deux mètres. Sa conception particulière du flirt se résumait à la petite phrase qui figurait dans presque tous ses scénarios. À la fin de l'épisode, au volant de ma Volvo, ma compagne se tournait vers moi et demandait :

— Que faisons-nous à présent, Simon ?

Ma réponse était alors :

— Je vais vous emmener dîner dans le meilleur restaurant de la ville et ensuite nous irons danser jusqu'au petit matin.

Nous tournions généralement les séquences en voiture sur fond bleu, ce qui signifiait que nous ne pouvions rien porter dans ces tons, ou bien sur un plateau rotatif pour les plans courts. Cette plate-forme pouvait être décorée de papier argenté représentant les lumières de la ville derrière nous ou bien de quelques branchages, si nous étions à la campagne. Ces séquences étaient toujours tournées en « M.O.S. », ce qui me donna l'idée d'une blague.

Un jour que nous regardions les rushes de la veille, j'apparus à l'écran au volant de ma Volvo. L'instant d'après, sans coupure apparente, le cameraman avait pris ma place tandis que je courais à côté de la voiture, brandissant un bout de papier sur lequel était écrit : « Arrête-toi ! »

Il en sortait un à son tour, qui disait : « Pourquoi ? »

Sur mon panneau suivant était écrit : « Parce que ma bite est coincée dans la portière. » Les personnes présentes dans la salle étaient pliées en deux. Toutes trouvèrent ce montage hilarant, de même que le laboratoire qui avait tiré la pellicule et insérera ce passage comme pièce de résistance de son bêtisier de Noël. Le coproducteur, Monty Berman, fut le seul à ne pas trouver ça drôle du tout. Il exigea même que le directeur de production me facture la bobine, prétendant que je leur faisais perdre de l'argent. Ce fut la goutte d'eau qui fit déborder le vase, et notre relation en fut définitivement altérée. Nous avions déjà tourné deux saisons et terminions la troisième, mais je n'avais aucune envie de continuer.

Au milieu de la deuxième saison, j'avais fait part à Bob Baker de mon désir de mettre en scène un épisode.

— Très bonne idée, répondit-il en souriant.

Il se sentait de toute évidence obligé de ménager son acteur principal.

— Malheureusement, il y a le problème du syndicat, ajouta-t-il. L'ACTT. Il faut en être membre pour pouvoir passer derrière la caméra.

— Mais je *suis* membre de l'ACTT, annonçai-je.

— Quoi ?

— Je me suis inscrit en 1943, quand je travaillais chez PPP à d'Arblay Street.

Bob sentit alors ses lignes de défense s'écrouler mais il savait que j'étais suffisamment professionnel et intelligent pour ne pas foncer tête baissée, et nous avions une équipe solide qui était prête à m'épauler. Il accepta donc.

J'aimais beaucoup la réalisation, ce qui m'amena à tourner plusieurs épisodes du *Saint* – et plus tard d'*Amicalement vôtre*.

Je décidais toujours de raconter l'action du point de vue de Simon Templar : à partir d'un plan général, la caméra se plaçait juste derrière moi, ce qui me permettait d'être en permanence à l'écran. Je gardais toujours mes plans rapprochés pour la fin de la journée, afin de permettre à la majorité de l'équipe de rentrer chez elle. La scripte se chargeait alors de me donner la réplique.

J'avais la chance d'avoir beaucoup appris sur la mise en scène en observant les nombreux réalisateurs de talent avec qui j'avais travaillé, à Hollywood et au Royaume-Uni. Je m'y connaissais en objectifs et en caméras, j'avais des notions d'éclairage et une certaine empathie pour les acteurs, en étant un moi-même. Quand j'avais un souci, je prenais conseil auprès de l'équipe, toujours prête à m'aider et à me donner son avis.

À dire vrai, je préférais de loin tourner pour la télévision plutôt que pour le cinéma. Sur un film, vous avez six à huit semaines de préproduction, environ dix semaines de tournage et dix autres, voire plus, pour la postproduction. Et, lorsque vous êtes réalisateur, on a besoin de vous à chaque étape. Ainsi, un film accapare six ou sept mois de votre vie, parfois davantage, alors qu'une saison d'une série télévisée n'en nécessite que deux ou trois. Je suis peut-être paresseux, ou bien alors j'ai peur de me lasser si les choses s'éternisent. Quoi qu'il en soit, j'ai refusé plus d'une fois de réaliser des longs-métrages au fil des années pour cette raison.

Vous ne me croirez peut-être pas, mais la distribution des rôles était ce que je détestais le plus dans la réalisation. J'estimais connaître pas mal d'acteurs et j'avais un exemplaire de *Spotlight* – l'annuaire des comédiens – à ma disposition, ce qui, je l'espérais, me dispenserait de devoir rencontrer les gens. Je choisirais simplement ceux qui me paraîtraient convenir. Hélas, tout n'était pas aussi simple.

Quand j'avais débuté dans le métier, il m'arrivait de me priver d'un paquet de cigarettes pour pouvoir acheter mon billet de train afin de me rendre aux studios de Pinewood ou de Shepperton, pour m'entendre dire que j'étais trop maigre, trop gros, trop petit ou trop grand. C'était cruel et cela me coûtait de l'argent. Je résolus donc de faire passer mes auditions à Londres exclusivement, et si je ne pouvais pas prendre deux heures pour cela pendant un tournage, je les organiserais le samedi.

Bob me remit un jour le scénario de l'épisode intitulé *Le Thé miracle*, que je devais réaliser. Après avoir déjà enrôlé Bob

145

Brown, Charlie Houston, Patrick Westwood et Nanette Newman, je me rendis un samedi matin à Golden Square pour auditionner d'autres comédiens. Lorsque je demandai au directeur de casting le nom des actrices sélectionnées pour le rôle de Tante Hattie, il me répondit :

— Machine, machine, machine et Fabia Drake.

— Hein ? Je ne peux pas faire passer une audition à Fabia Drake, m'écriai-je, c'était ma prof à la RADA !

— Pourtant, elle attend que vous la receviez.

Je n'arrivais pas à y croire, je me sentais honteux et littéralement effrayé. Je la fis appeler.

— Madame Drake... l'accueillai-je.

— Non, non. Appelez-moi Fabia. C'est à moi de vous appeler monsieur, répondit-elle.

— Je suis désolé, je trouve tout ceci très gênant.

— Vous ne devriez pas.

— Avez-vous lu le scénario ? lui demandai-je.

— C'est la raison pour laquelle je suis venue.

— Bon. Il n'y a donc rien à ajouter. Je vous verrai lundi, conclus-je.

Tout le week-end, je me demandai comment j'allais bien pouvoir diriger Fabia Drake. Ma méthode consistait à faire un croquis du début et de la fin de chaque scène que je montrais aux acteurs, leur laissant ensuite toute latitude pour occuper l'espace entre ces deux repères. Le lundi, Fabia arriva et me demanda où elle devait se mettre. Je lui montrai alors les croquis.

— D'accord, très cher, approuva-t-elle, mais n'hésitez pas à me dire si je fais quelque chose qui ne vous convient pas.

Son attitude me mit immédiatement à l'aise. Depuis, je n'ai jamais eu le moindre problème pour diriger un acteur, quel qu'il soit. Merci, Fabia.

Dans cet épisode, nous tournions en extérieur, à la gare de Waterloo. Comme nous avions prévu d'y passer toute une journée, je prospectai les lieux le dimanche précédent pour caler les plans et décider de la façon dont nous procéderions. Tout devait s'organiser en fonction de l'arrivée des trains, et je voulais filmer à travers la grande horloge sur la passerelle principale afin que les téléspectateurs voient le temps s'écouler au fur et à mesure du récit.

Comme j'apparaissais dans peu de séquences, je n'avais pas besoin d'être habillé ni maquillé. Aussi, dissimulé sous un chapeau dans mes vêtements de tous les jours, pouvais-je me déplacer sans être reconnu. Ce que je ne savais pas, c'est que ma mère était venue ce jour-là assister au tournage. Elle me raconta plus tard qu'elle avait entendu quelques personnes dans la foule dire :

— Il fait bien négligé, ce Roger Moore. Y a pas à dire, il est mieux à la télé.

Pour le côté incognito, je pouvais repasser !

Nous dûmes également sur ce tournage faire face à une situation délicate. J'étais debout sur les marches, la caméra filmant par-dessus l'un des magnifiques lions de pierre ornant l'entrée de la gare, quand un ivrogne s'approcha de moi. Il était complètement cuit, mais les agents semblaient s'en soucier comme de leur première chemise.

— Je sais qui t'es, me lança-t-il.

— Très bien, merci. J'ai du travail.

— Serre-moi la pince.

Il ne bougea pas d'un pouce tant que je ne lui eus pas serré la main et que nous ayons échangé quelques mots.

Cela m'évoque un autre incident de ce type, survenu quelques années plus tard, alors que je réalisais un épisode d'*Amicalement vôtre* dont Ian Hendry était la vedette. Nous tournions à la Tour de Londres. Je préparais un plan dans lequel Ian garait sa Mini et sortait de la voiture dans son superbe imperméable Gannex, coiffé d'un chapeau mou. Anna Palk entrait alors dans le champ et, par la vitre de la voiture, nous la voyions marcher vers Ian Hendry et la caméra. Les répétitions se passaient bien. Mais lors de la première prise, c'est un vieux clochard occupé à dévorer un cornet de *fish and chips* qui apparut dans le champ à la place d'Anna. Quand l'assistant réalisateur se précipita pour l'en faire sortir, le clochard se mit à crier qu'il connaissait ses droits, dont celui de circuler sur la voie publique.

À cet instant précis, Ian Hendry, aussi vif que l'éclair, décida qu'il pouvait tout à fait se faire passer pour un inspecteur de Scotland Yard. Il s'approcha de l'homme et lui dit :

— Monsieur, je n'ai pas l'impression de vous avoir déjà croisé dans mon secteur.

Le clochard s'excusa platement et s'éclipsa aussitôt.

J'aimais tourner en extérieur. Nous disposions d'un temps limité pour filmer les séquences et devions faire preuve de beaucoup de créativité et de réactivité. En tant que réalisateur, je devais être concentré en permanence et anticiper toutes les difficultés. Nous ne pouvions par exemple pas nous permettre d'attendre que la météo nous soit favorable. Je me souviens d'un jour où nous tournions à Nice. Il pleuvait et l'équipe pensait que nous ferions une pause en attendant la fin de l'averse, comme c'était généralement le cas sur un film. Mais Bob Baker eut cette remarque pertinente :

— Et alors, il ne pleut jamais à Nice ?

Nous continuâmes donc à travailler et incorporâmes le mauvais temps dans notre script. C'est cela, être réactif.

Nous avions la chance que Lord Grade of Elstree – ou Lew, comme il aimait qu'on l'appelât, du stagiaire aux plus grandes stars – mette un point d'honneur à ce que nous tournions en 35 millimètres. Toutes ses productions étaient fixées sur pellicule, ce qui leur assurait une longévité que n'eurent pas nombre d'autres programmes télévisés, filmés en vidéo. Ce choix apportait un cachet certain à la production, et je crois qu'il nous permit également de pouvoir bénéficier du talent de réalisateurs prestigieux, nombre d'entre eux ayant travaillé pour le cinéma : Roy Ward Baker, Jeremy Summers, James Hill, Michael Truman, John Gilling, Leslie Norman, Peter Yates, John Moxey, John Paddy Carstairs, Robert Asher, Freddie Francis et, bien sûr, Bob Baker. La série était vraiment conçue comme une série de minifilms.

Roy Ward Baker, qui avait été l'assistant d'Alfred Hitchcock dans les années trente, m'enseigna une astuce très utile : ne jamais s'attarder sur les plans fixes et varier les raccords. Si vous enchaînez deux gros plans consécutifs, veillez à changer légèrement la profondeur de champ de l'un à l'autre. L'œil du téléspectateur devra ainsi constamment s'adapter, ce qui évitera de le lasser ou de l'endormir. Dans le même esprit, le volume doit toujours fluctuer afin de tenir le public en éveil. De bons conseils pour un jeune réalisateur comme moi.

Un autre épisode, *La Route de l'évasion,* fut lui aussi amusant à réaliser. La vedette en était un acteur encore relativement peu connu du nom de Donald Sutherland. Simon Templar était envoyé en prison pour partager la cellule d'un criminel afin de gagner sa confiance et ensuite s'évader avec lui. Nous tournions à Rickmansworth, qui servait de substitut à la prison de Dartmoor. Comme je ne connaissais pas grand-chose aux établissements pénitentiaires, n'ayant jamais été condamné, je demandai aux figurants si l'un d'entre eux savait comment était organisé un gang. Quatre hommes s'avancèrent et déclarèrent :

— Ouais, patron, nous, on sait.

Leur aide me fut très utile !

Retour sur la scène de l'évasion. Donald Sutherland et moi, qui appartenions donc au gang, courions à toutes jambes vers un hélicoptère qui s'était posé dans la cour de la prison. Les Crawford, notre cascadeur, me fit une proposition.

— Roger, j'ai une superbe idée, m'annonça-t-il. Je m'habille en gardien et, quand l'hélicoptère se pose, je vous cours après. Au moment où il redécolle, j'attrape la rampe, j'essaie de me hisser à bord, et on coupe.

Donald, comme je le découvris à cette occasion, aimait s'investir totalement dans son personnage. Quand nous tournâmes la séquence, il se mit à écraser les doigts de Les, accroché à la rampe, pour lui faire lâcher prise. Et, comme le cascadeur se cramponnait désespérément, Donald se mit à lui donner des coups de pied plus violents au fur et à mesure que l'hélicoptère prenait de l'altitude. Je dus lui hurler d'arrêter.

Nous eûmes de surcroît quelques problèmes lors de la diffusion de l'épisode, quand le ministère de l'Aviation nous contacta afin de déterminer pourquoi nous n'avions pas utilisé de filets de sécurité durant le tournage. Une telle façon de procéder serait impossible aujourd'hui.

Quelques semaines plus tard, Donald m'appela pour me demander si je pouvais organiser une projection pour des producteurs. Je lui répondis que le montage n'était pas terminé, mais que s'ils venaient au studio nous pouvions sans problème leur montrer des rushs.

— Non, m'interrompit Donald. Ils sont à Los Angeles, il faut leur en envoyer une copie.

Je ne savais que répondre, aussi insista-t-il.

— C'est pour un rôle important dans une grosse production.

— D'accord, dis-je. Ce sera fait.

Le film en question était *Les Douze Salopards* et j'aime à penser qu'à notre niveau Les Crawford et moi avons aidé à lancer la carrière de Donald. Heureusement qu'il n'était pas parvenu à faire tomber Les de l'hélicoptère, sinon c'est en prison qu'il aurait côtoyé bien plus de douze salopards !

En 1963, Luisa et moi quittâmes Mill Hill pour un bungalow à Totteridge. Finie la location : la sécurité financière que m'apportait la série nous permettait d'être enfin propriétaires. Notre fille Deborah vint au monde peu de temps après. Un jour, alors que j'étais en plein tournage, on m'annonça que Luisa avait perdu les eaux. J'abandonnai mon tournage et arrivai juste à temps pour voir naître le plus beau des bébés. J'avais trente-six ans à l'époque, et sa naissance fit apparaître un sourire idiot sur mon visage. Deborah était tout simplement *à croquer*. Je pris conscience de cet état de béatitude alors que j'étais arrêté à un feu en rentrant chez moi. Les gens m'observaient en se demandant pourquoi je jubilais ainsi.

J'avais des horaires extrêmement réguliers, ce qui me permettait de passer les soirs et les week-ends avec Luisa et Deborah, un luxe rare dans ce métier. Deux ans plus tard, après la naissance de notre premier fils, Geoffrey, nous décidâmes à nouveau de déménager et choisîmes cette fois une maison plus grande sur Gordon Road, à Stanmore, près de l'endroit où Bob Baker et sa femme Alma habitaient.

Geoffrey était tout aussi magnifique que sa sœur. Mon large sourire réapparut.

Je me demandais parfois si Deborah et Geoffrey comprenaient ce que je faisais quand ils venaient me rendre visite sur le plateau et me voyaient me démener dans la peau du Saint, ou quand leur père passait à la télé. Une fois, j'entendis Deborah dire à Geoffrey qu'ils avaient la chance d'avoir deux papas : l'un à la maison et l'autre à la télé qui s'appelait Simon Templar.

Luisa et moi étions de plus en plus irrités par le refus obstiné de Dot à m'accorder le divorce. J'avais de l'argent, j'étais célèbre, j'avais une magnifique compagne, deux beaux enfants, bref nous étions heureux, mais nous sentions souvent comme un malaise autour de nous – sûrement plus désagréable à supporter pour Luisa que pour moi. À l'époque, vivre en couple sans être mariés n'était pas encore entré dans les mœurs. La plupart de nos amis et collègues étaient heureux pour nous et nous considéraient comme mari et femme, mais certains commentaires blessants de journaux et de magazines, principalement en Europe, ne manquaient jamais leur cible. J'avais choisi de les ignorer, mais il arrivait que Luisa en soit peinée.

Nous participions fréquemment à des soirées professionnelles, des cérémonies de remise de prix et des dîners. C'était une activité somme toute agréable, mais nous aurions parfois préféré rester tranquillement en famille à la maison.

Un soir, en rentrant du studio, Luisa me pressa :

— Dépêche-toi, nous allons être en retard !

— En retard? Pourquoi donc? demandai-je en priant pour qu'elle se trompât.

— Le dîner de l'Association des producteurs de films britanniques, au Dorchester, répondit-elle.

J'enfilai un smoking et nous nous précipitâmes à Park Lane. Quand nous arrivâmes, notre hôte, C.J. Latter, était invisible, et je ne connaissais absolument personne. Nous nous assîmes donc au bar et bûmes une coupe de champagne. Soudain, une dame s'approcha et demanda si nous voulions être assis à la table d'honneur. J'expliquai que nous étions invités par C.J. et que nous l'attendions. Plusieurs minutes passèrent, ponctuées de coups d'œil discrets en notre direction. Puis une autre dame vint nous voir.

— Je crois que vous vous êtes trompés de soirée, expliqua-t-elle.

— Ce n'est pas le dîner de l'Association des producteurs... ?

— Non, répondit-elle. C'est celui des fabricants de dessous féminins. Mais vous êtes cordialement invités.

Nous sortîmes précipitamment et tournâmes au coin dans Curzon Street et ses tables de jeu, où je perdis beaucoup d'argent. Ah, cette période terrible où je m'adonnais au jeu ! J'adorais tous les jeux de hasard, y compris les courses de chevaux et de lévriers. Je crois heureusement que la vie de famille fut fatale à mes démons. Aujourd'hui, je ne joue plus guère qu'occasionnellement au poker avec des amis.

Le Saint, qui avait énormément de succès au Royaume-Uni, peinait à trouver acquéreur aux États-Unis. L'associé de Lew Grade ne partageait tout simplement pas son enthousiasme pour la série, qu'il avait très mal vendue. En conséquence, des accords avaient été signés au coup par coup avec des chaînes locales dans tout le pays, ville par ville, État par État. Cela demandait énormément de travail et la méthode n'était pas des plus efficace pour lancer une série sur ce continent. Les recettes financières s'en ressentirent évidemment.

Cependant, tout cela allait changer. L'une des vieilles connaissances de Lew, David Tebbet, était vice-président en charge des programmes de NBC. Nous deviendrions par la suite très bons amis, à tel point qu'il serait le parrain de mon plus jeune fils, Christian. David avait conscience qu'à New York, sur la filiale locale de NBC, *Le Saint* raflait la mise dans sa case hors *prime time*. Il suggéra alors de programmer la série sur le réseau national, en remplacement estival d'une émission au succès modeste. Cette décision fut déterminante. Je crois d'ailleurs que nous sommes les seuls à être jamais passés du local au national. D'habitude, c'était le contraire qui se produisait

Vers la fin de la troisième saison, Lew me convia à dîner, notamment pour me demander si tout se passait bien. Je lui répondis que oui, que j'aimais beaucoup la série et que collaborer avec Bob Baker était un plaisir.

— Et avec Monty? demanda Lew finement.

— Nous ne nous entendons pas bien.

— Que dirais-tu d'une quatrième saison, mais en couleur? suggéra-t-il.

— Je retravaillerais avec plaisir avec Bob, mais plus avec Monty, répondis-je.

Lew avait très envie d'une nouvelle saison et parla à Bob du problème que nous avions abordé. Il lui suggéra de racheter les parts de Monty dans leur société de production et de lui proposer une autre série, en l'occurrence *Le Baron*.

À vrai dire, cela me mettait mal à l'aise de les séparer. Bob et Monty étaient associés depuis la guerre et avaient produit ensemble de très bons films. Mais je ne me voyais plus travailler avec Monty, nous nous étions trop souvent disputés. La fois de trop avait eu lieu un jour où nous devions tourner presque exclusivement des plans sur fond bleu. Comme j'avais quelques scènes le matin et seulement deux l'après-midi, j'avais proposé au réalisateur d'avancer ces dernières afin que je puisse prendre mon après-midi. Il me répondit que cela ne lui posait absolument aucun problème et en informa le directeur de production et le premier assistant, qui n'y virent pas non plus d'objection. À ce moment-là, Monty arriva sur le plateau et, apprenant ce qui s'était décidé, ordonna de ne pas modifier le planning original. Furieux, je passai un coup de fil à Bob en lui demandant de me débarrasser de Monty, faute de quoi nous allions droit au pugilat.

J'aimais que l'on s'amuse sur le tournage et ne supportais pas de travailler sous pression. J'amusais même parfois l'équipe en ratant sciemment une prise, ce qui était bon pour le moral mais mettait Monty hors de lui.

Quand leur association prit fin, Bob et sa femme Alma, qui étaient devenus de très bons amis, m'invitèrent à dîner. Je ne savais pas comment aborder le sujet, mais Alma s'en chargea pour moi:

— Je voudrais te remercier, Roger. Bob voulait se séparer de Monty depuis longtemps, mais il ne savait pas comment s'y prendre.

Je me sentis infiniment soulagé.

Monty partit donc produire *Le Baron* tandis que Bob continuait l'aventure du *Saint*. Leur séparation se fit à l'amiable, bien que Monty embarquât avec lui Johnny Goodman, notre directeur de production, et toute son équipe. Nous étions assez embêtés, jusqu'à ce que Bob se souvienne de Peter Manley, un directeur de production avec lequel il avait travaillé sur quelques films et qui venait de terminer une mission pour Disney, à Londres. Il l'embaucha pour notre première saison en couleur, et Peter se débrouilla pour faire venir la plupart de ses collaborateurs habituels. Tous appréciaient d'avoir à nouveau du travail pour les six mois à venir.

Je ne suis pas certain que Johnny ait particulièrement tenu à s'en aller. Je sais qu'il avait parfois du mal à travailler avec Monty, mais une offre d'emploi se refusait difficilement, qu'autant qu'il reprendrait le travail bien avant que nous ne commencions le tournage de la quatrième saison du *Saint*. Il revint cependant dans l'équipe l'année suivante et devint même un associé minoritaire dans la nouvelle société que Bob et moi avions achetée, TRI.

TRI Ltd ou, pour l'appeler par son nom complet, Television Reporters International Ltd, avait été fondée par plusieurs journalistes de renom, dont Ludovic Kennedy, afin de concurrencer le magazine d'actualités à succès de la BBC, « Panorama », pour le compte de la chaîne ITV. Cependant, juste avant la diffusion du premier numéro, ITV se retira, laissant la petite équipe en plan. Ils avaient dépensé beaucoup d'argent à ce stade et n'avaient aucune chance de le récupérer. En rachetant la société pour produire les nouvelles saisons du *Saint*, nous pourrions sans problème compenser les pertes de TRI par nos gains à venir. Plus tard, Bob et moi créerions d'autres sociétés comme BaMore (qui produirait le film *Double Jeu*) et Copyright Exploitations Ltd, toutes domiciliées aux Bahamas afin de payer moins d'impôts – des montages d'une parfaite légalité.

Un jour, Bob et moi nous trouvions justement aux Bahamas, fiers de notre réussite financière. Il se tourna vers moi et me dit :

— Tu sais, Roger, assis tous les deux sur cette plage, on pourrait se croire dans un épisode du *Saint*. Sauf que si c'était le cas, une jolie fille s'approcherait pour demander si tu n'es pas le célèbre Simon Templar !

Comme il avait laissé sa pipe à l'hôtel, Bob partit la chercher. En revenant, il me vit assis avec une très belle Suédoise.

— Bob, tu ne me croiras jamais, lui dis-je, mais après ton départ, cette charmante demoiselle est venue me demander si je n'étais pas Simon Templar. Je l'ai priée de s'asseoir avec moi et de t'attendre, sinon tu ne m'aurais jamais cru !

Ce n'était pas la première fois que quelqu'un me confondait avec le personnage que j'incarnais. Un matin, quelqu'un tenta de me joindre par téléphone au studio, avec un fort accent italien. Il demanda à parler à M. Templar, pas à Roger Moore. Je refusai de prendre la communication, aussi Johnny s'en chargea-t-il pour moi. Adoptant un accent américain grotesque, il demanda au type ce qu'il pouvait faire pour lui. L'homme en question soupçonnait sa femme d'avoir une relation avec une autre femme. Il voulait que le Saint utilise ses talents, en l'occurrence une caméra cachée, afin de lui fournir les preuves nécessaires à sa demande de divorce. Johnny l'embobina avec un mélange de charme et de culot et nous n'en entendîmes jamais plus parler. Il y a vraiment de drôles de types !

Lew Grade nous rendit visite une seule fois en sept ans. Il préférait de loin négocier des contrats et faire des affaires que s'impliquer dans la production. Les anecdotes concernant Lew et son frère Leslie étaient légendaires, car bien avant que Lew ne devienne producteur pour la télévision, son frère et lui étaient les deux agents les plus importants dans la variété. Je les connaissais depuis le début des années cinquante, à l'époque où ils représentaient Squires. Leslie mourut hélas prématurément, à soixante-trois ans à peine. Il souffrait de problèmes cardiaques depuis plusieurs années. Lew, pour sa part, avait un bon cœur – dans tous les sens du terme – et travailla jusqu'à sa mort, à l'âge de quatre-vingt-douze ans, en 1998.

Un week-end durant lequel j'accompagnais Lew à un dîner d'affaires organisé dans le sud de la France, je lui demandai s'il avait entendu quelques-unes des histoires qu'on racontait sur son frère et lui.

— Quelles histoires ? demanda-t-il.

Je lui en servis un échantillon, dont certaines sont hélas trop osées pour être publiées. En voici en revanche quelques-unes que je puis vous narrer. Lew et Leslie marchaient dans Regent Street pour aller déjeuner. Leslie s'arrêta net et dit :

— Mon Dieu ! Je n'ai pas fermé le coffre du bureau à clé !

— Et alors ? répondit Lew. Nous sommes ici tous les deux.

En voici une autre. Dennis Sellinger, un agent qui avait travaillé pour les frères Grade avant de monter sa propre société pour s'occuper d'acteurs tels que Peter Sellers, Michael Caine et moi-même, reçut un jour un appel de Lew.

— Que fais-tu ce soir, Dennis ?

— Je vais au Finsbury Park Empire pour voir qui est à l'affiche.

— Je t'accompagne, dit Lew.

Il fut très impressionné par l'un des numéros et se rendit en coulisse pour demander aux artistes combien ils gagnaient.

— Vingt livres par soir, monsieur Grade.

— C'est minable ! vitupéra Lew. Je peux vous avoir quarante livres. Qui est votre agent ?

— C'est *vous*, monsieur Grade, lui répliquèrent-ils.

Lew était un vendeur hors pair et un homme de bien, épaulé par sa merveilleuse épouse Kathy. Un critique lui demanda un jour quel était le programme qu'il préférait parmi tous ceux qu'il avait produits. Sans hésitation, Lew répondit :

— Tous mes programmes sont excellents. Il y en a des mauvais, mais ils sont tous excellents.

À l'époque où je tournais *Le Saint, Sunday Night at the London Palladium* était l'une des émissions les plus populaires, qu'on me demanda par deux fois de présenter. Je chantai à cette occasion un refrain avec le duo comique Rowan and Martin, dont les paroles disaient : « La coupe est pleine à Cherry Blossom Lane, à Cherry Blossom Lane. La coupe est pleine, la coupe est pleine à Cherry Blossom Lane, à Cherry Blossom Lane. La coupe est pleine… » Essayez donc pour voir. Pas facile à dire, mais nous y arrivâmes.

Le grand Tommy Cooper était à l'affiche de l'une des émissions. Nous nous connaissions depuis des années, aussi échangeâmes-nous quelques plaisanteries avant le spectacle. J'avais un vaste répertoire d'histoires salaces qui plièrent Tommy en deux. Plus tard, il me raconta que son agent, Miff Ferry, l'avait prévenu de ne pas se formaliser du caractère spécial de mes histoires. Comme si Tommy Cooper aurait pu être choqué !

Un jeune comique, Jimmy Tarbuck, était également à l'affiche. Pendant son numéro, il s'adressa à moi et me demanda si Sean Connery, Patrick McGoohan, Patrick Macnee et moi-même, qui incarnions tous des agents secrets, allions parfois dîner ensemble.

Je répondis que cela se produisait en effet.

— Avec Pussy Galore ? demanda-t-il.

— Les lesbiennes, ce n'est pas trop notre genre, répondis-je.

Heureusement, la chaîne qui retransmettait le spectacle n'eut aucune plainte de téléspectateurs outrés par mon allusion osée.

Quand vous êtes sur un tournage, vous prenez très vite de mauvaises habitudes alimentaires. Des petits pains au bacon pour le petit déjeuner, une tourte à la viande pour midi, des gâteaux et des biscuits à l'heure du thé, etc. J'ai toujours été amateur de bonne chère, et je me rendis un jour compte que j'avais besoin de perdre quelques kilos. Je pris pour cela rendez-vous chez un médecin qui me prescrivit du Dospan Tenuate, un anorexigène. Ce que j'ignorais, c'est que ces pilules avaient un fort effet stimulant. Elles me donnaient une énergie considérable et me tenaient éveillé pendant des heures. J'étais constamment dans un état d'excitation intense.

Nous tournions ce jour-là dans un bar une séquence au cours de laquelle Simon Templar se bagarrait avec le videur irlandais et je soulevais les lourds tabourets comme s'ils étaient en plastique. Il était prévu que j'assomme le videur qui devait tomber à la renverse sur un matelas. Mais il tomba accidentellement en avant et se blessa au poignet. On l'envoya à l'infirmerie, d'où il revint avec un bandage.

Lors de la deuxième prise, il atterrit sur le matelas mais l'un des tabourets que j'avais lancés l'atteignit en pleine tête.

— Putain de merde! s'écria-t-il.

— Hé! Pas de gros mots! répondis-je, une dame aux cheveux blancs, tout à fait charmante, étant venue assister au tournage dans le cadre d'une interview pour un magazine du troisième âge.

— Oh, pardon, madame, s'excusa-t-il. Je surveillerai mon putain de langage la prochaine fois!

Il me fallait vraiment éviter ces pilules à tout prix. Patrick Macnee luttait également contre l'embonpoint lors du tournage de *Chapeau melon et bottes de cuir*. L'ayant invité à dîner quelques années plus tard, je lui confiai que j'avais l'impression qu'il se droguait. Il en fut très choqué, et m'assura que non.

— Êtes-vous plein d'énergie, au point que vous avez du mal à dormir la nuit? lui demandai-je.

— Oui, en effet, s'étonna-t-il.

— On ne voit que vos pupilles, Patrick, continuai-je. Vos iris sont minuscules. Est-ce que vous prenez des pilules amincissantes?

— Oui.

— Du Tenuate?

— Oui! Comment le savez-vous?

Je lui fis part de mon expérience et l'aidai à décrocher. Ces pilules prétendument amincissantes entraînaient en fait une forte dépendance.

Comme je l'ai dit, Harry Junkin était le scénariste principal sur *Le Saint*. C'était un homme très sociable qui ne pouvait pas rester assis plus de cinq minutes au restaurant sans se rendre à la table voisine et entamer une conversation. Il adorait parler aux gens. Harry et sa femme vivaient à Albert Mansions, juste derrière le Royal Albert Hall, dans le centre de Londres. Ils avaient une très belle hauteur sous plafond et une vue imprenable sur le parc, où Harry allait marcher chaque jour. Au cours d'une de ces promenades, il se mit à discuter avec un policier. Noël approchait et Harry demanda à l'agent ce qu'il avait prévu pour les fêtes. Le policier expliqua qu'il n'était pas marié et qu'il allait passer Noël au poste avec ses collègues célibataires.

— Combien serez-vous? lui demanda Harry.

— Oh, une vingtaine environ, répondit le policier.

— Bon, eh bien vous n'allez pas déjeuner là-bas. Je vous invite tous chez moi pour un bon déjeuner de Noël.

Harry invita effectivement le commissariat tout entier et se montra si accueillant que les types de la division C le nommèrent responsable de leurs soirées. Chaque fois qu'ils organisaient un dîner ou une cérémonie, Harry en était le coordinateur.

Bien entendu, il finit par m'appeler.

— Roger, tu seras l'invité d'honneur d'un dîner de la police, m'informa Harry.

— Tiens donc?

— Absolument, continua-t-il. Qui plus est, tu vas nous pondre un beau discours.

— Harry, protestai-je, je n'ai jamais prononcé de discours.

— Il y a un début à tout.

Je finis par céder, à condition qu'il se chargeât de l'écrire, ce qu'il accepta.

La date approchant, je lui demandai de me communiquer le texte, mais il trouvait toujours une excuse pour retarder l'échéance, jusqu'au jour où, pour calmer mes angoisses, il me proposa de passer chez lui. Nous prendrions un verre, et l'écririons ensemble. Nous bûmes effectivement un verre de Canadian Club... puis un autre... et encore un autre. La bouteille se vida rapidement.

— Harry, où est mon discours? le suppliai-je, vaguement lucide.

Il s'assit alors derrière sa vieille machine Royal et, d'un geste souple du poignet, se mit à taper une première ligne, puis une autre, avant de me présenter la feuille.

— Et voilà!

Je la parcourus. Il était écrit : « Mesdames et messieurs, et puis modestement. »

— Qu'est-ce que c'est que ce discours, Harry? « Et puis modestement »?

— Tu sais être modeste, non? demanda Harry.

— Bon, voici ce qu'on va faire, lâchai-je, désespéré. J'utiliserai ceci comme point de départ en expliquant que tu m'as suggéré d'être modeste, et puis j'improviserai.

C'est ce que je fis, et je me sers encore de cette anecdote aujourd'hui quand je dois prononcer un discours. Je commence généralement par : « Je ne suis pas très bon pour ce genre d'exercice, mais j'aimerais vous parler d'Harry Junkin et de l'idée qu'il se faisait de la modestie. »

La modestie est un sujet intéressant. Je me sens d'autant plus humble que je suis persuadé que mon talent m'a été transmis par un être supérieur. Chaque soir, avant d'aller se coucher, l'acteur remercie Dieu de lui avoir accordé ce don... et surtout de l'avoir fait meilleur comédien que tous les autres! C'est cela, la modestie! Ou, pour citer Michael Caine : « J'ai assez parlé de moi. Dites-moi maintenant quelle est votre opinion sur la question! »

Comme je crois l'avoir déjà mentionné, j'étais connu pour mes facéties. Que ce soit dans le jeu ou la mise en scène, je voulais m'amuser et créer une atmosphère détendue pour mes partenaires et l'équipe technique. Attention, je restais toujours professionnel, mais un peu de légèreté ne fait jamais de mal... la plupart du temps.

Notre producteur associé, Johnny Goodman, annonça un jour qu'il allait épouser sa fiancée, la ravissante Andrea, dont le père était le commandant de la brigade volante londonienne. Notre ami et confrère allait devenir respectable! Ils partiraient en lune de miel à Majorque mais passeraient leur nuit de noce dans l'appartement de Johnny, à Maida Vale. Vers minuit, ce soir-là, le téléphone sonna. Andrea décrocha.

— Bonsoir, puis-je parler à Bill Green? dit la voix.

— Vous avez fait un faux numéro, répondit-elle.

Cinq minutes plus tard, elle reçut un nouvel appel.

— Bonsoir, je souhaiterais parler à Bill Green, s'il vous plaît.

— Il n'y a *pas* de Bill Green à ce numéro, insista Andrea.

Quelques minutes plus tard, le téléphone sonna à nouveau.

— Est-ce que Bill est là ?

— Non !

Elle raccrocha brusquement.

Dix minutes plus tard, la sonnerie retentit encore. Cette fois, c'est Johnny qui décrocha.

— Il n'y a aucun Bill Green ici ! hurla-t-il.

— Je sais, fit ma voix au bout du fil. Bill Green, c'est moi. Y a-t-il des messages ?

Johnny était furieux. J'ai aujourd'hui encore un peu honte d'avoir interrompu sa nuit de noces, même si je sais qu'il ne m'en tint pas rigueur.

Puisqu'ils sont constamment vissés derrière leur objectif, les cameramen ne savent généralement pas ce qui se passe autour d'eux. J'adorais placer du scotch double face sur leur chaise, ou mettre du cirage autour de l'œilleton de la caméra. J'étais vraiment horrible. Un jour, je fis même pire. J'avais l'habitude de donner de l'argent à ma doublure, Les Crawford, pour qu'il aille acheter des barres chocolatées pour l'équipe au kiosque du coin. Dans un épisode du *Saint*, nous avions fait appel à Tony Wager, qui avait notamment joué Pip dans *Les Grandes Espérances* de David Lean. Alors que nous tournions au Watford Playhouse Theatre, je demandai à Les de rapporter du chocolat et du Exlax, un laxatif parfumé au chocolat. Je distribuai les barres chocolatées à l'équipe en prenant soin d'oublier Tony Wager.

— Il en reste ? demanda-t-il en s'approchant.

Je lui tendis alors un chocolat non emballé, qui était en fait de l'Exlax. Je demandai ensuite discrètement à Les d'aller acheter du Diocalm, du papier toilette et un pot de chambre, que j'offris à Tony à la fin de la journée.

— Pourquoi est-ce que tu me donnes ça ? demanda-t-il.

— C'est une surprise ! répondis-je avec un grand sourire.

Le jour suivant, en arrivant sur le plateau, il était furibond. Apparemment, sa femme avait invité des amis à dîner la veille au soir et l'Exlax avait fait son effet au beau milieu du repas !

Mais il se vengea peu de temps après. J'assistai un soir au spectacle de Shirley Bassey au Caesar's Palace de Luton. Tony Wager, qui présentait les artistes, annonça ma présence au public en leur racontant cette blague scatologique que je lui avais faite. La réprobation fut quasi générale dans la salle.

Vers la fin de la série, qui avait duré sept saisons, nous décidâmes de profiter de son succès à l'international pour filmer deux épisodes en deux parties, *Double Méprise* et *Vendetta pour le Saint.* Nous les diffusâmes deux semaines de suite au Royaume-Uni, puis nous les remontâmes pour en faire deux films destinés à être exploités en salle à l'étranger, où ils remportèrent un franc succès.

Les scènes de *Vendetta* – dont le sous-titre était « Simon Templar contre la Mafia », ce qui révèle l'intrigue ! – supposées se dérouler à Palerme furent tournées à Malte, et les intérieurs aux studios ABPC, à Elstree. Finlay Currie, qui incarnait le chef mafieux, était déjà assez âgé à l'époque – quatre-vingt-dix ans passés, si mes souvenirs sont bons. L'assistant réalisateur s'en inquiéta auprès de moi dès le premier jour.

— Roger, M. Currie est là, me dit-il. Il a l'air assez faible. J'ai pris l'initiative de remplacer sa chaise en toile par un bon fauteuil afin qu'il puisse se reposer entre les prises.

Finlay arriva quelques minutes plus tard sur le plateau et s'installa donc dans son fauteuil. Ses cheveux étaient très longs, et jaunis par la nicotine. J'allai le saluer.

— Monsieur Currie, je m'appelle Roger Moore.

— Comment ? croassa-t-il. Hein ?

— Je m'appelle Roger Moore et je joue Simon Templar, dis-je.

— Ah bon. Bon, répondit-il. Désolé pour les cheveux.

— Désolé ? Pourquoi donc ?

— Ils sont longs.

— Ça n'est pas grave, rétorquai-je. Vous ressemblez à un Beatle.

— *Comment ?* aboya-t-il.

Je me rendis compte que j'avais peut-être commis un impair. Je répétai néanmoins :

— Vous ressemblez à un Beatle, monsieur.

— Comment ? hurla-t-il.

— Je disais que vous aviez l'air d'un Beatle, monsieur.

— Ah bon ? À l'hôpital ? Ça n'est pas ce qu'on m'avait dit, observa-t-il.

Je me mordis la lèvre inférieure pour ne pas éclater de rire. Quelques heures plus tard, nous tournions la grande scène de la mort de Finlay. Le chef mafieux était allongé dans un grand lit à baldaquins, et il n'en avait plus pour longtemps. Près du lit se tenaient le médecin de famille et divers mafiosi. Si nous avions eu le budget, nous aurions embauché des acteurs pour cette scène, mais nous nous contentâmes d'habiller les cascadeurs, ce qui n'est jamais une bonne idée car ils sont souvent sujets au fou rire. Ce qui se confirma.

Au début de la scène, Finlay Currie posait ses yeux sur moi.

— Eh, Simon Templar, disait-il avec son accent écossais à couper au couteau. Qu'est-ce que vous faites à Palerme?

Un chef de la mafia écossais! N'importe quoi.

Je suggérai entre deux prises au metteur en scène, Jim O'Connolly, de le doubler en postproduction.

— Doubler Finlay Currie? Vous n'imaginez pas! objecta-t-il. Il a remporté un Oscar en jouant saint Pierre avec l'accent écossais! Êtes-vous prêt à prendre la responsabilité de faire doubler ce grand acteur?

Finlay me fit ensuite appeler.

— Ils pensent que je suis malade, me confia-t-il.

— Pourquoi dites-vous ça?

— Vous ne voyez pas qu'il y a un médecin près du lit? demanda-t-il en hochant la tête.

Je me mordis la lèvre jusqu'à en souffrir.

Nous en arrivâmes enfin à la scène dramatique où Finlay expirait. Le médecin recouvrit son visage et annonça qu'il était mort. Finlay, pendant ce temps, se mit à respirer encore plus fort qu'avant, soulevant le drap à chaque expiration. Les cascadeurs éclatèrent alors de rire et nous dûmes une nouvelle fois interrompre la prise!

Dans un autre épisode de la dernière saison, nous décidâmes de donner à Simon Templar un acolyte américain. Bob Baker avait depuis longtemps l'idée d'une série dérivée dans laquelle un Anglais et un Américain dépareillés seraient contraints d'unir leurs forces. L'épisode du *Saint* en question s'intitulait *Le Roi*, et Stuart Damon y incarnait Rod Huston, un Texan. Ce fut une réussite, qui pava le chemin pour *Amicalement vôtre*.

Je crois que nous étions tous d'accord pour penser, vers la fin de 1968, que – sans mauvais jeu de mots – nous avions fait le tour du *Saint*. Cent dix-huit épisodes, ce n'est pas rien. La série prit donc fin. Dix ans plus tard, Bob produirait *Le Retour du Saint* avec Ian Ogilvy, auquel je participerais en tant que producteur associé, mais sans apparaître à l'écran. Je crois que c'est bien la dernière chose qu'ils auraient souhaitée.

Plus tard encore, à la fin des années quatre-vingt et au début des années quatre-vingt-dix, on parla à nouveau d'une adaptation cinématographique du *Saint*. Étant donné que Bob et moi en détenions certains droits, les studios américains nous demandèrent notre avis. L'idée de départ était que je devais apparaître dans le film dans le rôle d'un Simon Templar vieillissant qui se découvre un fils caché auquel il passe la main. Un *Fils du Saint*, en quelque sorte. Ce film mit beaucoup de temps à se monter.

Paramount Pictures s'assura les services de Robert Evans à la production, Steven Zaillian au scénario et Sydney Pollack à la mise en scène. Ils pensèrent à Ralph Fiennes, excellent acteur qui est également aujourd'hui ambassadeur de l'Unicef, pour le rôle du jeune Templar, mais il n'était pas intéressé.

Robert Evans quitta le projet et David Brown le remplaça. Un nouveau scénariste, Jonathan Hensleigh, fut embauché et Philip Noyce se joignit à l'équipe après le départ de Sydney Pollack. Parmi les autres acteurs pressentis pour le rôle principal, on trouvait Hugh Grant, Mel Gibson, Kevin Costner et Johnny Depp. Finalement, ce fut Val Kilmer qui fut choisi, et Wesley Strick qui fut chargé de réécrire le scénario pour l'adapter à Val.

Au cours de tous ces changements et des multiples réécritures, l'idée du *Fils du Saint* fut abandonnée. Cependant, étant donné que j'avais accepté de participer au projet, les studios m'indemnisèrent. Je crois que c'était la première fois qu'on me payait pour ne *pas* jouer dans un film – je suis certain que d'autres auraient aimé en faire autant !

Pour être tout à fait honnête : j'ai un minuscule rôle dans le film. On entend ma voix à la radio, vers la fin. Mais cela n'empêche que le film était raté et qu'il n'emporta ni l'adhésion des critiques ni celle des spectateurs. Quelques temps plus tard, je rencontrai Val pendant le Festival du film de Cannes.

— On a vraiment déconné sur ce coup-là, hein ? me dit-il.

— Pourquoi dis-tu cela ? demandai-je.

— J'ai lu tous les bouquins après le tournage. Il y avait de super bonnes histoires, répondit Val.

J'étais tout à fait de son avis.

Revenons à 1969. À vrai dire, je n'étais pas mécontent de laisser Simon Templar derrière moi. Bien sûr, je m'étais amusé pendant ces sept saisons, j'avais pris bien du plaisir à travailler avec une équipe fantastique et j'étais à présent à l'abri du besoin. Mais j'avais envie d'explorer d'autres horizons et de travailler de nouveaux rôles.

La donne allait également changer dans ma vie privée. Tout commença aux BAFTA en 1968. Mon ami Kenneth More commentait la cérémonie, retransmise par ITV. Au cours de son intervention, Kenny lâcha une remarque innocente – et, le connaissant, bien intentionnée – sur le fait que ma femme, c'est-à-dire Luisa, était bien plus jolie que moi.

Le lendemain, le scandale éclata, et les journaux annoncèrent que Squires allait attaquer Kenny et ITV en justice pour diffamation. Bien entendu, la chaîne présenta immédiatement ses excuses, mais l'affaire alla devant les tribunaux. Heureusement, cette crise permit à Dot de comprendre à quel point la situation était ridicule, quelque huit ans après notre séparation. Des amis communs m'annoncèrent bientôt qu'elle avait finalement décidé de m'accorder le divorce.

En quittant le *Saint*, je ne partais pas tout à fait vers l'inconnu. Avant de clore la dernière saison, United Artists nous avait contactés, Bob Baker et moi, pour un contrat de trois films. Ils souhaitaient, tout comme nous, profiter du succès de la série, et j'étais impatient de revenir au cinéma.

Le premier de ces trois films s'intitulait *Double Jeu,* sur un scénario de Leigh Vance et John Kruse, deux habitués du *Saint.* Il racontait l'histoire d'un publicitaire – votre serviteur – chargé d'engager un mannequin pour une séance de photos sans savoir que la fille avait eu vent des détails d'un complot et qu'elle était la cible d'assassins. L'équipe du *Saint* au quasi-grand complet nous rejoignit sur ce film dont le tournage commença un peu plus d'un mois après la fin de la série – ce qui était sans doute prématuré étant donné que le scénario n'était pas encore totalement ficelé et qu'il subsistait quelques problèmes techniques qui auraient dû être réglés en amont. Mais, après tout, on n'apprend que de ses erreurs.

Alvin Rakoff, qui avait réalisé l'épisode du *Saint* avec le héros américain, fut engagé comme metteur en scène et réunit un casting impressionnant : Martha Hyer, Alexis Kanner, Claudie Lange, Bernard Lee, Francis Matthews, et j'en passe. Bernie Lee était adorable. Je l'avais rencontré à l'époque où j'étais doublure sur *La Petite Hutte* au Lyric Theatre tandis que lui jouait juste à côté dans *L'Île du danger.* Je fréquentais alors beaucoup les pubs, et nous nous retrouvions assez fréquemment dans celui qui faisait face aux deux théâtres. Hélas, Bernie avait des problèmes avec l'alcool.

Revenons à *Double Jeu.* Un dimanche, nous devions tourner une séquence avec la délicieuse Martha Hyer. Bernie était à l'heure, lucide, diction impeccable. Il disposait ensuite de quelques heures avant sa scène de l'après-midi. Le moment venu, il nous fut impossible de le trouver. On envoya des gars de l'équipe le chercher au pub du coin, sans succès. Finalement, ils le découvrirent à l'infirmerie. Il était en plein délire, comme s'il avait respiré de l'alcool à brûler.

Sa scène de l'après-midi consistait à monter à l'arrière d'une Rolls Royce avec Martha. Durant la première prise, Bernie s'avachit dans la voiture, jeta un regard morne à Martha et déclara :

— Votre chapeau est une vraie merde, madame !

Puis il se mit à rire aux éclats.

Lors de la deuxième prise, il répéta les mêmes mots. Cela l'amusait visiblement beaucoup car il recommença, sans s'apercevoir que nous perdions *légèrement* patience.

Il y avait quelques plans un peu complexes en rétroprojection dans *Double Jeu*, sans parler de quelques coiffures tout aussi déroutantes, la mienne en particulier, à l'époque où je tentais de laisser la célèbre coupe de Simon Templar derrière moi.

Je me souviens que nous filmions une séquence à Hyde Park, avec le régiment de cavalerie de l'artillerie royale, décrivant une tentative d'assassinat sur un chef d'État étranger pendant les fêtes d'anniversaire de la reine. Ma fille Deborah, qui avait environ six ans, vint me voir travailler ce jour-là. Lorsque le premier des vingt et un coups de feu traditionnels tirés par les soldats partit, Deborah devint hystérique. Je dus l'emmener de toute urgence à l'autre bout du parc et compris ce jour-là que les enfants n'ont pas toujours leur place sur un plateau.

En dépit de tous nos efforts, le film ne rencontra pas le succès escompté. Peut-être le public attendait-il un univers plus proche de celui du *Saint* ? Il est vrai que, dans certains pays, mon nom apparaissait à l'affiche en tant que « Roger Moore, alias Simon Templar » juste à côté du logo de la série ! Après cet échec, United Artists n'était évidemment plus très enthousiaste pour produire les deux autres films de notre contrat.

Vers la fin de 1968, j'obtins finalement le divorce, et Luisa et moi pûmes enfin nous marier. Ce fut une journée très étrange : l'ayant attendue depuis si longtemps, nous imaginions que nous serions euphoriques, ravis, excités. Au contraire, nous fûmes d'un calme qui nous surprit nous-mêmes. Nous célébrâmes notre union en petit comité, avec Kenny et Angela More, qui savaient exactement ce que nous ressentions puisqu'ils avaient, eux aussi, dû attendre longtemps avant de pouvoir se marier.

La nuit qui précéda le mariage, je montrai à ma future épouse combien son héros pouvait être romantique en l'emmenant... au cinéma voir *Ah Dieu ! Que la guerre est jolie* de Richard Attenborough. Je précise qu'il s'agissait de l'avant-première du film et non d'une séance ordinaire au Streatham Odeon. À la fin de la projection, Luisa rentra à la maison passer le reste de la soirée avec sa sœur tandis que je suivis la tradition et sortis « entre hommes ». Comme j'avais alors quarante et un ans – ce qui n'est pourtant pas vieux, je m'en rends compte à présent – nous ne fîmes pas de folies, mais je dois vous avouer qu'après toutes ces années je suis absolument incapable de me souvenir qui était présent ce soir-là, excepté Kenny More, ni même où nous allâmes ou ce que nous bûmes... Ce qui veut dire que nous passâmes certainement une très bonne soirée !

Luisa et moi nous mariâmes à Caxton Hall, à Londres, le 11 avril 1968, devant des centaines de personnes. Kenneth More était mon témoin. La cérémonie et le déjeuner furent émouvants et chaleureux. Nous avions décidé de ne pas emmener les enfants – cela ne nous semblait pas approprié pour diverses raisons – mais nous regardâmes la retransmission de la cérémonie avec eux à la télévision ce soir-là. Soudain, Deborah éclata en sanglots.

— Qu'y a-t-il, ma chérie ? lui demandai-je en la serrant dans mes bras.

— Papa, tu m'avais promis que tu te marierais avec moi !

Je restai sans voix.

En 1970, Luisa et moi décidâmes de déménager à nouveau. Une maison avec quelques chambres supplémentaires et un plus grand jardin pour les enfants serait idéale. Bien sûr, nous ne devions pas nous installer trop loin de Londres. Nous fîmes de nombreuses visites avant de trouver la bonne, une demeure du nom de Sherwood House, à Denham. Elle était parfaite pour une famille en pleine expansion : elle comportait quatre chambres principales à l'étage, ainsi qu'une chambre pour la nurse et une salle de jeux au fond du couloir. Nous bénéficiions d'une pièce entière pour entreposer notre garde-robe, d'où je gagnais mon bureau au rez-de-chaussée par un escalier en colimaçon.

De l'entrée, une large pièce au parquet impeccablement ciré, on accédait par une double porte en chêne au salon doté de poutres apparentes, elles aussi en chêne, et orné de deux cheminées accolées l'une à l'autre. Les pièces du bas comportaient toutes des baies vitrées qui ouvraient sur le patio. Ce dernier donnait sur un étang et des pelouses entourées de haies bien taillées. Sur la gauche s'étendait un court de tennis et, en bas du jardin, trônait une piscine. Dans un petit bois, les campanules fleurissaient au printemps.

J'avais engagé un chauffeur à l'époque, John Bevan, car il n'était pas toujours aisé de concilier mes engagements après une journée de travail avec une conduite prudente. Un chemin en gravier contournait la maison par la gauche jusqu'à un garage à quatre places derrière lequel se trouvaient le potager et une verrière.

Sherwood House fut notre domicile jusqu'en 1978, quand nous fûmes obligés de quitter le pays à cause des impôts faramineux instaurés par le gouvernement de l'époque. Nous comptions plusieurs célébrités parmi nos voisins : la propriété de Cilla Black était contiguë à la nôtre, Jess Conrad avait une maison un peu plus haut. Ses enfants avaient à peu près le même âge que Deborah et Geoffrey, et il lui arrivait souvent de conduire tout ce petit monde à l'école le matin. John Mills et Mary Hayley-Bell avaient quitté Denham pendant quelques années, mais ils étaient finalement revenus et avaient acheté une belle maison à la sortie du village. Je les appelai peu après leur retour et les invitai à dîner dans l'un des restaurants qui avaient ouvert en leur absence.

— Ah ! Bonsoir, monsieur et madame Moore. Monsieur et madame Mills… les accueillit le gérant de l'établissement. Nous sommes ravis de vous avoir à nouveau parmi nous à Denham, monsieur et madame Mills. Avez-vous choisi, monsieur Mills ? Madame Mills ? Merci, monsieur Mills…

Ceci dura quelques minutes jusqu'à ce que Mary, qui se montrait de plus en plus agacée, lance :

— Je vous prie de nous appeler *Sir* John et *Lady* Mills.

John baissa la tête, un peu gêné, avant d'ajouter :

— Nous avons attendu assez longtemps pour cela !

C'était un couple adorable. Ils me manquent beaucoup.

À cette période, je reçus une proposition très intéressante, *La Seconde Mort d'Harold Pelham*, l'adaptation cinématographique de la nouvelle d'Anthony Armstrong *The Case of Mr. Pelham*.

— L'avez-vous lue ? me demanda Bryan Forbes, qui était récemment devenu le directeur des studios EMI (ex-ABPC).

Bryan, avec le soutien de ses financiers, notamment Lord Delfont, était en train de mettre en place un programme ambitieux de films produits pour un budget raisonnable, entre autres parce que les vedettes acceptaient de toucher moins que d'habitude afin de permettre au studio de pérenniser sa branche production. *The Railway Children, Tales of Beatrix Potter, Le Messager* et *The Raging Moon* furent quelques-unes des réussites de Bryan à cette époque.

Basil Dearden réaliserait et Michael Relph produirait. À eux deux, ils formaient l'un des duos les plus productifs de l'industrie cinématographique britannique. J'avais travaillé avec le père de Michael, le comédien de théâtre George Relph, sur la pièce *I Capture the Castle* quelques années auparavant, ce qui renforça notre amitié naissante.

C'était l'un des meilleurs scénarios que j'eusse jamais lus, et l'histoire était des plus intrigantes. Après un accident de voiture, Harold Pelham est donné pour mort. Mais il est alors remplacé par son double, qui se fait passer pour lui auprès de ses amis, de ses collègues, et même de sa famille. Le véritable Pelham perd alors la tête et flirte avec le suicide. Ce rôle intense permettait de jouer sur plusieurs registres, de l'émotion au drame. Bref, seul un acteur digne de ce nom pouvait faire l'affaire. Et, comme c'était la profession indiquée sur mon passeport, je me sentais qualifié !

Quand on me parle de ce film aujourd'hui, je réponds toujours que c'est l'un des seuls où l'on m'ait laissé jouer, un terrible aveu de la part de quelqu'un qui a passé sa vie devant les caméras. J'ajouterais cependant que l'on m'avait jusqu'alors confié des rôles relativement linéaires, Dieu merci : jeune homme romantique, héros ou simple quidam armé d'une lance, comme dans mon premier film. Je n'étais jamais allé au bout de mes capacités, comme on dit. J'acceptai pour vingt mille livres et un intéressement.

Le casting était superbe, avec notamment Freddie Jones en docteur Harris, un psychiatre sorti tout droit d'un film de Kubrick. Hildegarde Neil, une comédienne de la Royal Shakespeare Company, interprétait le rôle de ma femme, Eve. Anton Rodgers, Thorley Walters et Charles Lloyd Pack – le père de Roger, qui serait par la suite la vedette de deux de mes sitcoms favorites, *Only Fools and Horses* et *The Vicar of Dibley* – étaient mes amis et compatriotes. Nous tournâmes principalement en extérieur dans la City de Londres, peut-être bien à l'endroit où se trouve aujourd'hui l'hôtel de ville, près de Tower Bridge, sur les bord de la Tamise. Notre chef opérateur, Tony Spratling, préférait tourner en lumière naturelle et en extérieur. Le film était plein de trouvailles ingénieuses, ce qui contribua énormément à sa grande qualité.

Les séquences dans lesquelles j'affrontais mon alter ego étaient amusantes à tourner. Je jouais d'abord la scène dans le rôle de Pelham, puis dans le rôle de son double la semaine suivante, en n'ayant bien entendu dans les deux cas personne en face de moi. Les plans étaient ensuite combinés selon la technique du *split screen*, et cela fonctionnait très bien.

Basil Dearden était un merveilleux metteur en scène, tant sur le plan technique que sur celui de la direction d'acteur. Il inspirait confiance à tous ses comédiens. Hélas, peu de temps après la sortie du film, en rentrant chez lui par la même portion d'autoroute sur laquelle nous avions tourné l'accident de Pelham pour la séquence d'ouverture, il perdit le contrôle de son véhicule et fut décapité au volant. L'industrie cinématographique perdit ce jour-là un homme d'un talent rare.

Je crois qu'il existait un certain ressentiment à l'égard de Bryan Forbes au sein de la hiérarchie d'EMI à cette époque. Non content d'être réalisateur, producteur, scénariste et acteur accompli, il était également le gérant de la société. Des poches de résistance à son égard s'étaient formées à différents niveaux, et particulièrement dans la branche chargée de la distribution des films. J'imagine que c'était de la jalousie pure et simple. De ce fait, les gens du marketing travaillaient tous les films de manière assez peu professionnelle, employant comme argument principal : « Nous avons réussi à tourner un film pour seulement deux cent mille livres. Pas mal, hein ? » EMI se vantait de faire des films avec trois francs, six sous ! Quand le public entend cela, il a naturellement tendance à penser que le film en question n'est pas du meilleur acabit. Et comme il n'est pas fou, il n'achètera pas de billet s'il estime qu'on tente de lui refourguer un produit de seconde zone. Ce que ces gens du marketing auraient dû dire, c'est qu'ils avaient des films extraordinaires, et que ceux qui les avaient tournés y croyaient tellement qu'ils avaient accepté d'être moins payés pour les faire. Cette stratégie de « communication » contribua certainement à l'échec commercial relatif de *La Seconde Mort d'Harold Pelham*, et j'en fus profondément déçu. D'autant que j'avais un intéressement !

Peu de temps après, Bryan Forbes démissionna. Les fonds promis ne venaient pas, la branche distribution lui mettait des bâtons dans les roues et la direction ne bougeait pas le petit doigt pour lui.

Comme je l'ai déjà évoqué, au cours de la dernière saison du *Saint,* Bob Baker et moi avions tourné un épisode à deux héros intitulé *Le Roi.* Ce fut l'unique expérience de ce type jusqu'à ce que Bob propose à Lew Grade en 1970 de créer une série mettant en scène un aristocrate anglais et un Américain sans manières, que l'on intitulerait *Amicalement vôtre.* Deux ans s'étaient écoulés depuis lors et, pour tout vous dire, je n'étais plus très enthousiaste à l'idée de reprendre du service dans une autre série télévisée alors que je venais juste de tourner deux films. C'est à ce moment que Lew m'appela de New York.

— Je veux te voir demain matin à sept heures, m'annonça-t-il.

— Je ne pourrai pas être à New York d'ici à demain matin, Lew.

— Rassure-toi, je serai à Londres, me répondit-il.

— D'accord, mais peut-on dire huit heures ? Je viens en voiture et j'habite Denham, rappelle-toi.

Lew arrivait toujours au bureau à la première heure. Il aimait s'occuper de ses dossiers tôt le matin, avant que le téléphone ne se mette à sonner. Sans oublier qu'il pouvait ainsi joindre les gens à Los Angeles avant qu'ils n'aillent se coucher.

J'arrivai donc à huit heures. Lew me fit asseoir et déclara :

— Roger, j'ai vendu *Amicalement vôtre,* tu as le premier rôle.

8

Amicalement vôtre

*« Tu n'as pas le droit de m'engager
sur une série sans m'en parler ! »*

À l'origine, *Amicalement vôtre* – *The Persuaders* en anglais –
s'intitulait *Friendly Persuaders,* mais on retira *Friendly* pour
éviter la confusion avec *Friendly Persuasion,* le film avec Gary
Cooper. Quoi qu'il en soit, je demeurais persuadé que cette
série n'était pas pour moi.

— Je t'avais dit que je ne voulais pas la faire, Lew ! Tu n'as
pas le droit de m'engager sur une série sans m'en parler !

Lew Grade venait juste d'être récompensé par la Couronne
pour services rendus à l'industrie. Naturellement, il joua la carte
patriotique.

— Le pays a besoin d'argent. Pense à la reine.

— Pas très convaincant, répondis-je.

Il me ficha un cigare dans la bouche et me signa un très gros
chèque.

— Et maintenant, tu es convaincu ?

Ce dernier argument vint à bout de mes réticences, mais je
précisai cependant que je ne voulais pas m'engager sur plusieurs saisons. J'étais en contact avec les producteurs de James
Bond et je ne voulais pas me retrouver coincé. Je ne signai
donc aucun contrat, me contentant de donner ma parole à Lew.
Et je la tins.

Nous discutâmes alors du casting. Lew m'apprit qu'il avait
l'accord de trois comédiens pour l'autre premier rôle : Rock
Hudson, Glenn Ford et Tony Curtis. Glenn Ford était pour moi
un acteur très égoïste avec qui il serait probablement difficile
de s'entendre. Quant à Rock Hudson, nous nous ressemblions
trop et avions la même taille, ce qui n'était pas souhaitable.

Tony s'imposa donc, d'autant plus que son sens du timing dans la comédie *Certains l'aiment chaud* m'avait particulièrement impressionné.

— Comme tu veux, décida Lew. Je vais organiser un rendez-vous avec lui. Mais n'oublie pas qu'il est le porte-parole du lobby antitabac aux États-Unis. Pas de cigarettes !

Bob, Terry Nation, notre scénariste, et moi nous envolâmes bientôt pour Los Angeles, où nous descendîmes au Beverly Hills Hotel. Le lendemain matin, nous nous rendîmes chez Tony. La vaste demeure qu'il habitait sur Charing Cross Road m'en rappelait une autre où j'avais déjà été invité, à l'autre bout de la ville, celle où Laurence Harvey vivait à l'époque où il était marié à la veuve de Harry Cohn, le patron de Columbia Pictures. Les deux maisons étaient le fruit du même architecte.

Nous discutions depuis près d'une heure et nous avancions bien sur le projet quand je demandai malgré tout à Tony si nous pouvions fumer. À l'époque, j'aimais en griller une de temps en temps, Bob était accro à sa pipe et Terry fumait cigarette sur cigarette, ce qui finirait par le tuer. Tony se tourna alors obligeamment vers sa femme et lui demanda de nous apporter un cendrier. Pendant qu'elle allait le chercher, il me mit sous les yeux un livre dont la couverture était ornée d'une photo particulièrement horrible. Lorsque je lui demandai ce que c'était, il m'expliqua que c'était le poumon d'un fumeur atteint d'un cancer. J'en eus l'estomac si retourné que je décidai peu après d'arrêter de fumer, en m'autorisant cependant un cigare de temps en temps pendant quelques années encore. Cela dit, Tony avait beau être farouchement antitabac, il était beaucoup moins strict quand il s'agissait de marijuana, comme je l'appris rapidement !

Après que Tony eut signé son contrat, nous décidâmes de tourner dans le sud de la France et au Royaume-Uni, notamment aux studios de Pinewood. Le jour où je devais aller le chercher à l'aéroport de Londres, un calcul rénal me cloua à l'hôpital. Johnny Goodman fut chargé de me remplacer mais Tony était introuvable. Il avait été arrêté à la douane pour possession de cannabis et transféré au ministère de la Justice, une publicité dont nous nous serions bien passés ! Johnny, ayant pour beau-père un commandant de la brigade volante, était furieux d'être mêlé à ce scandale. Dans mon lit d'hôpital, je collectionnai les manchettes de presse relatant l'affaire que je collai dans un album intitulé : « Comment entrer dans un pays

172

sans se faire remarquer. » L'humoriste américain Bob Hope concocta même un jeu de mots à ce sujet : « Tony Curtis a plané trois mois au-dessus de Londres avant de pouvoir se poser. »

Mais les autorités anglaises se calmèrent et Tony put enfin s'installer dans sa ravissante maison de Chester Square, dans le quartier de Mayfair, que Lew lui avait achetée conformément aux termes de leur contrat.

Pour récupérer de ma douloureuse opération, j'eus droit à un mois de convalescence que je passai chez un ami au Cap-Ferrat, où logeaient également David Niven, Joan Collins et Ron Kass. Bien que l'eau ne fût pas très chaude, je passai mon temps à la plage et à faire du sport. Quand Tony arriva, nous prîmes nos quartiers à l'hôtel de la Voile d'Or, à Saint-Jean-Cap-Ferrat, dans deux suites identiques. Nous passâmes deux ou trois mois dans la région, le temps de tourner six ou sept épisodes.

La logistique était compliquée, en particulier pour Basil Dearden et Val Guest, qui étaient chargés des repérages, car tourner en extérieur une demi-douzaine d'épisodes d'affilée demande beaucoup de concentration et un emploi du temps rigoureux. Les épisodes suivants furent tournés à Pinewood quelque temps plus tard grâce à une rallonge budgétaire ; nous avions dû pour cela prolonger les contrats des acteurs de plusieurs semaines.

Tout notre planning était parfois réduit à néant à cause de Tony, qui improvisait souvent, dans le but louable de « s'approprier le personnage ». Cela engendrait bien évidemment de nombreux inconvénients, à commencer par la disparition totale de tous mes repères dans le texte ! Comme les épisodes ne devaient pas durer plus de quarante-six minutes, un recadrage s'imposait. Les scénaristes révisèrent alors leur copie et transformèrent mon personnage en quelqu'un de sérieux et méthodique, tandis que celui de Tony fonctionnait comme un électron libre.

Pour me rendre sur les lieux de tournage en France, la production avait mis une voiture à ma disposition. Mais, quand je ne connaissais pas bien l'endroit, je partageais la limousine de Tony. Son chauffeur demandait systématiquement :

— Où allons-nous aujourd'hui, monsieur Curtis ?

— Sur le tournage, voyons. Vous ne savez pas où c'est ? répondait celui-ci.

— Si, monsieur, bien sûr.

— Alors pourquoi me le demandez-vous? s'énervait Tony.
C'était la même question tous les matins, et Tony n'en pouvait plus. Aussi, à la fin du tournage, je fus très surpris lorsque
le chauffeur me tendit une enveloppe qui contenait une photo
dédicacée de lui-même. Il y avait inscrit : « Voici pour vous,
monsieur Moore. Ce con de M. Curtis n'en aura pas. » En fait,
c'est Tony qui lui avait demandé de me la remettre, pour se
payer sa tête. Cela me fit beaucoup rire.

Tony avait vraiment un grand sens de l'humour. Walther Matthau me raconta un jour qu'ils avaient tous les deux fait le pari
de réussir avant l'autre à Hollywood, à l'époque où ils n'étaient
que deux apprentis comédiens à New York. Un an plus tard,
Walter, qui avait une bonne longueur de retard, professionnelle-
ment parlant, marchait dans la rue quand une grosse limousine
s'arrêta à sa hauteur. La porte s'ouvrit et Tony lui lança :

— Walter! C'est moi, Bernie! Bernie Schwartz[1]! Ça y est, j'ai
fait mon trou à Hollywood! J'ai couché avec Yvonne de Carlo!

Tony estimait, comme beaucoup de stars de cinéma, que la
télévision était beaucoup moins noble que le septième art. Ce
n'est qu'au moment où nous tournâmes le premier épisode
d'*Amicalement vôtre* qu'il prit conscience de son pouvoir
médiatique.

Pour la fameuse scène de poursuite du générique, nous
étions partis de l'aéroport de Nice, lui, Danny Wilde, dans sa
Ferrari, et moi, Brett Sinclair, au volant d'une superbe Aston
Martin DBS. La scène se terminait à l'Hôtel de Paris, à Monte-
Carlo, face au casino. Tony et moi nous trouvions sur le perron
de l'hôtel quand deux cars vinrent décharger des touristes espa-
gnols, qui, en apercevant l'équipe technique, se précipitèrent
vers nous. Tony commençait déjà à pester, disant qu'il ne voulait
pas signer d'autographes, mais le groupe ne fit aucune
attention à lui et se rua vers moi en criant : « El Santo, El Santo! »

Le Saint était visiblement très populaire de l'autre côté des
Pyrénées, et Tony comprit alors la puissance de la télévision.

La production nous avait alloué deux caravanes pour nous
reposer et nous changer lors des séquences en extérieur. J'en
partageais une avec Tony, l'autre étant réservée aux vedettes
invitées. Sur un épisode, Joan Collins et Robert Hutton s'en servaient à tour de rôle pour s'habiller. Un après-midi, Joan fut
prise d'un besoin urgent et pria Robert Hutton et sa femme de

---

1. Le vrai nom de Tony Curtis. (*N.d.T.*)

bien vouloir sortir quelques instants de la caravane. Tony vint alors me trouver, sidéré.

— Pour qui elle se prend, cette bonne femme? Robert Hutton! Elle a dit à Robert Hutton de sortir de la caravane! Tu le crois, ça?

— Tony, Tony, du calme, lui répondis-je. C'est une série télé, nous sommes tous sur le même bateau. On arrive à l'heure, on apprend notre texte et, à cinq heures trente, on rentre à l'hôtel. On ne s'énerve pas, la paye arrive tous les vendredis, et tout va bien.

— Oui, mon petit Roger, tu as raison, grommela-t-il. Tu as toujours raison.

Vingt minutes plus tard, nous étions en train de filmer la scène où nous nous asseyions quelques instants sur un rocher, poursuivis par des bandits italiens, quand le responsable des effets spéciaux vint nous prévenir que quelques charges allaient bientôt exploser pour simuler des coups de feu.

— Où donc? demanda Joan.

— Mais c'est pas possible! s'emporta Tony en se levant brusquement et en imitant la voix de Joan. « Où donc? Oh là, là, des explosions, hou! »

— Tony, arrête, intervins-je. Il est normal qu'une femme s'inquiète de savoir où vont se produire les explosions, surtout si ça se passe autour d'elle. Nous avons tous tourné dans des films où ça pétaradait un peu trop près de nous.

— Oui, mon petit Roger, tu as encore raison, soupira-t-il.

Quelques jours plus tard, je profitai d'un creux dans mon emploi du temps pour emmener ma femme et mes enfants à l'aéroport de Nice. Quand je revins sur le lieu du tournage, situé à un kilomètre à peine, il y régnait une atmosphère à couper au couteau. L'équipe technique jouait aux cartes et Joan était assise dans un fauteuil sous un arbre. Tony surgit tout à coup.

— Mon petit Roger, me dit-il d'un air penaud, je crois que j'ai commis un impair. J'ai traité Joan de conne.

— En effet, ce n'est pas très gentil, Tony.

Je me dirigeai alors vers elle. Quand elle me vit, elle bondit.

— Il m'a traitée de conne, cria-t-elle.

— C'est vrai, ajouta Ron Kass, son mari de l'époque. Il a traité Joan de conne.

On m'expliqua alors ce qui s'était passé. Pendant mon absence, Tony et Joan avaient tourné une scène ensemble.

Tony conduisait un camion sur un chemin accidenté et devait s'arrêter sous un pont le long d'une rivière à sec. Mais il ne réussit pas à stopper au bon endroit et il fallut refaire la prise.

Tony s'apprêtait à faire demi-tour quand Joan descendit du camion.

— Qu'est-ce que tu fais ? lui cria-t-il.

— J'y vais à pied, dit-elle.

— Putains d'actrices, siffla Tony entre ses dents.

Il revint au point de départ en pestant contre les femmes en général et les actrices en particulier. Quand elle remonta dans le camion, Tony lança à sa partenaire :

— Tu sais quoi, Joan ? Tu n'es qu'une conne.

Le camion s'élança alors mais s'immobilisa quelques mètres plus loin dans un crissement de freins. Puis Joan baissa la vitre et hurla au réalisateur que Tony l'avait insultée et qu'elle ne voulait plus travailler.

J'usai de tous mes talents de diplomate pour faire revenir le calme au sein de l'équipe.

Tony était obnubilé par les gants en cuir que portait son personnage. Il trouvait qu'ils lui allaient à merveille, à tel point que, lors d'une scène où il devait se laver les mains, il ne prit même pas la peine de les enlever ! J'avais énormément de respect pour lui et je trouvais que nous travaillions bien ensemble, mais il était parfois incontrôlable. Je m'en aperçus en réalisant un épisode de la série dans lequel nous rendions visite au juge Fulton, l'homme qui avait réuni Danny Wilde et Brett Sinclair. La scène avait lieu dans un club privé et je voulais la faire débuter par un gros plan sur le plâtre du juge, qui souffrait de la goutte. Après un lent travelling arrière, nous découvririons le reste de la pièce. Tony était alors censé entrer, parler au juge puis admirer les trophées de chasse accrochés au mur.

Je préparai les plans avec mon cameraman, Jimmy Devis, et demandai à mon assistant d'aller chercher Tony pour caler nos positions. Il me fit répondre qu'il était au maquillage et qu'il arriverait bientôt. Je fis le pari avec Jimmy qu'il nous poserait des problèmes au moment de prononcer une phrase en particulier.

Tony arriva bientôt et demanda :

— Bien, ton Altesse, où dois-je me mettre ?

— Tu entres dans la pièce et tu regardes le premier trophée. Tu lis en dessous qu'il a été abattu par le général Bulstrode. Tu fais exactement pareil avec le deuxième, qui a lui aussi été tué par le général Bulstrode. Puis tu empoignes une chaise, tu grimpes dessus, et tu regardes le trophée qui...

— Impossible, m'interrompit-il.

— Quoi donc?

— Je ne monterais jamais sur une chaise dans un club privé.

— Mais, Tony, tu n'es pas assez grand pour pouvoir lire ce qui est écrit sous les trophées!

— Bon, très bien, je vais le faire, dit-il en regardant le scénario. Mais une phrase attira son attention.

— Attends une minute. Qu'est-ce que c'est que cette phrase, « un véritable abattoir à lui tout seul, ce général Bulstrode »?

— Eh bien?

— C'est ridicule, on ne voit pas le rapport. Les têtes de ces trophées sont intactes!

Je compris qu'il faisait diversion pour occulter cette histoire de chaise.

Une autre fois, nous étions invités à une soirée organisée par le Cinema and Television Benevolent Fund, la seule œuvre caritative du septième art au Royaume-Uni. Sur l'invitation, il était précisé « smoking exigé ». J'en possédais un, que je partageais fréquemment avec Monty Berman, mon costumier, et Richard Burton, car nous avions tous les trois à peu près la même taille. L'inconvénient, c'est que nous ne pouvions pas être invités tous les trois à la même cérémonie!

— Comment faut-il s'habiller, mon petit Roger? me demanda Tony.

— En smoking, Tony.

— Aïe, je n'en ai pas. Écoute, j'ai une très jolie veste en velours et une magnifique écharpe. Avec une belle chemise, cela ira très bien.

Je lui suggérai de se conformer à ce qui était indiqué, mais il n'en fit qu'à sa tête et débarqua le soir venu dans sa veste en velours, son écharpe nouée autour du cou, avec une chemise entrouverte.

La reine arriva. Nous étions tous alignés, attendant de la saluer. Lorsqu'elle arriva devant moi, elle me tendit sa royale main et nous échangeâmes quelques mots. En revanche, elle fit comme si Tony n'existait pas et passa directement à l'invité suivant! Il ne faut jamais faire le malin avec la reine...

Je fis travailler Deborah et Geoffrey sur *Amicalement vôtre*. Après tout, il n'y a pas d'âge pour apprendre les rudiments du métier! Geoffrey n'apparaissait qu'au générique, sur la formidable musique de John Barry, au moment où les photos des deux personnages dans leur jeunesse se superposent. Je n'avais aucune photo convenable de mon enfance, alors j'en pris une de mon fils. Je ne me souviens plus ce que je lui offris pour le dédommager, mais ce fut certainement disproportionné !

Quant à Deborah, qui avait sept ou huit ans à l'époque, elle hérita d'un rôle... de jeune écolière, chargée de frotter une règle sur des barreaux à Gerrards Cross ! Comme elle avait pour cela endossé son uniforme de classe, sa maîtresse me passa un savon pour n'avoir pas demandé la permission de l'établissement. Luisa, qui les avait accompagnés sur le tournage, tenta de lui expliquer ce qu'elle aurait à faire, mais Deborah lui rétorqua :

— C'est papa le réalisateur, pas toi.

Le moins que l'on puisse dire, c'est que mon épouse n'apprécia guère !

Comme sur *Le Saint*, je pouvais, en tant que réalisateur et producteur, proposer des rôles à des amis, des collègues et des acteurs que j'admirais, notamment Geoffrey Toone, Terry-Thomas et Gladys Cooper, que j'embauchai pour jouer la Grande-Duchesse dans l'épisode intitulé *L'Héritage d'Ozerov*. Elle avait été nominée trois fois aux Oscars, et je la trouvais épatante. Malheureusement, ce fut son dernier rôle.

Lors d'une de nos scènes communes, Tony et moi devions traverser une pièce immense pour nous rendre devant le trône où elle était assise. Tony lui fit un baisemain.

— Tony, dis-je, un vrai gentleman enlèverait d'abord ses gants.

Il réfléchit un moment puis me demanda :

— Tu crois qu'elle l'a remarqué ?

Une autre fois, nous devions suivre une dame âgée très distinguée dont je tairai le nom. Visiblement, son ouïe et son odorat n'étaient plus ce qu'ils avaient été : sans s'en rendre compte, elle pétait furieusement en marchant. Toute l'équipe technique se tenait les côtes et Tony n'arrangea pas les choses en faisant des grimaces de dégoût et en secouant la main tout en la suivant.

Regrets éternels est l'un de mes épisodes préférés. Le casting, sensationnel, était composé de Roland Culver, Willie Rushton, Diane Cilento, Denholm Elliot et Ivor Dean. C'était un hommage à la comédie *Noblesse oblige* des studios Ealing. En plus de Brett, j'interprétais trois membres de la famille Sinclair : un vieux général, tué par un char miniature télécommandé dans une scène tournée chez nous à Denham, un vieil amiral bourru qui ne survivait pas à un bateau téléguidé rempli d'explosifs, et Lady Agatha, la tante de Brett. Quand je me vis ainsi habillé en femme dans le miroir, j'eus un choc en constatant à quel point je ressemblais à ma mère, en moins belle, bien sûr. Un par un, tous les membres de la famille étaient assassinés.

Pour jouer l'amiral, j'utilisai des prothèses faciales et une barbe postiche qui me rendirent méconnaissable. En attendant de tourner, près de l'étang des jardins de Pinewood, je m'approchai en douce de Johnny Goodman, notre superviseur, et lui décochai un immense sourire tout en tâtant fermement son postérieur. Il fit un bond de côté, et demanda à l'assistant réalisateur qu'on vire le vieux dégueulasse qui lui faisait du rentre-dedans !

Dans le cadre de la série, les jardins de Pinewood et les studios eux-mêmes furent filmés sous toutes les coutures. Les pièces du Heatherden Hall, une grande bâtisse au milieu du domaine, servirent pour de nombreux épisodes, de même que le Black Park attenant. Heureusement, il suffisait d'un sous-titre pour nous retrouver à l'étranger ! Nous occupions deux plateaux flambant neufs, le L et le M, où nous passâmes quinze mois. Je finis même par y installer mon bureau.

Le succès de la série reposait en grande partie sur la qualité des scénarios. L'équipe était composée de Brian Clemens, Donald James, Tony Barwick et Michael Pertwee, sous la direction de Terry Nation. Sans eux, nos répliques n'auraient pas eu cette qualité !

Si vous avez bien fait attention au générique, vous aurez certainement remarqué que j'y suis également crédité en tant que créateur des vêtements que je porte, ce qui n'était pas tout à fait vrai. Un an ou deux avant le début d'*Amicalement vôtre*, j'étais entré au conseil d'administration d'une société de confection, Pearson and Fosters, où je restai jusqu'en 1972. En échange d'une rémunération motivante, je participais aux réunions, animais des conférences sur la mode masculine et autorisais la société à utiliser mon nom pour promouvoir ses produits. J'aimais beaucoup me rendre à l'usine de Bradford tant cet univers me fascinait. Pour me remercier, ils proposèrent de m'habiller pour tous mes films et toutes mes séries. Je les pris alors au mot et donnai quelques indications sur le style de vêtements qui correspondraient le mieux à Brett Sinclair. Ce qui explique la mention au générique !

En évoquant ce fameux générique, on me demande souvent comment Tony et moi résolûmes le problème de savoir quel nom apparaîtrait en premier. Pour tout vous dire, mon salaire était ce qui m'importait le plus. Néanmoins, quand j'avais négocié mon contrat, Lew m'avait assuré que je serais en tête d'affiche, ce qui était très gentil de sa part. Or, il avait fait la même promesse à Tony, pour éviter de fâcher l'un de nous deux ! Sachant que Tony y tenait beaucoup, j'acceptai que mon nom suive le sien.

Amicalement vôtre connut un succès mondial... sauf aux États-Unis. Car la chaîne ABC, qui avait pourtant placé beaucoup d'espoirs dans la série, l'avait programmée le samedi soir, face à deux programmes très populaires sur NBC et CBS. Comme le public n'était pas au rendez-vous, ABC modifia sa grille et nous mit en concurrence avec... une autre série à succès, *Mission impossible.* Quand les spectateurs apprennent qu'une série a été changée de case, ils se disent que quelque chose ne tourne pas rond, et ils s'en désintéressent. Au point que trois des vingt-quatre épisodes ne furent même pas diffusés cette année-là aux États-Unis.

La carrière américaine d'un programme étant déterminante pour son avenir, la mise en chantier d'une deuxième saison fut fortement remise en question. Heureusement, à l'international, la donne était bien différente. Il nous arriva même de remonter deux épisodes ensemble pour en faire un film de cinéma, à l'instar de ce qui s'était produit sur *Le Saint.*

Lew pensait que nous finirions par séduire le public américain, mais j'en doutais. On envisagea un autre comédien pour me remplacer mais Bob Baker refusa. Il estimait que nous avions créé une série qui fonctionnait parfaitement au niveau artistique, et que nous devrions en rester là.

Je me rends compte que j'ai oublié de vous raconter une anecdote importante, qui date d'avant *Amicalement vôtre.* Je fus un jour invité à Buckingham Palace pour une soirée fréquentée par de nombreuses personnalités de l'industrie du cinéma et de la télévision. Comme j'entrais dans le hall, j'aperçus Lew Grade à l'étage au-dessus. En me voyant, il se précipita vers moi et s'écria :

— Roger, Roger ! J'ai un rôle formidable à te proposer. Tu vas jouer Gabriel dans *La Bible.* Larry Olivier voulait le faire, mais je préfère que ce soit toi.

Je m'arrangeai pour ne pas lui donner une réponse ferme.

Lorsqu'il me fit signe un peu plus tard de me joindre à son groupe, je pensais qu'il allait revenir à la charge, mais il souhaitait seulement me présenter à George Barrie, le propriétaire de Fabergé, société créatrice de l'eau de toilette Brut, l'un des patrons les plus puissants du secteur des cosmétiques. George avait créé une filiale cinéma quand Hollywood avait demandé à Fabergé de plancher sur une publicité fictive pour un parfum imaginaire pour les besoins du film de Mark Robson, *La Vallée des poupées*. George répondit à leur demande et se rendit bientôt compte de l'intérêt d'une telle démarche quand les spectateurs se mirent à réclamer en magasin ce parfum qui n'existait pas. Il en vint tout naturellement à décider de produire ses propres films pour faire du placement de produits, et monta donc Brut Films. Lew lui avait glissé mon nom pour la diriger. Mon expérience commerciale était limitée et je ne me voyais pas vraiment en PDG d'une société de production mais, après tout, pourquoi pas? J'acceptai.

L'un des premiers scénarios que je vis passer sur mon bureau était celui d'*Une maîtresse dans les bras, une femme sur le dos*. Il m'avait été envoyé par Melvin Frank. Glenda Jackson avait donné son accord pour y participer et George Segal était pressenti pour lui donner la réplique. Je demandai à Melvin de m'accorder quelques jours de réflexion, mais je lus le scénario en une heure et passai immédiatement un coup de fil à George Barrie, qui se trouvait à New York.

— George, j'ai ici un très bon scénario. Je pense qu'on peut en faire quelque chose.

— Très bien, je serai là après-demain, me répondit-il.

Je téléphonai ensuite à Melvin pour lui donner un accord de principe. Mes ambitions en tant qu'acteur venaient d'être bousculées par mon nouveau métier de producteur. J'aurais pu exiger un rôle dans le film, mais je n'en fis rien. *Une maîtresse dans les bras, une femme sur le dos* fut un succès public et critique, qui valut même à Glenda Jackson l'Oscar de la meilleure actrice.

La chanson originale du film, *All That Love Went to Waste*, fut elle aussi nommée aux Oscars et remporta un très grand succès. George Barrie s'était fait plaisir en l'écrivant lui-même avec le célèbre compositeur Sammy Cahn.

Comme mes premiers pas dans la production avaient été pour le moins encourageants, je décidai de m'attaquer à l'impossible : convaincre Cary Grant de participer à l'un de nos films!

Si vous faisiez un rapide sondage auprès de cinéphiles, le comble de l'élégance revenait sans conteste à Cary. Pourtant, quand on le connaissait un peu, on était surpris de découvrir qu'il aimait raconter des histoires extrêmement vulgaires, voire scatologiques. Il adorait tout ce qui avait rapport avec le pet, collectionnant les coussins péteurs et autres gadgets de ce type. Il en avait plein ses tiroirs et les sortait à la moindre occasion.

Cary aimait aussi les chansons grivoises. Je l'entendis un soir chanter la chanson du soldat de plomb chez Sammy, sur l'air de *My Bonnie Lies Over the Ocean*[1] :

« J'avais une boîte de soldats de plomb,
J'ai coupé la tête du général,
J'ai cassé tous les sergents et le caporal,
Maintenant, je joue avec mes roustons. »

Je fis sa connaissance en 1970 dans les locaux de Brut Films, dont il était membre du conseil d'administration. Aussi nous croisions-nous parfois à Londres ou à New York. Il avait arrêté le cinéma depuis plusieurs années, et me confia qu'il en avait assez de tout ce cirque. Je le soupçonnais par ailleurs d'avoir gagné tellement d'argent qu'il n'avait même plus cette raison pour tourner à nouveau. Il avait été l'un des premiers acteurs à être propriétaire des négatifs de ses films, et cela devait lui rapporter beaucoup. Si j'arrivais à le persuader de tourner pour nous, ce serait un gros coup. J'imaginais déjà les titres des journaux : « Cary Grant rempile ! »

Il me raconta un jour quel incident en particulier l'avait convaincu de tout arrêter. Sur le tournage de *Rien ne sert de courir*, quelques membres de l'équipe s'étaient approchés discrètement de la caravane dans laquelle il se reposait pour discuter sous ses fenêtres et le couvrir de louanges. Et ce genre de comportement l'agaçait au plus haut point. Il s'intéressait en revanche beaucoup à son rôle de conseiller chez Brut Films. Ses idées et sa compagnie m'étaient très précieuses. C'était quelqu'un de très affable, capable de beaucoup d'esprit.

Ses fréquents voyages à Londres dans le cadre de son activité étaient aussi l'occasion pour lui de rendre visite à sa mère

---

1. Une chanson traditionnelle écossaise, parodiée à de nombreuses reprises. *(N.d.T.)*

octogénaire, qui habitait Bristol. Un jour qu'ils étaient tous les deux dans sa voiture, elle lui dit :

— Arch' (le vrai nom de Cary était Archibald Leach), tu devrais te teindre les cheveux.

— Et pourquoi donc, maman ? sourit-il. Mes cheveux sont blancs et ça me va très bien !

En riant, il me dit que sa mère lui avait répondu :

— Fais-le pour moi, Arch'. Tes cheveux blancs me vieillissent encore plus !

Mon nouveau job de magnat du cinéma me convenait à merveille. La société était devenue incontournable sur le marché, et moi, le petit garçon de Stockwell, je discutais d'égal à égal avec Cary Grant !

Notre deuxième projet, *Terreur dans la nuit*, était l'adaptation d'une pièce écrite par Lucille Fletcher, scénarisée par Tony Williamson pour le grand écran. Nous avions réuni un casting formidable : Elizabeth Taylor, Laurence Harvey et Billie Whitelaw. Dans la foulée de son succès avec *Quand les aigles attaquent*, Brian G. Hutton fut choisi comme metteur en scène. Nous pensions tenir la formule magique.

George, moi-même et quelques autres collaborateurs de Fabergé nous envolâmes pour Budapest dans notre jet privé, à l'époque où la Hongrie se trouvait encore sous le joug de l'Union soviétique. Au décollage, nous étions entourés d'avions de ligne flambant neufs, et nous atterrîmes quelques heures plus tard au milieu de vieux Dakotas déglingués. Notre voyage avait deux buts : faire un saut sur le tournage de *Hugo l'Hippopotame*, un dessin animé en coproduction qui se fabriquait à Budapest, et rencontrer Elizabeth Taylor pour discuter de *Terreur dans la nuit*. Elle avait suivi son mari de l'époque, Richard Burton, qui tournait là un film avec Raquel Welch. Nous descendîmes au même hôtel qu'Elizabeth et fûmes informés qu'elle nous accorderait quelques instants à seize heures ce jour-là.

À l'heure dite, nous frappâmes à la porte de leur suite. Richard était là, l'air grave, abattu. Son frère Ivor venait de mourir deux jours plus tôt.

— Richard, proposa George Barrie, si vous avez besoin d'un avion pour rentrer en urgence au pays de Galles, sachez que je mets gracieusement notre appareil à votre disposition.

— De quoi ? répondit sèchement Richard.

George tenta une approche amicale et lui tendit la main.

— Un pas de plus et je ne réponds plus de rien! grogna Burton.

Il s'était visiblement passé quelque chose avant notre arrivée. La tension entre Burton et Elizabeth était palpable. Nous commençâmes à discuter avec elle, mais quand nous annonçâmes que Billie Whitelaw tiendrait le deuxième rôle féminin, Burton tendit l'oreille.

— J'ai une bien meilleure idée, dit-il.

De ses grands yeux mauves, Elizabeth le dévisagea.

— Et à qui pensez-vous, mon cher?

— À Raquel Welch, vociféra-t-il. C'est une *excellente* actrice.

Il était inutile d'en dire plus.

L'atmosphère n'était guère plus réjouissante du côté de George Barrie. À l'époque, il était marié à Gloria, sa deuxième ou troisième femme. Nous étions partis faire la promotion de Brut Films en Australie, avec nos épouses respectives, et George et sa femme passèrent tout le voyage à se disputer. Lorsqu'il la menaça de demander le divorce, elle lui répondit que cela lui coûterait des millions. Vous imaginez l'ambiance...

Un jour, je m'absentai pour faire un saut à Melbourne. Quand je revins à Sydney, je reçus un appel téléphonique de George. Il était environ deux heures du matin.

— J'adore Tokyo, me dit-il.

— Qu'est-ce que tu racontes?

— Je suis à Tokyo, Roger! J'ai quitté Gloria! Occupe-toi de son billet pour New York, d'accord?

— Tu es vraiment un enfoiré, George.

— Peut-être, mais j'ai mon propre jet! Ha ha!

Le cauchemar ne faisait que commencer. Je réservai donc des billets de retour pour tout le monde. Nous fîmes une escale à Hawaii où, sans personne pour m'aider, je dus trimballer une douzaine de valises d'un bout à l'autre de l'aéroport, tant et si bien que le vol pour Los Angeles partit sans nous. Nous passâmes la nuit dans un hôtel près de l'aéroport afin de ne pas rater non plus l'avion pour New York, le lendemain à dix heures. Au comptoir d'enregistrement, Gloria me demanda :

— Roger, quel film vont-ils projeter dans l'avion?

Je posai la question à l'hôtesse, qui m'expliqua qu'il n'y avait pas de film sur les vols TWA décollant avant midi. Luisa s'en mêla alors.

— Roger, qu'y aura-t-il au menu?

Je m'adressai à nouveau à l'hôtesse. Elle me répondit qu'elle l'ignorait.

— Comment ça, tu ne sais pas, Roger ? me glissa Gloria.

Elles me traitèrent alors d'imbécile, prétendant que j'aurais dû vérifier tout cela avant de réserver. Lorsque je racontai cette mésaventure à George, il se contenta de rire aux éclats. Le divorce fut prononcé peu de temps après.

En fait, George avait une petite amie, une Française plutôt jolie mais complètement stupide, avec laquelle il s'exhibait quand il voyageait en Europe. Il la couvrait de bijoux, et elle aimait tellement la joaillerie qu'elle les portait tous en même temps, au point de crouler sous leur poids. Un jour, George me confia :

— Tu sais, Roger, cette petite est vraiment intelligente. Elle passe son temps à lire en anglais.

Pendant qu'il parlait, je m'aperçus qu'elle tenait son livre à l'envers…

En tout, je passai près d'un an chez Brut Films et travaillai sur trois films. Mais je décidai de mettre un terme à ma collaboration, quand Harry Saltzman et Cubby Broccoli vinrent me trouver avec une offre alléchante. J'appelai donc George pour l'en informer, sans lui dire combien j'étais heureux de ne plus entendre parler de Gloria ! Quand Lew eut vent de ma démission, il se mit en colère :

— Tu vas foutre ta carrière en l'air ! me prédit-il.

Il pensait que mon avenir était dans les séries télévisées. Mais ma carrière avait besoin d'un bon coup d'accélérateur, et c'est James Bond qui allait me le donner !

9

Et Bond créa la femme

« Nous vîmes débarquer des créatures horribles. »

Je fis la connaissance d'Albert « Cubby » Broccoli et Harry Saltzman, les producteurs de la série James Bond, au milieu des années soixante, dans les cercles de jeux de Curzon Street. Nous devînmes bons amis, et nous retrouvâmes régulièrement ensemble les années suivantes, à la table de l'un ou l'autre, pour un bon dîner ou une partie de cartes.

Harry et sa femme Jacqueline possédaient une grande maison de campagne à Iver, à proximité des studios de Pinewood, ainsi qu'un pied-à-terre tout proche de l'hôtel Connaught, dans le centre de Londres. Cubby et sa femme Dana vivaient quant à eux dans une grande propriété sur Green Street, dans le quartier de Mayfair. Chacun d'eux était déjà un des meilleurs de la profession depuis des années quand ils décidèrent de monter leur structure commune, Eon Productions, en 1962. Cubby, qui avait la nationalité américaine, avait produit des films tels que *Les Bérets rouges, Commando sur la Gironde* et *Le Procès d'Oscar Wilde*. Pour sa part, Harry, citoyen canadien, avait financé *Samedi soir, dimanche matin* et *Le Cabotin*. Il avait déjà pris une option pour adapter les romans de Ian Fleming au cinéma, mais avait du mal à boucler son budget. Les deux hommes choisirent de domicilier leur société en Angleterre à la faveur de la réforme Eady, qui taxait les billets de cinéma et reversait l'argent aux producteurs installés au Royaume-Uni afin de stimuler la production. Cubby obtint alors un rendez-vous auprès de Columbia Pictures, pour qui il avait tourné de nombreux films, afin de leur proposer le premier James Bond, mais il en revint bredouille. En revanche, à New York, Arthur Krim de United Artists se montra réceptif.

Albert et Harry créèrent une société en Suisse chargée de gérer les droits générés par James Bond, qu'ils intitulèrent Danjaq, la contraction des prénoms de leurs épouses. Ils possédaient chacun quarante pour cent du capital, les vingt restants étant répartis entre Dana et Jacqueline.

Je dois vous dire au passage qu'Hilary et Steven, les deux plus grands enfants de Harry, s'entendaient très bien avec Geoffrey et Deborah. Nos maisons étaient proches, et ils passaient le plus clair de leurs vacances scolaires dans les piscines des uns et des autres, même si celle des Saltzman était bien plus grande que la nôtre. Geoffrey pensait alors que toutes les maisons étaient équipées de piscines, à tel point qu'il fut très étonné que Johnny Goodman, chez qui il se rendit un jour, n'en possédât pas une !

En 1967, Harry et Cubby évoquèrent avec moi la possibilité de reprendre le rôle de James Bond. Sean Connery, qui venait de terminer le tournage d'*On ne vit que deux fois*, avait fait savoir qu'il en avait assez. On me raconta plus tard que dès 1962, à l'époque du casting de *James Bond 007 contre Dr. No*, j'avais figuré dans la liste des comédiens potentiels pour incarner l'agent secret, mais je n'ai jamais pu vérifier cette information. Nous discutâmes donc du projet, qui en était à ses balbutiements – je ne suis même pas certain que le scénario était déjà écrit – et qui devait se tourner au Cambodge. Mais la guerre éclata bientôt dans ce pays et le projet fut promptement enterré. Très occupé par *Le Saint*, je ne pus me libérer quand ils mirent en route *Au service secret de Sa Majesté*, avec George Lazenby. James Bond semblait donc s'éloigner de moi.

Cependant, les choses ne se déroulèrent pas comme prévu. George, mal conseillé, décida que le rôle de Bond appartenait à Sean et qu'il ne ferait qu'un seul film. Il refusa de signer pour sept épisodes, préférant se diversifier tant qu'il était au sommet de sa carrière. Je connaissais George à l'époque, et je le revis ensuite à de nombreuses reprises. Avec le recul, il sait qu'il a fait une énorme bêtise.

De leur côté, Harry et Cubby tentaient de persuader Sean de revenir mais celui-ci était catégorique : Bond était une créature qui échappait à son contrôle, et le personnage était en train d'envahir sa vie privée. Le comble avait été atteint au Japon, quand un journaliste l'avait suivi jusque dans les toilettes pour le prendre en photo. De plus, Sean estimait que les producteurs gagnaient bien plus d'argent qu'ils ne l'avaient imaginé sans pour autant augmenter sa participation. Ce dernier point donnerait d'ailleurs lieu à une longue bataille juridique.

En attendant, United Artists trépignait d'impatience, et David Picker fut dépêché auprès de Sean pour négocier. Ce dernier demanda un salaire de un million deux cent cinquante mille dollars, un pourcentage sur les profits et de grosses indemnités pour chaque jour de retard sur le tournage. Il exigea également du studio qu'ils financent deux films de son choix. Ce nouveau contrat fit de lui l'acteur le mieux payé au monde, mais il reversa très élégamment l'intégralité de son salaire au Scottish International Education Trust, un fonds pour l'éducation des jeunes Écossais en difficulté.

Les diamants sont éternels fut son dernier James Bond. « Plus jamais ça ! » fut sa réponse lorsqu'on lui demanda s'il souhaitait continuer. Le tournage des *Diamants* se déroulant à Pinewood en parallèle à celui d'*Amicalement vôtre*, je rencontrais alors quotidiennement Harry et Cubby, et savais donc que le rôle de Bond était vacant. De son côté, apprenant que j'avais refusé l'offre de Lew Grade pour une deuxième saison d'*Amicalement vôtre*, Harry me téléphona pour me proposer un contrat renouvelable de trois films. Mon agent s'occupa des négociations, dont tout le monde sortit satisfait.

Cubby, Harry, le réalisateur Guy Hamilton et moi-même nous rencontrâmes au bar à huîtres Scotts dans Mayfair. Comme rien n'avait été encore annoncé à la presse, nous fîmes en sorte d'arriver et de repartir séparément, afin de ne pas éveiller les soupçons. Contrairement aux producteurs, Guy n'était pas certain que j'étais taillé pour le rôle, d'autant que le personnage de Bond était associé à Sean Connery. Il se demandait si je serais crédible en prononçant la célèbre réplique : « Vodka Martini au shaker, pas à la cuillère. » Je lui proposai cependant d'emprunter un léger accent écossais au moment de l'inévitable : « Mon nom est Bond, James Bond. »

D'autres détails chiffonnaient les trois hommes. Je dois reconnaître que j'avais bien profité de la vie l'année précédente, aussi bien sur le tournage d'*Amicalement vôtre* qu'en qualité de directeur de Brut Films, et Harry me fit remarquer sans prendre de gants que je devrais perdre quelques kilos si je voulais le rôle. Quelque temps plus tard, il m'annonça que Cubby ne me trouvait pas très en forme. Je me remis donc aussitôt au sport. Puis ce fut au tour de Cubby de m'appeler, pour me signaler qu'Harry pensait que mes cheveux étaient trop longs, ce à quoi je lui rétorquai sarcastiquement qu'ils auraient peut-être mieux fait d'engager un acteur mince, chauve et en pleine forme !

Mes efforts furent néanmoins récompensés. Quand la presse apprit que je serais le nouveau 007, ce fut le délire. Je ne soupçonnais pas, alors, combien elle s'intéresserait à moi pendant toute la période où j'incarnerais James Bond, et même au-delà.

Le tournage de *Vivre et laisser mourir* démarra à New York en octobre 1972. Dans l'avion, j'étais assis non loin de Danny Kaye qui, je l'ignorais à l'époque, jouerait des années plus tard un rôle déterminant dans mon engagement à l'Unicef. Avant le décollage, il nous fit sa propre démonstration des mesures de sécurité. Les passagers en rient encore !

Nous fûmes accueillis à New York en grande pompe. Le maire John Lindsay et les forces de police nous facilitèrent grandement la tâche pour le tournage de la course-poursuite sur l'autoroute en bloquant complètement la circulation. Nous devions emprunter la bretelle d'accès, zigzaguer entre les véhicules conduits par des pilotes professionnels, et quitter l'axe routier deux sorties plus loin. Nous en étions à la troisième prise quand nous nous rendîmes compte qu'une de nos voitures avait disparu.

Le pilote, constatant que sa Cadillac n'avait plus beaucoup d'essence, était parti faire le plein de sa très belle voiture. Une patrouille de police, intriguée que le propriétaire d'un bolide aussi élégant soit noir, avait relevé le numéro d'immatriculation du véhicule, qui était bien entendu muni de fausses plaques. Il fut aussitôt arrêté, et son alibi – il tournait actuellement un James Bond – ne convainquit guère les forces de l'ordre. Cubby dut intervenir pour le faire libérer, mais nous ne revîmes jamais la voiture.

D'autres scènes furent tournées à Manhattan, notamment celle où j'utilise mon autoradio pour communiquer avec Felix Leiter, le micro étant dissimulé dans l'allume-cigares. Notre scénariste Tom Mankiewicz, qui aimait parsemer ses histoires de répliques mémorables, me fit dire : « Ça, c'est bien un briquet à la Felix, c'est lumineux. »

Nous tournâmes ensuite à Harlem, mais notre service de sécurité nous annonça lors du dernier après-midi que nous devions boucler notre journée dans les dix minutes : ils n'avaient plus d'argent pour s'assurer la coopération des gangs locaux !

La musique a toujours joué un grand rôle au cinéma, en particulier dans les James Bond, qu'il s'agisse du générique composé par Monty Norman, de la musique d'accompagnement ou de la chanson du générique de fin. Ron Kass, le mari de Joan Collins, orchestra – si vous me passez l'expression – la venue de Paul et Linda McCartney sur le film. En tant qu'avocat, Ron avait représenté Apple, la maison de disques des Beatles, et il les connaissait donc très bien. Paul accepta d'écrire et de chanter la chanson-titre du film avec son groupe Wings et demanda si George Martin pouvait se charger de la produire. On s'empressa de satisfaire sa demande !

La première fois qu'Harry entendit la chanson, il déclara qu'il ne la trouvait pas à son goût mais demanda innocemment à George Martin qui chanterait la version définitive... Celui-ci lui répondit très diplomatiquement qu'il se contenterait probablement de garder la contribution d'une des plus grandes stars de la musique. Naturellement, la chanson fut un énorme tube au hit-parade, et Paul la joue encore aujourd'hui en concert, pour le plus grand plaisir de ses fans.

Quand nous nous rendîmes à La Nouvelle-Orléans pour la suite du tournage, je me rendis compte que mes relations avec Harry avaient changé. D'amis, nous étions devenus collègues. La différence était subtile mais Harry aimait me faire sentir qu'il était le patron. Il ne se gênait pas non plus pour le montrer aux autres et fit ainsi descendre David Hedison, qui jouait Felix Leiter, dans un hôtel différent du mien. Avait-il peur que nous nous liguions contre lui ? Je l'ignore. Ses relations avec Cubby étaient également très tendues. Alors que ce dernier semblait se satisfaire de produire les James Bond, Harry en voulait toujours plus, et il produisit en parallèle les films de Harry Palmer comme *La Bataille d'Angleterre*. Je crois que cela créa des frictions entre les deux hommes.

Harry et Cubby possédaient deux personnalités très différentes. Je les aimais bien tous les deux mais Cubby était beaucoup plus facile à vivre. Harry était plus sanguin, n'hésitant par exemple pas à renvoyer son assiette en cuisine, ainsi que celle de tous les autres convives, quand il était au restaurant. Il trouvait toujours quelque chose à redire, insultait les serveurs et le chef. Dans ces cas-là, étant donné que mon assiette me convenait généralement très bien, j'insistais pour la conserver, d'autant que j'imaginais très bien les cuistots en train de cracher dans le plat réchauffé. Cubby racontait alors, en blaguant, qu'Harry n'aurait pas hésité à faire un scandale même s'il avait participé à la Cène!

Sur *Vivre et laisser mourir*, Harry était très présent et Cubby un peu plus effacé, mais la tendance s'inversa lors du film suivant. George Hamilton résuma bien la situation le jour où il expliqua qu'il était heureux de travailler avec Harry et Cubby, mais uniquement quand les deux hommes n'étaient pas ensemble.

Mon premier accident dans la peau de James Bond survint à La Nouvelle-Orléans, pendant la poursuite en jet boat. Ces petits bateaux, bien qu'agréables à conduire à grande vitesse, se révèlent délicats à manœuvrer, surtout dans les virages. Un jour, alors que je m'exerçais, je terminai ma course dans une péniche en bois. Je fus éjecté du bateau et percutai un mur de plein fouet, me brisant une dent de devant et me foulant le genou. Je dus m'aider d'une canne pendant plusieurs jours mais, fort heureusement, James Bond était assis dans presque toutes les scènes où j'apparaissais. L'indestructible 007, avançant clopin-clopant sans rien laisser paraître devant les caméras! Qui a dit que je ne savais pas jouer?

L'accident mis à part, je passai deux merveilleuses semaines en Louisiane, payé à détruire le bayou!

La dernière séquence à La Nouvelle-Orléans se déroulait sur un aérodrome. Bond y donnait une leçon de pilotage peu orthodoxe à Mme Bell. Au moment de filmer mon ultime scène, je ressentis une douleur très violente à l'aine. Je partis me reposer quelques instants dans ma caravane mais quand Derek Cracknell, l'assistant réalisateur, vint me chercher, je me tordais de douleur. Aussi me fit-il conduire à l'hôpital.

Les médecins diagnostiquèrent un nouveau calcul rénal. Allongé sur mon lit et gavé d'anti-douleurs, je reçus la visite d'un petit fonctionnaire zélé qui s'avança vers moi, un bloc-notes à la main.

— Nom, demanda-t-il.

— Roger Moore, marmonnai-je du bout des lèvres.

— Qui est votre employeur?

— Eon Productions, répondis-je.

— Adresse de la société?

— Je ne sais pas! lui dis-je tout en me demandant à quoi rimait ce cirque.

— Vous ne savez pas où vous travaillez? ricana-t-il. Où habitez-vous?

— Sherwood House, sur Tilehouse Lane, à Denham.

— Quel numéro?

— Il n'y a pas de numéro.

Il était vraiment en train de me courir sur les nerfs.

— Ah bon! dit-il en se croyant très malin. Comment le facteur fait-il pour vous trouver s'il n'y a pas de numéro?

— Parce que je suis super connu, bordel de merde! hurlai-je, dans l'espoir de le faire taire une fois pour toutes.

— Oh! Oh! répondit-il tout bas, avant de sortir précipitamment.

On me laissa sortir le soir même, muni d'une flopée de médicaments. L'un d'eux, le méthylène, avait cette particularité de colorer l'urine en bleu. Cette nuit-là, vers deux heures du matin, je fus pris d'une terrible envie d'aller aux toilettes. Les sens brouillés par les anti-douleurs, je me soulageai dans ce que je pensais être la salle de bains. Je découvris le lendemain que j'avais en fait ouvert la porte du placard, et que mes beaux habits étaient teintés de bleu...

Nous nous envolâmes ensuite pour la Jamaïque. Je fus frappé par la beauté de cette île que je découvrais pour la première fois. Nous visitâmes Montego Bay, puis nous nous rendîmes à Ochos Rios. J'en profitai pour visiter Goldeneye, la vaste propriété de Ian Fleming. Noël Coward avait l'habitude de dire qu'il n'y avait pas que l'œil qui y était en or, mais aussi les oreilles, le nez et la gorge! Bien vu.

Harry Saltzman tenait à me conduire sur le plateau le lendemain et me demanda d'être prêt à huit heures précises. Je ne remonterais plus jamais dans une voiture avec lui. Harry, que j'adore, se comportait comme si toute la Jamaïque savait qu'un producteur très important avait débarqué, conduisant à contresens et coupant la route à tous ceux qu'il croisait.

George Crawford, notre excellent cuisinier, était une fois de plus de la partie. Vous pouviez être au bout du monde, George savait satisfaire à vos exigences les plus subtiles, comme par exemple vous dénicher une sauce typiquement anglaise là où il n'y avait rien. Pour ce premier jour, il avait mis les petits plats dans les grands, et avait dressé les tables avec de belles nappes blanches, de la porcelaine et toute l'argenterie. Je fis remarquer à Harry combien tout cela était élégant.

— C'est vrai, ça! Combien ça me coûte, au fait? hurla-t-il à George.

À partir de ce jour, tout changea : Harry décida de réduire le budget alloué à la nourriture. Sachant que ses protestations tomberaient dans l'oreille d'un sourd, George cuisina alors quelques poulets avariés. Nous frôlâmes l'émeute, mais il obtint de nouveaux crédits.

La cuisine fut aussi l'objet d'une grosse blague que nous fîmes à Jane Seymour, qui était alors mariée au fils de Richard Attenborough, Michael. Avant le tournage, Richard m'avait écrit un petit mot pour me demander de bien accueillir Jane et d'être gentil avec elle. C'était pourtant le cas d'habitude, non ? À l'heure du déjeuner, les acteurs, le réalisateur, le cameraman, tous étaient assis à la table d'honneur, comme nous la surnommions ironiquement. Nous remarquâmes bien vite la drôle de manie qu'avait Jane. Elle nous demandait sans cesse de lui faire passer la sauce barbecue, le ketchup, le sel, une autre sauce... Bref, elle n'arrêtait pas de réclamer quelque chose. Cela dura des jours, et après avoir passé la moitié de mes repas à lui tendre des condiments, je décidai de me venger et proposai à tous les autres convives de nous lever et de quitter la table dès qu'elle se joindrait à nous, le lendemain. Le moment venu, elle fondit en larmes, et je me trouvai tout idiot d'avoir été si méchant.

En tant que star du film, j'avais droit à ma propre caravane. Mais en lieu et place d'un luxueux camping-car, je dus me contenter d'une de ces estafettes rouillées qu'utilisent les vendeurs de frites sur le bord des routes. Il fallait des cales en bois pour la stabiliser et un seau placé à l'arrière me servait de toilettes !

L'une des choses les plus amusantes que j'eus à faire pendant le tournage fut de conduire un autobus à impériale qui, si vous vous en souvenez bien, passe sous un pont et en ressort avec l'étage en moins. Avant de partir pour la Jamaïque, je m'étais longuement entraîné à piler sur le macadam glissant du dépôt d'Hammersmith, dans l'ouest de Londres. J'étais au début terrorisé à l'idée que le bus ne se retourne, mais je découvris qu'il était conçu de manière à éviter ce genre de désagrément. Sur le tournage, nous employions généralement une doublure, mais il m'arrivait de prendre moi-même le volant. Un jour, alors que j'attendais le début de la prise, confortablement assis dans la cabine de l'autobus, une Mercedes s'arrêta à ma hauteur. Le conducteur baissa sa vitre et demanda l'air pincé s'il y en avait encore pour longtemps.

— Nous sommes désolés, lui dis-je, nous nous apprêtons à tourner, cela devrait être rapide.

— Parce que vous êtes quand même sur mes terres...

La plantation de cannes à sucre lui appartenait en effet !

Mais revenons au film. Gloria Hendry interprétait Rosie Carver, le contact de Bond en Jamaïque. Nous nous entendîmes très bien. Elle avait la particularité d'être la première James Bond girl noire, ce qui, à l'époque, avait suscité des réflexions désobligeantes dans la presse. Heureusement, Harry sut gérer le problème et lui apporta son soutien inconditionnel.

Une autre phrase mémorable du scénariste fut d'ailleurs prononcée par votre serviteur dans la scène où Rosie, qui se trouve dans la chambre de Bond, découvre sur le lit un chapeau orné d'une plume ensanglantée. Rosie hurle et Bond constate : « Mais ce n'est qu'un couvre-chef ! Petite tête à faible quotient intellectuel d'un humain vaincu par un volatile. »

Le reste de la distribution se composait de Yaphet Kotto dans le rôle du méchant baron de la drogue M. Big, alias Kananga. Julius Harris jouait Tee Hee, l'acolyte au bras de métal, et Geoffrey Holder interprétait le mystérieux Baron Samedi, grande figure vaudou, chargé d'éloigner les curieux qui s'intéressaient de trop près aux champs de pavot.

Le nom de Kananga venait de Ross Kananga, le propriétaire d'un élevage d'alligators que Syd Cain, notre directeur artistique, avait découvert par hasard en Jamaïque. À l'entrée de sa propriété, un panneau indiquait que tout intrus serait dévoré. Ross me raconta même que son père avait fini ainsi.

Ces alligators et ces crocodiles me terrorisaient, y compris les bébés qui pouvaient vous arracher les doigts d'un coup de mâchoire. Ross en avait entraîné un – si tant est qu'on puisse enseigner quoi que ce soit à ces bestioles – à sortir de l'eau et à ramper jusqu'à la hutte que Bond devait détruire. Pour les besoins de la scène, je devais attendre que ce monstre carnivore passe à côté de moi. J'étais d'autant plus nerveux que j'avais fait l'erreur de mettre de magnifiques chaussures italiennes en croco. Je croisai donc les doigts pour que mes chaussures n'aient pas de la famille dans le parc de Ross ! En attendant, j'étais seul sur une petite île au milieu d'un lac, tandis que l'équipe technique avait investi quelques embarcations au loin. On tenta de me rassurer en m'expliquant que les reptiles avaient été éloignés. Mouais. Dans la vase, je voyais de méchants yeux scintillants qui m'observaient à travers les palétuviers. Gloups !

Je devais sauter sur le dos de quelques alligators, heureusement en caoutchouc, pour rejoindre la rive, une épreuve dont je me sortis sans encombre. Mais Ross, qui me doublait, eut la chaussure arrachée par l'un de ses protégés.

Le tarot étant un thème récurrent dans le film, un cartomancien vint un jour nous tirer les cartes. J'eus droit à deux prédictions : l'un de mes fils deviendrait quelqu'un d'important et j'aurais un accident de voiture dans une limousine noire. Geoffrey, à qui je demandai le soir même s'il voulait devenir Premier ministre, accepta la proposition sans faire d'histoires, mais elle ne se concrétisa pas. Quant à moi, j'évitai les voitures noires pendant un moment. On n'est jamais trop prudent !

Et puis ce n'était pas le moment d'avoir un accident : à notre plus grande surprise, Luisa attendait un enfant. Christian naquit le 18 août 1973, un peu plus d'un mois après la première du film. Moi qui pensais être débarrassé des couches et des biberons, j'y replongeai avec bonheur, à quarante-six ans. Je signale au passage que Christian échappa lui aussi à une carrière politique internationale. Il est aujourd'hui producteur à Los Angeles.

Je tenais à ce que Luisa et les enfants soient le plus souvent auprès de moi durant ce tournage. Nous engageâmes donc deux ou trois nounous et un précepteur afin que leur scolarité ne soit pas trop chaotique et que notre vie de famille soit le moins chamboulée possible. Cependant, Luisa aussi avait ses obligations en Angleterre, et mes parents prirent souvent le relais dans notre maison de Denham pour s'occuper des enfants, qu'ils gâtèrent évidemment.

Nous étions une famille heureuse et unie. Sur les tournages, Luisa trouvait toujours à s'occuper en flânant dans les villages alentour ou en préparant les repas du soir auxquels elle conviait parfois quelques membres de l'équipe, dont Geoff Freeman, notre attaché de presse, pour qui les boîtes de conserve constituaient déjà un festin.

De retour à Pinewood, nous tournâmes les scènes d'intérieur, dont celle de l'appartement de 007. Les décors avaient été confiés à Syd Cain, qui avait déjà travaillé sur deux autres films de la série. Je me souviens d'une très belle matinée de tournage en compagnie de la délicieuse Madeline Smith, qui jouait le rôle de Mlle Caruso, l'agent secret italien. Dans cette scène, j'utilisai mon gadget favori, la montre magnétisée, qui servait à dégrafer la robe de Maddy. Il faut savoir que certains des gadgets de Bond ne fonctionnaient pas, sauf dans les mains expertes de nos spécialistes en effets spéciaux, dirigés par Derek Meddings. En ce qui concernait la montre, Derek plaça un morceau de fil de fer dans la robe de Maddy, juste derrière la fermeture à glissière. Il n'avait plus qu'à tirer délicatement dessus pendant que je faisais descendre ma montre le long de son dos en disant :

— J'ai un tel magnétisme, chérie !

Ce ménage à trois n'avait rien de romantique et Maddy s'arrangea pour se passer des services de Derek dans nos autres scènes ensemble.

Pour cette séquence, je retrouvai également mon ancienne partenaire de la RADA, Lois Maxwell, alias Moneypenny, et mon cher Bernie Lee dans le rôle de M.

Autre scène d'intérieur mémorable : le moment où Jane Seymour, qui jouait Solitaire, succombait à mes charmes. Nous avions filmé le début de cette séquence dans la chaleur de la Jamaïque et nous la terminâmes sous les frimas de l'hiver anglais. Joan Collins m'avait quelque temps auparavant appris un truc pour me réchauffer dans de telles conditions ; ce fut donc vêtus de chaussettes de football que nous nous glissâmes tous les deux sous les draps.

Pour la dernière partie du tournage, nous vîmes débarquer des créatures horribles. Car s'il y a des animaux que je déteste encore plus que les alligators, ce sont les serpents. Geoffrey Holder, qui partageait ma phobie, fut terrorisé d'apprendre que le Baron Samedi devait tomber à la renverse dans un cercueil grouillant de serpents. L'équipe technique tenta de le rassurer en lui certifiant qu'ils n'étaient pas du genre à mordre leur proie, mais plutôt à l'étouffer. Geoffrey n'en fut que très modérément rassuré... Il n'avait cependant pas le choix, il lui fallait faire bonne figure devant Son Altesse Royale, la princesse Alexandra de Kent, venue nous rendre visite ce jour-là.

Harry Saltzman aimait inviter des amis sur ce même plateau et il se comportait alors comme un enfant qui exhibait fièrement ses jouets devant ses petits copains. Quand la lumière rouge s'alluma, signal que nous tournions, Harry continua de parler, et même un peu plus fort.

— Silence sur le plateau, cria alors Derek Cracknell. C'est aussi valable pour vous, monsieur Saltzman !

Derek aimait vivre dangereusement.

Le film se terminait par le sauvetage de ma chère Jane en détresse, dans l'antre de M. Big, que je faisais exploser.

Pendant que les bobines partaient au montage et en postproduction, je profitai de quelques semaines de temps libre avant la grande première, qui devait avoir lieu le 6 juillet 1973. Vers la fin du mois de juin, il fallut nous prêter à l'exercice des interviews, qui se déroulaient toujours selon la même procédure : la production réservait plusieurs chambres d'hôtel dotées de grandes tables où nous nous asseyions pour des entretiens d'une vingtaine de minutes, avant de passer à la chambre suivante. Les questions étaient toutes les mêmes.

— Quelles sont les différences entre votre James Bond et celui de Sean Connery ?

— Aviez-vous peur de reprendre son rôle ?

— Combien de James Bond allez-vous tourner ?

— Que pensez-vous de vos partenaires ?

Vous voyez le genre !

Les James Bond n'ont jamais eu besoin de projection-tests. Il y avait généralement une avant-première, souvent en présence de la famille royale, précédée d'une unique projection de presse. Sur le chemin qui me conduisait au cinéma ce jour-là, je pris soudainement conscience que mon premier James Bond allait bientôt être vu par le public et les fans, et je connus quelques instants d'angoisse. Mais je me raisonnai en comparant la situation à un accouchement : une fois qu'il est enclenché, il n'y a rien à faire pour l'arrêter, et tout se passe généralement bien. Au pire, je pourrais toujours refaire des photos pour les pages de mode des magazines féminins... Mais mes craintes se révélèrent infondées. Budgété à sept millions de dollars, le film en rapporta cent vingt-six dans le monde entier. Un joli retour sur investissement, non ?

Juste avant la sortie de *Vivre et laisser mourir*, j'avais entamé les pourparlers pour mon prochain film, *Gold*, dont le producteur Michael Klinger m'avait envoyé le scénario. Adapté du roman de Wilbur Smith, il devait être tourné en Afrique du Sud, où Michael avait levé près d'un million de livres sterling. Mais, au moment où nous entrions en préproduction, une grosse tuile nous tomba dessus. Alan Sapper, le président de l'ACTT, le syndicat des techniciens dont j'étais toujours membre, nous informa qu'il s'opposait à ce que nous filmions dans ce pays à cause de l'apartheid. Il nous précisa même clairement que si le producteur passait outre, les prochains James Bond seraient mis sur liste noire. Cela ressemblait fortement à du chantage ! Equity, le syndicat des acteurs, monta alors au créneau en déclarant qu'aucun syndicat n'avait le droit de mettre ainsi en danger l'un de ses membres. L'affaire fit la une des journaux.

Alan Sapper conseilla alors à Michael Klinger d'aller tourner au pays de Galles, mais celui-ci lui expliqua que les mines de charbon et les paysages gallois n'avaient pas grand-chose à voir avec ceux de l'Afrique! De plus, en faisant cela, il ne pouvait plus compter sur ses investisseurs sud-africains. Après moult discussions, et une très mauvaise presse, Sapper laissa finalement les techniciens libres de choisir.

En fin de compte, toute l'équipe du film estima qu'il était plus important de défier les lois racistes et de travailler avec des techniciens et des comédiens noirs que de cautionner la politique d'apartheid du gouvernement sud-africain, ce qui se serait passé si nous nous étions rangés derrière la position bien intentionnée mais intransigeante de l'ACTT.

Je pus donc endosser le rôle de Rod Slater. Peter Hunt, notre réalisateur, avait été monteur et réalisateur de la seconde équipe sur les James Bond de la période Sean Connery, leur donnant ce style si particulier toujours en vigueur de nos jours. Il avait ensuite mis en scène *Au service secret de Sa Majesté*, avec George Lazenby, que j'avais beaucoup aimé. J'avais même travaillé avec lui sur un épisode d'*Amicalement vôtre*. C'était un excellent directeur d'acteurs, qui savait exactement comment il allait monter ses plans, et ne perdait jamais de temps.

Nous fûmes chaleureusement accueillis à notre arrivée à Johannesburg, à l'automne 1973. Le film n'était absolument pas politique et ne prêtait pas à la controverse. Dans l'équipe, nous avions beaucoup de Sud-Africains, blancs et noirs, et nous n'eûmes aucun souci lié à l'apartheid, hormis les sirènes terrifiantes qui hurlaient à vingt-deux heures tous les soirs, synonyme de couvre-feu pour les Noirs. J'estimai cependant que le tournage n'était pas adapté aux besoins de ma petite famille, aussi Luisa et les enfants ne m'accompagnèrent-ils pas. Je partageai là-bas une immense suite avec Michael Klinger et son épouse Lilly. Elle avait beau posséder deux chambres et un grand salon, j'entendais invariablement leur conversation le matin en faisant mes exercices. Michael lui réclamait un café qu'elle lui conseillait de commander à la réception. Il répondait qu'il voulait que ce soit elle qui le lui fasse, et elle l'envoyait balader. Ce petit manège bon enfant se répétait tous les jours.

Michael était un producteur très drôle, ce qui est suffisamment rare dans ce métier pour le souligner. Il avait démarré sa carrière de façon incroyable. À l'époque où il possédait le Gargoyle Club à Londres, du côté de Wardour Street, il loua un jour ses locaux au photographe de charme George Harrison Marks. Quelques temps plus tard, dans le cadre d'un projet de documentaire sur une colonie de nudistes dans les Cornouailles, ce dernier le sollicita à nouveau. *Corps sans voiles* manquant cruellement d'argent, Michael accepta de le financer en partie. Dans les années soixante, la pornographie était encore illégale et les productions de ce genre généraient forcément une grande demande. C'est en croisant un jour un ami, à qui il raconta qu'il avait donné de l'argent pour un film, que Michael se rendit compte qu'il était devenu producteur !

Sur *Gold*, il fut un amour. Il se souciait toujours des acteurs et de l'équipe technique, particulièrement sur les lieux de tournage, et mettait volontiers la main à la pâte. Avec John Glen, notre réalisateur de la deuxième équipe, il n'hésita d'ailleurs pas à parcourir plus de quatre cents kilomètres pour aller remplir d'énormes réservoirs d'essence pour les scènes se déroulant dans les mines d'or de Buffelsfontein et de Randfontein, respectivement distantes de cent soixante et de quarante-cinq kilomètres de Johannesburg. À l'époque, l'essence était rationnée et il fallait se montrer rusé pour s'en procurer. Une autre fois, alors que nous tournions six cents mètres sous terre, les propriétaires de la mine nous firent savoir que les ascenseurs seraient hors service pendant quelques heures, le temps de s'assurer de leur bon fonctionnement. Michael décida qu'il ne fallait pas sacrifier à la pause thé pour autant, et descendit deux mille marches pour nous apporter un gigantesque plateau garni de saucisses et de grosses théières. Évidemment, tout le monde l'adorait.

Cet homme avait également réussi à boucler un casting de toute beauté : Susannah York, Ray Milland, Bradford Dillman, John Gielgud et Simon Sabela, un acteur zoulou particulièrement doué. L'un des nombreux plaisirs, lorsque l'on est acteur, est de rencontrer des personnes que l'on a toujours admirées. En ce qui me concernait, ce fut le cas avec Ray Milland, qui était bien entendu une mine d'anecdotes.

Voici ma préférée : un jour qu'il voyageait entre New York et Los Angeles, son avion fit une halte à Chicago. À l'époque, il n'y avait pas de vols transcontinentaux directs, et les gens faisaient escale pour la nuit. Il s'installa donc ce soir-là pour dîner à son hôtel quand une hôtesse de l'air qui avait servi sur son vol vint s'asseoir à ses côtés. Elle donnait l'impression de le draguer, mais il n'était pas vraiment sûr de ses intentions. Il usa donc d'un stratagème et pria la jolie demoiselle d'aller chercher la clé de sa chambre à la réception, prétextant avoir oublié son numéro. Elle revint, tout sourire, et la lui tendit d'un air engageant.

— Ah oui, bien sûr, la chambre 309!

Elle acquiesça dans un battement de cils et il lui souhaita bonne nuit.

Il n'était pas couché depuis cinq minutes – il avait bien pris soin de laisser la porte entrouverte –, lorsqu'elle entra dans la pièce. En un éclair, elle se glissa dans son lit et se mit à le chevaucher.

— Mon Dieu! cria-t-elle alors.

— Qu'est-ce qu'il y a? demanda Ray.

— Je n'y crois pas! Je suis en train de faire l'amour avec Ray Milland!

Il faillit en perdre tous ses moyens.

À la fin de son histoire, je dus lui avouer qu'aucune histoire de ce type ne m'était jamais arrivée. Il me dévisagea, incrédule à l'idée qu'aucune jolie fille ne m'eût jamais fait d'avances.

— Vraiment?

— Vraiment, confirmai-je. Aucune fille ne m'a jamais braillé qu'elle était en train de faire l'amour avec Ray Milland!

Mais Ray n'était pas aussi indépendant qu'il l'eût souhaité. Il arriva un jour sur le plateau et demanda à Peter Hunt quelle perruque il devait porter. Celui-ci lui répondit qu'il n'était pas obligé d'en mettre une, mais qu'il pouvait agir comme bon lui semblait. Ray parut soulagé, mais, le lendemain, il apparut néanmoins avec une perruque sur la tête. Sa femme avait insisté.

Descendre dans la mine était une expérience vraiment pénible. Le matin, l'ascenseur s'arrêtait à trois niveaux. Les patrons montaient au premier, les mineurs blancs au deuxième et les Noirs au troisième. La vitesse de descente était impressionnante et je n'étais pas du tout rassuré de voir tous ces hommes aguerris se tenir de toutes leurs forces au rail de sécurité.

— Regardez ce type, me gueula un mineur à propos d'un autre. Il descend là depuis plus de trente ans et il a toujours la trouille au ventre.

Certes, un peu de réalisme rendait mon personnage encore plus crédible, mais il y avait des limites! Un jour, dans ma salle de bains, je sentis mes tétons devenir ultra-sensibles et les vis changer de couleur. Je courus à la pharmacie où l'on m'apprit que j'avais été empoisonné à l'arsenic, une substance qui suinte souvent des parois des mines.

Dans la séquence finale, la mine devait être noyée après une série d'explosions. La scène fut évidemment reconstituée en surface où d'immenses réservoirs d'eau déversèrent des milliers de litres. Nous avions hélas oublié que nous tournions sur du sable : en quelques instants, l'eau fut absorbée par le sol et nous nous retrouvâmes à patauger dans quelques centimètres de boue au lieu d'être emportés par les flots. Je proposai alors de retourner la scène en intérieur, à Pinewood, dans des conditions optimales.

— C'est une bonne idée, Roger, mais je n'en ai pas les moyens, soupira Michael Klinger. Nous avons dépensé la quasi-totalité du budget.

Je répondis imprudemment que je travaillerais donc gratuitement jusqu'à la fin du tournage, et nous pûmes ainsi aller tourner à Pinewood. En contrepartie, j'obtins un pourcentage sur les recettes. Cependant, des individus malhonnêtes se retrouvèrent plus tard associés au film, et je dus m'asseoir sur mes royalties. Heureusement, après bien des efforts, mon assistante Doris Spriggs et mon chargé d'affaires Tony Whitehouse m'aidèrent à saisir légalement les négatifs. Aujourd'hui, le film m'appartient.

Afin de surfer sur le succès de *Vivre et laisser mourir*, Cubby et Harry mirent rapidement *L'Homme au pistolet d'or* en préproduction. Toute l'équipe artistique du précédent opus – Guy Hamilton, Tom Mankiewicz et Ted Moore, notre directeur photo – fut à nouveau réunie et le tournage démarra à Hongkong au cours de l'été 1974. Ce fut la dernière fois qu'Harry et Cubby travaillèrent ensemble.

Je rencontrai bientôt mes deux exquises partenaires suédoises, Maud Adams et Britt Ekland, que je surnommais affectueusement Moche et Beurk, ce qui sonnait plutôt bien ! Mon agent, Dennis Sellinger, était également celui de Britt, et il était très fier d'avoir réussi à placer sa protégée dans le film. Cubby appréciait beaucoup que les premiers rôles féminins soient tenus par des femmes « bien faites », comme il disait – il était amateur de fortes poitrines. Pour le convaincre, Dennis lui avait envoyé une copie de *The Wicker Man*, le précédent film de Britt, où elle apparaissait nue et enceinte de quelques mois. Pour une de ces scènes, une « doublure fesses » la remplaçait. Britt était la première à admettre que son propre postérieur était moins imposant, mais Cubby, visiblement très impressionné par ce qu'il vit, la fit signer sans plus attendre. Lorsque

Britt arriva sur le tournage du *Pistolet d'or*, un an après son accouchement, avec une poitrine nettement moins généreuse et des fesses qui ne ressemblaient pas au souvenir qu'il en avait, je crois que Cubby se sentit légèrement déçu, même s'il lui témoigna toujours une grande tendresse.

Pour notre deuxième collaboration, le réalisateur voulait dynamiser le personnage de Bond en le rendant plus agressif, une décision particulièrement visible dans la scène où je tords le bras de Maud en lui disant froidement que j'irais jusqu'à le lui casser si elle ne me dit pas ce qu'elle sait. Cette nouvelle orientation me mettait un peu mal à l'aise. Dans une telle situation, le 007 que je voulais incarner userait plutôt de son charme et coucherait avec la fille pour la faire parler. Mon James Bond était un amant et un jouisseur. Mais Guy ne l'entendait pas de cette oreille et voulait coller le plus possible au personnage des romans de Ian Fleming. Je lui fis confiance et me laissai guider par sa vision.

James Bond était en train de faire la fortune de Cubby et d'Harry, au-delà de leurs prévisions les plus optimistes. Guy me raconta d'ailleurs une histoire à ce sujet. Les deux producteurs avaient chacun leur bureau sur le même palier. Celui d'Harry donnait sur Tilney Street tandis que celui de Cubby donnait sur South Audley Street. Un jour que Guy était en entretien avec Cubby, le téléphone sonna. C'était Harry, qui fut mis sur haut-parleur. Guy put donc me rapporter leur conversation.

— Cubby, tu sais ce que nous devrions faire avec tout cet argent ?

— Quoi donc, Harry ?

— Nous devrions acheter des lingots d'or.

— Ah ! Et où les rangerions-nous ? demanda Cubby.

S'il se posait la question, c'est qu'ils avaient les moyens d'en acheter de grandes quantités ! Bien sûr, la proposition d'Harry ne se concrétisa jamais.

Le reste de la distribution se composait de mon ami Christopher Lee, un cousin de Ian Fleming, dans le rôle du méchant Scaramanga, pour lequel Jack Palance avait un moment été pressenti. Je retrouvai aussi Desmond Llewelyn, qui interprétait Q, avec qui j'avais déjà travaillé sur *Ivanhoé*. Je me suis d'ailleurs toujours demandé pourquoi il n'avait pas été embauché sur *Vivre et laisser mourir*. Ce pauvre Desmond se retrouvait toujours avec des dialogues extrêmement techniques et je crois bien que les scénaristes prenaient un malin plaisir à lui écrire des phrases plus débiles les unes que les autres, sachant que c'était quelqu'un de très sérieux, qui se concentrait intensément sur son travail. Je n'aurais su être en reste : avec la complicité d'une script-girl, je récrivis plusieurs fois ses dialogues, qu'il passait un temps fou à répéter. Évidemment, il n'était pas très content de devoir en mémoriser de nouveaux après avoir passé autant de temps sur une première version. Je m'amusai beaucoup à ses dépens, jusqu'au jour où il découvrit le pot aux roses !

À Hongkong, nous logions au Peninsular Hotel. C'est là que je rencontrai pour la première fois Hervé Villechaize, l'inimitable Tric-Trac. Hervé était un homme à femmes, qui avait l'habitude de se rendre dans les clubs de la ville armé d'une lampe de poche qu'il pointait sur les filles qui l'intéressaient en disant : « Alors toi, toi, toi, pas toi, et toi… » Il les ramenait ensuite dans sa chambre d'hôtel. Quand nous quittâmes la ville, je lui demandai combien il avait ainsi réussi à en séduire.

— Quarante-cinq, me répondit-il de sa petite voix au fort accent français.

— Si tu les as payées, ça ne compte pas.

— Même en payant, certaines refusent, me répondit-il tristement.

Hervé avait même essayé de coucher avec Maud Adams. Un matin, dans le lobby de l'hôtel, il s'était approché d'elle. Il avait levé les yeux vers elle – il lui arrivait à la ceinture – et lui avait déclaré :

— Maud, ce soir, je frapperai à votre porte, je me glisserai sous vos draps et je vous ferai passionnément l'amour.

Elle lui répondit du tac au tac que, si elle apprenait qu'il était effectivement entré dans sa chambre en son absence, elle en serait très fâchée.

Hervé me raconta aussi qu'il prenait toujours une chambre au premier étage quand il descendait à l'hôtel.

— Parce que je ne peux pas appuyer sur les autres boutons de l'ascenseur ! me répondit-il quand je lui en demandai la raison.

À Macao, nous tournâmes plusieurs scènes sur ces fameux bateaux casino à deux étages. Les roulettes se trouvaient sur le pont inférieur, les tables de Blackjack à l'étage, et c'est sur le pont supérieur que j'allais m'asseoir avec Cubby entre deux prises. Nous dûmes rester deux ou trois soirs, et l'équipe finissait toujours par tenter sa chance au jeu après sa nuit de travail. De peur qu'ils ne dépensent entièrement leur salaire, Cubby ne leur en versa qu'une partie cette semaine-là, mais il leur distribua très généreusement un gros tas de jetons pour qu'ils puissent s'amuser.

Cubby et moi nous entendions bien et aimions beaucoup travailler ensemble, mais nous ne parlions jamais affaires. Il y avait toujours une partie de backgammon en cours entre nous, pour laquelle nous inscrivions nos scores dans un petit livret. Le point était à un dollar, et si l'un de nous était en retard sur l'autre, nous augmentions la mise à cinq ou dix dollars afin de lui permettre de se refaire. Quand on m'appelait pour tourner, Cubby levait parfois la main en demandant de nous accorder une minute, parce qu'il était en train de me plumer !

Un soir, la chance était avec moi et je menais de deux cent mille dollars. Agacé, Cubby décréta que les tours suivants vaudraient cent mille dollars chacun ! Nous faisions toutefois attention à ne jamais trop miser, et au final, les gains ne dépassaient jamais quelques milliers de dollars.

Lors de ce tournage, un jeune inspecteur de la police fluviale, en short et chaussettes blanches, m'aborda et m'annonça que nous nous étions déjà croisés.

— Vous tourniez un épisode d'*Amicalement vôtre* avec Tony Curtis au 10 Downing Street, où j'étais planton, m'expliqua-t-il.

— Comment se fait-il que vous soyez encore inspecteur trois ans plus tard ? lui demandai-je.

— Que voulez-vous dire ? s'étonna-t-il.

— Vous auriez pu devenir préfet si vous aviez remarqué que Tony était en train de fumer un joint à côté de vous ce jour-là !

Même après avoir été arrêté à son arrivée à Londres, Tony avait en effet continué à fumer du cannabis, y compris devant la résidence du Premier ministre.

Un jour que Britt et moi tournions devant le Peninsular la scène dans laquelle Bond se dirige vers la voiture de sport de Mary Bonnenuit, entourés de centaines de Chinois qui nous mitraillaient avec leurs appareils photo, elle s'exclama avec délice :

— J'adore être une star de cinéma !

— Ils sont là pour Maud et pour Hervé, lui répondis-je en riant, histoire de la ramener sur terre.

À l'époque, Britt venait de divorcer de Peter Sellers. Je connaissais Peter depuis longtemps et j'avais croisé Britt à plusieurs reprises chez eux avant de travailler avec elle. On racontait qu'ils s'étaient rencontrés par l'intermédiaire de Maurice

Woodruff, un célèbre voyant des années soixante que Peter consultait régulièrement. Celui-ci lui aurait dit, sur instruction de Britt, que Peter tomberait amoureux d'une femme dont les initiales étaient B. E. Mais je n'ai jamais pu avoir confirmation de cette rumeur !

Le tournage se poursuivit à Bangkok. En quittant Hongkong, Cubby était tout excité d'avoir trouvé un tailleur qui lui avait confectionné plusieurs costumes en vingt-quatre heures pour un prix défiant toute concurrence. Il en portait d'ailleurs un en montant dans l'avion, mais son pantalon se déchira littéralement en deux sur la passerelle ! Nous ne nous privâmes évidemment pas de nous moquer de lui.

C'est à Bangkok que fut tournée la poursuite en bateau sur les klongs, ces voies navigables qui serpentent à travers la ville. On nous conseilla vivement de ne surtout pas boire la tasse en cas de chute dans leurs eaux troubles. Ce conseil me fut bien utile car je passai deux fois par-dessus bord. D'abord pour les besoins du film, ensuite pour m'être un peu trop penché, près de l'échoppe d'un croque-mort. Je restai quelques secondes sous l'eau afin d'éviter l'hélice du bateau mais commis l'erreur d'ouvrir les yeux et compris avec horreur où le fossoyeur entreposait les cadavres des familles les plus pauvres…

Clifton James, l'acteur qui avait brillamment interprété le shérif raciste J.W. Pepper dans *Vivre et laisser mourir*, participait à cette séquence, qui incluait l'une des cascades les plus impressionnantes de toute l'histoire du cinéma : un saut en voiture à trois cent soixante degrés au-dessus de la rivière. Rien n'était simulé, et même si tout avait été rigoureusement calculé Cubby transpirait abondamment ce jour-là. Mais W.J. Milligan, le cascadeur, s'en tira formidablement bien en une seule prise, et Cubby en fut tellement soulagé qu'il lui offrit une prime.

Je n'ai qu'un seul regret sur cette partie du tournage. Aujourd'hui que je suis devenu ambassadeur de l'Unicef, j'ai honte de la scène dans laquelle je pousse dans la rivière un gamin qui tente de vendre un petit éléphant en bois à James Bond.

Nous partîmes ensuite pour Phuket, dans le petit village de Pang Na. Notre équipe de décorateurs nous avait précédés afin de rendre le seul hôtel du coin un peu plus confortable. L'établissement comportait six chambres un peu délabrées dans lesquelles Cubby, Christopher, Guy, les deux filles et moi nous installâmes. La mienne était grande, équipée d'un ventilateur au plafond, l'air conditionné étant peu courant à l'époque dans cette région. J'avais une marche à descendre pour me rendre à la salle de bains, un bien grand mot pour qualifier un espace occupé par un lavabo minuscule, un trou dans le sol pour figurer les toilettes et la douche, et un seau à remplir en guise de chasse d'eau. Je racontai en plaisantant à Cubby que je pouvais ainsi simultanément être accroupi au-dessus du trou, me laver les dents, prendre ma douche et me raser.

Les murs de l'hôtel étaient épais comme du papier à cigarette, et ma chambre jouxtait celle de Christopher, qui avait l'habitude de fredonner ses airs d'opéra favoris, *Le Barbier de Séville*, *Carmen* et d'autres encore. Christopher, qui interprétait Scaramanga, doté du fameux troisième téton et censé habiter Phuket, devait donc avoir l'air bronzé. Aussi passait-il des heures à s'enduire le corps de fond de teint. Le soir, je le voyais porter ses seaux d'eau et l'entendais se démaquiller en chantant. Il aurait fait un excellent chanteur.

Les tournages en extérieur étaient longs et fastidieux. En plus de nous lever tôt, nous avions une heure de bateau pour rejoindre le plateau, avant de passer au maquillage et d'enfiler nos costumes dans nos loges flottantes. La mer était toujours d'un calme absolu et, de temps en temps, des poissons volants sautaient par-dessus ou dans le bateau, tandis que nous voguions vers les petites îles surgies de l'eau tels des pénis marins.

Nous employions deux gardiens de nuit pour surveiller le matériel. Pourtant, nous découvrîmes un matin que tous nos générateurs avaient disparu. Les deux hommes n'avaient bien entendu rien remarqué. C'était plus que louche. Une autre fois, nous tournâmes quelques plans aériens avec un hélicoptère. Je demandai à Cubby si je pourrais profiter de l'appareil pour rentrer à l'hôtel, au lieu de perdre une heure sur le bateau. Mais lorsque nous eûmes mis en boîte la dernière scène de la journée, je vis Guy, Cubby et Derek Cracknell monter dans l'hélicoptère et me faire de grands signes tandis qu'ils décollaient sans moi. Les salauds !

Comme dans tous les James Bond, le repaire du méchant devait exploser à la fin. Pour le tournage de cette séquence, Guy et l'équipe des effets spéciaux nous expliquèrent à Britt et moi-même que dès notre sortie du repaire de Scaramanga, des explosions retentiraient, les unes après les autres. Les charges étant très importantes, nous devrions nous cacher dans un recoin avant le grand feu d'artifice.

— Et vous, vous serez où ? leur demandai-je.

Ils ne répondirent pas, mais s'éloignèrent et montèrent sur le bateau pour se mettre à l'abri, au large !

Le bruit s'étant répandu qu'une équipe tournait dans la région, des légions de touristes débarquèrent ce jour-là sur l'île, leurs Nikon à la main, sans se soucier de savoir s'ils étaient en train de gâcher la prise. Mais, quand ils entendirent les explosions, ils déguerpirent sans demander leur reste.

De notre côté, nous nous trouvions au beau milieu du feu d'artifice. Britt, ravissante dans son minuscule bikini, et moi avions dépassé la première explosion quand son bras me glissa des mains. James Bond aurait poursuivi sa route, mais pas Roger Moore ! Je revins sur mes pas pour l'aider à se relever et nous eûmes à peine le temps de nous abriter que l'explosion principale retentit. J'avais mon bras autour d'elle et je sentis ma peau roussir sous l'effet de la chaleur intense.

Aujourd'hui, l'île est devenue très touristique. Nous y sommes retournés voilà quelques années avec Kristina au cours d'une croisière sur un Star Clipper, en compagnie de quelques amis scandinaves, dont le roi et la reine de Suède et leur fille. Ils me demandèrent de leur montrer où nous avions tourné, mais l'île déserte que j'avais connue en 1974 était désormais défigurée par de nombreux magasins et embarcadères. Nous poursuivîmes notre route sans nous arrêter.

Lors de mon dernier jour sur *L'Homme au pistolet d'or*, nous tournâmes la scène, située au début du film, de la danseuse du ventre à qui je prends la cartouche en or. À cette occasion, je portais un magnifique costume en soie que je projetais de subtiliser discrètement à la fin de la journée. À ma grande surprise, durant cette scène, Cubby avait passé son temps à nous observer perché sur une échelle. Je compris bien vite pourquoi.

— C'est dans la boîte ? demanda Guy.

— Oui, répondit l'équipe.

— Aucune poussière sur l'objectif ?

— Non, tout est parfait, chef.

— D'accord, conclut-il. Allez, c'est fini.

À ce moment-là, je reçus un énorme seau rempli d'une pâte collante sur la tête. Cubby se tordait de rire. Adieu joli costume !

Mon deuxième James Bond terminé, je croulais sous les propositions, mais peu d'entre elles étaient viables ! Néanmoins, un projet envoyé par Dimitri de Grunwald attira mon attention.

Intitulée *Le Veinard*, cette comédie se déroulait à Bruxelles et Sophia Loren devait y jouer le premier rôle féminin. L'idée de travailler avec l'une des plus belles femmes du monde fut pour moi un argument décisif. Dimitri, le réalisateur Christopher Miles et moi-même nous rendîmes donc à Paris pour déjeuner avec elle. Malheureusement, Dimitri, arriva en retard au restaurant, sans Sophia ni son mari Carlo Ponti. Le visage blême, il nous annonça, dépité :

— Elle ne fait plus le film !

Je ne sus jamais ce qu'il s'était passé. Et à deux semaines du début du tournage, nous n'avions toujours personne pour la remplacer. Je proposai alors le nom de Susannah York, avec qui j'avais beaucoup aimé travailler sur *Gold*. Elle fut embauchée quelques jours plus tard et rejoignit un très bon casting composé de Shelley Winters, Lee J. Cobb, Donald Sinden, Sydne Rome et Jean-Pierre Cassel.

Tout au long du film, Shelley et moi disputâmes des parties de rami endiablées. Lorsque Lee J. Cobb voulut se joindre à nous, elle feignit de ne pas bien connaître les règles. Il se dit probablement qu'il pourrait se faire facilement un peu d'argent mais elle le pluma aussi sec. C'était une joueuse chevronnée qui adorait la compétition.

J'eus de longues discussions avec Lee. Il m'apprit qu'il avait été gravement malade juste avant de s'engager sur le film, qu'il avait passé beaucoup de temps à l'hôpital et s'était d'ailleurs demandé comment il pourrait payer ses frais médicaux. Le jour de sa sortie, il eut la surprise d'apprendre que sa note avait été réglée par Frank Sinatra. Lee lui téléphona aussitôt.

— Monsieur Sinatra, dit-il, nous ne nous sommes jamais rencontrés et vous venez pourtant de régler mes frais d'hospitalisation. Puis-je vous demander l'explication de ce geste ?

— Parce que j'adore vos films, répondit le crooner.

Du Frank tout craché. Il aimait aider les gens et contribuer à des œuvres caritatives, mais de façon anonyme.

J'avais fait sa connaissance quand je travaillais pour la Warner et nous nous étions beaucoup fréquentés dans les années soixante. Dix ans plus tard, j'étais tombé sur lui à Londres, alors qu'il était marié avec Mia Farrow.

— Nous adorons *Le Saint*, me dit-elle, ce qui ne manqua pas de me faire rougir.

— Oui, nous regardons la série au lit quand nous sommes à l'hôtel. C'est ce qu'il y a de mieux à la télé, ajouta Frank.

C'était non seulement un chanteur exceptionnel mais aussi un homme de goût !

— Allons dîner ensemble demain soir, me proposa-t-il.

Je ne me le fis pas répéter deux fois. Nous nous retrouvâmes donc au restaurant Annabel. Frank m'y bombarda de questions sur la série et me demanda si je voulais continuer dans le cinéma.

— Bien sûr, répondis-je. Pourquoi cette question ?

— Petit, j'ai une tonne de scénarios qui s'accumulent sur mon bureau, je vais sûrement en trouver un qui te conviendra.

Sa proposition ne se concrétisa pas, mais nous restâmes amis jusqu'à son décès, passant de nombreuses fêtes de Thanksgiving et de Pâques ensemble. Luisa et moi assistâmes à plusieurs de ses concerts, tous complets, à travers le monde. Il était tellement différent de tous les artistes que j'ai connus ! Il parvint à captiver son public jusqu'au bout, en dépit de sa santé défaillante et de sa surdité. À l'occasion d'une de nos dernières conversations, il me déclara :

— Profite de la vie, petit, parce que c'est pas marrant de savoir que l'on va bientôt mourir.

Je m'amusai beaucoup en Belgique sur le tournage du *Veinard*. Les gens y sont très sympathiques et ont un grand sens de l'humour. J'en fis l'expérience un matin en commandant un jus d'orange frais à l'hôtel. Au goût, il était de toute évidence pasteurisé.

— J'ai demandé un jus d'orange frais, dis-je au serveur.

— Il est frais, me répondit-il.

— Non, insistai-je. C'est du jus en bouteille.

— Oui, c'est vrai, convint-il. Mais la bouteille était au frais.

À l'occasion de quelques scènes tournées à Bruges, je discutai longuement avec David Niven de cette ville. Il me raconta que, vers la fin de la Seconde Guerre mondiale, alors que les Alliés avançaient en Belgique, il s'était offert un petit détour par Bruges en Jeep avec un ami. La ville avait été reprise quelques jours plus tôt aux Allemands, et ils avaient pu s'offrir un bon gueuleton dans un restaurant près du canal. Le patron était tellement content de les voir qu'il alla chercher pour eux un grand cru qui avait échappé au pillage des Nazis. Sur le chemin du retour, un officier les arrêta.

— D'où venez-vous ?

— Nous sommes partis déjeuner à Bruges, répondit Niv.

— Bruges ? Mais c'est en territoire ennemi !

— Non, non, nous l'avons reprise voilà trois jours.

— Oui, et les Allemands ont contre-attaqué le lendemain!

Le Veinard ne connut pas le succès que nous espérions. Une fois monté, le film ne ressemblait plus du tout à une comédie, il manquait de rythme, et les plans étaient trop longs. Heureusement, je m'étais bien amusé sur le tournage.

Vers la fin de l'année 1975, les relations entre Cubby et Harry devinrent critiques. Ce dernier avait pris beaucoup d'actions dans Technicolor et avait également acheté le fabricant de caméras Debris Éclair. Pour s'assurer les fonds nécessaires, il avait mis en dépôt de garantie sa part dans Danjaq, la société qu'il avait cofondée avec Cubby, alors que les deux partenaires s'étaient promis à l'époque de ne jamais utiliser leurs parts pour financer d'autres projets. Bientôt, les cours des actions des nouvelles sociétés de Harry plongèrent. Les banques utilisèrent donc sa garantie et l'obligèrent à vendre les quarante pour cent qu'il détenait dans Danjaq.

Après une longue procédure déchirante, la part de Harry fut proposée à United Artists, et le studio devint ainsi le nouveau partenaire de Cubby. La crise se résolut donc de façon satisfaisante mais, à cause d'elle, mon troisième James Bond se trouva reporté aux calendes grecques et Guy Hamilton, qui devait rempiler derrière la caméra, partit sur d'autres projets. Ayant du temps libre devant moi, j'acceptai de tourner à Rome dans *L'Exécuteur*. Luisa fut ravie à l'idée d'aller passer plusieurs mois dans la capitale italienne. Nous nous envolâmes pour l'Italie après les fêtes de Noël.

Là-bas, je rencontrai Liza Minnelli qui tournait *Nina* sous la direction de son père, et l'invitai à assister à une séance du *Veinard* qui allait sortir en Italie.

— Quel est le titre du film ici, déjà? demanda-t-elle.

— *Toccarlo porta fortunato*, lui répondis-je dans mon plus bel italien.

Elle explosa de rire. La traduction que je venais de lui proposer signifiait plus ou moins : « Touche-la, ça porte bonheur! » Elle se garda bien de toucher quoi que ce fût, mais j'aurais au moins essayé!

10

Élémentaire, mon cher Watson

« Il faut que tu te mettes sur ta marque et
que tu dises ton texte ! »

Je tournai une troisième et, hélas, dernière fois sous la direction du réalisateur Peter Hunt à l'occasion du film *Parole d'homme,* un drame qui se situait dans les colonies portugaises de l'Est africain pendant la Première Guerre mondiale. Après le tournage de *Gold,* le producteur Michael Klinger avait pris une option sur cet autre roman de Wilbur Smith et réuni son équipe habituelle pour le réaliser. J'y interprétais Sebastian Oldsmith, un aventurier britannique peu recommandable, aux côtés de Lee Marvin dans le rôle du colonel Flynn O'Flynn, un mercenaire américain, braconnier opportuniste et alcoolique.

Le tournage devait s'étaler sur quinze semaines en Afrique du Sud et à Malte, et nous dûmes à nouveau justifier notre décision de composer avec le régime de l'apartheid. Comme nous avions déjà dû gérer ce problème, Michael Klinger, soutenu par le syndicat de comédiens britannique Equity, réussit habilement à neutraliser les menaces de boycott de l'ACTT.

Nous filmions à la sortie de Port St. John, à l'embouchure du fleuve Umzimvubu, où étaient situés nos petits bungalows qui donnaient sur l'océan Indien. Un vrai paradis. Le maire du village nous fit cependant savoir que, s'il nous surprenait à inviter des Noirs à l'une des fêtes que nous organisions le soir, il nous expulserait.

Le film se divisait en deux parties. Dans la première, Flynn O'Flynn et Sebastian Oldsmith essayaient par différents moyens de s'enrichir en arnaquant le consul allemand, Herman Fleischer, avec humour et ingéniosité. La seconde moitié était beaucoup plus sombre, les Allemands attaquant la maison où

213

Sebastian vivait avec sa femme Rosa, la petite-fille d'O'Flynn, jouée par Barbara Parkins, et leur fille. Les Allemands tuaient sauvagement notre enfant et nous décidions de nous venger.

La production engagea une mère des environs et son nouveau-né, sans se soucier du sexe de l'enfant – qui se révéla être un garçon! Je me rappelle avoir eu très peur de la scène où le grand-père O'Flynn devait prendre le bébé dans ses bras pour la première fois car Lee, qui avait la réputation de boire un peu trop, souleva l'enfant sans lui soutenir la tête. Je peux vous assurer que mon expression angoissée dans le film était tout à fait réelle! Pourtant, le bébé, qui n'avait jusque-là pas arrêté de pleurer, s'arrêta net quand Lee le prit dans ses bras. Il nous fallut quelques minutes pour comprendre que les vapeurs d'alcool qui émanaient de Lee l'avaient sonné!

Je me demande souvent si ce bébé, qui doit aujourd'hui avoir la trentaine, est devenu alcoolique...

Revenons à notre histoire : quand les services de renseignement britanniques tentent de recruter O'Flynn et Oldsmith pour faire sauter un navire de guerre allemand, un Blucher immobilisé pour travaux, les deux compères tiennent leur revanche.

L'une des séquences les plus dangereuses que j'aie jamais tournées fut celle où nous espionnions les allées et venues des convois transportant des pièces détachées pour le Blucher endommagé, en l'occurrence des plaques de métal en provenance des quatre coins du continent. Dans le scénario, O'Flynn, Rosa et Sebastian détruisent le convoi de plusieurs centaines de personnes au moment où il s'engage dans une vallée encaissée. Cachés au pied d'une colline, ils abattent quelques-uns des porteurs afin que les chariots dévalent la pente et aillent s'écraser avec leur précieuse cargaison.

John Glen, notre spécialiste des scènes d'action, était chargé de cette séquence compliquée dans laquelle un chariot était censé perdre l'une de ses gigantesques roues, qui dévalerait droit sur nous. Bien que nul en trigonométrie, je compris immédiatement que sa trajectoire risquait de présenter un danger majeur. Je contactai donc John et le réalisateur Peter Hunt par talkie-walkie.

— Il y a vraiment beaucoup de monde ici, et la roue va nous foncer directement dessus. Est-ce qu'on ne pourrait pas évacuer tous ceux qui ne sont pas indispensables à la prise?

Ils me répondirent que c'était une bonne idée. Mettre tout le monde à l'abri derrière un arbre gigantesque les occupa pendant plusieurs minutes, au bout desquelles je repris le talkie-walkie.

— Attendez, vous les avez placés derrière l'arbre dans lequel la roue va probablement terminer sa course ! Il faut les déplacer à nouveau.

Peter commençait à s'impatienter et le fit savoir à John Glen, qui était lui-même un peu agacé par mes interventions intempestives. Quant à Michael Klinger, il pensait que je faisais perdre son temps à tout le monde. Néanmoins, espérant que je la fermerais enfin, ils accédèrent à ma demande.

Quand l'immense roue dévalerait la pente, j'étais censé me placer au premier plan pour toute la durée de la séquence. De là où j'étais, je ne voyais évidemment pas l'équipe, mais on m'avait promis qu'on me signalerait le moment où je pourrais me mettre à l'abri.

J'entendis Peter crier « Action ! », puis regardai la roue venir dans ma direction... plus près... plus vite... toujours plus près. Elle approchait vraiment dangereusement, mais personne ne m'ayant dit de m'écarter je ne voulais pas risquer de gâcher cette prise assez compliquée à mettre en place. Finalement, mon instinct l'emporta sur ma raison, je me retournai et vis que toute l'équipe s'était enfuie sans me prévenir en laissant la caméra tourner. Je pris donc mes jambes à mon cou et évitai de justesse la roue qui alla s'écraser à l'endroit précis où tous les figurants s'étaient initialement rassemblés. Je décochai quelques regards noirs à certains, mais choisis de ne rien ajouter.

Nous passâmes ainsi plusieurs jours à tourner dans le parc Kruger, notamment une séquence où Flynn O'Flynn abat un éléphant pour lui voler ses défenses. Les gardes de la réserve nous autorisèrent à la survoler en hélicoptère afin de trouver un troupeau et s'arrangèrent pour obliger un éléphant à s'approcher de nous.

Lee, Ian Holm et moi-même étions les seuls acteurs pour cette scène. Pour minimiser les risques, il fut décidé que nous serions entourés d'une équipe restreinte. Quand un éléphant fut isolé du troupeau, le garde nous expliqua qu'il allait lui tirer dessus avec un fusil à seringue hypodermique, et qu'il faudrait environ vingt minutes pour que le tranquillisant fasse son effet. Pendant ce temps, nous devions attendre que l'hélicoptère s'en aille, puis lui tirer dessus avec des balles à blanc au moment où il s'écroulerait. Tout se passa comme prévu et, quand la bête fut à terre, Lee fit semblant de lui retirer ses défenses.

— Très bien. Reculez-vous, nous allons le réveiller, dit alors le garde. Je ne sais pas comment il va réagir. Il sera peut-être très énervé mais je dois m'assurer qu'il va bien avant que nous repartions.

Je ne tenais pas particulièrement à savoir à quel point cette bête titanesque allait nous en vouloir, d'autant que nous lui avions tiré dessus. Lee avait quant à lui oublié que son fusil était chargé à blanc et se prenait pour un grand chasseur. Quoi qu'il en soit, lorsque l'éléphant se réveilla, j'eus une nouvelle fois la peur de ma vie et nous nous précipitâmes vers la voiture. Je ne sais pas si vous avez déjà conduit dans la savane, mais je vous assure que ce n'est ni facile ni confortable, surtout quand un pachyderme fou de rage vous poursuit. Nous finîmes par le distancer, mais j'appris ce jour-là que les éléphants courent étonnamment vite en dépit de leur poids, avec des pointes à vingt kilomètres heure.

Je tiens à préciser que je ne rechigne pas à effectuer mes propres cascades, à partir du moment où je sais réellement à quoi m'attendre. Rien ne m'effraie plus qu'un cascadeur ou un pyrotechnicien qui me dit de ne pas m'en faire. Dans *Parole d'homme*, pour repérer par avion l'emplacement exact du Blucher, nos personnages devaient monter dans un biplan que son pilote avait auparavant posé sur la plage en passant juste au-dessus de nos têtes. O'Flynn se jetait à ce moment par terre mais Sebastian – votre serviteur – restait impassible du haut de son mètre quatre-vingt-dix. Je ne me fis donc pas doubler pour ce plan, mais appris quelques mois plus tard qu'un acteur avait été décapité au cours d'une séquence similaire sur un autre film. Je me jurai alors de ne plus jamais accepter de plans de ce genre.

Lee aimait faire ses propres cascades. Je n'ai jamais su si l'alcool absorbé depuis des années avait engourdi son esprit au point de le rendre téméraire ou s'il estimait que personne n'était assez bon pour le doubler. Nous nous trouvions ce jour-là sur la rive du fleuve Umzimvubu, qui était, selon les indigènes, infesté de requins, comme beaucoup de fleuves en Afrique. Dans cette scène, O'Flynn devait nager jusqu'au Blucher, amarré à l'autre rive. Larry Taylor, un cascadeur professionnel, était censé remplacer Lee pour cette séquence. Peter Hunt avait décidé qu'il filmerait Lee entrant dans l'eau et nageant sur vingt ou trente mètres, puis que Larry prendrait sa place pour la suite de la traversée. Lee plongea donc bravement dans les flots et se mit à nager. Je précise qu'il avait fait partie des Marines dans sa jeunesse, que son unité d'élite avait été parachutée derrière les lignes ennemies dans le Pacifique, et qu'il était très bien conservé pour son âge. Alors qu'il avait déjà parcouru une bonne distance, Peter Hunt lui cria, assez inquiet :

— Ça suffit, c'est bon pour nous, Lee.

Mais il fit semblant de ne pas l'entendre et nagea jusqu'à l'autre rive.

— Et voilà, je viens de perdre cinq cents livres sterling, grommela Larry en remettant sa chemise.

Puisqu'on n'avait pas eu besoin de ses services, il ne serait pas payé.

Je dois aussi vous raconter l'histoire de Nikos et du « perroquet qui ne pouvait pas voler ». Nikos, le compagnon de Peter Hunt, l'avait accompagné sur le tournage. Un jour, il se mit en tête de dresser le perroquet de la famille O'Flynn, que Michael Klinger avait acheté sur place pour deux cents rands. L'animal n'était pas apprivoisé, mais on lui avait taillé les ailes pour l'empêcher de voler.

La maison des O'Flynn était située au sommet d'une colline qui surplombait une orangeraie dont les fruits n'étaient malheureusement pas mûrs à cette période de l'année. Comme nous ne pouvions pas avoir des oranges de cette couleur, on demanda aux accessoiristes de les peindre… en rouge, car l'équipe n'avait pas trouvé de peinture orange. Et, pour économiser de l'argent, ils ne peignirent que le côté tourné vers la caméra. Ces fruits semblaient ainsi avoir muté et n'étaient absolument pas comestibles.

Mais je m'égare. Avant que nous ayons pu l'en dissuader, Nikos sortit le perroquet de sa cage et tenta de le dresser à l'aide d'un bâton. Quelques instants plus tard, nous l'entendîmes appeler désespérément l'animal qui, en dépit de ses courtes ailes, avait apparemment réussi à s'envoler par la fenêtre vers l'orangeraie, où un courant ascendant l'avait porté de l'autre côté du fleuve.

Nous avions donc un gros problème, car le perroquet n'avait pas fini de tourner tous ses plans ! Michael Klinger était furieux : ses deux cents rands s'étaient littéralement envolés et il ne pourrait jamais retrouver un perroquet identique pour les plans suivants.

— Nikos ! hurla-t-il avec son accent cockney fort prononcé. Ramène ce putain de perroquet !

Nikos partit donc avec deux accessoiristes récupérer l'oiseau, et dut pour cela traverser la rivière infestée de crocodiles. Mais le perroquet avait un sens de l'humour insoupçonné : dès qu'il vit Nikos s'approcher, il ouvrit les ailes et rentra à la maison !

La carrière de dresseur de Nikos prit fin ce jour-là.

À la fin du film, nous faisions sauter le Blucher, mais le consul allemand Herman Fleischer, un vrai salaud, parvenait à s'échapper avant l'explosion et nageait jusqu'au rivage. Rosa le visait alors avec son fusil pour venger notre fille mais je lui prenais l'arme des mains et abattais Fleischer moi-même. Une scène très intense.

Rene Kolldehoff, qui interprétait le rôle du consul allemand, était resplendissant dans son uniforme blanc maculé de boue. On installa plusieurs charges miniatures sur lui, de manière à ce qu'elles fassent éclater de petites poches de faux sang quand je lui tirerais dessus. Pan ! La première poche éclata sur le côté gauche de son torse. Il se tordit immédiatement sur la droite en criant :

— *Che zuis* touché ! *Che zuis* touché !

À cet instant précis, la deuxième charge explosa juste sous sa main et le blessa légèrement. Par malchance, il continua à placer ses mains quelques secondes trop tôt sur chacune des charges restantes. Pauvre Rene !

Avoir Lee Marvin pour partenaire fut un plaisir, même si on m'avait prévenu à l'époque où je travaillais à la MGM qu'il lui suffisait de boire un peu trop pour avoir les yeux injectés de sang. La séquence principale du film, une formidable bagarre entre Sebastian et O'Flynn, rappelait assez celle de John Wayne et Victor McLaglen dans *L'Homme tranquille*. Après l'avoir répétée, nous nous préparions à tourner la première prise quand je m'aperçus qu'il avait les yeux injectés de sang. Il était donc saoul et visiblement prêt à se battre pour de vrai ! Je me débrouillai pour éviter ses coups pendant les cinq minutes que durèrent les prises, mais je me souviens parfaitement de ses poings sifflant à mes oreilles.

S'il se comportait en grand professionnel la plupart du temps, Lee pouvait également devenir incontrôlable. Les jours où il ne travaillait pas, il venait sur le plateau pour nous regarder tourner, et il lui arrivait souvent de sympathiser avec l'un ou l'autre des comédiens noirs. Mais il devenait très agressif après un verre ou deux.

Il me confia un jour qu'il vouait une haine féroce aux Japonais après ce qu'il avait vécu pendant la guerre, et j'en fis l'expérience pendant une escale de six heures à Rome, en route pour Malte, où nous devions terminer le film. Nous avions hélas beaucoup bu dans l'avion et nous continuâmes dans un salon privé de l'aéroport de Fiumicino. Quand on annonça notre vol, nous sortîmes du salon et tombâmes nez à nez avec des dizaines de Japonais, tous munis de leur appareil photo.

— Ah, *Ree* Marvin! s'exclamèrent-ils. C'est *Ree* Marvin!

Apparemment, Lee se retrouva plongé vingt-cinq ans en arrière et se mit à frapper ces pauvres touristes. Nous évitâmes de peu l'incident diplomatique... Un autre jour que nous tournions dans un hôtel à Malte avec Jean Kent et Maurice Denham, Lee, qui nous regardait comme à son habitude, me fit signe de le rejoindre.

— Roger, commença-t-il en inspirant lentement, visiblement éméché, je vais te donner un bon conseil, si tu vois ce que je veux dire...

— Je t'écoute, Lee, répondis-je.

Je m'attendais à un de ses secrets d'acteur.

— Il faut que tu te mettes sur ta marque et que tu dises ton texte!

— Super. Merci infiniment, Lee.

À la fin de ce tournage, je décidai de prendre des vacances à Los Angeles en famille et d'y passer du temps avec plusieurs amis. Nous n'y avions pas de maison à l'époque, mais cela changerait quelques mois plus tard. Le producteur Jack Hayley Jr., l'un de mes meilleurs amis à Hollywood, était le fils de Jack Hayley Sr., qui avait joué l'homme de fer dans *Le Magicien d'Oz*. Jack Jr. était à l'époque le mari de Liza Minnelli, la fille de Judy Garland, l'interprète de Dorothy dans ce même film. Jack m'appela pendant mon séjour pour me demander si j'étais intéressé par un téléfilm pour la Fox intitulé *Sherlock Holmes à New York*, avec Patrick Macnee dans le rôle de Watson. Comme le tournage aurait lieu à Los Angeles, sur les plateaux du film *Hello Dolly*, dans les studios de la Fox à Hollywood, cela collait parfaitement.

J'ai déjà raconté que j'avais à cette occasion contacté Oliver Reed pour lui proposer le rôle de Moriarty. Après son refus, Jack suggéra de nous adresser à John Huston qui, en plus d'être un célèbre réalisateur, scénariste et producteur, acceptait parfois de jouer dans des films. Cet homme était vraiment adorable. Il n'hésita pas à dire à notre réalisateur, Boris Sagal :

— Mon garçon, mes répliques sont très longues. J'aurai peut-être besoin d'aide pour les mémoriser.

On fabriqua donc de grandes feuilles cartonnées où ses répliques étaient écrites en grosses lettres et qui furent placées à différents endroits stratégiques pour qu'il puisse les lire en jouant. Évidemment, il ne s'en servit jamais car il connaissait son texte par cœur. Vieux farceur !

John et moi aimions les bons cigares et les parties de backgammon, qui constituèrent notre petit plaisir entre deux prises. Malheureusement, je n'eus jamais la chance d'être dirigé par John, ce qui aurait été fascinant. C'est l'un de mes seuls regrets.

Le reste de la distribution fut bientôt arrêté : Charlotte Rampling, David Huddleston, Gig Young, Signe Hasso et mon fils Geoffrey, âgé d'environ dix ans à l'époque, dans le rôle du fils de Charlotte Rampling, qui était kidnappé par Moriarty. Nous découvrîmes plus tard que, dans le roman, cet enfant était probablement le fruit d'une union illicite entre Sherlock Holmes et Irene Adler.

Je ne prétendrai pas que *Sherlock Holmes à New York* fait partie des films les plus connus ou les plus appréciés de la série, mais nous nous amusâmes beaucoup sur ce tournage.

Pendant ce temps, Harry Saltzman avait vendu ses parts à United Artists pour vingt millions de dollars et quitté les sociétés Danjaq et Eon Productions. Il connut par la suite une série d'échecs professionnels et dut affronter le décès de sa chère Jacqueline. Il s'installa alors à Paris et produisit un ou deux autres films, qui ne firent pas beaucoup d'entrées. Il se remaria puis passa les dernières années de sa vie très diminué physiquement, jusqu'à sa mort en septembre 1994.

Au cours de l'été 1976, Cubby commença la préproduction du James Bond le plus ambitieux jusqu'alors, *L'espion qui m'aimait*. Je ne savais pas trop quand le tournage commencerait, ce qui m'obligea à refuser dans un premier temps l'un des rôles principaux du film *Un pont trop loin* de Richard Attenborough. Puis, les choses traînant en longueur, je demandai à mon agent de recontacter Richard, qui répondit qu'il ne restait plus qu'un rôle à distribuer, celui de Brian Horrocks. C'était d'autant plus drôle que ce général était en poste quand je faisais mon service en Allemagne.

— Horrocks a un droit de regard concernant l'acteur qui doit interpréter son rôle, m'annonça Richard au téléphone. Et, malheureusement, il ne veut pas de toi !

C'est Edward Fox qui décrocha finalement la timbale. Je n'en veux bien sûr pas à Edward, mais ce n'était pas la première fois qu'il me soufflait un rôle. En 1973, le producteur John Woolf m'avait demandé si j'étais intéressé par le rôle principal de *Chacal*. Je lui avais répondu par l'affirmative, avant d'apprendre que le réalisateur, Fred Zinnemann, ne voulait pas de moi non plus. Ce refus m'avait profondément blessé.

Des années plus tard, je me rendis à une soirée organisée à Paris chez Jean-Pierre Aumont et son épouse, Marisa Pavan. Fred y était aussi, et je lui demandai pourquoi il m'avait refusé le rôle.

— Je n'avais rien contre toi, me répondit-il, mais le Chacal se fondait dans la foule. Personne ne le remarquait. Toi, tu mesures un mètre quatre-vingt-dix, tu es beau gosse et tu es aussi connu que Simon Templar et Brett Sinclair. Comment aurais-tu pu être crédible ?

C'était une explication satisfaisante.

Après ce séjour à Hollywood, nous rentrâmes donc à Denham où j'attendis le début du tournage de *L'espion qui m'aimait*, prévu d'un jour à l'autre. C'était une grosse production, même pour un James Bond, et nous nous rendîmes compte très tôt qu'il n'existait pas de plateau suffisamment grand pour abriter trois sous-marins nucléaires, dont le vol était le moteur de l'intrigue. Cubby passa pourtant plusieurs semaines à faire des repérages, visitant des hangars et des plateaux à l'étranger, sans aucun résultat. Il demanda alors à Ken Adam, son décorateur, de construire un port souterrain à Pinewood. Ken remplit sa mission avec brio, et c'est ainsi que naquit l'un des plus célèbres décors de la série.

Plusieurs scénaristes avaient travaillé sur le film avant que le réalisateur, Lewis Gilbert, n'embauche Christopher Wood pour réécrire l'histoire. Dans les versions préparatoires, Blofeld et le Spectre étaient à nouveau les méchants. Mais un autre producteur, Kevin McClory, prétendit alors qu'il avait créé le personnage et son organisation maléfique quand il travaillait avec Ian Fleming sur l'intrigue de *Opération Tonnerre*, et il nous intenta un procès au motif que Christopher Wood avait selon lui plagié un de ses scénarios inachevés. Finalement, nous parvînmes à un arrangement à l'amiable.

L'espion qui m'aimait n'était pas l'adaptation fidèle du roman de Ian Fleming, dont le personnage principal était l'espionne Anya Amasova. Il n'en était pas satisfait, et nous autorisa uniquement à reprendre le titre du livre.

Je trouvais pour ma part que le récit reposait trop sur les gadgets et les effets spéciaux, au détriment des dialogues. J'avais maintenant mon personnage bien en main et je pensais avoir une assez bonne idée de ce qu'il pouvait dire ou non. Je fis donc part à Lewis de mes doutes sur les premiers jets du scénario. Je le connaissais peu et ignorais comment ce metteur en scène de renom réagirait à mes suggestions.

Il me répondit assez vaguement :

— Mon cher, je suis sûr que nous trouverons des idées pour l'améliorer le moment venu.

Je découvrirais plus tard que c'était chez lui un mode de fonctionnement habituel, et compris à cet instant que nous allions bien nous entendre. Lewis est quelqu'un que j'apprécie énormément, notamment parce que nous sommes restés tous deux des gamins. Son pouvoir de concentration est tel qu'il peut diriger une scène sans remarquer ce qui se passe autour de lui. Un jour, alors que nous tournions sur deux plateaux séparés et surélevés, Lewis observait la scène avec une telle attention qu'il ne vit pas le gouffre qui les séparait et tomba d'une hauteur de près de quatre mètres ! Il était heureusement si souple qu'il atterrit sans trop de dégâts et se releva immédiatement.

Cubby voulait frapper un grand coup pour ce retour de James Bond, et la célèbre séquence d'ouverture allait lui en donner l'occasion. Il avait remarqué dans un magazine une publicité pour le whisky Canadian Club. Un type du nom de Rick Sylvester y sautait d'une falaise à pic au Groenland, peut-être le mont Asgard. Le slogan en était : « Si vous faites du hors-piste sur le mont Asgard, ouvrez votre parachute avant de vous écraser ! »

Ce serait la première scène du film.

Cubby embaucha donc Rick Sylvester et l'envoya au mont Asgard avec une petite équipe conduite par John Glen, le réalisateur de la deuxième équipe, pour filmer le saut qui serait le point d'orgue d'une séquence de poursuite à ski.

Pendant plusieurs jours durant lesquels le temps était franchement maussade, nous n'eûmes aucune nouvelle de John ni du saut en question. Pressé par le temps, Cubby faillit même abandonner l'idée. Heureusement, la météo changea et la scène put enfin être tournée. Pour un chèque de trente mille dollars, Rick Sylvester fit ainsi son entrée dans l'histoire du cinéma avec l'une des séquences d'ouverture les plus spectaculaires de tous les temps. Ce fut mérité car il y risqua sa vie : il perdit un ski en plein saut, endommageant son parachute qui faillit se mettre en torche, comme on le voit très clairement dans le film.

Je me souviens très bien de l'avant-première du film, au cinéma Odeon de Leicester Square à Londres, et du silence complet qui s'installa dans la salle quand Bond saute dans le vide. Au moment où la musique du générique retentit, sur l'ouverture du parachute aux couleurs de l'Union Jack, les spectateurs nous firent une *standing ovation* comme je n'en avais jamais vu. Je me sentis soudain très fier, et heureux de voir l'énorme sourire sur le visage de Cubby. Les doutes qu'il avait pu avoir en produisant seul le nouveau Bond s'évaporèrent instantanément.

Nous avions pour ce film des acteurs fantastiques : Curd Jürgens, Barbara Bach, Richard Kiel, le redoutable Requin, et quelques-uns de mes confrères de longue date Geoffrey Keen, Robert Brown et George Baker, sans oublier Desmond Llewelyn dans le rôle de Q, Bernard Lee dans celui de M et Lois Maxwell, qui endossa à nouveau le rôle de Miss Moneypenny.

Durant la phase de préparation, on m'annonça que, pour la première fois, l'agent 007 apparaîtrait pendant le générique conçu par Maurice Binder. Cet homme était un personnage extraordinaire. Ses génériques peuplés de jeunes femmes fort légèrement vêtues avaient contribué à faire de lui une légende, tout comme son idée de débuter une scène par une vue à travers le canon d'un pistolet. Il mettait néanmoins systématiquement Cubby et le réalisateur dans tous leurs états, car il ne leur envoyait la séquence que la veille de l'avant-première, travaillant dessus jusqu'à la dernière minute comme le vrai perfectionniste qu'il était. Les délais qu'il nous imposait nous causèrent d'ailleurs quelques soucis auprès des censeurs, qui estimaient que certains de ses plans étaient un peu trop osés pour mériter une autorisation tous publics. Heureusement, Cubby réussissait toujours à contourner le problème en organisant une soirée de charité et en laissant entendre au bureau de censure qu'un délai dans l'obtention du visa réduirait considérablement le montant des dons obtenus.

Cubby et moi nous rendîmes un jour au studio de Maurice, où nous le trouvâmes à genoux, étalant avec soin de la vaseline sur le pubis d'un de ses modèles féminins pour, nous expliqua-t-il, empêcher ses poils de frisotter à cause de la soufflerie, et ainsi éviter de s'attirer les foudres de la censure.

Je me tournai vers Cubby et m'étonnai :

— Je croyais cette activité réservée aux producteurs ?

À cette époque, je fus invité à l'avant-première du film *Transamerican Express* par la Royal Film Performance, organisée elle aussi au cinéma Odeon de Leicester Square. La comédienne de théâtre new-yorkaise Elaine Stritch, également présente ce soir-là, attendait assise entre James Mason et moi la venue de la reine mère. Quand on nous fit mettre en rang au balcon avec les organisateurs et d'autres acteurs, Elaine se mit dans tous ses états.

— Mon Dieu, comme c'est excitant ! répétait-elle constamment. Mon Dieu !

On annonça l'arrivée de la reine mère, et elle devint encore plus fébrile. Quand Sa Majesté commença à gravir les marches, je pensai qu'Elaine allait se calmer. Bien au contraire, un cri retentit alors :

— Mon Dieu ! Regardez-moi ce diadème ! Mon Dieu ! Cette coiffure est tout simplement *adorable.* Oh ! Quelle robe magnifique ! N'est-elle pas *ravissante* ?

James Mason, qui n'arrêtait pas de lui faire signe de se taire, me demanda, la bouche en coin, de la réduire au silence.

— Je voudrais bien t'y voir ! lui répondis-je à voix basse.

Elaine Stritch se trémoussa ainsi jusqu'à ce que la reine mère arrive finalement à sa hauteur. Elle prit alors les mains de Sa Majesté dans les siennes et lui dit :

— Vous êtes *adorable* ! Vraiment *adorable* !

La reine mère se tourna, un peu inquiète, vers son compagnon, Lord Delfont, qui me fusilla du regard. Comme si cela était ma faute !

— Vous savez, dans la pièce que je joue actuellement, continua Stritch, je chante une chanson. Permettez-moi de vous la chanter maintenant.

Et elle mit sa menace à exécution avant que la reine mère ait pu libérer ses mains. Quelle honte !

Mes premières scènes dans *L'espion qui m'aimait* furent tournées en grande partie à Faslane, en Écosse, dans une authentique base de sous-marins nucléaires. Lorsqu'il fut monté à bord de l'un de ces submersibles, Lewis Gilbert se dit qu'il serait intéressant pour une autre scène d'avoir un plan filmé à l'épaule de l'intérieur d'un lance-torpilles en train de s'ouvrir. L'un de nos cameramen, Alec Mills, fut désigné pour le filmer à l'aide d'une petite caméra Arri.

— Je ne tournerai pas avant que Roger soit sorti de ce sous-marin, insista-t-il.

— Pourquoi? demanda Lewis.

— Parce que je le connais, et je sais qu'une fois à l'intérieur il appuiera sur le bouton de mise à feu.

Il fut intraitable. Sacré Alec! Moi, faire une chose pareille? Il me connaissait comme s'il m'avait fait.

En revenant à Londres, je me sentis très mal, et j'appris quelques jours plus tard que j'avais attrapé la varicelle. Je m'écroulai dans mon lit dès que j'eus franchi le seuil de la maison et ne me réveillai que le lendemain matin, le visage bouffi, avec deux fentes à la place des yeux. J'avais malheureusement prévu de tourner une scène avec Bob Brown et George Baker ce jour-là, aussi appelai-je Lewis pour lui expliquer dans quel sale état je me trouvais.

— Ne t'inquiète pas, me dit-il. Je te filmerai de dos, ça ne posera aucun problème.

Je me rendis donc à contrecœur sur le plateau et nous procédâmes de cette manière. D'ailleurs, si vous regardez attentivement la scène, vous apercevrez mon visage boursouflé. Mais, comme je ne me sentais vraiment pas bien du tout, le docteur me prescrivit quelques jours de repos total. Peu de temps après, je reçus un coup de fil de Cubby m'annonçant que le Premier Ministre Harold Wilson allait inaugurer officiellement le plateau de tournage et qu'ils comptaient tous sur ma présence. Le jour venu, je m'extirpai avec peine de mon lit et, caché derrière des lunettes noires, découvris avec admiration ce décor incroyable avec ses sous-marins, ses monorails, ses passerelles et tout le toutim.

David Niven tournait à l'époque *Candleshoe* sur un plateau voisin, à Pinewood. Nous déjeunâmes ensemble ce jour-là, et mon ami ne tarit pas d'éloges à propos de sa jeune partenaire dans le film.

— Il faut absolument que tu la rencontres, me dit-il. Elle aimerait également beaucoup faire ta connaissance mais, crois-moi, tout le plaisir sera pour toi : je n'ai jamais vu une enfant aussi intelligente. Il lui arrive souvent, sans aucune insolence, de dire au réalisateur où il devrait placer sa caméra.

Il s'agissait de Jodie Foster, qui était en effet absolument charmante. Mon seul regret est qu'elle ne m'ait jamais demandé de jouer dans l'un des films qu'elle a réalisés !

L'espion qui m'aimait me donna l'occasion de travailler pour la première fois avec Ken Adam, qui a depuis été anobli. Il fait sans conteste partie des génies du septième art. Ses décors sont spectaculaires, il a un talent extraordinaire et la quasi-totalité de ses réalisations m'ont toujours coupé le souffle. Hélas, elles finissaient généralement en cendres à la fin de nos films ! Quoi qu'il en soit, il devint lui aussi la cible de mes blagues. United Artists aimait organiser des conférences de presse à l'étranger : comme les journalistes y étaient invités tous frais payés, nous avions souvent de bonnes critiques ! L'une de ces conférences eut lieu dans un hôtel situé en Sardaigne. Plusieurs tables avaient été dressées pour Cubby, Barbara Bach, Ken et moi étions chacun à une table. Ce jour-là, je recevais la presse allemande, à qui je fis cette blague :

— Vous savez bien sûr que votre compatriote Klaus Adam est un héros de la Seconde Guerre mondiale. Il était pilote.

— Ah *pon* ? C'est *frai* ? demandèrent-ils.

— Oui, il a descendu trente-deux avions ennemis.

Très intéressés, ils se pressèrent pour aller lui parler. Bien entendu, j'avais négligé de préciser qu'il était au service de Sa Majesté pendant le conflit, et que les appareils qui avaient fait les frais de son héroïsme étaient aux couleurs de la Luftwaffe !

Sur chaque James Bond, nous préparions un bêtisier compilant les meilleures prises ratées et autres gaffes survenues pendant le tournage. Notre monteur, John Glen, assemblait la bobine en question et je me chargeais de la mettre en musique. Une équipe était un jour venue sur le plateau de *L'espion qui m'aimait* pour tourner un sujet sur les décors du film. John récupéra le documentaire et le remonta en insérant un plan de Ken Adam qui disait « c'est moi qui m'en suis chargé » après chaque séquence, de manière à donner l'impression qu'il se mettait systématiquement en avant. Ken a parfois tendance à en rajouter, mais nous y étions quand même allés un peu fort ! John rajouta aussi quelques bandes d'actualités des armées du Reich envahissant tel ou tel pays, toujours à l'initiative, vous l'aviez deviné, du pauvre Ken !

Le jour où nous projetâmes notre petit film, Ken mit un moment à comprendre pourquoi il y avait tant de monde dans la salle. Il ne fut pas très content de notre plaisanterie mais finit par en rire. Je dois dire que je n'étais pas le dernier des farceurs. Une des séquences de ce fameux bêtisier reprenait ma scène finale avec le merveilleux Curd Jürgens. Il priait Bond de s'asseoir face à lui, tout en sortant en douce sous la table un pistolet de son étui. J'étais censé me tenir debout derrière une chaise de l'autre côté de la table, qui devait voler en éclats quand il tirerait.

— Lewis, tu ne crois pas que la scène serait plus angoissante si j'étais assis ? lui suggérai-je ce jour-là.

— Pourquoi pas, on peut essayer, avait-il répondu.

C'est donc ce que je fis. Malheureusement, le responsable des effets spéciaux, John Evans – je n'oublierai jamais ce nom ! –, appuya un peu trop tôt sur le bouton de mise à feu. Je n'étais alors qu'à un ou deux centimètres de la chaise quand elle explosa, et mon pantalon prit feu. J'eus du mal à m'asseoir pendant plusieurs semaines, période pendant laquelle on dut changer mes pansements deux fois par jour.

Du Caire à Louxor, en passant par la Sardaigne, l'Écosse, Londres et les Bahamas, nous filmions aux quatre coins de la planète. En arrivant en Égypte, le jour de mon anniversaire, je me rappelle avoir été sidéré par le nombre de tentes dressées près de la cantine. George Crawford m'expliqua qu'il avait une surprise pour moi.

— J'ai pensé à des homards pour fêter ça.

Je regardai les crustacés verdâtres, qui me semble-t-il bougeaient encore !

— George ! m'écriai-je. Tu plaisantes ? Ces homards ne sont pas comestibles !

Les tournages à l'étranger posaient parfois des problèmes à la régie, car les équipes britanniques appréciaient rarement la cuisine locale.

— Vous appelez ça de la nourriture ? entendait-on souvent. On veut des tourtes à la viande, des saucisses avec de la purée et des gâteaux arrosés de crème anglaise.

Un autre jour, pendant notre séjour en Égypte, on nous annonça dans la matinée que nous n'aurions pas de déjeuner. Cubby savait qu'une révolte éclaterait si nous ne mangions pas, et il réussit à rassembler de grands récipients, des kilos de pâtes et de viande pour un immense plat de pâtes à la bolognaise qu'il nous servit lui-même. Cubby adorait cuisiner et l'équipe adorait manger ; c'était la raison pour laquelle tout le monde l'adorait. Personne ne lui donnait du « Monsieur Broccoli ». Pour toute l'équipe, il était simplement Cubby.

Au temple de Karnak, nous devions tourner une fantastique scène d'action entre Bond et Jaws, le géant de deux mètres dix-huit aux mâchoires d'or interprété par l'immense Richard Kiel. Il est impossible d'imaginer deux personnalités plus différentes : Richard est un homme d'une douceur infinie, un écrivain et un acteur accompli, tandis que Jaws était un tueur à gages sans états d'âme. Richard lui donna cependant un sens de l'humour très second degré. Autre point amusant : malgré sa grande taille, Richard souffre du vertige. Quand Lewis lui expliqua qu'il devait circuler sur des échafaudages au-dessus du temple, il devint blême.

— J'ai déjà peur du haut de mes deux mètres dix-huit, souffla-t-il.

En fin de compte, Martin Grace, ma doublure, tourna la scène à sa place et, bien qu'il fasse trente centimètres de moins que Richard, je défie quiconque de remarquer la différence dans le film. Martin reproduisit la façon de marcher de Richard et sa manière très particulière de bouger la tête – Richard est aveugle d'un œil – de manière si précise que l'intéressé lui-même avait du mal à savoir qui était à l'écran sur les rushes.

L'une des conditions pour tourner en Égypte était que nous devions soumettre le scénario aux autorités et nous en tenir strictement à ce qui avait été agréé, sans pouvoir modifier quoi que ce soit. Un représentant du gouvernement égyptien assistait donc au tournage, surveillant nos moindres faits et gestes. À la fin de cette bagarre avec ce cher Richard, je devais faire tomber une partie de l'échafaudage, qui s'écroulerait sur lui.

— Tu peux me redire ton texte ? me demanda malicieusement Lewis, en référence à notre hôte.

— Ma réplique, tu la connais : « Ah, ces architectes égyptiens ! »

— Et tu penses que notre fouineur va apprécier ? répondit Lewis, en référence au fonctionnaire.

— Je bougerai simplement mes lèvres sans rien dire. On doublera la réplique à Pinewood.

C'est exactement ce que je fis, sauf que notre ingénieur du son accourut pour nous signaler qu'il fallait refaire la prise parce qu'il ne m'avait pas entendu !

Lewis lui fit discrètement signe de se taire.

Je crois que la séquence d'après est celle où Bond et sa compagne, Anya Amasova, interprétée par celle qui est aujourd'hui ma voisine à Monte-Carlo, Barbara Bach, tombent en panne sur le chemin du Caire, ce qui les oblige à traverser le désert, avec une référence sonore à *Lawrence d'Arabie*. Tandis que nous traversions les dunes dans un plan général à la David Lean, je m'arrangeai pour perdre mon pantalon. J'espérai un instant qu'ils conserveraient cette prise, mais le réalisateur ne fut pas convaincu.

Au Caire, nous avions une autre scène de bagarre, sur le toit du British Museum. Milton Reid y interprétait le nouveau méchant qui s'en prenait à 007. Le jour du tournage, notre cascadeur Bob Simmons expliqua à Milton qu'il devait tomber du toit après s'être agrippé à ma cravate.

Milton, qui est un garçon très baraqué et d'aspect assez menaçant, jeta un coup d'œil par-dessus le parapet et déclara :

— On est au sixième étage, Bob ! Tu ne peux pas me demander ça.

— Ne t'inquiète pas. On va empiler des cartons jusqu'au quatrième, ta chute sera amortie, continua Bob, qui le faisait marcher.

— Et si vous les empiliez jusqu'au cinquième ?

— Non, non, il faut que tu cries suffisamment longtemps en tombant.

— Et alors ? insista Milton. Pourquoi est-ce que je ne pourrais pas tomber d'un seul étage et continuer à crier ?

Pauvre Milton, il était si facile de le mettre en boîte !

Une fois les méchants neutralisés et la fille séduite, le tournage prit fin. Ce film était beaucoup plus léger que mes deux précédents James Bond. Je crois que Lewis voulait s'amuser et introduire un brin de parodie dans la série. Qui aurait ainsi pensé à un géant aux dents en or ? Le ton collait parfaitement à mon style et à ma personnalité, et je crois que je trouvai réellement mes marques avec *L'espion qui m'aimait*. C'est en tout cas l'un de mes préférés.

Pendant le tournage, on me persuada d'acheter une Rolls-Royce, ce que j'avais toujours refusé jusqu'alors. Je trouvais ces voitures trop prétentieuses mais mes conseillers financiers m'assurèrent que je l'avais bien mérité et que ma famille serait ravie. La veille de Noël, ma Rolls brune flambant neuve arriva donc à Pinewood au moment où, déguisé en Père Noël, je m'apprêtais à rejoindre ma femme et mes enfants pour une petite fête. Aussi avais-je demandé à mon maquilleur, Paul Engelen, et à mon habilleur, Mike Jones, de s'occuper de ma transformation.

Ainsi accoutré, je rentrai chez moi dans ma nouvelle voiture. Au premier feu, j'aperçus du coin de l'œil des gens qui m'observaient en me montrant du doigt, et je compris que je n'aurais jamais dû acheter cette voiture. Habillé comme je l'étais, ils se disaient certainement que j'étais un con prétentieux !

Mes enfants apprécièrent beaucoup mon déguisement, mais Christian me reconnut. J'ai un bouton sur le visage, et il s'était rendu compte que le Père Noël avait le même. Petit futé.

Mes trois enfants étaient tous dégourdis, d'une manière ou d'une autre. À l'adolescence, et contre l'avis de son père, Deborah décida de devenir actrice. Peut-être son petit rôle dans *Amicalement vôtre* lui avait-il donné le goût de la comédie ? Comme je suis hypocondriaque, je voulais depuis toujours qu'elle suive des études de médecine, afin de pouvoir l'appeler au moindre signe suspect. Je finis cependant par l'encourager et, après lui avoir rappelé qu'il y avait bien plus d'inconvénients que d'avantages à choisir cette profession, je fus ravi de la voir acceptée à l'Académie de musique et de comédie dramatique de Londres (LAMDA). Une de ses camarades, Rita Wilson, deviendrait une amie proche, de même que son futur mari, un jeune acteur américain du nom de Tom Hanks.

Ainsi, j'assistai, très fier, aux nombreuses pièces auxquelles Deborah participa pendant ses études à l'Académie. C'est une très bonne actrice qui a joué dans de nombreux films pour le cinéma et la télévision, au théâtre, et dans une série de spots publicitaires très connus en Grande-Bretagne pour une compagnie d'assurances. Chaque fois que je la vois, son jeu s'affine. Tout ce dont elle a besoin maintenant, c'est d'un petit coup de pouce du destin qui l'emmène vers les grands rôles qu'elle est née pour jouer.

Geoffrey, un peu plus jeune que sa sœur, est un jeune homme séduisant, ce qui n'est pas étonnant quand on connaît sa mère ! Il n'a jamais été très doué pour les études, et quand un de ses bulletins arrivait, je l'ouvrais avec appréhension. Quelles seraient donc ses notes cette fois-ci ? Un jour, quand nous vivions encore à Denham, je lui lus à voix haute la liste de ses matières et les notes qu'il y avait obtenues.

— Maths... Deux sur dix, commençai-je. Geoffrey, c'est minable !

Très calmement, il me répondit :

— Continue.

— Géographie... Trois sur dix. Nul.

230

— Continue.

— Histoire... Deux sur dix. Hmmm...

— Allez, papa, continue.

J'arrivai à la fin et lus le commentaire du directeur : « Geoffrey est l'élève le plus apprécié de l'établissement et nous sommes fiers de l'avoir dans notre établissement. »

— Tu vois, papa ? exulta Geoffrey.

Je me demande s'il avait soudoyé le directeur ou s'il était doué pour les faux en écriture, mais je dois reconnaître qu'il était déjà bourré de charme !

Dix ans après la naissance de Deborah, à l'époque où j'imposais ma présence au public dans le rôle de James Bond, Christian vint au monde. Il commença sa scolarité à Paris, où je tournais un film, et revint un soir de l'école, absolument furieux.

— Que se passe-t-il, bonhomme ? lui demandai-je.

Il me foudroya du regard :

— Ils sont *trop* bêtes dans cette école. Ils n'arrêtent pas de vouloir m'apprendre l'anglais alors que je leur ai déjà dit que *je suis* anglais !

Je dus alors lui expliquer que l'anglais était une matière comme une autre, avec de la grammaire, de la lecture, de la conjugaison, etc.

Les choses furent plus simples quand nous emménageâmes à Gstaad. Il fut scolarisé dans le village d'à côté, à la Kennedy International School, sous la direction d'un couple de Canadiens, Bill et Sandy Lovell, et adora sa nouvelle école. Quand il fut assez âgé, nous l'inscrivîmes au collège l'Aiglon à Villars. Mais Christian ne s'y plut pas et ses notes s'en ressentirent rapidement. J'anticipai avec angoisse la fin du trimestre, moment où les parents rencontraient chaque professeur pour un avis sur les résultats et les capacités de leur enfant. J'aurais presque préféré revenir enfant à l'école primaire d'Hackford Road et me faire taper sur les doigts avec une règle.

Mais, indépendamment de ses résultats scolaires passés, Christian est lui aussi un jeune homme plein de charme. Ces garçons doivent tenir cela de leur père !

Ma vie familiale était assez harmonieuse à cette époque. J'avais un peu de succès dans ma carrière, j'avais fondé une belle famille à Denham et mes enfants étaient inscrits dans de bonnes écoles. Mais c'est à ce moment-là que mes comptables m'annoncèrent que je ne pouvais plus vivre en Grande-Bretagne.

Non, je n'avais pas dépensé toute ma fortune. C'était le système d'imposition mis en place par le gouvernement travailliste de l'époque qui était en cause. Les revenus étaient taxés à quatre-vingt-sept pour cent. En d'autres termes, pour chaque livre sterling que je gagnais, quatre-vingt-sept pennies tombaient dans les caisses du ministre des Finances, Denis Healey. Et l'impôt sur les revenus du capital était encore plus lourd.

Je sais ce qu'on peut penser de moi quand j'écris que je ne voulais pas payer autant d'impôts, mais les sources de revenus peuvent se tarir du jour au lendemain quand on exerce le métier de comédien. Si encore il était possible de s'acquitter de ses impôts sur plusieurs années, au moment de la retraite! Car je suis certain que mes années de vaches maigres auraient compensé celles où je gagnais très bien ma vie. Mais, bien entendu, les impôts sont dus pour l'année précédente, même si, par malheur, vous deviez ne plus jamais travailler.

J'acceptai dans un premier temps de revendre la maison, puis me réveillai un matin très remonté et fis comprendre à mes comptables que je ne bougerais pas. J'aimais mon pays, ma maison, et ma famille. Nous avions un foyer idéal et nous nous y plaisions. Je me rendis alors à Gerrards Cross, à quelques kilomètres de là, achetai du matériel de peinture – des tubes de peinture, des crayons et des toiles – et décidai de profiter au mieux de mon temps libre, dans *ma* maison, dans *mon* pays.

Cependant, indépendamment de mes élans lyriques, avec un autre James Bond dans les tuyaux et une augmentation de salaire à la clé, mes conseillers finirent par me convaincre que je travaillerais pour presque rien si je ne m'exilais pas. D'autres acteurs étaient d'ailleurs déjà passés à l'acte, dont Michael Caine et Sean Connery – Michael revint plus tard sur sa décision en déclarant qu'il ne pouvait pas vivre sans son rosbif national! Luisa et moi en discutâmes longuement avant de nous résigner à quitter notre foyer. La maison fut donc remise en vente. Mais nous ne savions pas vraiment où nous installer.

Curd Jürgens, qui était devenu un bon ami après notre collaboration sur *L'espion qui m'aimait*, nous proposa alors de nous installer dans son chalet de Gstaad pendant quelques semaines, alors qu'il était en déplacement, afin de voir si la Suisse nous convenait. David Niven, qui avait lui aussi dû quitter le pays, et vivait non loin, à Château-d'Œx, nous confirma qu'il s'y trouvait très bien.

Après avoir atterri à Genève, nous nous rendîmes à Gstaad par la route et tombâmes immédiatement sous le charme. Les enfants furent conquis en apprenant qu'en Suisse les cours s'arrêtaient à midi pour que les écoliers puissent skier le reste de la journée ! Nous trouvâmes une maison à louer à partir de l'année suivante et, l'été approchant, nous décidâmes de passer quelque temps dans notre pied-à-terre de Los Angeles, sur Hidden Valley Road, à Coldwater Canyon. Je me dis que ce serait l'occasion de renouer des liens avec Hollywood, maintenant que j'étais l'agent 007, et peut-être même de décrocher un rôle.

Après les succès de *Rencontres du troisième type* et de *La Guerre des étoiles,* Cubby avait décidé de retarder *Rien que pour vos yeux* et de se lancer dans la conquête spatiale avec *Moonraker.* Lewis Gilbert rempilerait à la mise en scène et Christopher Wood serait chargé d'en écrire le scénario. Le tournage ne commencerait pas avant plusieurs mois, ce qui me permit d'accepter une proposition dans l'intervalle.

Les Oies sauvages fut le troisième film que je tournai en Afrique du Sud, cette fois encore, l'ACTT menaça de le boycotter. Cela devenait lassant ! Mais, cette fois encore, nous passâmes outre. Le film était produit par un homme remarquable du nom de Euan Lloyd. Il était réalisé par Andrew V. McLaglen, pour qui j'avais le plus grand respect, et avec qui je ne tournerai que deux autres films, à mon grand regret. Le scénario de Reginald Rose était adapté d'un roman de Daniel Carney, et Robert Mitchum ainsi que Richard Burton devaient initialement participer au film. Un agent que je ne nommerai pas déclara un jour à Euan, au cours de l'un de ses multiples rendez-vous de préproduction à Los Angeles :

— Euan, mon coco, tu as Mitchum et Burton. À qui penses-tu pour le rôle de Shawn Fynn ?

— À Roger Moore, répondit Euan.

— Holà ! Doucement, *doucement.* Que penserais-tu de O.J. Simpson.

— Quelle drôle d'idée !

— Pourquoi pas ? Dans le scénario, il est clairement écrit que Shawn Fynn est un Irlandais à la peau mate !

En fin de compte, c'est votre serviteur, et non O.J. Simpson, qui emporta le rôle. En revanche, je ne sais plus pourquoi, mais Mitchum prévint au dernier moment qu'il n'était plus intéressé. Ce fut Richard Harris qui le remplaça au pied levé.

À l'époque, Richard était considéré comme quelqu'un de peu fiable, à cause d'un léger problème avec l'alcool. Film Finances, la société qui assurait la fin de tournage aux investisseurs, nous indiqua qu'ils n'accepteraient sa présence qu'à une seule condition : tous les matins, à cinq heures, Andrew McLaglen devrait signer une déclaration stipulant que Richard était arrivé à l'heure, qu'il connaissait son texte, et qu'il était sobre. Personnellement, je trouvais leur suggestion humiliante, mais ils n'en démordaient pas. Son cachet et une partie du salaire de Euan Lloyd seraient de plus placés sous séquestre pour s'assurer qu'il se tiendrait à carreau. En fin de compte, nous n'eûmes absolument aucun problème avec Richard Harris. Richard Burton n'avait pas non plus le droit de boire à cette époque, mais pour des raisons médicales. Il souffrait de douleurs répétées aux épaules, peut-être causées par une arthrite.

Le quatrième rôle masculin du film était tenu par l'acteur allemand Hardy Krüger, que Burton appelait malicieusement Luger. Pour les seconds rôles, nous avions un casting du tonnerre. Le merveilleux Ronnie Fraser jouait le sergent Jock McTaggart. Ron-Ron, comme il se surnommait lui-même, était un comédien légendaire. Il avait lui aussi un léger problème avec l'alcool, si bien qu'on dut véritablement le porter dans un avion pour Johannesburg, avant de le déposer dans un hôtel, puis dans un petit Cessna pour le vol jusqu'à Tschepese, notre lieu de tournage, à la frontière de ce qui était alors la Rhodésie.

Ronnie vint me voir un matin et m'annonça :

— Ron-Ron va crever si Ron-Ron boit encore un verre, alors Ronnie va s'abstenir.

Il tint parole mais reporta sa dépendance sur la ganja, l'herbe sud-africaine. La plupart roulent leur joint avec une seule feuille de papier, mais Ronnie en prenait cinq ou six pour obtenir un joint du diamètre d'un rouleau de papier toilette. Et ce, dès la première heure. Ron-Ron arriva ainsi tous les matins défoncé pendant presque toute la durée du tournage.

Quelques années plus tard, il joua dans une pièce au Royal Court Theatre, sur Sloane Square. La première représentation de la journée avait été précédée d'un déjeuner très arrosé avec son grand ami, l'honorable James Villiers. À la fin du premier acte, Ronnie avait une longue réplique. Quand il la termina, le public, principalement composé de vieilles dames, entendit soudain James applaudir très lentement en bredouillant :

— Bravo, Ronnie ! Bravo !

Ronnie traversa alors la scène et s'adressa à lui :
— Ça t'a plu, hein, James ?
— Oui.
— Tu veux que je la refasse ?
— Oh oui !
Et Ronnie s'exécuta ! C'était vraiment quelqu'un de très excentrique.

Je célébrai mon cinquantième anniversaire pendant le tournage des *Oies sauvages*. Pour marquer le coup, mes partenaires et toute l'équipe organisèrent une grande fête surprise, en pleine savane. Six grands brasiers de quelque trois mètres de haut y faisaient office de barbecues. J'aurais préféré conserver mes quarante-neuf ans le restant de ma vie, mais la nouvelle fit la une des journaux du monde entier, et je dus me résigner à passer le cap de la cinquantaine.

Nous tournions dans une station thermale qui avait été fermée au public afin que nous puissions utiliser les lieux à notre guise. La plupart des membres de l'équipe s'installèrent dans des rondavels – des bâtisses de forme circulaire – tandis que les acteurs principaux, le réalisateur et le producteur louaient des villas avoisinantes. J'avais pour ma part une assez jolie maison dans les collines, non loin de celles des deux Richard, Burton et Harris.

Un soir, en rentrant dans ma villa, j'entendis Harris sur sa terrasse pouffer de rire avec sa femme Ann. Connaissant l'homme, je me doutais qu'il préparait quelque chose. Aussi examinai-je consciencieusement ma chambre et y trouvai-je un serpent, heureusement en plastique, placé au pied du lit. Sous les draps avait été placée une fausse tarentule. « Décidément, ce Harris est un petit farceur », pensai-je. Mais je ne poussai aucun cri, ce qui dut lui gâcher son plaisir.

En revanche, le soir suivant, on entendit des hurlements dans la maison des Harris. Richard, qui enfilait ses bottes, y découvrit des serpents tout ce qu'il y a de plus vivants ! La morale de cette histoire ? Il ne faut pas chercher Roger Moore !

Dans le film, les hommes du commando des Oies sauvages sont trahis par Sir Edward Matherson, qu'interprétait Stewart Granger. Les quelques rescapés le rencontrent dans la dernière scène, à son domicile londonien. Impatient de lire dans le scénario les répliques entre mon personnage et le héros de mon enfance, je fus extrêmement déçu de constater qu'il n'y en avait aucune. En fait, je n'étais même pas présent dans cette scène, ayant pris une balle dans la jambe un peu plus tôt !

Richard Burton suggéra malgré tout de me faire apparaître dans la dernière séquence du film pour bien indiquer aux spectateurs que j'étais toujours en vie, même si on ne me voyait pas aux côtés de Granger.

Le tournage avait lieu dans une grande maison située sur Belgrave Square, en face de l'ambassade d'Espagne, et je n'étais prévu sur le planning qu'en début de soirée. J'eus donc tout le temps de déjeuner avec Elliot Kastner, qui était venu me proposer un rôle dans *Les Loups de haute mer*, dont il était le producteur, avant de me rendre sur le plateau. Mon personnage, assis dans une voiture devant la maison de Matherson, rencontrait Burton alors qu'il venait de tuer celui-ci.

Quand il eut fini sa prise, Burton grommela :

— Quel emmerdeur, ce Granger. Ça fait quinze ans qu'il n'a pas tourné et il est toujours aussi chiant !

Il me raconta que son partenaire était tiré à quatre épingles pour cette scène. À la fin de la prise, alors qu'il commençait à enlever sa cravate et sa chemise, Burton lui avait annoncé :

— Je crois qu'on va devoir en faire une autre.

— Je les emmerde ! avait répondu Granger, qui, en effet, n'avait pourtant pas tourné depuis plus de dix ans.

Je compris ce jour-là pourquoi ! Et sa réaction me rappela que, des années auparavant, il s'était écrié : « Je suis une vedette de cinéma ! »

Richard avait vraiment son franc-parler. Un jour, un membre de l'équipe avait commis l'erreur de refuser de laisser Glyn, le fils de Stanley Baker, s'asseoir à la table principale pendant le déjeuner. Quelques heures plus tard, en sortant du parking, cette même personne s'était arrêtée à la hauteur de Richard et lui avait demandé :

— Vous voulez que je vous dépose quelque part, Richard ?

— Même si j'étais mort et que vous conduisiez un corbillard, je ne monterais pas dans votre bagnole ! lui avait répondu Burton.

Le film connut un grand succès. Aussi, quelques années plus tard, Euan Lloyd mit-il en chantier une suite, *Les Oies sauvages II*. On me demanda de reprendre le rôle de Shawn Finn, toujours au côté de Richard Burton dans celui de Faulkner, mais je n'étais pas très chaud. L'intrigue consistait à faire évader Rudolph Hess de la prison où il se trouvait, et je ne pensais pas convenir. Sans compter que le fait de jouer Bond m'était un peu monté à la tête...

Burton mourut hélas moins de quinze jours avant le début du tournage de cette suite, et Edward Fox fut précipitamment embauché pour jouer le jeune frère de son personnage.

Luisa et moi avions décidé de quitter le pays dès la fin du tournage des *Oies sauvages*, que notre maison de Sherwood House ait trouvé repreneur ou non. Je me souviens parfaitement du jour où la voiture roula lentement et pour la dernière fois sur les graviers de l'allée. Je ne me retournai pas, j'étais dévasté. Mes parents et mon assistante, Doris Spriggs, nous regardèrent partir et s'occupèrent de la vendre au producteur Ken Hyman, qui la revendit plus tard au magicien Paul Daniels.

David Niven avait tourné énormément de films avant d'obtenir un Golden Globe et un Oscar pour son rôle dans *Tables séparées* en 1958. À vrai dire, il remporta cette année-là à peu près tous les prix. Cette reconnaissance était d'autant plus méritée qu'elle validait une longue carrière au cinéma. Niv me raconta cependant que, lorsque les nominations des Critics Awards avaient été annoncées, un journaliste new-yorkais avait clamé publiquement qu'il n'avait pas voté pour lui car il l'avait trouvé mauvais. Niven se demandait souvent pourquoi ce type le détestait à ce point. Cette haine à son égard le travaillait même tellement que, le jour où il descendit à New York pour assurer la promotion du film, il demanda à l'attaché de presse de United Artist de convier ce critique à déjeuner, afin de lui parler.

À table, Niv alla droit au but :

— J'aimerais savoir pourquoi vous avez pris tant de soin à préciser dans votre article que vous alliez voter contre ma nomination. Expliquez-moi cela.

Le critique répondit :

— Vous connaissez l'histoire du lieutenant, de ma femme et de son amie ?

— N'en dites pas plus, conclut sagement Niv.

Après avoir été démobilisé, David, alors jeune lieutenant, était parti pour les Bermudes. Il y avait rencontré deux jeunes femmes, en vacances sans leurs maris, et avait eu une liaison avec elles avant de partir pour les États-Unis et de leur briser le cœur.

Entre mon précédent James Bond et *Les Oies sauvages*, le fils de David vint nous rendre visite à Denham. Un matin, il nous proposa :

— Et si nous allions en Suisse voir mon père ?

— Pourquoi pas ? répondis-je.

Nous fîmes nos bagages et descendîmes, Luisa, David Jr. et moi, en voiture jusqu'à Château-d'Œx. Juste avant que nous arrivions, il sortit une perruque blonde de son sac et demanda à Luisa de la mettre.

Quand la femme de David, Hjordis, vint nous accueillir sur le perron, David Jr. lança joyeusement :

— Hjordis, je te présente ma nouvelle copine. Roger a tenu à nous accompagner mais Luisa n'a pas pu venir.

Pendant qu'il parlait, son père descendit l'escalier. Lorsqu'il vit Luisa sous sa perruque, il tourna aussitôt les talons et remonta en vitesse dans sa chambre. Plus tard, une fois que Luisa eut mis fin à la plaisanterie, Niv m'expliqua :

— Son visage me disait quelque chose, et j'avais peur qu'il s'agisse d'une de mes anciennes maîtresses !

Je l'aurais tué.

Avant notre installation en Suisse, Niv eut la gentillesse de me présenter du monde et de me faire découvrir la région. Lors de ma première visite, il m'emmena à Gstaad, au club privé The Eagle, dont il était membre honoraire. J'en devins plus tard membre à vie et fus ensuite élu au fauteuil de Niv. J'ai parfois l'impression d'avoir passé mon temps à prendre la place de quelqu'un... Entre autres exemples, on m'appela un jour à la dernière minute pour prononcer un discours à la Royal Film Performance, après que Charlton Heston s'était décommandé. En préambule, j'expliquai que j'étais là parce que Moïse n'avait pas pu venir, mais que j'avais l'habitude de ce genre de job puisque j'avais remplacé déjà George Sanders dans *Le Saint*, Jim Garner dans *Maverick*, Sean Connery dans James Bond...

David Niven père appelait son fils Poncie (le marlou, en français) parce qu'il trouvait toujours le moyen de gagner beaucoup d'argent. Quoi qu'il en soit, après le succès qu'il avait remporté en tant que producteur du film *L'aigle s'est envolé*, je fis remarquer à Poncie que je trouvais bizarre que, faisant partie de ses meilleurs amis, et qu'ayant un père qui avait remporté un Oscar, il ne nous ait jamais proposé de rôle, ni à l'un ni à l'autre. Un mois plus tard, alors que je me trouvais à Los Angeles, Poncie m'appela pour m'inviter à déjeuner au Polo Lounge du Beverly Hills Hotel. J'avais complètement oublié ma taquinerie quand il m'annonça soudain :

— J'aimerais te présenter quelqu'un.

Un Grec assez mystérieux, qui fumait cigarette sur cigarette, s'approcha. Il s'appelait George Pan Cosmatos. Il me tendit un scénario et me dit qu'il y avait un rôle pour moi et un autre pour David Niven dans son prochain film, qui s'intitulerait *Bons Baisers d'Athènes*. Poncie en avait bouclé le budget avec Lew Grade et ils n'attendaient que notre feu vert. La distribution était déjà impressionnante : Telly Savalas, Stephanie Powers, Claudia Cardinale, Elliott Gould, Anthony Valentine, Sonny Bono, Richard Roundtree et Michael Sheard !

Ils me proposaient le rôle d'un commandant de camp de prisonniers autrichien nommé Otto Hecht, qui devrait apparaître resplendissant dans son uniforme parsemé de croix gammées. Pour qu'un personnage saxon paraisse sympathique, il suffit de lui donner la nationalité autrichienne !

Le tournage se déroula entièrement sur l'île de Rhodes. Il y avait là un petit casino tout à fait charmant. Telly Savalas était un grand joueur, comme je l'étais encore à l'époque, et nous nous y retrouvions presque chaque soir. Un jour, la chance me sourit : j'y gagnai vingt-cinq mille dollars. Je me sentis coupable de vider les caisses de ce casino, dont le gérant, un Allemand, était si sympathique que j'avais le sentiment de lui avoir fait personnellement les poches.

Mais lorsque j'y retournai, la fois suivante, le vent avait tourné, et je me mis à perdre. Quand j'atteignis les vingt-cinq mille dollars de dette, je décidai d'en rester là. Le gérant, sachant que j'étais solvable, m'avait temporairement fait crédit. En le quittant, je lui promis de lui apporter l'argent le lendemain à midi, avant de me rendre sur le tournage.

Le lendemain, j'enfilai mon costume de commandant autrichien à l'hôtel, comme j'avais l'habitude de le faire, et m'arrêtai comme convenu au casino. La scène devait être cocasse : un homme habillé en Nazi portant une grosse valise en train de tambouriner à la porte d'un casino ! Il était midi précis. Le gérant vint m'ouvrir sans un regard pour mes vêtements, me prit la valise des mains et s'exclama en regardant sa montre :

— *Mein lieber Gott !* Vous autres Anglais, vous êtes si ponctuels !

Sans un mot de plus, je pris congé en claquant des talons, avant de retourner vers ma voiture.

Après un séjour éclair en Suisse pour m'assurer que notre nouvelle maison à Gstaad était correctement équipée, je reçus le scénario de *Moonraker*, mon prochain James Bond. Mon agent négocia à cette occasion un accord au coup par coup plutôt qu'un nouveau contrat portant sur trois films.

11

Un grand Bond vers l'au-delà...

« J'ai besoin de m'aérer l'entrejambe. »

À l'époque, Cubby était lui aussi devenu un exilé fiscal, Lewis Gilbert conservait une résidence à Londres mais en possédait une autre en France, et préférait, dans la mesure du possible, ne pas travailler en Grande-Bretagne. Il fut donc décidé que la production de *Moonraker* s'installerait à Paris, sur trois plateaux différents.

Doris Spriggs partit en reconnaissance nous trouver un appartement. Elle dénicha une occasion en or, dans une rue tranquille de Saint-Germain-des-Prés, dans laquelle nous emménageâmes en août. Tout se passa pour le mieux jusqu'à la fin des vacances scolaires ; nous découvrîmes alors que la rue du Bac était l'une des artères les plus bruyantes de la ville !

La façon dont on travaillait dans les studios français me convenait à merveille. Nous commencions vers midi et tournions pendant sept ou huit heures, après quoi chacun rentrait chez soi. Finies les convocations aux aurores pour passer au maquillage avant de se mettre au travail dès le petit matin. Cependant, j'avais parfois le mal du pays, notamment au niveau de la gastronomie. Heureusement, la plupart des week-ends, Bob Simmons, notre responsable des cascades, rentrait à Londres. Le lundi, il en ramenait un bol de graisse de porc ou de bœuf fondue. Sur des tartines, c'est succulent !

Nous tournâmes à Paris dans plusieurs grands décors : l'un d'eux fut d'abord utilisé pour les scènes d'intérieur de la séquence des chutes d'Iguazu. Nous partîmes ensuite tourner les extérieurs sur place, en Amérique du Sud. Quand nous revînmes au studio, quelques mois plus tard, il avait été réaménagé en salle de contrôle de Drax, le méchant du film. Une des jolies James Bond girls qui apparaissaient dans la scène des chutes s'étonna que le décor ait changé. Elle n'avait visiblement pas beaucoup d'expérience dans le cinéma.

Drax, interprété par Michael Lonsdale, était un scélérat résolu à détruire la terre pour recréer un éden dans une colonie spatiale. Je trouvais l'intrigue un peu tirée par les cheveux, mais le film fit un malheur au box-office et devint le plus gros succès de la série pendant plus de vingt ans.

Quand je tournais un James Bond, je m'imaginais toujours que les méchants avaient une haleine nauséabonde. Regardez les films et vous constaterez que j'ai l'air un peu dégoûté chaque fois que j'ai une scène avec un de mes adversaires. Cela dit, sur certains films, je n'avais pas besoin de faire semblant : ils avaient vraiment mauvaise haleine.

Jaws, avec ses mâchoires d'acier, n'avait pas ce problème ; par contre, je n'aurais pas aimé être son dentiste. Il était de retour dans cet épisode, et son béguin pour la minuscule Dolly, interprétée par Blanche Ravalec, l'humanisait un peu. Quant à ma partenaire principale, il s'agissait de la charmante Lois Chiles, qui incarnait un personnage au nom formidable, Holly Goodhead, ou « Holly la suceuse » en argot.

Lois, que j'appréciais beaucoup, était obsédée par ses cheveux. Elle frisait naturellement, de la plus adorable des façons, mais le département coiffure voulait qu'Holly ait les cheveux raides. Avant chaque prise, ils les passaient donc au fer, afin de les défriser. Dès que nous avions terminé, Lois filait se laver les cheveux et ses boucles revenaient.

Depuis ce film, nous avons souvent eu l'occasion de nous revoir. Elle rougit aujourd'hui quand je lui rappelle ses exigences, comme celle de faire venir son coiffeur personnel à Paris en Concorde !

Dans une des scènes les plus mémorables du film, le Dr Goodhead propose à Bond de faire un tour dans un simulateur d'apesanteur, une sorte d'essoreuse géante que Ken Adam avait réussi à faire tourner comme une grosse attraction de fête foraine. Heureusement, les vitesses auxquelles je fus soumis étaient moins élevées que ce que l'on voit dans le film. Afin que ma peau se déforme à mesure que la vitesse augmentait, les accessoiristes avaient installé une série de petits tuyaux qui projetaient de l'air à haute pression sur différentes parties de mon visage. J'avais vraiment l'impression que ma peau entrait dans mon crâne.

Je m'entendais bien avec les accessoiristes, qui étaient toujours partants pour m'aider à faire des blagues. Ce fut le cas dans une scène très intense que je tournai avec Lois – autant que mon petit talent me le permit – et située dans la dernière bobine du film. Depuis la station spatiale de Drax, nous devions regarder les capsules chargées de gaz mortel qui se précipitaient vers la Terre pour y causer la mort de millions de personnes. Nous parlions de ce que nous pouvions faire pour les arrêter, mais Lois ne se sentait pas à l'aise et la scène ne fonctionnait pas. Il fallait de toute évidence que je l'aide à se décontracter.

Quelques prises plus tard, Lois fixait de nouveau l'espace en se préparant à donner sa réplique quand un petit martien vert muni d'une antenne apparut de l'autre côté de la vitre et entreprit de nettoyer les baies en Plexiglas de la station spatiale. Le fou rire général qui s'ensuivit détendit toute l'équipe et nous mîmes la scène en boîte dès la prise suivante.

Nous partîmes ensuite pour Venise. Afin d'obtenir les autorisations nécessaires pour tourner toutes les bêtises prévues dans le scénario, nous dûmes sympathiser avec certains élus locaux, et Cubby devint l'un des généreux donateurs de la fondation Sauvez Venise. Nous fûmes ainsi autorisés à filmer des bateaux fonçant à toute allure sur les canaux, des fusillades, des explosions, de fausses obsèques, et même la traversée de la place Saint-Marc en aéroglisseur, ce qui, vous l'admettrez, n'arrive pas tous les jours à Venise.

Nous fîmes même encore plus fort à l'occasion de la scène des funérailles. Nous n'avions pas assez de couronnes mortuaires pour décorer le bateau qui transportait le cercueil dans lequel se cachait un tueur, prêt à jaillir pour lancer ses couteaux sur 007. Il suffit de quelques minutes aux accessoiristes pour ramener toutes les couronnes nécessaires : ils les avaient trouvées à la sortie d'une église où se déroulaient de vraies obsèques...

Pendant notre séjour, on me demanda d'assister à une soirée de gala au profit de Sauvez Venise, organisée dans une immense maison tout près du Grand Canal. Ken Adam proposa de m'y accompagner. Nous finîmes par trouver le bar et découvrîmes rapidement que nous étions parmi les plus jeunes invités. Nous avions à peine trempé nos lèvres qu'une dame aux cheveux blancs s'approcha.

— Quelle est la raison de votre présence à Venise ? demanda-t-elle, de la voix haut perchée de la haute société provinciale britannique.

— Nous tournons un film, répondis-je.

— Oh, un film? Fort bien, fort bien. Et quelle sorte de film?

— Il s'agit d'un James Bond.

— Oooh! Et quel est votre rôle?

Derrière elle, Ken s'étouffait de rire.

— Eh bien, je tente d'interpréter l'agent 007.

Elle recula d'un pas et m'examina de la tête aux pieds :

— Vous allez être très bien, mon jeune ami. Savez-vous que je connais personnellement Ian Fleming?

Je n'osai pas lui annoncer qu'il était décédé depuis quinze ans.

Nous fûmes rejoints à Venise par Bernard Lee et Geoffrey Keen. Bernie était quelqu'un d'absolument charmant mais il devenait impossible à gérer lorsqu'il avait bu. Comme ils avaient beaucoup de scènes ensemble, Geoffrey devint le gardien de Bernie. Il avait pour mission de l'empêcher de boire, mais il n'y parvenait pas toujours.

Mon hôtel, le Gritti Palace, était situé juste à côté d'un des lieux de tournage. Je pouvais vraiment m'y rendre à pied en trente secondes. Un matin, après le petit déjeuner, on vint me prévenir que l'équipe n'était pas prête. Je revins un peu plus tard, mais la situation n'avait pas évolué. Ce manège se poursuivit pendant plus d'une heure sans que j'arrive à comprendre d'où venait le problème. Lewis finit alors par m'avouer que l'équipe avait perdu une partie des accessoires indispensables pour tourner la scène.

— Nous sommes à la période des grandes marées d'équinoxe, m'expliqua-t-il. Notre hors-bord était amarré au quai de l'hôtel. Quand la marée s'est retirée, un des piliers submergés a percé la coque et le bateau a coulé.

— Oh non! m'écriai-je, vraiment secoué.

— Ce n'est pas grave, Roger, dit Lewis.

— Mais si! Tu ne te rends pas compte. Les magnifiques bagages Ferragamo de Bond étaient à bord, et on m'avait promis que je pourrais les garder après le tournage!

Des plongeurs furent envoyés pour renflouer le hors-bord. Lorsqu'il fut de nouveau en état, nous fîmes une répétition au cours de laquelle Bernie, les yeux passablement rougis, parvint de justesse à trouver ses marques. Geoffrey avait fait de son mieux afin qu'il reste à peu près sobre et se sentait déjà fort soulagé d'avoir réussi à le ramener sur le plateau à temps.

— Allez, dit Lewis. On va tourner. Tout le monde en place! Action!

À ce moment précis, toutes les cloches de Venise se mirent à sonner. Au bout de quelques minutes de ce vacarme, toute l'équipe avait les nerfs à vif.

— Est-ce que quelqu'un peut les faire taire ? rugit Lewis.

— Le pape vient de mourir, lui glissai-je. Il était cardinal de Venise. Tu vas avoir du mal à empêcher les cloches de sonner.

— Alors, autant marquer une pause, déclara-t-il.

Pour s'occuper en attendant la reprise du tournage, Bernie se précipita au bar et tous les efforts de Geoffrey furent réduits à néant. Nous ne fûmes finalement pas en mesure de finir la scène dans la journée. Heureusement, nous nous retrouvâmes de bonne heure le lendemain et pûmes la mettre en boîte avant que Bernie ait eu le temps de se jeter sur la bouteille.

Vous vous souvenez peut-être de la gondole de 007 qui se transforme en hors-bord puis en aéroglisseur. Pendant le tournage, sa métamorphose ne se déroula pas aussi harmonieusement que prévu : le côté gauche se gonfla plus rapidement que le droit, et je basculai par-dessus bord.

— Ça marchait tout à l'heure, s'excusèrent les accessoiristes.

Une foule de touristes bardés d'appareils photo s'était rassemblée. Le cycle gonflage-bascule-plongeon se répéta quatre fois, à la grande joie des badauds, l'énervement des accessoiristes et le désespoir des maquilleurs et des costumiers qui devaient chaque fois me sécher, me remaquiller et me rhabiller.

À la sixième prise, je fis comprendre à l'équipe qu'il fallait vraiment que celle-ci soit la bonne, car je n'avais plus de vêtements de rechange. Heureusement, je fus cette fois en mesure de traverser la place Saint-Marc à bord de ma gondole montée sur un châssis de Ford. Comme nous n'avions pas pu fermer totalement la place, nous étions obligés de tourner au milieu de véritables touristes qui n'avaient aucune idée de ce qui se tramait. Aussi le véhicule fut-il à ma demande équipé d'un klaxon pour éviter que je n'écrase l'un d'eux.

Nous tournâmes ensuite pendant deux jours dans le cloître d'un monastère, sur l'île du Lido. Le premier matin, j'étais assis, entre deux prises, quand un type en jean et T-shirt s'approcha pour me demander si j'acceptais de déjeuner avec lui. Surpris, je ne sus que répondre. Il déclara alors :

— Je suis le frère Luigi. Pardonnez ma tenue, mais nous ne portons nos soutanes que pour les repas et les prières. Ce que vous voyez, ce sont mes vêtements de travail.

— Écoutez, dis-je, des gens de United Artists doivent venir nous rendre visite aujourd'hui. Pourrions-nous remettre ce rendez-vous à demain?

— Permettez-moi d'insister. Le frère Abbott aimerait beaucoup que vous vous joigniez à nous aujourd'hui, répondit-il.

Je finis par accepter et participai ainsi à un déjeuner exquis, installé dans le fauteuil qui était réservé, chaque vendredi, au cardinal de Venise, c'est-à-dire le pape. Je fus surpris de constater que l'on mange très bien chez les moines. Être au service de Dieu ouvre manifestement l'appétit... Nous dégustâmes de nombreux vins délicieux, un pour chaque ville dont les moines étaient originaires, et ils venaient de toute l'Italie! Comme il était évident que j'allais avoir beaucoup de mal à dire mes répliques après un tel repas, j'en profitai pour prendre une cuite. De temps en temps, il faut savoir faire des sacrifices sur l'autel des relations publiques...

J'adore Venise et j'y suis retourné souvent, notamment pour le tournage d'une publicité pour les cigarettes Lark destinée à la télévision japonaise. Je réprouve le tabagisme, mais j'avoue que la perspective de gagner une coquette somme d'argent fut irrésistible. Le fait qu'on ne me voyait pas fumer dans le spot en question constitue-t-il une circonstance atténuante?

Chaque fois que je vais à Venise, je m'efforce d'aller déjeuner au Cipriani, sur l'île de Torcello. C'est un lieu absolument magique où l'on sert un de mes plats préférés, le calamar à l'encre. Le Harry's Bar, classé par mon ami Michael Winner comme le meilleur restaurant du monde, constitue également une étape incontournable. Leur Bellini est divin.

Je me souviens d'une soirée à la Fenice avec Gregory et Véronique Peck, Walter et Carol Matthau et Liza Minnelli, à l'occasion d'un gala donné en hommage à Ingrid Bergman. Après un dîner assez copieux au Harry's Bar, nous partîmes sur les canaux à bord de deux gondoles. Jack Basehart, le fils des acteurs Richard Basehart et Valentina Cortese, s'était joint à nous. Il avait une jolie voix de baryton. À deux heures du matin, Liza commença à entonner les premières mesures de *New York, New York* lorsqu'une fenêtre s'ouvrit. Un type hurla alors:

— Fermez-la! Vous vous prenez pour Liza Minnelli ou quoi? S'il avait su!

De Venise, nous revînmes à Paris *via* l'aéroport Charles de Gaulle où nous devions embarquer pour Rio à bord du

Concorde. L'équipe technique était partie la veille pour pouvoir filmer mon arrivée, ou plutôt celle de 007.

Luisa et moi, Lewis et Hylda Guilbert, Ken et Letizia Adam prîmes place à bord de ce merveilleux avion, mais on nous en fit aussitôt ressortir en raison de problèmes mécaniques. Un déjeuner nous fut offert pendant que nous attendions, mais je n'avais pas faim, ce qui était inhabituel. C'est alors que je ressentis les premiers élancements de cette horrible douleur que j'avais espéré ne plus jamais connaître : une crise de colique néphrétique. Sachant que je ne disposais que de quelques minutes pour intervenir, je demandai aussitôt à Lewis de m'accompagner jusqu'à la pharmacie de l'aéroport. En y arrivant, blanc comme un linge, je demandai de la morphine. Le pharmacien refusa, m'expliquant qu'il ne pouvait rien me délivrer sans ordonnance, et me conseilla d'aller voir le médecin de l'aéroport. Je me traînai jusqu'à son cabinet, plié en deux par une douleur quasi insupportable. Je n'avais même plus l'énergie d'expliquer au médecin mon problème. Alors, sans dire un mot, il ouvrit un tiroir, sortit une seringue et m'injecta une forte dose de morphine. En voyant l'aiguille, Lewis devint blême à son tour et se dirigea subrepticement vers la sortie en marmonnant quelque chose à propos des femmes qu'il fallait tenir au courant... Il me laissait tomber !

Le docteur appela ensuite une ambulance qui m'évacua en urgence vers l'Hôpital Américain. Ken et Letizia décidèrent de rester à Paris pour veiller sur Luisa, tandis que je passais trois jours assommé par les médicaments.

Et puis, un matin, je me sentis mieux. Je ne souffrais plus et décidai donc que j'étais en état en remonter dans ce fameux Concorde. En arrivant à Rio, je descendis de l'avion, enfilai mon costume d'agent 007 et remontai à bord afin que soit filmé le débarquement de James Bond. Je fus très héroïque !

Ce soir-là, lors de la fête de bienvenue, je ne pus m'empêcher de boire de l'alcool, ce qui était une très mauvaise idée, puisque j'étais encore sous traitement antalgique et myorelaxant. Je subis donc une nouvelle crise de colique mais parvins cette fois à éliminer rapidement le calcul.

Le lendemain, Jerry Juroe, l'attaché de presse, convoqua quelques journalistes.

— La bonne nouvelle, leur expliqua-t-il, c'est que Roger Moore a éliminé son calcul rénal. La mauvaise, c'est que Lois Chiles l'a avalé !

Puisqu'on parle de la presse, je me souviens d'une interview que je donnai pour ce film à une jeune journaliste de *Newsweek*.

— Quand allez-vous vous décider à faire un film sérieux? me demanda-t-elle.

— Les producteurs investissent trente-cinq millions de dollars sur celui-ci, répondis-je. Si vous ne trouvez pas ça sérieux...

Lewis donna lui aussi beaucoup d'interviews au cours de ce tournage. Ce qui l'agaçait le plus, c'était d'être constamment qualifié de vétéran du cinéma. Les journalistes ont parfois des manies de ce type, mais je les aime bien.

Rio n'était pas l'endroit le plus simple pour tourner un film. De nombreuses pattes avaient été graissées et les autorisations nécessaires demandées à l'avance, pourtant, peu après notre arrivée, les autorités exigèrent – de manière typiquement brésilienne – davantage d'argent pour tourner la bagarre dans le téléphérique qui surplombe Rio, une scène que Martin Grace et Richard Graydon avaient mise au point. Des réunions se tinrent alors au plus haut niveau et Cubby, tour à tour charmeur ou menaçant, parvint à résoudre le problème.

De retour à Paris, nous mîmes le cap vers les étoiles pour tourner les scènes finales du film dans les fantastiques décors imaginés par Ken Adam. Les scènes d'apesanteur ne furent ni faciles ni particulièrement agréables à tourner. Nous étions suspendus à toutes sortes de câbles et il fallait nous déplacer au ralenti. Le pire moment fut celui où je devais séduire Lois. À cause des câbles, bien entendu! Dissimulés sous un drap sur une plate-forme suspendue, nous étions supposés faire l'amour en apesanteur. Allongé la tête en bas, j'avais le nez gonflé et sentais presque le sang me couler par les yeux. Essayez et vous verrez qu'il n'existe guère de situation moins romantique.

Lois avait alors une bonne réplique: « Emmenez-moi encore une fois autour du monde. » Mais je crois que la meilleure revenait à Desmond Llewelyn. Penché sur son écran tandis que tous les autres membres du MI6 regardaient les ébats de Bond et Goodhead, il déclarait:

— Je crois qu'il essaye de rentrer.

Pendant mon séjour à Paris, au Plaza Athénée, je tombai sur un jeune réalisateur nommé Steven Spielberg. Grand fan de James Bond, il me déclara qu'il adorerait réaliser un des films de la série. Il venait de connaître de grands succès avec *Les Dents de la mer* et *Rencontres du troisième type*, et son nom était sur toutes les lèvres. Très excité, j'allai trouver Cubby pour lui en parler.

— As-tu une idée du pourcentage qu'il exige ? me demanda-t-il alors en secouant la tête.

Selon la politique maison, les réalisateurs des James Bond ne touchaient en effet pas d'intéressement. Et c'est ainsi que Spielberg s'en alla réaliser *Indiana Jones* qui est, selon moi, une sorte de James Bond.

Comme David Niven, je fus immédiatement séduit par le Midi de la France, en particulier par Saint-Paul-de-Vence, que Dirk Bogarde surnommait « Hollywood sur la colline ». Mes vieux amis Leslie et Evie Bricusse y possédaient une maison, dont ils nous laissèrent la jouissance au cours de l'été pendant que nous cherchions un terrain à acheter. Nous en trouvâmes un assez rapidement, qui nous permit de mettre en œuvre la construction de ce qui allait devenir notre nouvelle demeure française, La Torretta. Nous y passâmes nombre d'étés enchanteurs avec nos amis, à jouer au tennis, nager, savourer des mets délicieux et des vins fins. La belle vie !

Pendant que La Torretta sortait de terre, nous retournâmes à Gstaad, mais j'eus à peine le temps de profiter des pistes de ski avant de repartir pour Galway, en Irlande, tourner *Les Loups de haute mer*. À l'origine, le film devait s'intituler *Esther, Ruth et Jennifer* mais les responsables d'Universal trouvaient le titre trop « biblique », même si je cherche encore une Jennifer dans la Bible…

Lorsque j'eus vent du projet, je harcelai littéralement le scénariste, Jack Davies, un de nos voisins dans le sud de la France, pour le convaincre de me laisser jouer le rôle principal. Au début, il pensait que celui-ci ne me convenait pas, mais je parvins à le faire changer d'avis. Heureusement pour moi, car il s'agit d'un des personnages que j'eus le plus de plaisir à interpréter : Rufus Excalibur ffolkes (avec deux f minuscules, s'il vous plaît), un amateur de chats, misogyne au dernier degré. Quel plaisir de jouer un grossier personnage !

Nous tournions donc à Galway, dans un château, car Elliott Kastner, notre producteur, avait réussi à négocier en Irlande des conditions plus avantageuses qu'en Écosse, où le film était censé se dérouler. Le château en question hébergeait un musée dans lequel des dames filaient la laine, comme dans l'ancien temps. Ces respectables Irlandaises furent bien entendu furieuses de nous voir hisser le drapeau britannique sur la plus haute tour du château !

Le décor du bateau, l'*Esther*, fut construit sur les rochers de Galway. Ce film réunissait un groupe d'acteurs remarquables, dont mon vieux complice Jack Watson, dans le rôle du capitaine du navire. Dans le film, un méchant avait attaqué le bateau, assommé le capitaine, et disposé des charges explosives sur deux plateformes de forage en mer du Nord. Un hélicoptère devait se poser sur le pont du bateau avec, à son bord, ffolkes, chargé par le gouvernement de déjouer le complot, et l'amiral Sir Francis Brindsen, interprété par James Mason. Nous tournions de nuit, sous une pluie battante commodément fournie par les lances d'incendie des pompiers de Galway.

— Jack, tu es toujours le capitaine de ce bateau, expliqua Andrew McLaglen à mon partenaire. Tu entends un hélicoptère arriver et tu vois qu'il transporte un amiral et un autre officier supérieur, alors tu sors pour voir ce qui se passe.

— Mais il faut que j'aie un pansement sur la tête, suggéra Jack.

— Excellente idée, répondit Andrew. Qu'on lui bande la tête !

Jack revint quelques instants plus tard avec son pansement et une nouvelle proposition :

— Et si je tenais une tasse de chocolat chaud à la main ?

— Du chocolat chaud ? intervint un assistant réalisateur. Tu te prends pour Cary Grant ?

La remarque déplut particulièrement à Jack.

Il devait être près de quatre heures du matin quand nous en finîmes avec cette scène. En rentrant à notre hôtel situé en centre-ville, nous passâmes devant un pub dont toutes les lumières étaient allumées. Je proposai d'y entrer boire quelque chose pour nous réchauffer et célébrer l'anniversaire de mon ami David Hedison, qui travaillait sur le film. Conformément à la réputation irlandaise, le pub était bien rempli, même à cette heure avancée. Nous y bûmes quelques verres avant de repartir et de nous affaler à l'arrière de la voiture. Peu après, pris d'un besoin pressant, je demandai au chauffeur de s'arrêter et sortis me soulager. Dans le noir, je trébuchai sur un rocher et m'entaillai la jambe, qui se mit à saigner abondamment.

La nuit suivante, je m'excusai auprès du chauffeur d'avoir sali sa voiture. Il balaya mon embarras d'un revers de la main.

— Il y avait un sacré vent cette nuit-là, hein ? me répondit-il simplement avec un fort accent irlandais.

Anthony Perkins jouait le rôle du méchant de ce film, Kramer. Il était par ailleurs incollable sur l'histoire du cinéma, connaissant tous les films, leur titre et leur distribution complète. Comme je l'ai dit, ffolkes aimait les chats. Aussi, pour les scènes tournées au château, devait-il y en avoir partout. Une annonce publiée dans la presse locale permit de réunir tous les félins nécessaires qui, n'ayant jamais fait de film ni suivi de cours d'art dramatique, se montrèrent parfaitement indifférents aux caméras, aux éclairages, et aux acteurs. James Mason était connu pour sa passion des chats. Tandis que nous nous préparions à tourner notre première scène ensemble, Andrew McLaglen me chuchota :

— J'ai bien peur que nous n'ayons des soucis avec les matous, aujourd'hui. Le vétérinaire n'a pas pu venir.

— Pourquoi aurions-nous besoin d'un vétérinaire ? demandai-je innocemment.

— Il aurait normalement dû venir leur injecter un petit calmant. Du coup, ils sont un peu excités.

James, qui avait saisi une bribe de la conversation, intervint :

— J'espère que vous ne leur faites rien, parce que je n'accepterai pas de jouer s'ils ont été maltraités.

— Rassure-toi, James, mentis-je de mon mieux. On ne les a pas touchés. C'est précisément ce dont nous étions en train de parler.

Mais, peu après, alors que nous étions sur le point de commencer à tourner, un des électriciens de l'équipe demanda à la cantonade :

— Les chats ne tiennent pas en place aujourd'hui. Pourquoi est-ce qu'on ne leur fait pas une piqûre ?

— De quoi parle-t-il ? s'alarma James.

— Je n'en ai pas la moindre idée, répondis-je hâtivement en lançant un regard insistant vers Andrew.

Celui-ci cria aussitôt « action ! », et nous tournâmes la scène. Nous l'avions échappé belle.

Je connaissais James depuis des années. Contrairement aux personnages durs et méchants qu'il interprétait souvent, c'était un homme charmant. En dehors de son amour pour les chats, il consacrait la plupart de ses loisirs à des jeux de société, tels que les échecs ou le backgammon, et aimait aussi le bowling. Curieusement, le fait de bien le connaître me rendait encore plus nerveux à l'idée de travailler avec lui. Dans les années trente et quarante, il avait fait la une des journaux en épousant l'actrice Pamela Kellino, fille de Maurice Ostrer, le patron des studios Gaumont de Londres. Lorsqu'elle avait rencontré James en 1939, Pamela était mariée avec le réalisateur Roy Kellino. Par la suite, toutes sortes de rumeurs circulèrent à Hollywood quand Roy Kellino s'installa chez les Mason, dans la maison des invités. James faisait d'ailleurs souvent allusion à Roy en tant que « mon ex-beau-mari ».

Pamela avait quant à elle beaucoup d'humour. J'assistai un jour en sa compagnie à une cérémonie où nous étions fort mal installés, sur des chaises en plastique. Un orateur venait de clore son discours quand Pamela suggéra que nous nous levions pour l'applaudir.

— Mais son discours était minable, protestai-je.

— Oui, mais j'ai besoin de m'aérer l'entrejambe, répondit-elle.

Durant cette période, on m'invita à me rendre à Los Angeles pour recevoir le Golden Globe de « la vedette de cinéma la plus populaire du monde ». « Masculine », ajoutèrent-ils heureusement afin de lever toute ambiguïté. Quel honneur pour moi d'être ainsi distingué par l'éminent groupe de critiques dont le vote déterminait ces récompenses ! Vous souvenez-vous que, lorsque j'étais sous contrat à la Warner, j'avais conseillé à un collègue assez désagréable de viser le prix de camaraderie, à défaut d'avoir du talent ? J'avais manifestement suivi mon propre conseil !

Je ne perdis jamais contact avec Lew Grade après *Amicalement vôtre*. Au fil des années, je crois avoir participé à toutes les émissions de variétés qu'il a produites, de *Sunday Night at the London Palladium* à *Millicent Martin*, en passant par *The Burt Bacharach Show*, sans oublier un des sommets de ma carrière : le *Muppet Show*. Ces émissions pour enfants étaient enregistrées aux studios ATV de Borehamwood, et Lew me proposa d'être l'invité d'honneur de l'une d'entre elles.

Je constatai avec amusement que la majeure partie du travail se déroulait autour de mes genoux, où se tenaient les marionnettistes connus sous le nom de Muppeteers. Cachés, les bras en l'air, ils donnaient vie à des personnages extraordinaires tels que Kermit la grenouille et Miss Piggy.

Très excité à l'idée de participer à l'émission, je préparai mes meilleures plaisanteries sur les Muppets en vue de ma rencontre avec l'équipe.

En voici quelques exemples :

— Qu'est-ce qui est vert et qui sent le cochon?

— Le doigt de Kermit.

— Qu'est-ce qui est vert et rouge et qui tourne à deux cents à l'heure?

— Kermit dans un lave-linge.

Malheureusement, mes blagues ne furent pas accueillies avec l'enthousiasme que j'avais escompté, et les gens de l'équipe me regardèrent comme si j'étais une souris que le chat aurait ramenée sur le tapis du salon. Je décidai donc de ne pas insister et acceptai de bon cœur d'interpréter une chanson de Leslie Bricusse dans un sketch très amusant, *Talk to the Animals*, qui se moquait gentiment de moi et de mon prétendu charme sophistiqué.

Je dois ici vous faire une confession. Personne ne l'a jamais su, mais à Borehamwood, loin de ma femme et de ma famille, je me sentais très seul. Aussi, quand cette créature envoûtante me fit des avances, je ne pus lui résister. Je ne suis pas fier de ce qui arriva. Ce fut une aventure sans lendemain et je n'entendis plus jamais parler d'elle. Pas une lettre, un SMS, un e-mail ou même un coup de fil.

Miss Piggy m'avait pourtant juré qu'elle m'aimait!

Euan Lloyd, le producteur des *Oies sauvages*, voulait me rencontrer. Il fit le voyage aux États-Unis pour me proposer l'un des rôles principaux dans *Le Commando de Sa Majesté*, un film dramatique dont l'action devait se dérouler durant la Seconde Guerre mondiale. Gregory Peck avait accepté de jouer le rôle de Lewis Pugh, l'autre héros du film, et cela me réjouit infiniment.

Un jour que nous discutions tous les trois du scénario, Greg dit à Euan:

— Il me semble que le troisième rôle important, celui de Bill Grice, conviendrait parfaitement à notre ami David Niven.

Euan n'avait apparemment pas prévu dans son budget la somme nécessaire pour engager quelqu'un comme Niv. La suggestion le fit donc un peu tiquer, mais il comprit rapidement qu'il serait parfait pour le rôle et accepta d'économiser sur son propre salaire pour pouvoir payer celui de David.

Ainsi ce film se transforma-t-il en une réunion de vieux amis, parmi lesquels figuraient plusieurs rescapés des *Oies sauvages*: Kenneth Griffith, Jack Watson et Patrick Allen, pour n'en citer que trois. Nous fûmes rejoints par Patrick Macnee, que je connaissais depuis… un siècle, Trevor Howard, un voisin de

Saint-Paul-de-Vence, John Standing, Michael Medwin, Glyn Houston et Donald Huston. Vous vous souvenez sans doute que Donald avait décroché le rôle pour lequel j'avais passé des essais dans *Le Lagon bleu*, en 1946. Pour dire la vérité, ces rôles d'athlète bronzé, torse nu, m'ont toujours terrifié. On m'avait d'ailleurs un jour proposé de jouer Tarzan et j'avais refusé, craignant de ne pas pouvoir rentrer le ventre pendant vingt-six semaines.

Gregory Peck et moi nous connaissions depuis des années, mais c'était la première fois que nous travaillions ensemble, et la première fois qu'il était le témoin de mes farces lamentables et de mon humour de potache. Il me regarda souvent en secouant la tête, l'air consterné.

L'équipe de tournage s'installa à Goa, où notre joyeuse bande de vétérans devait s'infiltrer clandestinement afin de détruire trois navires allemands qui transmettaient à des sous-marins la position des vaisseaux alliés. Le port étant situé dans un pays neutre, l'Angleterre ne pouvait officiellement pas y mener une intervention militaire.

Nous étions tous logés dans des bungalows de l'hôtel Fort Aguada. Dans chaque bungalow, un jeune homme faisait office de majordome et de serveur. Le nôtre, particulièrement jeune, devait avoir environ seize ans. Il me raconta qu'il n'avait pas vu ses parents depuis qu'il s'était enfui, à l'âge de sept ou huit ans. Je lui demandai ce qui avait bien pu le pousser à quitter si jeune le domicile familial. Il m'expliqua qu'un oncle les avait emmenés, lui et quelques autres garçons, camper dans les collines, avec l'accord de leurs parents. Là, il leur avait servi un dîner au goût un peu bizarre. Le garçon n'y avait pas touché, et il avait bien fait car la nourriture contenait des somnifères. Pendant qu'ils dormaient, les autres garçons avaient été mutilés, afin qu'ils deviennent des mendiants pour le compte de leur famille. Notre majordome s'était alors enfui à toutes jambes.

Son récit me glaça d'horreur. Je n'avais jamais imaginé que des êtres humains puissent se montrer aussi cruels envers leur progéniture. Hélas, depuis que je fais partie de l'Unicef, j'ai découvert qu'il n'y a guère de limite à leur cruauté, particulièrement à l'égard des enfants.

Notre hôtel donnait sur une plage magnifique, longue de plus de vingt kilomètres. Tout au bout se trouvait une cabane nommée La Pharmacie du paradis. On y vendait de tout, sans ordonnance, depuis le dentifrice jusqu'à l'héroïne. Je décidai donc prudemment d'éviter l'endroit. En bon hypocondriaque que je suis, j'ai toujours dit que, si je devais tenir un commerce, ce serait une pharmacie, mais qui ne vendrait que des médicaments autorisés !

La région hébergeait de nombreux hippies, allemands pour la plupart, qui arpentaient la plage d'un bout à l'autre, nus, pour la grande joie de certains. Je me suis souvent demandé ce qu'ils pouvaient bien acheter dans cette pharmacie...

Ancienne colonie portugaise, la région de Goa est très différente du reste de l'Inde. On y trouve beaucoup d'églises catholiques, et toute l'architecture locale est influencée par le style portugais. Malheureusement, c'est également le cas de la cuisine. Je ne suis pas un grand amateur de gastronomie portugaise et j'ai toujours constaté, en visitant d'anciennes colonies de ce pays, que la nourriture n'y était pas bonne.

À l'approche de Noël, Greg, Niv, Andy McLaglen et moi suggérâmes à la régie d'organiser un dîner de Noël traditionnel : dinde farcie, pudding de Noël et tout l'accompagnement habituel. Euan nous demanda toutefois de ne pas passer commande à l'épicerie Fortnum & Mason's de Londres, afin de ménager nos relations avec les gens de Goa. De plus, l'ambassadeur du Canada lui avait assuré que les dindes indiennes étaient délicieuses. Nous dûmes capituler. Le grand jour arriva et nous trouvâmes dans nos assiettes des morceaux de viande – mais laquelle ? – à moitié crus. Tant pis, il nous restait toujours le pudding ! Il fut découpé sous nos yeux horrifiés. Quant à la sauce qui l'accompagnait, elle ne contenait ni œufs ni lait frais. Ce fut vraiment un repas infect. Pour couronner le tout, la facture qui arriva quelques semaines plus tard était astronomique. En sa qualité d'ancien président de l'académie des Oscars, Greg était habitué aux négociations de haut vol. Nous le chargeâmes donc de négocier en notre nom, et il obtint un rabais de l'ordre de vingt-cinq pour cent, mais c'était tout de même encore trop cher payé.

Toute ma famille m'avait accompagné sur ce tournage, y compris mon fils Christian, âgé de sept ans. Il se lia d'amitié avec notre majordome, qui lui offrit un des badges métalliques à son nom qu'il accrochait à son uniforme. Christian fut aussi heureux que s'il avait été personnellement nommé chef de rang.

Un jour, Euan nous informa que nous étions tous invités à déjeuner chez une dame, à Delhi, et que cette invitation relevait de l'intérêt supérieur de la production. Je n'avais pas la moindre idée de qui elle était, mais il semblait impossible de décliner l'invitation. Lorsque j'expliquai à Euan que j'aurais préféré me reposer et passer la journée en famille, il me répondit :

— Elle a fait préparer un chameau et un éléphant pour Christian.

Que pouvais-je répliquer à cela ?

Seul Greg Peck fut assez malin pour échapper à l'expédition. Le reste de l'équipe s'entassa dans plusieurs Mercedes dont les coffres étaient remplis de caisses de bière. Je découvris par la suite que nous étions dans une de ces « journées sèches » au cours desquelles la vente d'alcool est interdite.

Nous arrivâmes bientôt devant une maison mystérieuse qui ressemblait un peu à un cinéma des années trente. Un serviteur sikh nous ouvrit la porte.

— Près de la piscine, près de la piscine ! nous dit-il, comme si nous étions une troupe itinérante du théâtre aux armées.

Nous descendîmes donc jusqu'à cette piscine, infestée de moustiques, où rien ne nous fut servi avant qu'Euan décide d'envoyer chercher les bières que nous avions apportées. Quant à notre hôtesse, elle était toujours invisible.

Après un long moment arriva un gentleman qui se présenta comme un officier supérieur de l'armée indienne. Sur le coup, son nom m'échappa, mais je me souvins récemment qu'il s'agissait du maréchal Sam Manekshaw en voyant son avis de décès dans le *Times*. Une heure plus tard, il ne s'était toujours rien passé, en dehors du fait que nous étions désormais d'une humeur plutôt enjouée. Finalement, notre hôtesse apparut et nous invita à entrer pour le déjeuner. On ne nous offrit rien d'autre à boire que les bières tièdes que nous avions apportées. Pourtant, il suffisait que la maîtresse de maison lève la main pour qu'une vodka tonic pleine de glaçons lui soit apportée. Elle ne savait absolument pas qui nous étions, et réciproquement.

Quand l'heure de partir arriva enfin, après un après-midi qui nous avait semblé interminable, David Niven prit la parole :

— Madame, nous devons prendre congé.

— Oh, vous ne restez pas pour le dîner ? demanda-t-elle.

— Non, madame, déclara David avec un sourire angélique. Et j'espère bien ne plus jamais vous revoir.

— Merci beaucoup, répondit-elle.

Ce qui tend à prouver que les gens ne font jamais vraiment attention à ce qu'on leur dit. Le pire est que je n'ai jamais su pourquoi ce déjeuner était si important pour Euan...

Le tournage fut pénible pour David Niven. Kristina, l'aînée de ses filles adoptives, avait eu un accident de voiture en Suisse. Il faisait donc des allers et retours lorsqu'il ne tournait pas afin d'être auprès d'elle. David aimant la marche, il se promenait souvent sur la magnifique plage de Goa, en compagnie de Patrick Macnee. Quelques années plus tôt, pendant le tournage de *Bons Baisers d'Athènes*, il m'avait étonné en rentrant à l'hôtel à pied lorsque la journée était terminée, parcourant parfois de nombreux kilomètres alors que j'avais tout juste la force de m'affaler à l'arrière d'une voiture. Mais, à Goa, il me confia qu'il avait un problème : il ne parvenait plus à lever les talons. Je l'ignorais alors, mais il s'agissait des premières manifestations de la maladie de Charcot.

Les symptômes suivants portèrent sur son élocution. Lors d'une interview à la télévision anglaise, il se mit à avoir du mal à articuler. Des téléspectateurs appelèrent la chaîne, scandalisés parce qu'ils pensaient, à tort, qu'il était ivre. David Niven était bien trop professionnel pour passer à la télévision en état d'ébriété ! La maladie s'attaqua par la suite à tous ses organes, et les années qui suivirent furent déchirantes pour sa famille et ses amis. Il joua dans quelques autres films, mais dans les derniers d'entre eux, ses dialogues étaient doublés. Heureusement, nous étions voisins aussi bien en Suisse qu'en France, ce qui nous permit de passer beaucoup de temps ensemble.

Je n'avais eu l'occasion de travailler avec Bryan Forbes qu'une seule fois, lorsqu'il était le patron d'EMI Films et qu'il m'avait proposé de jouer dans *La Seconde Mort d'Harold Pelham*, mais il ne m'avait jamais dirigé. L'occasion se présenta en 1980 avec la comédie *Les Séducteurs*. Il s'agissait d'un film à sketches, avec quatre scénaristes, quatre réalisateurs et quatre vedettes. Comme je venais de passer beaucoup de temps aux États-Unis, je sautai sur l'occasion de travailler en Europe, d'autant que j'allais être entouré d'amis.

Mon sketch était écrit par mon copain Leslie Bricusse, et j'en partageais la vedette avec un autre vieil ami, Denholm Elliot. Priscilla Barnes et Lynn Redgrave y apportaient la touche glamour. Je jouais le rôle d'un chauffeur, une sorte de personnage à la Alfie, au service d'un homme d'affaires anglais installé en France. Quand le patron partait en voyage, le chauffeur et le majordome, interprété par Denholm Elliot, prenaient la voiture et se faisaient passer à tour de rôle pour un millionnaire en mal d'amour qu'accompagnait son chauffeur dans un hôtel fréquenté par des hôtesses de l'air. Je trouvais l'histoire très drôle, réalisée avec élégance, mais le public des salles de cinéma jugea de toute évidence que l'ensemble ne fonctionnait pas.

La comédie à laquelle je participai ensuite, *L'Équipée du Cannonball*, connut un succès fort différent. Parce que j'apportais moi-même une touche d'ironie au personnage de l'agent 007, j'avais toujours refusé de participer à des films qui utiliseraient son image pour le parodier. Aussi, quand Hal Needham me parla de son projet et de ce personnage qui se prenait pour James Bond, je lui expliquai :

— Je ne peux pas faire ça. Je ne veux pas me moquer de James Bond. Mais, si ça t'intéresse, je veux bien me moquer de Roger Moore.

— Comment ça ? demanda-t-il.

— J'adorerais jouer le rôle de quelqu'un qui se prendrait pour Roger Moore, surtout s'il portait un nom comme Seymour Goldfarb et que sa mère était Molly Picon.

— Je vois, répondit Hal.

Je pensais que nous en resterions là, mais il m'envoya quelque temps plus tard un scénario dont l'un des personnages s'appelait Seymour Goldfarb Jr., un acteur raté qui se prenait pour Roger Moore. L'intrigue était très drôle. De plus, Molly Picon avait accepté de tenir le rôle de Mme Goldfarb.

Je me suis rarement autant amusé sur un film. J'y conduisais l'Aston Martin DB5, prétendument pilotée par Sean Connery dans *Goldfinger*, avec une passagère différente dans chaque scène, à la James Bond. Hal filmait souvent avec deux ou trois caméras en même temps, de façon à ne manquer aucune de nos improvisations. Difficile de le lui reprocher, vu la troupe qu'il avait réunie : Burt Reynolds, Dom DeLuise, Dean Martin, Sammy David Jr., Jack Elam, Peter Fonda, Jackie Chan, Farrah Fawcett et tant d'autres.

Je m'amusai particulièrement à tourner la scène dans laquelle je m'attaque à une bande de Hell's Angels en proclamant :

— Autant vous prévenir, je suis Roger Moore !

Naturellement, je me fais aussitôt étendre.

Tandis que la fin du tournage approchait, nous apprîmes que le studio envisageait de produire une suite. Dans ma dernière scène, dos à la caméra, à côté de l'Aston, j'avais prononcé une réplique que j'ai oubliée depuis. Lors de la postproduction, Hal me demanda de la réenregistrer pour dire :

— Je me suis bien amusé. Je pense que je vais recommencer l'année prochaine.

Cependant, lorsque la suite fut envisagée, trois ans plus tard, j'eus l'impression qu'il ne restait plus grand-chose à tirer du concept de base. De plus, la fin du tournage du premier film avait été ternie par un accident de voiture, dans lequel ma partenaire avait été sérieusement blessée après qu'un cascadeur eut perdu le contrôle de son véhicule, et j'en avais été profondément affecté. Je n'eus qu'un seul regret : apprendre que mon ami Frank Sinatra allait jouer dans cette suite. Si j'avais accepté, j'aurais pu réaliser un de mes rêves en travaillant avec lui. Mais le destin en décida autrement.

Si Cubby et moi discutions de toutes sortes de sujets, nous n'abordions jamais les questions d'argent. En fait, la seule fois où Cubby m'en parla fut au moment de la préparation de *Rien que pour vos yeux*. Nous étions en pleine partie de backgammon, et c'était à lui de jeter les dés. Il les ramassa, les plaça dans le godet, hésita un instant, puis lâcha :

— Tu peux dire à ton agent qu'il aille se faire foutre.

Il s'agissait de toute évidence d'une allusion aux négociations en cours à propos de ma participation au film, dont je ne me mêlais jamais. Naturellement, mon agent se battait pour m'obtenir le meilleur contrat possible et empochait au passage ses dix pour cent. Je savais qu'Eon avait organisé des auditions pour tester des candidats susceptibles de me remplacer, mais cela ne me gênait pas car je savais que Cubby ne trouverait jamais quelqu'un qui accepte de travailler pour un cachet aussi faible que le mien !

En vérité, j'avais vraiment envie de faire encore un Bond mais je le lui cachai. En faisant savoir qu'ils envisageaient de me remplacer, Eon voulait certainement me pousser à accepter leurs conditions. C'était de bonne guerre. Mais j'ai pour principe de ne pas sous-estimer ma valeur. Si quelqu'un veut travailler avec moi, je considère qu'il doit me payer correctement. Mon agent demande un peu plus, le producteur un peu moins et nous finissons généralement par trouver un compromis satisfaisant. Mais si ce n'est pas le cas, je me retire sans hésiter. Peu après cette remarque de Cubby, mon agent m'informa qu'il était parvenu à un accord. Je me préparai donc à de nouvelles parties de backgammon.

Nous eûmes pour ce Bond un nouveau réalisateur en la personne de John Glen, avec qui j'avais eu le plaisir de travailler sur de nombreux autres films. J'estimai que nous nous connaissions suffisamment pour que je puisse lui faire part de mes quelques réserves à propos du scénario. Après un instant de silence, il m'annonça qu'il refusait d'en discuter : il avait reçu pour instruction de ne pas toucher aux dialogues. Ce sont des choses qui arrivent lorsqu'un des scénaristes produit également le film. Cependant, ayant déjà joué le rôle de l'agent 007 quatre fois en huit ans, j'avais l'impression de bien connaître le personnage, aussi bien que Simon Templar et Brett Sinclair, et je savais que quelques-unes des répliques ne correspondaient pas à ce que Bond aurait dit. Mais je décidai de laisser filer pour reprendre la discussion lorsque ces questions se poseraient à nouveau.

On m'a souvent dit que *Rien que pour vos yeux* est beaucoup plus sombre et réaliste que les précédents James Bond. En le revoyant aujourd'hui, je suis effectivement assez d'accord. Il y a un peu moins d'humour dans ce film, et davantage de brutalité. Pour son premier James Bond, John Glen souhaitait retrouver l'âpreté des romans de Ian Fleming. L'époque et les situations avaient changé, et Bond se devait de s'adapter.

En ce qui me concernait, tous les éléments essentiels étaient réunis : action, aventure, gadgets, décors exotiques et jolies filles. L'intrigue était construite autour d'un ordinateur top secret de type ATAC, qui commandait à distance les missiles des sous-marins britanniques. Un navire-espion camouflé en chalutier, équipé d'un de ces appareils, avait coulé dans les îles grecques après avoir sauté sur une mine datant de la Seconde Guerre mondiale. Si quelqu'un parvenait à mettre la main sur l'ordinateur, tout le système de défense britannique serait menacé. Au boulot, James !

Bien des années plus tôt, à l'époque où je jouais le rôle de Simon Templar, j'avais été invité à la première du *Violon sur le toit* dans le West End, et j'avais été époustouflé par la performance de Haym Topol. Vous pouvez donc imaginer ma joie d'apprendre qu'il serait à l'affiche de *Rien que pour vos yeux*, au côté de Julian Glover, que je connaissais depuis des années. Leurs personnages avaient été astucieusement écrits de façon à ce qu'on ne soit jamais tout à fait sûr de leur allégeance.

Le personnage joué par Topol, Milos Columbo, mangeait des pistaches en permanence, et je faisais enrager notre cadreur Alec Mills en jetant malicieusement les coquilles sous les roues de sa caméra, qui craquaient lorsqu'elle se déplaçait.

Ma partenaire principale était l'actrice française Carole Bouquet, une des plus jolies James Bond girls de la série. Elle avait malheureusement à l'époque pour compagnon un jeune producteur tourmenté. J'aimais beaucoup Carole et ce fut un plaisir de travailler avec elle, particulièrement lors d'une scène de poursuite de voitures où nous devions semer des tueurs à bord d'une 2CV, un véhicule auquel Bond n'était guère habitué !

En revanche, je fus dévasté en voyant Bernard Lee arriver sur le plateau. Il était en train de mourir d'un cancer de l'estomac et était très affaibli. Il insista pour tourner une scène, mais ne parvint pas à la jouer jusqu'au bout. À contrecœur, il dut renoncer à interpréter le rôle de M et décéda peu de temps après, en janvier 1981. Cette horrible maladie a emporté tant de mes amis que j'en suis parfois révolté.

Par égard pour sa précieuse contribution à la série, Cubby décida de ne pas remplacer Bernie. À la place, il engagea James Villiers pour jouer le rôle du directeur Bill Tanner et fit changer le scénario pour expliquer que M était en congé. Desmond Llewelyn joua d'ailleurs une scène qui avait été écrite initialement pour M, celle où il se fait passer pour un prêtre.

La distribution était vraiment excellente. Jill Bennett, une vieille amie de la RADA, nous avait rejoints pour jouer Jacoba Brink, l'entraîneuse de patinage artistique qui veille sur la carrière de sa protégée, Bibi Dahl, interprétée par Lynn-Holly Johnson. Je crois que Bond prit un coup de vieux lorsque Bibi chercha à le séduire du haut de ses seize ans. Cassandra Harris, qui incarnait la comtesse Lisl, au destin funeste, venait parfois sur le tournage accompagnée de son mari, un jeune acteur irlandais du nom de Pierce Brosnan. Qu'a-t-il bien pu devenir ? Charles Dance tenait le rôle d'un homme de main, et je crois d'ailleurs que c'était son premier film. Quelques années plus tard, il interpréta le rôle d'Ian Fleming pour la télévision ; ma fille Deborah jouait celui de sa secrétaire.

Michael Gothart campait le personnage d'un tueur, Locque, dont la fin brutale me conduisit à changer la façon dont j'interprétais Bond. Dans le film, Locque avait tué mon allié Ferrara et signé son crime en déposant sur son corps un badge en forme de colombe. Je courais après sa voiture, que je faisais sortir de la route grâce à quelques balles bien ajustées de mon fidèle Walther PPK. Le véhicule s'arrêtait en équilibre au bord d'une falaise. Locque espérait alors que Bond allait l'aider.

Dans le scénario, Bond lançait le badge sur Locque puis faisait basculer la voiture dans le vide d'un violent coup de pied. J'expliquai que je ne voyais pas mon personnage ainsi, et trouvais plus astucieux qu'il fasse un geste brusque au moment de lancer le badge, ce qui ferait sursauter le tueur, déséquilibrerait la voiture et causerait sa perte. Mais John Glen resta inflexible : Locque ayant tué mon ami, je devais exprimer ma colère en me montrant impitoyable. Cela ne me plaisait guère. Nous aboutîmes finalement à un compromis : je lançai le badge et fis basculer la voiture d'un léger coup de pied.

De nombreux critiques et experts ont fait de cette scène un tournant dans l'évolution du personnage de Bond au cinéma. Peut-être avais-je tort...

Après ces séquences tournées à Corfou, nous partîmes pour Tofana, Cortina, et la neige. Ou plutôt le manque de neige. Nous devions tourner une scène dans laquelle Carole Bouquet et moi affrontions des tueurs à moto sur la place enneigée d'un village. Mais, en dépit du froid, toute la neige avait fondu et nous dûmes en faire venir par camions entiers. Comme quoi, on ne peut jamais se fier à la météo...

Je me débrouillais plutôt bien en ski de fond mais je ne me risquai à aucune des cascades à ski du film, ce que la compagnie d'assurances n'aurait de toute façon pas permis. Elles furent réglées par Willy Bogner, un extraordinaire skieur et réalisateur. Pour filmer les gros plans, il me fit sangler sur un traîneau tandis qu'il skiait en marche arrière, l'œil collé à l'objectif de sa caméra.

Malgré mes cinquante-quatre ans et mon vertige, cette expérience me donna envie d'essayer le ski alpin. Aussi décidai-je bravement de prendre des leçons, chez moi, à Gstaad. Mes enfants, qui skiaient parfois l'après-midi avec leurs amis, me supplièrent d'éviter les pistes qu'ils empruntaient, parce que je leur faisais honte en tombant sans arrêt.

En persévérant, je devins un skieur d'un niveau tout à fait acceptable et finis par y prendre un tel goût que j'annonçai un jour à mon agent ce que David Niven disait au sien :

— Je prends des vacances en janvier et en février, car ce sont les bons mois pour skier. Et l'été, j'aime aller dans le sud de la France pour nager et faire du voilier.

— Ça ne laisse pas beaucoup de temps pour travailler, me répondit-il.

Mon vertige fut mis à rude épreuve dans le troisième acte du film, au moment où Bond escalade une paroi rocheuse.

Heureusement, un Valium et un grand verre de bière mirent fin à mes angoisses. Comme il l'avait déjà fait dans le prégénérique de *L'espion qui m'aimait*, Rick Sylvester me doubla dans les scènes de glissade et de chute. Mes gros plans furent quant à eux tournés plus tard à Pinewood. Je ne sais pas l'effet que sa chute de six mètres eut sur les testicules de Rick, mais pour mon gros plan, le harnais aplatit si bien les miens qu'on aurait pu les glisser dans une tirelire…

Beaucoup de scènes se déroulaient sous l'eau, ce qui ne me dérangeait pas, mais Carole découvrit qu'un problème de sinus l'empêchait de plonger. L'équipe mit alors au point une solution ingénieuse : plusieurs scènes furent tournées par la deuxième équipe, avec des cascadeurs, dans le bassin de Pinewood. Ensuite, John et son équipe nous filmèrent, Carole et moi, au sec, sur un autre plateau. Un ventilateur faisait voler nos cheveux, et ils réglèrent la caméra à soixante-douze ou quatre-vingt-quatre images par seconde ce qui, lorsque le film est projeté à la vitesse normale de vingt-quatre images par seconde, ralentit les mouvements comme ils peuvent l'être sous l'eau. Derek Meddings s'empara ensuite du négatif et, à l'aide de quelques Alka-Seltzer, y ajouta les bulles qui nous sortent de la bouche. Astucieux, n'est-ce pas ?

Puisque le film s'efforçait d'adopter un ton plus sérieux, il était étrange qu'il se termine par une scène avec le Premier Ministre de l'époque, Margaret Thatcher, ou plus exactement un sosie. La séquence était certes drôle mais je ne suis pas sûr qu'elle avait sa place dans ce film, pas plus que ce satané perroquet qui révélait à Bond un indice important en disant : « ATAC à Saint-Cyrille. »

Et c'est à moi que l'on reproche de vouloir rendre James Bond amusant ! Alors, qu'entre nous, il s'agit d'une vaste plaisanterie. Comment se fait-il en effet que James Bond, censé être un agent *secret*, soit reconnu par tous les barmen du monde, qui lui préparent son cocktail préféré dès qu'il pénètre dans leur établissement ? Allons, soyons sérieux…

Sheena Easton fut choisie pour interpréter la chanson du générique. Lorsqu'elle arriva à Pinewood pour rencontrer l'équipe, John et Maurice Binder furent tellement impressionnés par sa beauté qu'ils décidèrent de la faire apparaître au générique, ce qui constituait une première. Pour cette raison, Cubby demanda aux responsables de la publicité de la faire participer aux interviews promotionnelles, durant lesquelles elle passa plus de temps à parler de ses chansons que du film, ce qui mit notre producteur hors de lui.

Au cours des nombreux entretiens que je donnai à New York, on me demanda fréquemment si j'allais continuer à jouer le rôle de Bond. J'entretenais généralement dans mes réponses un flou diplomatique en expliquant, par exemple, que les producteurs ne voudraient certainement plus de moi si *Rien que pour vos yeux* était un échec commercial. Lors d'une interview pour la chaîne NBC, la journaliste posa cette même question. En m'efforçant de faire comme si je ne l'avais pas déjà entendue cent fois, je répondis :

— À la fin de chaque film, ils annoncent que James Bond sera de retour, mais ils ne disent pas pour autant qu'il en sera de même pour Roger Moore !

— Et où reverra-t-on James Bond ? me demanda-t-elle.

— Dans *Octopussy*.

— Dans une pieuvre[1] ! Mais vous vous moquez de moi ?

Comme si c'était mon genre...

La première de *Rien que pour vos yeux* eut lieu à l'Odeon Leicester Square, au profit d'une association d'aide aux handicapés, en présence de la princesse Margaret, ainsi que du prince Charles et de Lady Diana Spencer, qui venaient de se fiancer. Je crois que c'était la première fois qu'ils assistaient ensemble à la première d'un film, et qu'il s'agissait sûrement d'une de leurs premières sorties en public depuis l'annonce de leurs fiançailles.

Sur la suggestion de Topol, Cubby invita Harry Saltzman à cette première. Les deux ex-associés ne s'étaient pas quittés dans les meilleurs termes mais ils se saluèrent comme de vieux amis. Je sais que Harry fut touché d'être invité et de sentir que son nom était encore associé à celui de Bond. Un geste vraiment élégant de la part de Cubby.

Après *Rien que pour vos yeux*, je séjournai quelque temps aux États-Unis, puis revins à Gstaad pour Noël et la saison de ski, ravi de pouvoir me détendre ainsi en famille. Nous retournâmes ensuite à Los Angeles, à temps pour la cérémonie des Oscars. Un des risques du métier d'acteur est d'être fréquemment invité à ce genre de soirées, et je me suis exécuté bien plus souvent que je ne l'aurais souhaité. Mais les Oscars étaient, et restent de loin la plus chic de ces cérémonies.

---

1. Pieuvre se dit *octopus* en anglais. *(N.d.T.)*

Je dois préciser que je n'y fus jamais nommé, et encore moins oscarisé. Messieurs les organisateurs, notez bien que je serais ravi de l'être si l'occasion se présentait. On me demanda cependant de remettre l'Oscar du meilleur acteur et celui du meilleur acteur dans un second rôle. En 1981, on me proposa également de remettre à Cubby Broccoli la plus prestigieuse des récompenses de l'Académie : le prix Irving G. Thalberg, un oscar d'honneur qui n'a été décerné qu'à trente-six reprises depuis sa création en 1937. Les James Bond avaient souvent été dédaignés par l'Académie, avec seulement deux récompenses, mais, ce soir-là, justice allait leur être rendue. Cela comptait beaucoup pour Cubby. Aussi, lui et sa femme Dana étaient-ils terrifiés à l'idée que je ne prenne pas la situation vraiment au sérieux et que je débite des âneries. Comme si j'en avais l'habitude… Durant les répétitions, Dana était assise au premier rang pour s'assurer que je ne me lancerais pas dans quelque improvisation douteuse. Je m'en tins donc au texte convenu, et Cubby reçut sa récompense avec beaucoup d'émotion et de modestie.

Mon souvenir le plus drôle lié aux Oscars remonte à quelques années plus tôt. En 1974, tandis que David Niven prononçait le discours de présentation d'une des récompenses, un homme traversa la scène derrière lui, entièrement nu. Impassible, Niv enchaîna en disant :

— Ce type-là ne saurait faire rire autrement qu'en nous montrant où le bât blesse !

En revanche, la situation la plus étrange se présenta en 1973, année où Liv Ullmann et moi-même étions chargés de remettre l'Oscar du meilleur acteur à Marlon Brando pour son rôle dans *Le Parrain.* J'avais la statuette dans les mains quand le nom de Brando fut annoncé, mais ce fut une jeune fille habillée à l'indienne qui monta sur scène et leva la main. Pensant qu'il s'agissait d'une forme de salut, je lui répondis : « How ! »

Au lieu de me répondre, elle se lança dans un discours passionné sur les Indiens d'Amérique. Brando avait refusé son Oscar et envoyé cette fille, Sacheen Littlefeather (dont on découvrit par la suite qu'elle était actrice), afin qu'elle explique qu'il avait pris cette décision pour protester contre la façon dont les Indiens étaient représentés dans les films hollywoodiens.

Au milieu de la confusion qui s'ensuivit, personne ne songea à récupérer l'Oscar. Je regagnai donc les coulisses en tenant fermement la statuette dans mes mains moites, mais fus aussitôt renvoyé sur scène, avec John Wayne et tous les autres vainqueurs et présentateurs de la cérémonie, afin de chanter *There's No Business Like Show Business*! La chanson encore sur les lèvres, je quittai la scène pour la seconde fois, tenant toujours la statuette. Alors que la salle et les coulisses se vidaient, personne ne semblait s'intéresser à la récompense de Brando. Que pouvais-je faire, à part l'emmener avec moi?

À la sortie du théâtre, tandis que j'empruntais le tapis rouge pour regagner ma voiture, la foule, qui n'avait aucune idée de ce qui s'était passé à l'intérieur, me vit arriver avec un Oscar à la main. Je reçus de chaleureuses félicitations.

Comme je venais à l'époque d'accepter le rôle de Bond, ma famille et moi étions hébergés chez Cubby Broccoli. En arrivant à la maison, je posai mon butin sur la table de l'entrée et partis me coucher. Le lendemain matin, ma fille arriva dans la chambre très excitée en criant:

— Oh, papa, c'est génial! Tu as gagné l'Oscar!

Je lui expliquai que ce n'était pas le cas et que je ne pourrais malheureusement pas garder la statuette.

— Alors, pourquoi ne la donnes-tu pas à Michael? suggéra-t-elle.

Elle faisait référence à Michael Caine, nommé pour cette récompense, et reparti bredouille la veille. L'idée m'effleura également de ramener la statuette en Angleterre, car un Oscar aurait pu rapporter une véritable fortune dans une tombola organisée au profit d'une œuvre de bienfaisance pour les enfants. Malheureusement, l'Académie avait d'autres projets et elle envoya peu après des véhicules blindés pour récupérer le précieux trophée.

Une année, Gregory Peck nous invita à regarder la cérémonie chez lui. Nous étions six: Greg et Véronique, Jimmy et Gloria Stewart, Luisa et moi. Jimmy Stewart était alors devenu un peu dur d'oreille. Lorsqu'une jeune personne montait sur scène, il demandait à sa femme, de cette voix qui n'appartenait qu'à lui:

— G-g-gloria, q-q-qui est-ce?

— C'est Raquel Welch, chéri, répondait-elle.

— Ah, oui.

Puis il demandait à nouveau pour l'Oscar suivant, et encore pour le suivant… Aujourd'hui, c'est moi qui ai tendance à radoter et à poser les mêmes questions: je ne reconnais pas la moitié des gens qui participent à la cérémonie.

J'appris bientôt qu'*Octopussy* entrerait en phase de préparation à la fin du printemps, en vue d'une sortie programmée au cours de l'été 1983. John Glen avait été engagé pour le réaliser. J'avais entendu dire qu'ils faisaient à nouveau passer des tests à des acteurs susceptibles de reprendre le rôle de James Bond. Pensaient-ils que j'étais souffrant?

12

Mes adieux à James Bond et à David Niven

« Faites gaffe, vous tombez tous comme
des mouches en ce moment ! »

J'acceptai toutefois de jouer Bond une dernière fois, du moins le pensais-je. Après avoir tourné six films de la série en dix ans, je pouvais être content de moi. Mes partenaires seraient sur ce film la délicieuse Maud Adams, pour sa deuxième participation à la série, dans le rôle féminin principal d'*Octopussy*. Mon vieil ami Louis Jourdan interpréterait le méchant Kamal Khan, et Steven Berkoff, que j'avais déjà croisé sur *Le Saint*, jouerait un général russe avide de pouvoir. Mais quand le syndicat de comédiens Equity apprit que le joueur de tennis Vijay Amritraj apparaîtrait dans le film, il s'y opposa catégoriquement : Vijay n'avait pas sa carte, et les acteurs syndiqués qui pouvaient tenir ce rôle ne manquaient pas.

Nous arrivâmes cependant à un compromis : le rôle fut réécrit pour deux personnages différents, l'autre étant joué par un acteur de nationalité indienne, Albert Moses, qui prêta ses traits à Sadruddin.

Bien entendu, la mort de Bernie Lee avait laissé un vide dans notre grande famille. Pour lui succéder, je proposai mon vieil ami Robert Brown. Il rencontra bientôt John Glen et Cubby, et obtint le rôle de M.

Le tournage eut lieu à Berlin, à Checkpoint Charlie, en Inde, à Oxford, Peterborough et Londres. La séquence d'ouverture était censée se dérouler à Cuba mais elle fut tournée à l'aéroport de Northolt, à l'ouest de Londres. John Wood, ma doublure, y obtint une promotion sous la forme du rôle de Toro, l'identité sous laquelle Bond accède à un hangar militaire qu'il fait ensuite exploser. Comme à l'époque du *Saint,* quelques palmiers en plastique rendirent Northolt bien plus exotique.

Nous n'eûmes évidemment pas ce problème en Inde. Nous étions descendus au Palace d'Udaipur, dont une partie avait été aménagée en hôtel de luxe. Une seule cabine téléphonique y avait été installée à l'époque, que Maud monopolisait pour parler à son petit ami resté aux États-Unis, comme elle le faisait chaque fois qu'elle arrivait quelque part. Ce que j'ignorais, c'est que son compagnon de l'époque était Steven Zax, un docteur que j'avais rencontré quelques années plus tôt, et qui me sauverait un jour la vie.

Nous avions sur place embauché un médecin local pour s'occuper de l'équipe qui présentait fièrement sa carte, sur laquelle était écrit « Médecin personnel de James Bond », à quiconque venait le voir. Il avait acheté un électrocardiographe et me suivait partout en me demandant s'il pouvait l'utiliser sur moi. Pour me débarrasser de lui, je finis par accepter. En analysant mes résultats, il m'annonça que je devrais me faire soigner dès mon retour en Grande-Bretagne. Heureusement, Steven Zax était entre-temps arrivé, et conclut après un bref examen que je n'avais absolument pas à m'inquiéter. Apparemment, le docteur ne savait pas se servir de son nouveau jouet.

Pendant le tournage d'*Octopussy*, Cubby et ses conseillers juridiques furent souvent contraints de se concentrer sur la bataille qui les opposait à Kevin McClory. Kevin, avec qui j'avais disputé quelques parties de backgammon, avait sympathisé avec Ian Fleming à la fin des années cinquante et ils avaient écrit tous les deux, avec l'aide de Jack Whittingham, le scénario de ce que Fleming espérait être le premier James Bond. Quand ils échouèrent à monter le film, Fleming se servit de la trame pour son livre *Opération Tonnerre*. McClory lui intenta un procès, qu'il remporta, obtenant ainsi les droits d'adaptation. Il s'associa plus tard avec Cubby et Harry Saltzman, et le film éponyme, sorti en 1965, fut le quatrième, avec Sean Connery dans le rôle principal.

Cubby s'était engagé à ce qu'aucun remake d'*Opération Tonnerre* ne soit produit dans les dix ans qui suivraient la sortie du film. Bien entendu, dès 1975, McClory se mit au travail. Il parvint à associer Sean à l'écriture du scénario, puis à le convaincre de jouer une dernière fois l'agent 007. Cubby fit tout pour empêcher le projet de se concrétiser, sans succès. Quand il apprit que McClory avait réuni le budget pour tourner son remake au moment où *Octopussy* entrait en production, il commença à être très inquiet. La presse parla alors de « la guerre des Bond ».

Cubby attaqua en justice la production concurrente avant de parvenir à un arrangement à l'amiable, selon lequel il toucherait un pourcentage sur les recettes du film, désormais intitulé *Jamais plus jamais*, qui ne sortirait que trois mois après *Octopussy*.

La situation n'eut aucune incidence sur les relations que j'entretenais avec Sean, et nous décidâmes d'un commun accord d'ignorer les spéculations des journalistes qui faisaient de nous des adversaires. En réalité, il nous arrivait même fréquemment de dîner ensemble. Nous comparions la vitesse à laquelle nos tournages respectifs avançaient et discutions du fait que les producteurs allaient nous mettre sur les rotules avec toutes leurs scènes d'action. Je n'ai jamais vu le film de Sean, et on me dit qu'il a très bien marché, mais je sais qu'il n'a pas eu le succès d'*Octopussy*!

Malheureusement, le tournage fut entaché par un terrible accident. Nous tournions à la Nene Valley Railway, à Peterborough, une séquence dans laquelle ma doublure, Martin Grace, effectuait une cascade agrippé à un train en marche. Martin répéta la scène, s'assurant que la voie était libre de tout obstacle. Hélas, juste après le début de la prise, un problème technique nécessita l'arrêt du train. Quelques minutes plus tard, il put repartir, mais ne revint pas à son point de départ, et finit par dépasser la portion de voie que Martin avait inspectée. C'est alors que ma doublure heurta un poteau en béton.

Je n'ose imaginer le nombre d'os qu'il se brisa! Il continua pourtant à s'accrocher je ne sais comment à la paroi du train, car il se serait fait écraser s'il avait lâché prise. Il passa plusieurs mois à l'hôpital, et je crus quand je lui rendis visite qu'il ne pourrait jamais plus travailler. Il fit cependant preuve d'une incroyable force de caractère, et, grâce à une rééducation draconienne, récupéra en un temps record.

Quand nous filmâmes mes gros plans pour cette scène à Pinewood, j'étais suspendu entre deux wagons pendant que, derrière moi, un panneau circulaire faisait défiler les rails. Cette matinée ne fut pas particulièrement plaisante. Ce fut le jour que choisit le roi de Grèce, Constantin, pour nous rendre visite. Il m'observa longuement pendant que je tournais la scène. Quand j'eus terminé, il s'approcha de moi.

— Je ne sais pas combien ils vous paient, me dit-il, mais ce n'est certainement pas assez !

Je ne trouvai rien à redire à sa remarque.

Nous eûmes de nombreux autres visiteurs sur le plateau. Chaque jour, nous recevions un journaliste, une équipe de télévision ou de radio. Entre les prises, je m'asseyais dans ma chaise en toile pour leur accorder une interview, quand nous n'allions pas déjeuner ensemble à la cantine du studio. Il arrivait fréquemment que des sponsors comme Seiko ou Bollinger assistent à une journée de tournage. En conséquence, depuis le moment où j'arrivais jusqu'à mon départ le soir, je travaillais à peu près sans interruption. Il m'arrivait en de rares occasions de pouvoir m'isoler quelques minutes dans ma loge pour une sieste rapide ou d'aller faire une partie de backgammon si l'on n'avait pas besoin de mes services.

Je pris énormément de plaisir à tourner *Octopussy*. Les acteurs y étaient formidables, et l'équipe n'était pas en reste. Cela tombait d'autant mieux que j'étais en train de me préparer mentalement à faire mes adieux à James Bond.

Blake Edwards et son épouse Julie Andrews étaient eux aussi nos voisins à Gstaad. Depuis quelques années, Blake parlait de tourner une suite à la *Panthère rose*. Peter Sellers était hélas décédé en 1980, mais Blake pensait avoir suffisamment de chutes des précédents films de la série pour produire *À la recherche de la Panthère rose*. Au milieu du film, c'est-à-dire au moment où Blake aurait épuisé ses chutes, Clouseau disparaîtrait. Blake voulait par ailleurs tourner un autre film en parallèle, une sorte de suite centrée sur la recherche de Clouseau, et il me proposa d'y incarner le célèbre inspecteur.

J'avais fréquenté Peter Sellers et ses épouses successives pendant des années. En fait, depuis qu'il avait partagé la vedette au music-hall avec Squires. La troisième épouse de Peter, Miranda Quarry, et sa veuve, Lynne Frederick, avaient entendu dire que Blake préparait un autre film de la série et, sans savoir que j'étais en pourparlers pour y participer, étaient venues à tour de rôle m'expliquer à quel point elles étaient furieuses de cette décision et espéraient que le projet échoue. J'étais bien sûr très gêné.

Dans la dernière bobine de *L'Héritier de la Panthère rose*, Clouseau est finalement repéré dans une cabane à la montagne gardée par Joanna Lumley. Après avoir volé le diamant qui donnait son nom au film, la tête entièrement bandée après une opération chirurgicale destinée à lui procurer une nouvelle identité, Clouseau enlève ses bandages et dévoile son nouveau visage au monde : le mien.

Blake m'expliqua que nous pourrions commencer le tournage à Pinewood, juste après celui d'*Octopussy*. Pensant qu'il ne durerait pas plus de cinq jours, à raison de cent mille dollars par jour, j'étais bien sûr très intéressé. Ce que je ne savais pas, c'est que ces salauds me feraient travailler de l'aube jusqu'au petit matin le lendemain pour terminer le tournage en une seule journée ! Je m'amusai cependant beaucoup à en faire des tonnes et à prendre un accent français à couper au couteau. Mais je crois que le film ne remporta pas un grand succès.

Mon vieil ami David Niven avait joué dans ces deux nouveaux *Panthère rose,* mais ses troubles psychomoteurs allaient en empirant. Personne ne savait combien de temps il lui restait à vivre. Dans les derniers mois de sa vie, David tomba sur un de ses vieux amis à Gstaad.

— Comment vas-tu, David ? lui demanda ce dernier.

— Bien peur d'avoir des p-p-problèmes n-n-neurologiques, bredouilla David.

— Ah bon ? Tu as mal en urinant ? répondit son ami.

David éclata de rire en me relatant cette anecdote. Il ne se départit jamais de son sens de l'humour, même dans ses heures les plus sombres.

Vers sept heures du matin, le 29 juillet 1983, dans ma maison de Saint-Paul-de-Vence, je reçus un appel du Dr David Bolton, un physiothérapeute de Gstaad, qui m'annonça qu'il attendait qu'un médecin vienne signer le certificat de décès de David. Je lui demandai qui était présent. Apparemment, seule Fiona, la plus jeune de ses filles adoptives, était là. Bolton pensait qu'un des neveux de Hjordis, la femme de David, qui était à ce moment-là dans le sud de la France, était également dans le coin, mais il n'en était pas certain. Je répondis donc que je partais immédiatement. Je ne pouvais supporter l'idée que mon ami puisse se retrouver seul, même après la mort.

Ma fille Deborah et moi partîmes en voiture jusqu'à Château-d'Œx. Le trajet ne nous prit que cinq heures et demie, un record. Je fis de mon mieux pour préparer l'arrivée de Hjordis et des autres enfants de David, qui avaient pris l'avion des quatre coins du monde, et contactai tous ceux qui devaient être mis au courant. Bientôt, les caméras de télévision firent leur apparition devant la maison, et pour éviter à Hjordis d'avoir à les affronter, je suggérai que la voiture qui l'amenait passe par-derrière, pour entrer directement dans le garage souterrain.

Pourtant, quand elle arriva, elle décida d'emprunter l'entrée principale. Lorsque la porte de la voiture s'ouvrit, Hjordis m'apparut la perruque de travers et une bouteille de vodka vide à ses pieds. Elle me regarda et dit en articulant difficilement :

— Tu es venu pour les caméras, hein ?

Je m'entendis répondre :

— Ferme-la et entre.

David et elle ne s'entendaient plus depuis des années. À vrai dire, elle lui rendait la vie impossible, et je ne dis pas cela à la légère. Pourtant, David, qui était un ami très cher, faisait tout pour lui être agréable. De son côté, Hjordis ne lui témoignait que du mépris. Quand la maladie se déclara, elle n'accepta jamais que les amis de David lui rendent visite dans le sud de la France. Elle semblait lui en vouloir d'être entouré de tant de personnes prêtes à lui témoigner leur affection.

Plus tôt ce même été, Bryan Forbes était venu passer quelques jours chez moi à Saint-Paul-de-Vence. Bryan connaissait David depuis des lustres, et il souhaitait ardemment aller lui rendre visite, mais Hjordis lui avait fait clairement comprendre qu'il n'était pas le bienvenu. Je suggérai alors à Bryan :

— On n'a qu'à y aller sans prévenir, frapper à la porte et entrer.

Et c'est exactement ce que nous fîmes. Je ne sais plus si Hjordis adressa la moindre remarque mais je l'aurais de toute façon ignorée. Déjà à l'époque, David avait de gros problèmes pour s'exprimer, la maladie ayant atteint ses cordes vocales. Il parlait lentement et avec beaucoup de peine. Comme tous les Anglais qui s'adressent à un étranger ou à quelqu'un qui souffre d'un trouble de l'élocution, Bryan lui parla alors très fort.

— N-n-ne crie pas ! Je ne suis pas sourd, répondit David.

Bryan se sentit alors gêné. En partant, il vit la piscine et dit à David, en faisant des mouvements de brasse :

— J'espère que tu en profites !

David fut alors pris d'un rire qui se transforma rapidement en sanglots. Notre visite l'avait visiblement touché, et nous étions tous deux aussi émus que lui.

Je lui rendis visite une dernière fois deux semaines avant sa mort. Le seul exercice physique dont il était encore capable était de nager avec une bouée autour de la taille. Une infirmière irlandaise d'une infinie patience s'occupait de lui. Hjordis

déboula au moment où il sortait de la piscine. La voix chevrotante, David lui annonça alors fièrement :
— J'ai nagé deux longueurs.
Ce à quoi elle répondit d'une voix glaciale :
— Tu veux une médaille ?

David demanda quelques jours plus tard à rentrer chez lui, en Suisse. Je m'arrangeai pour qu'un ami, Gunther Sachs, qui avait une piscine à Gstaad, lui permette de l'utiliser, mais David était entre-temps devenu trop faible.

Indépendamment de ces tristes souvenirs, je dois vous dire que la maison de David à Saint-Jean-Cap-Ferrat est l'une des plus belles demeures que j'aie jamais vues. La piscine qu'il y avait fait construire était très particulière, car au moment d'en communiquer les dimensions souhaitées, juste avant de partir en tournage, il avait oublié que les unités de mesure ne sont pas les mêmes en France qu'en Grande-Bretagne. Il s'était donc retrouvé avec une piscine de quinze mètres de profondeur, sans doute la plus profonde d'Europe !

Une fois Hjordis arrivée, Deborah et moi prîmes congé, sachant que nous avions fait tout ce que nous pouvions faire. L'écrivain et journaliste Alistair Cameron Forbes, qui habitait Gstaad depuis des années et s'était lié d'amitié avec David, assista Fiona pour toutes les formalités administratives en l'absence des frères et sœurs de la jeune femme. Je me tins pour ma part résolument à l'écart en raison de ma profonde antipathie envers Hjordis.

Je suis infiniment reconnaissant au prince Rainier d'être venu aux funérailles et de s'être chargé d'emmener Hjordis à l'église. Seule, vu son état d'ébriété, elle aurait été incapable de s'y rendre. Audrey Hepburn assista également à la cérémonie.

La dépouille de David repose au cimetière de Château-d'Œx. Je suis souvent passé devant mais n'ai jamais trouvé la force de m'y arrêter. Sa mort me bouleversa à tel point que je ne pus regarder ses films pendant de très longues années.

Geoffrey Keen, qui jouait le rôle du ministre de la Défense dans la plupart des James Bond que j'avais tournés, m'avait raconté une anecdote à ce sujet. Après avoir assisté à l'avant-première d'*Octopussy*, il était rentré chez lui et avait appelé le plombier pour une réparation. À l'époque, plusieurs acteurs de renom étaient décédés dans un intervalle relativement bref, dont Ralph Richardson, David Niven et James Mason. À la fin de son intervention, le plombier avait regardé autour de lui et remarqué quelques souvenirs des pièces que Geoffrey avait jouées.

— Vous êtes acteur? avait demandé l'homme.

— En effet, avait répondu Geoffrey.

— Alors faites gaffe à vous, vous tombez tous comme des mouches en ce moment!

Il n'avait pas tort.

Peu après que Bryan Forbes avait démissionné de son poste de directeur de la filiale production de EMI, le studio et son catalogue avaient été rachetés par Cannon Films, société dirigée par les Go-Go Brothers, comme on les appelait, Menahem Golan et Yoram Globus. Ils me contactèrent un jour pour m'annoncer qu'ils souhaitaient travailler avec moi.

Depuis que j'avais lu *The Naked Face* de Sidney Sheldon, j'étais persuadé que ce livre ferait un très bon film. Je leur glissai donc l'idée. Lorsqu'ils me demandèrent si j'avais quelqu'un en tête pour le réaliser, je répondis que Bryan Forbes serait l'homme de la situation, d'autant qu'il pouvait également se charger de l'écriture du scénario. Ce qui représentait un avantage certain: travailler avec un metteur en scène qui a écrit le scénario de son film réduit considérablement le nombre de personnes avec qui négocier.

Les Go-Go Brothers adoraient faire des annonces spectaculaires pendant le Festival de Cannes. J'avais pour l'occasion accepté de me joindre à eux, accompagné de Bryan et de Sidney Sheldon, pour une conférence de presse. Dans la salle, une soixantaine de journalistes jouaient des coudes. Menahem se leva.

— Pour ce film, nous avons le plus grand des scénaristes, Sidney Sheldon, le plus grand des réalisateurs, Bryan Forbes, et le plus grand des acteurs, Roger Moore.

C'était à hurler de rire.

L'intrigue était, à mon avis, très bien menée. J'incarnais le docteur Judd Stevens, un psychiatre, à qui l'une de ses patientes racontait un jour ses problèmes. Malheureusement, elle était l'épouse du chef de la mafia locale, qui, persuadé qu'elle trahissait tous les secrets de la famille sur le divan, cherchait à éliminer le psychiatre. L'accroche du film était: « Ce que vous ignorez peut vous tuer! »

Nous tournâmes à Chicago, pour mon plus grand plaisir. Luisa et moi nous y installâmes pour deux mois, et tombâmes sous le charme de cette ville. Le reste du casting fut rapidement arrêté : Anne Archer, Elliott Gould, Art Carney, Rod Steiger et mon vieil ami David Hedison. Le directeur de production représentait le seul grain de sable dans cette belle machine, car il semblait vouloir faire un maximum d'économies. Il supprima ainsi quatre semaines de tournage sur les douze prévues et fit pression sur Bryan pour que nous travaillions plus rapidement, ce qui me semblait injuste au regard des séquences que nous parvenions à mettre en boîte dans les délais qui nous étaient imposés.

Quand Rod Steiger arriva pour son premier jour de tournage, le maquilleur vint me voir affolé dans ma caravane.

— Je ne peux rien faire pour lui ! s'écria-t-il. Il lui faut un chirurgien, son lifting n'a pas fini de cicatriser !

Rod sortait en effet de la clinique.

Je le connaissais assez bien du temps où je passais du temps dans les casinos et où nous nous y retrouvions, Telly Savalas, lui et moi. Il avait la réputation de voler la vedette de ses partenaires. Réputation tout à fait méritée ! Le pauvre Bryan eut beaucoup de mal à l'empêcher de partir dans tous les sens.

Un matin, un coup de fil d'Angleterre me glaça le sang. Ma mère avait eu une attaque cardiaque, et elle était hospitalisée à Colchester, près de la maison de retraite de mes parents, à Frinton-on-Sea. Son état était stable, mais les médecins s'inquiétaient beaucoup pour elle.

J'exposai mon souci à Bryan, qui m'accorda sans hésiter un congé pour aller la voir. Je savais que les producteurs et le directeur de production étaient constamment derrière lui, mais il me dit de ne pas m'inquiéter : il s'arrangerait pendant mon absence pour tourner les plans dans lesquels je n'apparaissais pas. Le personnel de British Airways m'apporta à cette occasion une aide précieuse au moment des transferts pour me permettre d'arriver à Londres, et enfin à Colchester, le plus rapidement possible.

Je savais que mon père craignait le pire. Heureusement, quand j'arrivai, maman était hors de danger. Je restai deux jours à ses côtés et, quand son état de santé se fut suffisamment amélioré, je pris la décision de repartir pour Chicago. Bien entendu, les producteurs étaient furieux que Bryan m'ait accordé ces quelques jours.

— Comment pouvez-vous laisser partir l'acteur principal ? Nous avons un film à faire !

— Sa mère est mourante, expliqua, en vain, Bryan.

Étrangement, ma sympathie pour eux diminua.

Le film fut réussi, mais fut hélas interdit aux moins de dix-huit ans. Je crois que le public n'apprécia pas non plus de voir mon personnage se faire tabasser à la fin. Cette interdiction limita le nombre de salles dans lesquelles le film fut exploité, ce qui eut évidemment un impact négatif sur sa carrière. On me demanda cependant d'enregistrer le livre audio qui devait être commercialisé au moment de la sortie du film. Tout à fait le genre de travail que j'adore : rester assis dans une petite salle à lire une histoire, sans aucun maquillage, et rentrer le soir après avoir touché un salaire confortable. Je m'acquittai de ma tâche suffisamment bien – ou pour un prix tellement bas – que l'on me proposa d'en enregistrer quelques autres, dont un roman de Jack Higgins.

Comme cette activité n'était motivée que par l'argent, et estimant qu'on me rétribuait mal, je ne prenais même pas la peine de lire les livres avant de les enregistrer. Je me souviendrai toujours que Robert Morley avait dit un jour à un producteur :

— Si vous voulez que je joue dans votre film, ce sera cinq cent mille livres sterling. Et sept cent cinquante mille si vous voulez que j'aie lu le scénario.

C'est vers cette époque, pendant un merveilleux repas de Noël dans notre maison de Los Angeles, que je décidai de faire un point sur ma vie. J'avais eu une assez bonne carrière au cinéma, mais j'avais le sentiment de ne plus travailler désormais que pour entretenir mes trois résidences principales. J'appréciais énormément ce luxe mais ne me voyais pas continuer ainsi indéfiniment. Peut-être la maladie de ma mère m'avait-elle fait prendre du recul ?

Je n'eus cependant pas le loisir de m'attarder plus longtemps sur ces considérations, car Cubby m'appela à ce moment pour me proposer d'endosser à nouveau les habits de James Bond pour *Dangereusement vôtre*. À cinquante-sept ans, je me sentais un peu trop âgé pour le rôle, un peu comme Gary Cooper dans *Ariane*, mais j'étais encore en bonne forme et toujours en mesure de mémoriser mon texte. Mon agent négocia un accord assez favorable, et je me glissai une dernière fois dans le smoking de 007 qui, je dois bien l'admettre, avait pris quelques tailles depuis mon premier film.

John Glen, le réalisateur des deux précédents films, se chargerait à nouveau de la mise en scène, et la quasi-totalité de l'équipe reprendrait du service : le décorateur Peter Lamont, le chef opérateur Alan Hume, la scripte Randy June Randall, le cameraman Alec Mills... Une véritable réunion de famille !

Christopher Walken, dans le rôle du méchant Zorin, était le premier acteur oscarisé à jouer dans un James Bond. Chris avait la réputation d'être un peu difficile sur les tournages, mais je le trouvai au contraire très professionnel. Il travaillait beaucoup en amont, et attendait visiblement que chacun agisse de même. Peut-être sa réputation venait-elle du fait qu'il n'avait pas beaucoup de patience avec les incompétents ? Tanya Roberts interprétait Stacey Sutton et la chanteuse Grace Jones, May-Day. J'ai toujours pensé que si l'on n'a rien de gentil à dire sur quelqu'un, il vaut mieux se taire. Je me tairai donc.

Ce qui me mettait hors de moi, c'est que mes partenaires féminines se précipitaient sur leur sac à main entre chaque prise pour se remaquiller. Nous étions donc systématiquement obligés de les attendre. Un jour qu'elles regardaient ailleurs, j'allai fouiller dans leurs sacs et cachai leur rouge à lèvre et leur miroir de poche. Hélas, quelques minutes plus tard, je les vis extraire sans réfléchir un autre rouge à lèvres et un autre miroir de leurs sacs respectifs. Elles en avaient de toute évidence une demi-douzaine chacune, au cas où ! Le moins que l'on puisse dire, c'est qu'elles se souciaient davantage de leur apparence que de leur texte...

Alors que la distribution était en cours, un autre ami de longue date, Patrick Macnee, me téléphona.

— J'ai entendu dire qu'il pourrait y avoir un rôle pour moi dans le film, me dit-il.

— Tout à fait, répondis-je, et Cubby m'a dit qu'il allait t'en parler.

Souvent, les grands esprits se rencontrent !

Pendant la préproduction, on nous annonça qu'un incendie accidentel avait dévasté les plateaux de Pinewood. Comment une structure métallique de cette envergure pouvait-elle avoir été détruite par les flammes ? En fait, elle avait tout simplement fondu à cause de la chaleur dégagée par l'explosion d'une bonbonne de gaz pendant une pause sur le tournage de *Legend*, le film de Ridley Scott. Au bout de quelques heures, il ne restait plus qu'un tas de ruines fumantes.

L'une des premières séquences prévues, celle de la mine, devait pourtant y être tournée quelques semaines plus tard. Cubby se rendit donc sur place et, se tournant vers notre décorateur, Peter Lamont, lui demanda :

— Combien de temps te faut-il pour tout reconstruire ?

Peter répondit qu'il lui faudrait environ seize semaines. Sans sourciller, Cubby lui dit de se mettre au travail sur-le-champ. Peter révisa en outre son plan de tournage de manière à pouvoir tourner sur d'autres plateaux en attendant que celui de Pinewood soit opérationnel pour la scène de l'inondation de la mine.

En hommage à la contribution essentielle de Cubby à l'industrie cinématographique britannique, et en particulier aux studios de Pinewood, le plateau des James Bond, une fois reconstruit, fut baptisé en son honneur : « Plateau Albert R. Broccoli. »

Vous imaginerez aisément ma réaction horrifiée quand j'appris, le dimanche 30 juillet 2006, que ce même plateau avait de nouveau été la proie des flammes, au moment où l'on démontait les décors de *Casino Royale*. Tout comme la fois précédente, la structure fondit littéralement. Elle fut cependant entièrement reconstruite en six mois.

Nous tournâmes *Dangereusement vôtre* dans des endroits spectaculaires, notamment en Islande, à Royal Ascot, Paris, Chantilly et San Francisco. Nous rencontrâmes sur ce film d'énormes problèmes de logistique, en particulier à la Tour Eiffel. Dans le scénario, le personnage incarné par Grace Jones, May-Day, devait sauter de la tour, ouvrir un parachute et atterrir sur le pont d'un bateau passant sur la Seine. Or, si nous avions obtenu l'accord des autorités pour effectuer un saut en parachute, nous n'avions apparemment pas celui de nous poser sur la Seine, qui était administrée par un autre service. La permission ne nous fut accordée qu'au tout dernier moment.

Le petit ami de Grace Jones, Dolph Lundgren, assistait parfois au tournage. C'était un jeune homme très sympathique, aussi John Glen lui permit-il de faire sa première apparition au cinéma, dans un petit rôle. La publicité générée par sa participation à un James Bond lui permit peu de temps après d'obtenir le rôle de l'adversaire de Sylvester Stallone dans *Rocky IV*.

Barbara Broccoli, la plus jeune fille de Cubby, qui avait rejoint l'équipe en tant qu'assistante de production sur *Octopussy*, travailla sur ce nouveau film en tant qu'assistante réalisatrice. L'une de ses tâches consistait à aller chercher Grace à son hôtel au début de notre journée de travail, car celle-ci n'était pas particulièrement lève-tôt. Je crois que Barbara a développé ses talents pour la haute diplomatie au cours de ces nombreux trajets matinaux.

Barbara semblait depuis toujours destinée à marcher sur les traces de son père. Elle avait d'abord suivi des cours de cinéma à l'université avant d'entrer dans la société de son père où elle avait pris du galon sur chaque nouveau projet. Elle est aujourd'hui coproductrice des films de la série et je l'adore. C'est une personne extrêmement chaleureuse et pleine d'empathie, à l'image de son père, qui oriente aujourd'hui les James Bond dans une direction très excitante avec Daniel Craig. Je sais que Cubby serait très fier d'elle et de son demi-frère, Michael.

Je dois reconnaître que Grace mit sévèrement à l'épreuve mon sens de la diplomatie durant ce tournage. Chaque jour, elle mettait la musique à fond dans sa loge, qui jouxtait la mienne. Comme je n'étais pas fan de hard rock, j'appréciais modérément d'entendre les murs vibrer chaque fois que je retournais dans ma loge et il m'était devenu impossible de faire une sieste dans l'après-midi. Je lui demandai plusieurs fois de baisser le son, sans résultat. Un jour, j'éclatai. Je me rendis dans sa loge, débranchai sa chaîne, retournai dans la mienne, pris une chaise et la jetai contre le mur, y creusant un trou bien visible.

Autant dire que toutes les conditions étaient optimales pour notre partie de jambes en l'air! Le jour J, je me glissai sous les draps, et Grace m'y suivit armée d'un énorme vibromasseur noir. Au moins, elle avait le sens de l'humour!

Les producteurs prirent rendez-vous avec le maire de San Francisco, Diane Feinstein, pour lui expliquer qu'ils aimeraient mettre le feu à la mairie, conduire un camion de pompiers à toute vitesse à travers les rues de la ville, et y tourner des scènes de poursuites. L'accueil qu'elle leur réserva fut des plus mitigés, puis elle s'enquit de la distribution, comme me le raconta Barbara.

— Qui joue Bond cette fois-ci? demanda Mme Feinstein.
— Roger Moore, répondit Cubby.
— Ah, lui, je l'aime bien!

Et elle nous accorda aussitôt les autorisations nécessaires.

Diane et son mari Dick devinrent par la suite de très bons amis, et nous pûmes faire tout ce que nous voulions dans les rues de sa ville. Au volant du camion de pompiers, je me sentais comme un gamin dans un magasin de jouets! Aujourd'hui, Diane est sénatrice de l'État de Californie. Le moins que l'on puisse dire, c'est que j'ai des amis haut placés! La veille du tournage à l'hôtel de ville, auquel nous devions mettre le feu pour les besoins du scénario, Diane donna la consigne à tous les employés de bien fermer leur fenêtre avant de quitter le bureau. L'un d'entre eux oublia néanmoins la consigne et, le lendemain matin, retrouva son bureau noirci et entièrement inondé : la fumée qui était entrée dans la pièce avait déclenché le système d'extinction automatique.

Martin Grace me doubla pour la séquence du Golden Gate, et une partie du pont fut reconstruite en studio à Pinewood pour les gros plans des acteurs principaux, Chris Walken, Tanya Roberts et moi. Peter Lamont fit à cette occasion un travail extraordinaire. J'ai énormément d'admiration pour lui et ses collègues Syd Cain, Peter Murton et ce cher Ken Adam. Ils parviennent à rendre possible l'impossible et à rendre crédible l'incroyable.

L'avant-première américaine du film eut lieu en mai 1985 à San Francisco, en remerciement de l'aide que la ville nous avait apportée, suivie peu de temps après par la première londonienne, en présence du prince Charles et de Lady Diana.

Je savais que ce serait mon dernier James Bond.

Cubby et moi nous retrouvâmes quelque temps après la sortie du film, et nous décidâmes d'un commun accord qu'il fallait qu'un acteur plus jeune reprenne le flambeau. Il n'y eut ni crise ni larmes, excepté celles de mon agent, et encore moins d'ultimatum de la part de Cubby, contrairement à ce que Donald Zec a écrit dans l'autobiographie de mon ami, publiée après sa mort.

J'ai d'ailleurs été profondément blessé par les affirmations de Zec prétendant que Cubby avait dû mettre les points sur les I, que je n'avais d'abord rien voulu entendre, que j'avais eu des exigences « névrotiques », que j'avais refusé de participer à des galas de charité ou à quelque soirée que ce fût. Je fis au contraire tout ce qui m'était demandé – après tout, je touchais un pourcentage sur le film – mais je ne pus évidemment pas être partout à la fois.

J'ai toujours fait très attention à garder les pieds sur terre. Bien sûr, j'aime bénéficier d'un certain confort mais je n'ai jamais oublié d'où je viens et la chance que j'ai d'être là où je suis aujourd'hui.

13

L'heure des bilans

*« Le jour où ce qu'on a vu ne te bouleversera plus,
il faudra changer de métier ! »*

Le décès de ma mère, à l'issue du tournage de mon dernier
James Bond, me porta un coup terrible. Elle mourut le 22 juin
1985, et je n'étais pas à ses côtés. Je reçus un appel alors que
j'étais en France pour m'avertir qu'elle avait été hospitalisée,
mais il était déjà trop tard pour que je puisse me rendre à son
chevet. J'étais anéanti, tout comme mon pauvre père, avec qui
je passai la semaine suivant cet événement terrible. Son univers
venait de voler en éclats, il se sentait complètement perdu.

Mais, avant de le quitter, j'eus le temps d'être agacé par le
ballet des vieilles filles et des veuves de Frinton qui rôdaient
autour de la maison et de mon père, qui était incapable de se
faire cuire un œuf.

— Pouvons-nous vous aider, George ?

— Y a-t-il quelque chose que nous puissions faire, George ?

— Voulez-vous que nous vous préparions un repas, George ?

Toutes ces marques d'attention pouvaient sembler relever
d'innocentes relations de bon voisinage, mais il s'agissait en fait
d'une compétition pour occuper une place qui leur semblait
libre, ce qui devint évident peu après, lorsqu'une de ces dames
s'installa chez lui. Elle finit par le persuader de l'épouser afin
qu'elle puisse s'occuper de lui et que « tout soit en règle ». Il
m'assura qu'il était très heureux de cet arrangement.

Dès que j'avais commencé à bien gagner ma vie, j'avais
régulièrement envoyé un peu d'argent à ma mère. À la lecture
de son testament, nous découvrîmes qu'elle l'avait soigneusement mis de côté, sans en dépenser un centime, afin que mes
enfants se le partagent.

Mon père continua à profiter de sa retraite à Frinton, passant de longues heures dans son atelier, au fond du jardin, à travailler le bois et à faire des maquettes. Ma mère lui avait souvent dit :

— George, viens donc faire une promenade !

— Lil, lui répondait-il, j'ai passé ma vie à marcher. Je n'irai pas plus loin que le fond du jardin.

Je crois que c'est pendant l'été 1994 que papa m'appela en France.

— Ça s'est très mal passé hier soir, mon garçon.

— Qu'est-ce qui s'est mal passé, papa ?

— Il y avait une émission à la télé où ils ont dit qu'ils t'attendaient, mais tu n'es jamais arrivé. Ce n'est pas bien, mon garçon, pas bien du tout.

— De quelle émission s'agit-il, papa ? demandai-je.

— C'était sur la BBC, me répondit-il.

J'appelai Doris Spriggs, mon assistante de l'époque, une femme merveilleuse qui s'occupa de mes affaires pendant vingt-neuf ans, jusqu'à ce que Gareth Owen lui succède lorsqu'elle prit sa retraite en 2002, et lui demandai de se renseigner. Il s'avéra qu'il s'agissait d'un épisode de *Knowing Me, Knowing You*, une parodie de talk-show avec Steve Coogan, dont le gag central tournait autour du fait que je n'arrivais pas à temps pour l'émission. Doris m'en fit parvenir un enregistrement qui me fit rire aux larmes. J'appelai ensuite papa pour lui expliquer.

— Tout de même, ça ne se fait pas, mon garçon, répondit-il.

Avec l'âge, l'ouïe de papa commença à décliner. Je lui achetai divers appareils acoustiques, mais comme la plupart des personnes qui en portent il avait tendance à parler très fort. Un jour, dans un restaurant de Frinton, je lui racontai une histoire amusante. Il se mit à crier :

— Elle est bien bonne, mon garçon ! Ça me rappelle la fois où...

— Chut, papa ! Tu cries trop fort, l'interrompis-je.

Et il se mit à raconter sa blague, à voix normale puis de plus en plus fort :

— C'est l'histoire d'une femme QUI S'ENVOIE EN L'AIR...

J'allais leur rendre visite, à lui et sa nouvelle épouse, aussi souvent que possible. Fin 1997, sa santé s'aggrava irrémédiablement. Mais je fus à ses côtés dans ses derniers instants, en compagnie de ma chère Kristina. Je ne sais pas comment j'aurais affronté cette épreuve sans l'amour et le soutien de ma tendre épouse.

Le décès de ma mère fut pour moi l'occasion d'un nouveau bilan et d'une remise en question de ma carrière. Mes expériences de producteur m'avaient apporté de grandes joies, aussi sautai-je sur l'occasion de prendre une option sur les droits d'adaptation de *Taï-Pan*, de James Clavell, quand celle-ci se présenta. John Guillermin fut engagé pour être le réalisateur de ce film et, ensemble, nous nous mîmes à développer le scénario, à monter le financement du projet et à évoquer la distribution des rôles. La construction de décors avait même commencé en Croatie quand les fonds promis s'évanouirent soudain. Adieu bel édifice. Des mois, sinon des années d'efforts réduits à néant. Dino De Laurentiis racheta ensuite ce qui restait de la société et parvint à monter le film quelques années plus tard.

Mon amitié avec Cubby se poursuivit bien après la fin de notre collaboration sur la série des James Bond, et je lui rendais souvent visite, parfois pour aller dîner avec son épouse Dana et lui. Il m'arriva d'ailleurs de rencontrer Timothy Dalton chez eux quand il eut repris le rôle, mais je ne vis aucun de ses deux films. On me demande d'ailleurs souvent si j'ai vu les films récents de la série et ce que je pense des acteurs qui m'ont succédé. Je réponds toujours que je ne vais plus voir les James Bond, ce qui m'évite d'avoir à mentir !

En réalité, je visionnai une bobine du premier film avec Pierce Brosnan, *Goldeneye*, lorsque je rendis visite à mon fils Christian aux studios de Leavesden, où il travaillait à la régie. J'y bavardai un peu avec Pierce et retrouvai quelques vieux amis, qui me montrèrent des extraits du film. Je trouvai que Pierce y était formidable. En 2002, je fus invité à la première de son quatrième film, *Meurs un autre jour*, qui marquait également le quarantième anniversaire de la série. Ma fille Deborah y apparaît dans le rôle d'une hôtesse de l'air, ce qui constituait pour moi une raison de plus d'assister à la première. George Lazenby et Timothy Dalton étaient également présents aux côtés de Pierce. Nous fûmes présentés à Sa Majesté la reine, mais je fus cependant déçu que Kristina n'ait pas été autorisée à être à mes côtés et que les anciens Bond fussent relégués à bonne distance du nouveau titulaire. Certains ont la mémoire bien courte !

Au début des années quatre-vingt-dix, après avoir remporté une longue bataille juridique contre la MGM, dont la nouvelle direction bradait les droits de diffusion télévisée des James Bond, la santé de Cubby se détériora. Ce fut une période très triste. Il était trop malade pour produire *Goldeneye* et dut passer les rênes à Michael et Barbara. Il mourut peu après la sortie du film. Ce jour-là, je perdis un grand ami et un mentor.

Une cérémonie à sa mémoire, présentée par Iain Johnston, fut organisée peu de temps après à l'Odeon de Leicester Square. L'événement fut à la mesure de cet homme qui faisait pour moi partie des grands, ne fût-ce que par ses qualités de cœur. Nous fûmes nombreux à prendre la parole, notamment Timothy Dalton et Pierce Brosnan. Malheureusement, ni George Lazenby ni Sean Connery n'assistèrent à la cérémonie. Je savais que Sean n'était pas en bons termes avec Cubby. Un article était un jour paru dans la presse dans lequel Sean disait ceci : « Si le cerveau de Cubby prenait feu, je ne lui pisserais même pas dans l'oreille pour éteindre l'incendie. » J'avais ensuite tenté de les réconcilier à l'occasion d'une soirée organisée chez moi, à Los Angeles, en les faisant s'asseoir à côté l'un de l'autre avec un verre. Cubby, dont la courtoisie était assez semblable à celle de Don Corleone, demanda ce soir-là à Sean :

— As-tu vraiment affirmé que tu ne me pisserais pas dans l'oreille si mon cerveau était en flammes ? Ça m'a fait beaucoup de peine.

— Cubby, répondit Sean, je serai ravi de te pisser dans l'oreille quand tu voudras.

La conversation s'arrêta là !

En 1986, sans que cela fût le moins du monde mérité, le Friars Club de New York annonça que j'avais été choisi pour être son « Homme de l'année ». Cet honneur avait auparavant été décerné à des personnalités telles que Dean Martin, Frank Sinatra, Sammy Davis Jr et Tom Jones. Très honoré, je me demandai cependant s'ils ne m'avaient pas choisi par erreur, en me confondant avec Sean Connery. Heureusement, tel n'était pas le cas et je fus enchanté d'être introduit par mes éminents pairs, dont certains étaient des amis de longue date. J'eus plusieurs fois l'occasion d'assister aux soirées de ce club en tant que spectateur. L'une des plus mémorables se tint la même année à Los Angeles. Milton Berle m'invita ainsi à l'intronisation d'Arnold Schwarzenegger au sein du Friars Club local, juste après son mariage avec Maria Shriver. Personne n'imaginait ce soir-là qu'il deviendrait gouverneur de Californie, tout auréolé qu'il était, à l'époque, du succès de *Terminator*. Je précise en passant que j'ai depuis travaillé avec Maria, à l'occasion du mariage du prince Andrew et de Sarah Ferguson en 1988. Elle commentait la cérémonie pour la chaîne ABC et j'étais à ses côtés en tant qu'observateur. Comme si j'avais la moindre expertise dans les affaires de la famille royale d'Angleterre !

Pour autant que je me souvienne, le public de la cérémonie d'intronisation d'Arnold était exclusivement composé d'hommes, à l'exception d'une silhouette féminine solitaire qui se tenait dans le fond de la salle de bal du Beverly Hilton. La plupart des orateurs étaient des grands types aux muscles imposants qui récitaient des compliments choisis, du genre : « J'lui en mettrais bien un p'tit coup, à la Maria, Arnie. » Naturellement, ils plaisantaient ! Lorsque Milton Berle prit le micro, je pensais que le ton allait devenir moins grivois. Mais sa première phrase fut :

— Le braquemart d'Arnold est tellement gros qu'il a lui aussi un cœur et des poumons.

Il y avait peu de chance de confondre cette soirée avec un raout de l'Armée du Salut...

De retour à Gstaad pour l'hiver, je reçus un appel du *Dame Edna Show* me proposant d'y participer. Comme j'adorais Barry Humphries, le comédien qui incarne ce personnage, j'acceptai avec enthousiasme. J'y mis cependant une condition : je souhaitais apparaître aux côtés de Les Patterson, son autre alter ego graveleux, qui me fait mourir de rire. Comme ma demande représentait beaucoup d'heures de maquillage pour lui, Barry proposa que nous tournions la scène avec Les Patterson le vendredi et l'entretien avec Dame Edna le lendemain.

L'ancien ministre des Finances Denis Healey, qui ne se doutait guère qu'il était responsable de mon exil, était également invité dans l'émission. On nous demanda ce soir-là si nous accepterions de faire un numéro musical avec Les Patterson, à savoir chanter et danser aux accents de *You Either Got or You Haven't Got Style*. Pourquoi pas ?

En arrivant au studio, je rencontrai Les Patterson pour la première fois, impeccable dans son costume maculé de taches de nourriture.

— Hé, Rog, regarde ça ! Il faut l'astiquer, mon vieux !

Il se fit apporter de la vaseline et entreprit d'en enduire le faux pénis attaché à sa jambe.

— Voilà, dit-il lorsque ce fut fait. Tu vas voir comme il en jette !

C'était vraiment drôle !

Peu après la diffusion de l'émission, j'eus la surprise de recevoir un appel d'Andrew Lloyd-Webber, qui m'avait vu chanter et danser et voulait me proposer un des premiers rôles du nouveau spectacle qu'il montait dans le West End, *Aspects of Love*. Flatté, j'acceptai. On me présenta bientôt à Ian Adam, mon professeur de chant, et je me joignis à la brillante distribution réunie autour d'un tout jeune Michael Ball. Trevor Nunn était à la mise en scène et Gillian Lynn se chargeait de la chorégraphie. Après des semaines de répétitions, nous parvînmes à un spectacle qui avait beaucoup d'allure. Ce fut pour moi l'occasion de retrouver les sensations de mes années de théâtre.

Les réservations allaient bon train et nous étions tous gagnés par l'excitation. Cependant, à mesure que la première approchait, je me mis à faire des cauchemars à l'idée d'oublier mes répliques et de chanter faux. La perspective de remonter sur les planches après tant d'années me rendait nerveux. Lors de la dernière répétition, je sentis qu'Andrew n'était pas satisfait. Peut-être faisait-il les mêmes cauchemars que moi? Toujours est-il qu'il m'annonça alors qu'il ne voulait plus de moi dans le spectacle.

Ma déception fut immense, mais nous nous mîmes d'accord sur les termes du communiqué que je publierais pour expliquer que je me retirais du projet. Mais j'aurai tout de même joué dans une comédie musicale à succès du West End... du moins au cours de ses répétitions.

Willy Bogner, que je connaissais depuis le tournage de *L'espion qui m'aimait*, m'appela un jour pour me parler d'un projet de film. À cette époque, mon fils aîné, Geoffrey, envisageait une carrière d'acteur. Willy, qui le savait, m'annonça qu'il y avait aussi un rôle pour lui.

Nous tournâmes *Feu, glace et dynamite* à Saint-Moritz. S'agissant de mon premier film depuis cinq ans, des articles parurent dans la presse pour expliquer que j'avais interrompu ma retraite pour le faire. Il suffit que les journalistes ne vous voient pas sur un écran pendant quelque temps pour qu'ils s'imaginent que vous avez pris votre retraite! J'avais passé beaucoup de temps à m'occuper de *Taï-Pan*, mais personne ne s'en était aperçu.

Geoffrey avait un rôle assez intéressant dans le film, et il enchaîna quelques films américains, mais décida ensuite sagement que la vie d'acteur n'était pas faite pour lui. Il se dirigea alors vers la musique et signa un contrat avec EMI. Son premier et unique album remporta un certain succès, puis il se consacra à d'autres centres d'intérêt. En 1999, il s'associa à l'un de ses amis pour ouvrir un restaurant dans le quartier de Mayfair à Londres, qui devint rapidement un des lieux les plus courus de la ville. Mais le virus du cinéma ne l'avait pas tout à fait abandonné, et je sentais qu'il lui tardait de se replonger dans cet univers. Ce qu'il fit, mais de l'autre côté de la caméra. En 2004, il acheta avec Bill Macdonald les droits du *Saint* et entreprit avec lui d'adapter à nouveau pour le petit écran les aventures de Simon Templar. Il s'agit d'une tâche difficile, mais j'espère qu'elle lui fournira de nombreux motifs de satisfaction.

À peine avais-je fini *Feu, glace et dynamite* avec Geoffrey que je retrouvai ma fille sur un film de Michael Winner! Deborah venait à l'époque de terminer sa formation aux cours d'art dramatique de la LAMDA. Mon vieil ami Leslie Bricusse avait écrit un scénario intitulé *Train of Events* pour Michael Caine et moi. Quand Michael Winner se joignit au projet en qualité de producteur et de réalisateur, celui-ci commença à prendre forme sous un nouveau titre : *Bullseye!*

Travailler avec Michael Winner fut très amusant, malgré sa mauvaise habitude de souvent crier sur le plateau. Il ne s'en prit cependant jamais ni à moi ni à Michael Caine, probablement parce qu'il avait peur de nous. Je m'efforçais tout de même de prévenir les acteurs qui nous rejoignaient pour un jour ou deux sur le tournage de ce qui les attendait, en leur expliquant que chacun devrait, à un moment ou à un autre, essuyer les colères du réalisateur. Je leur conseillais de guetter les cercles rouges qui se formaient alors sur ses joues, indiquant que l'heure était venue de se mettre à l'abri.

Winner était un bon vivant exceptionnel, envoyant souvent des assistants en éclaireurs pour repérer les meilleurs restaurants de la région. Nous dînâmes ainsi toujours superbement. La nourriture est une passion pour cet homme, comme pour moi, comme en atteste notre tour de taille.

À l'origine, l'histoire était supposée se dérouler à travers l'Europe, à bord de l'Orient-Express, mais les producteurs avaient tellement taillé dans le budget que nous atterrîmes dans un train qui traversait les Highlands en Écosse.

Une des actrices du film souffrait, dirons-nous, d'une légère mégalomanie, et se plaignit du fait qu'elle n'avait pas autant de gros plans que Michael et moi, provoquant ainsi une belle colère de Michael Winner.

— Des gros plans? cria-t-il. Des gros plans! Dis encore un mot et je te fais sauter du film comme une crêpe, et personne ne saura jamais que tu as joué dedans!

Bullseye ! n'est ni un mauvais film ni un chef-d'œuvre, mais je trouve que certaines scènes sont vraiment drôles. Je me suis beaucoup amusé à les tourner, et je pense que le personnage de l'accordeur de piano aveugle est l'un des plus drôles que j'aie jamais joués. J'adore me déguiser.

D'Écosse, je me rendis directement aux États-Unis pour commencer un nouveau film, mon troisième en deux ans. *Breakfast in Bed*, dont le titre deviendrait *Bed and Breakfast*, était un projet intéressant dans lequel trois générations de femmes d'une même famille voyaient leur vie chamboulée par l'arrivée d'un inconnu venu s'échouer sur le rivage. Colleen Dewhurst, Talia Shire et Nina Siemaszko incarnaient ces trois générations. Les producteurs me convainquirent d'accepter le rôle en me faisant miroiter le titre de producteur exécutif, un stratagème souvent utilisé pour convaincre les acteurs de réduire leurs prétentions salariales en échange d'un pourcentage sur les bénéfices du film. J'aurais dû insister pour toucher un plus gros cachet et renoncer au titre : pour qu'il y ait intéressement, il faut qu'il y ait des bénéfices !

Mon meilleur souvenir de ce tournage fut la visite du commandant de la police de l'État du Maine sur le plateau. Il m'éleva à cette occasion au rang de capitaine et me remit un badge qui en atteste. J'ai depuis le pouvoir de procéder à des arrestations. Vous êtes prévenus !

Lorsqu'une des plus belles femmes du monde vous appelle pour vous demander de l'accompagner quelque part, il est impossible de refuser. Vous vous contentez de demander où et quand. En l'occurrence Amsterdam, première semaine du mois de mai 1991. La femme en question était ma voisine en Suisse, Audrey Hepburn. Elle m'expliqua que j'allais animer avec elle la cérémonie de remise des prix Danny Kaye de l'Unicef. Je lui fis part de mon intention d'arriver le matin de la cérémonie, mais elle me demanda d'être présent la veille, afin de participer à une conférence de presse qui serait retransmise à la télévision.

— Chère Audrey, je n'en sais pas suffisamment sur l'Unicef pour en parler devant des journalistes. Je sais que l'organisme s'occupe des enfants...

— Roger, me coupa-t-elle, ils ne viendront pas pour nous entendre parler de l'Unicef, mais de cinéma !

Elle avait vu juste, mais elle ne les laissa pas faire. Quelle que fût la question, Audrey orientait toujours sa réponse sur les problèmes auxquels étaient confrontés les enfants dans le monde. La passion et l'éloquence avec lesquelles elle les évoquait me donnèrent envie d'en apprendre davantage sur le fonctionnement de l'Unicef, le fonds pour l'enfance des Nations unies. Le lendemain, nous enregistrâmes l'émission, entourés de quelques jeunes prodiges et, même si je la connaissais depuis des années, j'avais du mal à croire que je partageais ce jour-là la vedette avec la merveilleuse Audrey Hepburn. Je me sentis si fier et si intimidé qu'elle ait fait appel à moi que je ne m'aperçus pas immédiatement qu'elle avait en fait l'intention de me faire rejoindre cette organisation.

Je découvris que la passion avec laquelle Audrey s'y dévouait trouvait ses origines dans l'aide que l'Unicef lui avait apportée, à la fin de la Seconde Guerre mondiale, quand elle n'était encore qu'une enfant.

— L'Unicef est venue au secours de milliers d'enfants comme moi, victimes affamées de cinq années d'occupation allemande aux Pays-Bas, expliqua-t-elle. Nous étions réduits à une pauvreté presque totale, comme celle que l'on trouve aujourd'hui dans les pays en voie de développement. C'est cette pauvreté qui est à l'origine de leur souffrance. Ils manquent de tout, y compris des moyens de s'en sortir. Le but de l'Unicef est de mettre ces moyens à leur disposition, de les aider à se développer, à subvenir eux-mêmes à leurs besoins afin qu'ils puissent vivre dignement.

Tandis que nous rentrions en Suisse, Audrey me proposa d'assister à un séminaire qui devait se tenir à Genève peu de temps après. J'aurais là l'occasion de rencontrer d'autres ambassadeurs itinérants, et d'entendre le personnel de l'Unicef exposer différents champs d'action et objectifs de l'organisation. J'acceptai sans hésitation.

À Genève, je pus ainsi discuter avec Sir Peter Ustinov, ambassadeur de longue date, et déjeunai avec l'un des grands hommes de l'organisation, son directeur général, James Grant. Je lui expliquai que je souhaitais les aider, mais ne savais pas vraiment comment m'y prendre. M. Grant me demanda alors de passer le voir au siège de l'Unicef à New York, afin d'en discuter. Audrey sourit ; son objectif était atteint. Le jour venu, Jim Grant me reçut en présence d'un de ses vieux amis, Harry Belafonte, accompagné de son épouse Julie. Ils me parlèrent avec autant de passion que Peter et Audrey. Je n'eus pas besoin d'en entendre davantage, et décidai de m'engager à leurs côtés.

Souhaitant découvrir par moi-même les problèmes auxquels l'Unicef s'attaquait et les actions entreprises pour essayer de les résoudre, je demandai à être envoyé sur le terrain. Jim accepta, mais m'avertit que je devais au préalable signer un contrat qui ferait de moi un représentant officiel de l'organisation. Qui plus est, pour des raisons d'assurances, je toucherais même un salaire !

Je gagne donc royalement depuis ce jour un dollar par an, sur lequel, heureusement, mon agent ne touche rien. Il s'agit du salaire le plus bas que j'aie jamais reçu, même si je sais que quelques-uns pensent que ma prestation dans certains films ne valait pas davantage...

Je décidai d'emmener mon fils Christian lors de mon premier voyage sur le terrain. Il venait d'avoir dix-huit ans, et il me semblait que, en plus de lui permettre de progresser en géographie, cette expérience lui montrerait à quel point nous, dans les pays développés, sommes des privilégiés. Notre première étape fut le Guatemala. Le directeur régional de l'Unicef pour l'Amérique centrale, Per Engebak, nous accueillit à l'aéroport, mais ce fut Horst Cerni, qui travaillait au siège new-yorkais, qui nous accompagna pendant ce voyage inaugural. Horst était d'origine allemande, tandis que Per était norvégien. Je commençai à réaliser combien l'Unicef est vraiment une affaire de nations unies. Après un détour pour déposer nos bagages à l'hôtel, Per nous emmena au bureau de l'organisation afin de nous présenter l'équipe locale et m'expliquer ce qu'on attendait de moi : la visite d'une crèche, puis l'inauguration d'un nouveau réseau de distribution d'eau situé au nord de Guatemala City, à Santabal, dans la région du Quiché.

Des excursions étaient également prévues dans des villages où les femmes fabriquaient des tissus destinés à être vendus dans les grandes villes des États-Unis. Les bénéfices permettaient de financer un magasin qui alimentait le village en produits de première nécessité comme la farine, le sucre et l'huile. On m'expliqua que nous reviendrions ensuite à Guatemala City afin que je visite Mezquital, le quartier des bidonvilles. Mes voyages autour du monde m'ont depuis permis de découvrir nombre d'autres favelas, et il m'est toujours aussi insupportable de voir des gens vivre ainsi, dans la misère la plus totale.

Cette étape au Guatemala devait se terminer par une audience au palais présidentiel, suivie d'un dîner destiné à collecter des fonds. À cette occasion, il me faudrait prononcer mon premier discours d'ambassadeur de l'Unicef. Heureusement, l'équipe locale promit de me fournir de quoi l'alimenter.

En visitant la crèche de La Verbana, je me trouvai pour la première fois en présence d'enfants dans mon rôle de représentant de l'Unicef. J'aurais aimé pouvoir être aussi drôle que savait l'être Danny Kaye en de telles circonstances, mais je me sentis très mal à l'aise en posant avec eux pour les photographes, persuadé que la presse ne verrait qu'« un autre acteur prêt à tout pour avoir sa photo dans les journaux ». Il me fallut plusieurs voyages et de nombreuses séances photos du même genre pour m'y habituer.

Le voyage vers le Quiché sembla durer une éternité, en raison d'une route longue et cahoteuse, de la chaleur, et de fréquents arrêts pour me permettre de trouver des toilettes. L'expérience de la cuisine exotique, acquise à l'occasion de mes différents tournages, m'a appris à ne jamais trop m'en éloigner! Je découvris à cette occasion des lieux d'aisances extrêmement primitifs dans lesquels araignées géantes, moustiques et serpents avaient élu domicile.

À notre arrivée au village de Santabal, nous fûmes accueillis par des centaines d'enfants qui chantaient et dansaient. Il s'agissait d'un jour de fête pour le village, où l'on célébrait l'installation du premier robinet qu'on avait jamais vu dans cette région reculée. L'Unicef avait fourni le matériel et son savoir-faire, et les villageois s'étaient chargés de la pose des canalisations en PVC jusqu'à une source située dans la jungle des collines avoisinantes. Au milieu des cris de joie des enfants et de l'explosion des pétards, j'eus le privilège d'ouvrir le premier ce robinet d'où coula instantanément une eau claire et potable. J'avais l'impression d'accomplir une sorte de miracle, et me sentis reconnaissant envers Audrey de m'avoir permis de découvrir ce nouvel univers.

Plus tard, nous assistâmes à une représentation donnée par le personnel médical. Ce spectacle était destiné à souligner l'importance de l'hygiène, rendue plus aisée grâce à l'arrivée de l'eau dans le village. Les risques qu'il y a à préparer de la nourriture sans s'être lavé les mains furent illustrés par un sketch aussi désopilant qu'efficace, dont les interprètes se roulaient par terre en se tenant le ventre et en poussant des cris déchirants.

Le lendemain, nous visitâmes un autre village où je découvris les sels de réhydratation orale, ou SRO, un traitement couramment utilisé contre la déshydratation provoquée par les diarrhées. L'Unicef distribue ces sels dans les pays en voie de développement, permettant ainsi de sauver la vie de millions d'enfants.

Il est fascinant de constater que vous ne pouvez aller pratiquement nulle part dans le monde sans tomber sur une bouteille de Coca-Cola ou de Pepsi. L'Unicef l'a bien compris, et utilise le réseau de distribution inégalable de ces fabricants de boisson pour acheminer les SRO jusqu'aux endroits les plus reculés. James Grant ne se déplaçait d'ailleurs jamais sans un sachet de ces sels dans la poche. À la moindre occasion, il le sortait et se lançait dans une plaidoirie passionnée pour ce remède simple et efficace. Son cri de guerre était qu'avec vingt-cinq cents, le prix d'un sachet, on peut sauver la vie d'un enfant.

— De plus, ajoutait-il fréquemment, ça soigne très bien la gueule de bois!

Le lendemain, de retour à Guatemala City, nous visitâmes les bidonvilles. Je n'avais jamais vu une telle misère, ni pensé qu'elle pouvait exister. Ce fut une expérience déchirante. Il n'y avait pas d'eau courante, pas de sanitaires, pas d'électricité. Des familles entières y survivaient – c'est le mot juste – dans des cabanes construites avec des matériaux de récupération.

Je découvris à cette occasion les actions de l'Unicef pour vacciner les enfants contre des maladies telles que la rougeole, la polio, le tétanos, la tuberculose, la diphtérie et la coqueluche, qui sévissent particulièrement dans les quartiers et les régions les plus défavorisés.

Le lendemain, après une nuit tourmentée par le souvenir de ce que j'avais vu, nous fûmes officiellement reçus par le président Jorge Serrano Elias. Vous vous demandez peut-être comment un acteur anglais entre deux âges a pu avoir accès au palais présidentiel? Je crois que la réponse tient au fait que chaque président a une femme et, bien souvent, des enfants qui ont vu les films de 007 ou *Le Saint*, et qu'ils sont curieux de me rencontrer... ne serait-ce que pour voir si je porte un dentier. Profiter ainsi de ma célébrité pour contribuer à l'amélioration des conditions de vie des enfants constitue le meilleur usage que je puisse en faire.

La rencontre commença de façon très solennelle: le président était assis au centre, les personnalités officielles à sa gauche, les invités à sa droite. Nous posâmes ensuite pour les photographes pour la traditionnelle poignée de main, remerciâmes le président pour la collaboration de son pays avec l'Unicef, et le félicitâmes pour la crèche que nous avions visitée. C'est alors que sa femme se joignit à nous. Magda Bianchi de Serrano était charmante et très jolie. Nous évoquâmes ensemble les actions qu'elle menait au service des femmes et des enfants. J'ai découvert depuis que la plupart des épouses de président et de Premier ministre font beaucoup pour les enfants défavorisés de leur pays.

Après une tasse de thé, nous prîmes congé du président et convînmes de retrouver sa femme le soir même, à l'occasion du dîner durant lequel je m'acquittai de mon premier discours officiel pour le compte de l'Unicef. L'ayant plutôt réussi, je me couchai cette nuit-là soulagé et prêt à me lever aux aurores pour prendre l'avion à destination du Salvador.

Notre arrivée à l'aéroport international du Salvador nous rappela immédiatement que ce pays n'était pas un paradis paisible. Des hommes en uniforme étaient présents partout, et notre trajet jusqu'à la capitale, San Salvador, se fit sous escorte militaire. Un grand hôtel circulaire se dressait à la sortie de la ville, les murs criblés d'impacts de balles et d'éclats d'obus, toutes fenêtres brisées. Les forces gouvernementales et les rebelles semblaient se relayer fréquemment pour contrôler l'établissement.

Avant le voyage, mon ami Emilio Azcarraga, propriétaire de Televisa, la plus grosse société de télévision d'Amérique latine, m'avait vivement déconseillé de me rendre dans ce pays. Face à ma détermination, il avait proposé de me fournir quelques gardes du corps. Sur le moment, j'avais décliné son offre, persuadé que l'Unicef s'occuperait de ces questions. Mais maintenant que je me trouvais sur place, je commençais à le regretter.

Pour notre première excursion, nous nous rendîmes à l'hôpital Benjamin Bloom dans la région de Travesia. Bien des années plus tôt, lorsque je vivais en Angleterre, j'avais visité le service des grands brûlés de l'hôpital d'East Grinstead et l'odeur de la chair calcinée m'était restée en mémoire. Aussi la reconnus-je immédiatement en sortant de la voiture, ce matin-là. J'essayai de me préparer au spectacle qui m'attendait, mais je n'aurais jamais pu imaginer me retrouver au chevet d'une fillette multi-amputée, dont les gémissements déchirants semblaient trouver leur source dans le tréfonds de son âme. Elle ne se rendit pas compte que nous étions là. Le docteur nous expliqua qu'ils ne savaient pas à quoi elle pensait, ni si elle savait où elle se trouvait. Elle était probablement encore en état de choc après l'explosion de la mine qui avait tué sa sœur et ravagé son jeune corps.

Nous passâmes ensuite dans une salle de désinfection que le personnel aménageait en vue d'une épidémie de choléra annoncée. Le sol, incliné vers une bouche d'évacuation située au centre de la pièce, était conçu pour permettre de la laver à grande eau. Les prévisions sur le nombre de vies qui allaient s'achever dans cette salle me glacèrent jusqu'au sang, mais je m'efforçai de cacher mon malaise.

Puis vint le tour du service de pédiatrie, où nous fûmes chaleureusement accueillis par les jeunes pensionnaires. Quelques-uns se tenaient debout, d'autres étaient dans des fauteuils roulants, certains dans leur lit. Les premiers avaient déroulé une banderole souhaitant la bienvenue au *Santo*, mais je ne me sentais pas digne de ce surnom. J'étais choqué de voir tous ces enfants couverts d'horribles brûlures et auxquels il manquait souvent un membre. Ils parvenaient pourtant à conserver le sourire.

Un des docteurs m'accompagna jusqu'à un petit lit, au fond de la salle, sur lequel reposait un bébé d'une maigreur bouleversante, au teint blafard, portant une perfusion dont le tuyau était presque aussi gros que son bras. Le docteur expliqua, en espagnol, que cette pauvre petite créature ne survivrait probablement pas plus de vingt-quatre heures. Atteinte d'anémie aiguë, elle avait été amenée à l'hôpital quelques jours plus tôt, mais trop tard pour qu'on puisse la sauver.

— Si seulement nous l'avions accueillie plus tôt... traduisit Per, la gorge serrée.

Christian se tenait à mes côtés, contemplant l'horreur en silence.

Nous fûmes soulagés de retrouver l'atmosphère étouffante du Salvador en sortant du bâtiment, les yeux rouges d'avoir retenu nos larmes. Je me sentis alors envahi d'une immense colère. Comment peut-on être assez inhumain pour créer des armes qui réduisent en lambeaux le corps et la vie d'enfants ? J'enrageais face à l'ignorance de parents qui n'avaient pas su demander du secours avant que leur progéniture dépérisse de malnutrition. Mais ma fureur était surtout dirigée contre les gouvernements qui autorisent la fabrication de mines construites pour ressembler à des jouets, et contre ceux qui rechignent à signer le traité de non-prolifération de telles armes.

Le cœur lourd, nous reprîmes la route pour nous rendre dans une maison qui, avec le soutien financier et matériel de l'Unicef, accueillait les enfants des rues. Il s'agissait d'un refuge

Avec Albert «Cubby» Broccoli (à gauche) et Harry Saltzman sur le tournage de *Vivre et laisser mourir*, en 1973.

«Mon nom est Bond, James Bond.» Pour la première fois, succédant à Sean Connery dans le rôle, j'enfilai le smoking du célèbre agent secret... et me retrouvai aussitôt au lit avec Jane Seymour. Une scène torride pour laquelle nous avions enfilé une paire de chaussettes de football, tant il faisait froid!

En 1973, alors que je devais remettre à Marlon Brando l'Oscar du meilleur acteur pour son rôle dans *Le Parrain*, Sacheen Littlefeather fit irruption sur scène et expliqua que Brando déclinait la récompense pour protester contre le sort réservé aux Indiens. Dans la confusion qui s'ensuivit, je repartis de la cérémonie avec la statuette !

Thaïlande, 1974, pendant le tournage de *L'Homme au pistolet d'or*, avec Britt Ekland, John Wood, ma doublure, et le réalisateur Guy Hamilton (à droite).

Malgré le clin d'œil à Simon Templar, c'est bel et bien James Bond que Maud Adams tient en joue dans *L'Homme au pistolet d'or*.

Christopher Lee, le cousin de Ian Fleming, est Scaramanga, l'ennemi de 007 dans
L'Homme au pistolet d'or.

Interpréter James Bond nécessitait une
condition physique irréprochable.

Mes trois enfants, Deborah, Geoffrey
(au premier plan) et Christian en
compagnie de leurs grands-parents
paternels, à Denham, en 1975.

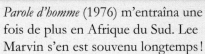

Parole d'homme (1976) m'entraîna une fois de plus en Afrique du Sud. Lee Marvin s'en est souvenu longtemps !

Deux ans plus tard, de nouveau en Afrique du Sud pour le tournage des *Oies sauvages*, avec (ci-dessous, de gauche à droite) Richard Harris, Richard Burton et Hardy Krüger. Entre deux prises, je m'octroyai un bon cigare pour fêter mon cinquantième anniversaire.

L'espion qui m'aimait (1977) réunit tous les ingrédients d'un James Bond digne de ce nom.

De l'exotisme, du charme, avec la présence de Barbara Bach...

... des effets spéciaux, des gadgets, de l'aventure...

... et un ennemi vraiment redoutable, Richard Kiel dans le rôle de Requin aux dents d'acier.

Michael Lonsdale, dans le rôle de Drax, l'un des acteurs français à avoir eu son nom à l'affiche d'un James Bond.

Dans *Moonraker* (1979), j'étais entouré de Lois Child en combinaison jaune, et de Lois Maxwell, dans son strict tailleur de Miss Moneypenny.

Un combat d'anthologie avec Toshir Suga dans une verrerie de Murano.

Entre deux James Bond, je tournai *Bons Baisers d'Athènes* (1979), avec Elliott Gould et Stephanie Powers.

Dans *Les Loups de haute mer* (1980), je jouais Rufus Excalibur ffolkes (avec deux f minuscules!), un amateur de chats, misogyne au dernier degré. Quel plaisir d'interpréter un grossier personnage! Un plaisir d'autant plus grand que j'étais dirigé par mon ami réalisateur Andrew V. McLaglen.

Que fais-je sur cette photo? À ma gauche, Henry Kissinger, Lord Mountbatten et Cary Grant, lors d'un gala de charité à Monaco. Que des célébrités!

Où suis-je sur celle-là? Le casting du *Commando de Sa Majesté* (1980), dans désordre...

Pour son premier James Bond, mon cinquième, le réalisateur John Glen souhaitait retrouver l'âpreté des romans de Ian Fleming, d'où le côté plus sombre et réaliste de *Rien que pour vos yeux* (1981).

Julian Glover campe Aris Kristatos, l'homme d'affaires qui a commandité l'assassinat des parents de Melina Havelock – rôle tenu par Carole Bouquet, l'une des plus jolies James Bond girls de la série.

En 1981, lors de la cérémonie des Oscars, je remis à Cubby Broccoly la plus prestigieuse des récompenses du cinéma américain : le prix Irving G. Thalberg. Justice était enfin rendue à James Bond et à son producteur.

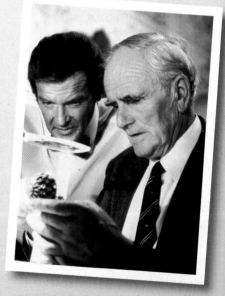

Desmond Llewelyn, dans le rôle de Q, le pourvoyeur de gadgets. Combien de fois l'ai-je fait tourner en bourrique en récrivant en douce ses dialogues ?

Maud Adams, que je retrouve pour la seconde fois sur la série, est Octopussy.

Dans *Octopussy* (1983), l'agent 007 joue un jeu dangereux face à Kamal Khan, l'interprète Louis Jourdan. Objet de toutes les convoitises : un œuf de Fabergé.

Après l'effort, le réconfort, le repos du guerrier. Barman, apportez-moi une vodka Martini, au shaker, pas à la cuillère. Et mon bonheur sera total !

Sur la Tour Eiffel, à la poursuite de May-Day, le personnage incarné par Grace Jones, dans *Dangereusement vôtre* (1985), mon septième et dernier James Bond. Le héros a pris quelques rides : il est temps de raccrocher le smoking.

Il existe heureusement une vie après James Bond. J'avais déjà participé auparavant à des émissions comme le *Muppet Show*. J'en profitai pour m'amuser, perruqué de rose, sur le *Dame Edna Show*.

Je me promenai à moto derrière Michael Caine, dans *Bullseye!* (1990), de Michael Winner.

Et embarquai même pour une croisière gay dans *Boat Trip* (2002).

Buckingham Palace, le 9 mars 1999. Je viens d'être fait Commandeur de l'Ordre de l'Empire britannique sous les yeux de mes enfants Geoffrey, Deborah et Christian. Quatre ans plus tard, en juin 2003, je serais anobli par la reine, puisque élevé au rang de Chevalier.

Mais où est donc passé Sean? Pierce Brosnan, moi, Michael Parkinson, Georg Lazenby et Timothy Dalton réunis par la Bafta pour les quarante ans de l'agent 00

© Unicef/Horst Cerni

Je ne remercierai jamais assez Audrey Hepburn de m'avoir incité à œuvrer pour l'Unicef. Depuis 1991, je prends mon rôle d'ambassadeur très au sérieux et voyage à travers le monde pour lever des fonds en faveur de l'enfance déshéritée. Ci-dessus, au Salvador, en 1991. Ci-contre, en Macédoine, en 1999. Ci-dessous, en Inde, en 2005.

© Unicef / Mark Thomas

Unicef/Sanjit Das

© Anthony Osmond-Evans

Cela fait près de quarante ans que je connais le prince Albert II, un très bon ami.

L'une des photos de Kristina et moi, prise à Monaco en 2007, que nous préférons.

Octobre 2007, l'étoile Roger Moore est dévoilée sur le célèbre Walk of Fame de Hollywood Boulevard, face au numéro... 7007.

où ils pouvaient durant la journée se laver, trouver des vêtements, fabriquer les caisses en bois qui leur permettraient de transporter de quoi cirer les chaussures pour gagner un peu d'argent, plutôt qu'être réduits à mendier ou à voler. Un déjeuner leur était également distribué. Malheureusement, ils ne pouvaient pas être hébergés sur place et la plupart d'entre eux dormaient dans la rue.

Nous partageâmes un repas avec eux tandis que Per traduisait leurs réponses à nos questions sur les circonstances qui les avaient amenés en ce lieu : des parents morts, violents, ou encore trop pauvres pour les nourrir avec une dizaine de frères et de sœurs. C'est triste à dire, mais les familles trop nombreuses sont une source de problèmes commune à l'ensemble des régions les plus pauvres du monde.

De retour à l'hôtel, après avoir visité plusieurs établissements du même type, Per s'excusa de n'avoir pas pu traduire tout ce qui avait été dit. Il avait cru que ses années au service de l'Unicef lui auraient permis de s'endurcir, mais l'émotion l'en avait parfois empêché.

— C'est normal, le rassurai-je. Le jour où ce qu'on a vu ne te bouleversera plus, il faudra changer de métier !

Cela fait aujourd'hui dix-sept ans que je travaille avec l'Unicef, et je n'y ai pas encore rencontré quelqu'un que ces horreurs laissent de marbre.

Ce soir-là, je fus l'invité d'un autre dîner de bienfaisance. Après une allocution de l'épouse du président Alfredo Cristiani, Margarita, je racontai aux convives ce que nous avions vu au cours de la journée. Je leur déclarai pour finir que nous quitterions leur pays en priant pour que la paix y revienne rapidement et pour que tous les enfants salvadoriens puissent grandir en bonne santé, confiants en leur avenir.

Nous nous retrouvâmes ensuite au bar pour un dernier verre en compagnie du président et de son épouse. Celle-ci ne s'attarda pas mais le président semblait avoir envie de continuer à lever le coude avec nous. Grand, distingué, il souhaitait nous raconter les années qu'il avait passées aux États-Unis lorsqu'il était étudiant à l'université de Georgetown. Un coup d'œil à ma montre m'apprit alors qu'il ne nous restait que quatre heures pour essayer de dormir avant notre départ pour le Honduras.

— *Señor Presidente*, dis-je en bousculant le protocole, veuillez nous excuser. Je crains que nous ne devions nous retirer car notre avion part très tôt demain matin.

À sa demande, je lui expliquai que nous avions prévu de nous lever à quatre heures et demie pour attraper le vol de sept heures, car la route menant à l'aéroport était longue. Il me regarda en souriant et fit signe à un assistant, à qui il glissa quelques mots. L'assistant claqua alors des talons et quitta la pièce. Le président mit ainsi à notre disposition deux hélicoptères qui nous prendraient devant l'hôtel à six heures.

— *Gracias, señor Presidente.* La prochaine tournée est pour moi !

À six heures du matin, étonnamment frais et dispos, nous montâmes à bord des hélicoptères qui nous attendaient comme promis. J'effectuai le trajet avec Christian et Per dans l'hélicoptère particulier du président, tandis que le pauvre Horst Cerni dut se contenter de l'autre appareil, équipé pour le combat, qui n'avait pas de portes. Nous volions à basse altitude et à grande vitesse pour ne pas être la cible des troupes rebelles qui se cachaient dans la forêt. On se serait cru en plein James Bond !

L'aéroport de Tegucigalpa a peut-être changé depuis 1991, mais je me rappelle que notre atterrissage fut assez terrifiant. Une falaise s'élevait jusqu'au ciel à quelques mètres du bout de la piste. Il me sembla que le pilote avait freiné avant même que nous ayons touché le sol, mais peut-être était-ce une impression liée à la quantité d'alcool que j'avais ingurgitée la veille en compagnie du président et à notre équipée en hélicoptère.

Une fois de plus, le programme consistait à rencontrer l'équipe locale de l'Unicef et à visiter une installation gérée par Save the Children. Les enfants des rues y apprenaient à lire, à écrire, et y recevaient des notions élémentaires de mathématiques. Je suivis un cours avec eux et découvris qu'ils étaient tous bien plus doués que moi ! Comme au Salvador, les garçons pouvaient aussi apprendre la menuiserie et, naturellement, se fabriquaient des boîtes de cireurs de chaussures.

Le lendemain matin, nous fûmes reçus par le président Rafael Leonardo Callejas Romero. Ayant pris connaissance de notre programme, qui s'achevait par une journée de repos, il nous conseilla de visiter Roatan, à proximité du plus grand récif corallien de la mer des Antilles, le deuxième récif de ce genre par la taille après la grande barrière de corail en Australie. Il se proposa même de nous y emmener dans son avion particulier.

Mais nous préférâmes laisser derrière nous le luxe des services de la présidence et partîmes pour la région de San Pedro Sula, où devait avoir lieu la visite du quartier des bidonvilles.

Arrivé sur place, je fus horrifié de constater que les murs d'un de ces taudis étaient constitués de plaques de radiologie. Pouvez-vous imaginer la dose de radiations que subissaient les gens qui habitaient là ? Comme dans d'autres favelas, il n'y avait pas d'eau courante et, bien entendu, pas de sanitaires. Des caniveaux creusés dans le sol véhiculaient des végétaux en décomposition au milieu des déchets, et des chiens à demi sauvages se jetaient sur les moindres restes. L'Unicef et d'autres ONG assuraient une présence dans la région sous la forme de dispensaires qui prenaient soin des enfants et des jeunes filles enceintes, prématurément poussées dans la vie adulte. Il nous fut difficile de quitter cet enfer miniature en sachant que nous rentrions vers notre hôtel confortable. Un silence pesant régnait dans le minibus qui nous ramena.

Le lendemain, une escorte nous accompagna à l'aéroport où nous embarquâmes à bord de l'avion présidentiel. Avec ses douze sièges, il ne payait pas de mine. Ses deux hélices se mirent en marche en pétaradant dès que le président fut installé. Tandis que nous faisions cap vers l'ouest, celui-ci nous expliqua comment il était entré en possession de l'appareil, qui s'était aventuré dans l'espace aérien hondurien alors qu'il transportait de la drogue vers les États-Unis. L'armée de l'air était intervenue pour contraindre l'intrus à atterrir et quelques impacts de balles dans l'une des ailes témoignaient des moyens persuasifs qu'elle avait employés. Mais on nous assura que les réparations avaient été impeccablement réalisées et que l'avion était comme neuf !

Ce soir-là, nous fûmes invités à dîner à bord du yacht présidentiel du voisin de notre hôte hondurien, le président du Guatemala, Jorge Serrano Elias, rencontré quelques jours plus tôt. Il avait navigué jusqu'à Roatan pour des entretiens avec le président Calleja Romero. Comme l'avion qui nous avait amenés, le yacht avait été confisqué à des trafiquants de drogue, mais j'ignore si la coque du bateau avait elle aussi essuyé des tirs... Quoi qu'il en soit, le dîner y fut délicieux et nous rentrâmes repus à notre hôtel en laissant les deux hommes discuter de leurs affaires d'État.

Le lendemain, nous partîmes pour le Costa Rica, et de là vers Dallas où nous fîmes une escale de trois heures au cours de laquelle une conférence de presse avait été organisée. Je racontai alors aux journalistes et au personnel local de l'Unicef ce que j'avais vu au cours du voyage, et leur expliquai les raisons qui m'avaient poussé à l'entreprendre et à me mettre au service de l'organisation. Je crois leur avoir dit que tout ce que j'avais appris jusqu'alors sur les pays en voie de développement provenait de fiches préparées par l'Unicef et l'Organisation mondiale de la santé. Il ne s'agissait que de statistiques, mais celle qui m'avait le plus frappé expliquait que quarante mille décès d'enfants pouvaient être évités chaque jour. J'avais donc souhaité mettre des visages sur ces chiffres, j'en avais vu des centaines, souriants, affamés, pleins d'attentes, et tous ces visages m'avaient convaincu de poursuivre mon engagement aux côtés de la première organisation mondiale de protection des enfants et des mères.

En retrouvant ma résidence estivale de Saint-Paul-de-Vence, je mesurai mieux la chance que représentent les conditions de vie dont nous bénéficions en Europe, particulièrement ceux, comme moi, que la vie a favorisés. Nous avons accès à la nourriture en abondance, possédons un toit pour nous abriter, d'excellents services médicaux... Et, plus fondamentalement, il nous suffit de tourner un robinet pour avoir de l'eau potable à volonté. Je ne peux désormais plus laisser l'eau couler lorsque je me lave les dents. Quand d'aventure j'oublie de fermer le mien, je revois aussitôt les douzaines de robinets que j'ai inaugurés dans les pays du tiers monde et je pense aux femmes et aux enfants, privés de cet équipement de base, obligés de transporter l'eau, parfois sur des kilomètres.

Je n'eus aucune hésitation lorsque l'Unicef me demanda par la suite de me rendre au Brésil. Il ne s'agissait pas de mon premier séjour dans ce pays, le cinquième du monde par sa superficie et le nombre de ses habitants, que j'avais découvert en tant que touriste privilégié, douze ans plus tôt, à l'occasion du tournage de *Moonraker*.

Ce deuxième voyage me conduisit à Brasilia, la capitale, une ville à l'architecture moderne et impressionnante que l'Unesco a inscrite sur sa liste du patrimoine mondial, ce qui me semble tout à fait justifié. Notre groupe de l'Unicef fut introduit dans l'élégant bureau du président, Fernando Collor de Mello. Grand, bel homme, il se montra sincèrement intéressé par l'action menée par l'organisation dans son pays. Son soutien aux programmes de formation de sages-femmes et d'éradication de la rougeole vaudrait au Brésil d'être récompensé par l'ONU en tant que « meilleur plan de vaccination d'Amérique du Sud ». En 1993, un an après la démission du président, son projet *Minha Gente,* « Mon peuple », fut également distingué.

Nous fûmes ensuite invités à prendre part à un débat intitulé « Les Droits d'un enfant », qui cherchait à établir le minimum auquel un enfant peut attendre de son pays en matière d'éducation, de protection médicale, etc. De nombreux parlementaires y participèrent, ce qui constituait un signe encourageant.

De Brasilia, nous nous rendîmes à Fortaleza, dans l'État du Ceara, un site au moins aussi beau que celui de Rio. Une religieuse vint ce jour-là dans les locaux de l'Unicef afin de me rencontrer. Elle était accompagnée de deux enfants, un garçon et une fillette d'une douzaine d'années, des enfants des rues dont elle entreprit de me conter l'histoire, l'une des plus horribles que j'aie jamais entendues. La fillette était l'aînée d'une famille de dix frères et sœurs. Elle avait fui sa maison pour échapper aux mauvais traitements de son beau-père. À huit ans, elle avait été violée par un policier. Les policiers brésiliens portent un badge à leur nom sur leur uniforme, mais ce brave défenseur de la loi avait enlevé le sien afin que sa victime ne puisse pas l'identifier. Je fus d'autant plus scandalisé par cette histoire que mon père avait appartenu à la police. Quoi qu'il en soit, la fillette vivait désormais dans la rue et se prostituait depuis quatre ans avec des hommes – ou plutôt des salauds –, pour gagner un peu d'argent qu'elle donnait à sa mère.

— Est-ce que tu en gardes un peu pour toi? lui demandai-je.

— Oui, pour acheter à manger, me répondit-elle. Et je voudrais en économiser un peu pour acheter un vélo.

Je pouvais difficilement en entendre davantage, mais il me fallait également écouter le récit du garçon. Son histoire était plus ou moins similaire. Lui aussi était obligé de se vendre pour subsister. Ses clients étaient généralement des touristes pédophiles, européens pour la plupart. Le dégoût qui me saisit ce jour-là face au comportement de tels individus ne m'a plus jamais quitté depuis.

La religieuse fit alors une remarque d'une extraordinaire pertinence.

— Nous vivons dans un monde étrange, dit-elle. On parle de sauver les forêts tropicales, mais à quoi sert une forêt sans enfants pour y vivre et y jouer?

Je donnai ce jour-là deux cents dollars au représentant local de l'Unicef en lui demandant de faire en sorte que la fillette ait son vélo. Mais je sais bien que je ne peux pas sillonner le monde en achetant des bicyclettes.

Je rencontrai lors de ce séjour beaucoup d'enfants des rues, et j'appris par leur bouche que nombre d'entre eux étaient parfois victimes des escadrons de la mort, dont certains disent qu'ils étaient armés par les commerçants locaux, excédés de voir ces enfants harceler leurs clients.

Rio, avec la plage de Copacabana, le Pain de Sucre et les hôtels de luxe n'était donc qu'une façade derrière laquelle se cachait – et se cache toujours – une immense misère, que je n'avais pas remarquée lorsque j'étais venu tourner ici.

Peu avant ma venue, l'Unicef avait nommé un artiste brésilien très talentueux, Renato Aragao, au poste d'ambassadeur. Ensemble, nous échangeâmes quelques idées et opinions sur la protection de l'enfance, puis nous visitâmes un foyer géré par l'Église catholique qui offrait un refuge aux enfants des rues. Ce qui me frappa le plus fut de voir combien ces enfants cherchaient à approcher les visiteurs, pas pour leur faire les poches, mais pour capter un peu d'affection. Partout en Amérique centrale et au Brésil, j'avais été impressionné par l'aide apportée par l'Église aux jeunes et son action dans le domaine des dispensaires. Cependant, face aux problèmes de surpopulation et de sida, je ne peux pas partager sa position sur les préservatifs.

Au Brésil, presque tous les enfants semblent naître avec un ballon au bout du pied. On y joue au football partout, des stades à la rue, en passant par les terrains vagues. Dans une favela, je pus assister à un match disputé avec un ballon fabriqué avec du papier et de la ficelle. J'accompagnai également Renato lors d'une rencontre de charité qu'il organisait avec des amis du show-biz contre une équipe professionnelle au profit de projets destinés aux enfants. Dans le monde entier, le football a un rôle important à jouer. Il constitue une excellente activité physique qui enseigne aux enfants l'esprit d'équipe. C'est également un outil de réinsertion, notamment pour ceux qui, parfois dès l'âge de huit ans, ont été enlevés à leur famille par des milices qui les ont entraînés à tuer et à mutiler. Au fil des années, j'ai participé à l'inauguration de douzaines de terrains de fortune, mis à la disposition des jeunes par les communautés du tiers monde.

L'Unicef utilise depuis longtemps le football aux quatre coins du monde, en se servant des matchs pour faire connaître son activité et recueillir des fonds. En 2002, je me rendis ainsi à Old

Trafford pour assister à une rencontre entre Manchester United et l'équipe argentine de Bocca Juniors, organisée au profit de l'Unicef. J'entrai sur le terrain en même temps que les deux équipes et Sir Alex Ferguson, l'entraîneur de Manchester, devant soixante mille spectateurs. On me tendit alors un micro grâce auquel j'annonçai que Sir Alex venait d'être nommé ambassadeur de l'Unicef. Je lui remis mon propre badge de l'organisation avant d'expliquer au public que j'avais souvent participé à des olas dans les stades, mais que je n'en avais jamais vu depuis le terrain. À ma demande, les supporters en entamèrent donc une en l'honneur de Sir Alex, accompagnée d'un immense rugissement. Quel spectacle !

La contribution de Manchester United à la cause des enfants est considérable. Le club a permis à la branche britannique de l'Unicef de recueillir des millions ; le match auquel j'assistai rapporta, à lui seul, la somme incroyable d'un demi-million de livres sterling !

Je débutai l'année 1992 en qualité de représentant de l'Unicef par des voyages destinés à collecter des dons à Kiel et à Berlin, où je n'étais pas retourné depuis le tournage d'*Octopussy* en 1983. Entre-temps, le Mur était tombé et je fus en mesure de me rendre librement à Berlin-Est sans passer par le poste frontière de Checkpoint Charlie.

À Berlin, je visitai l'usine où les SRO sont préparés et conditionnés, en compagnie de mon collègue Horst Cerni, arrivé de New York. En moins d'un an, j'avais assisté à l'utilisation, à la distribution et à la fabrication de ces sels. De plus, j'aidais à collecter l'argent qui permettait de les acheter. La boucle était bouclée.

Je me rendis ensuite à La Haye en compagnie d'Audrey Hepburn pour ma deuxième cérémonie de remise des prix Danny Kaye pour l'aide à l'enfance. Gregory et Véronique Peck étaient également présents, tout comme Joel Grey, Ben Vereen et Natalie Cole. Il y avait sûrement d'autres vedettes, mais aucune du niveau de Greg et Audrey, les stars de *Vacances romaines*.

J'aurais dû m'apercevoir alors que la santé d'Audrey déclinait. Elle avait toujours été terriblement mince mais elle semblait ce soir-là très fragile, et il lui fallait souvent s'asseoir. Je ne sais pas si elle avait conscience de la détérioration de son état de santé ; quoi qu'il en soit, elle continua ses voyages comme si de rien n'était. Le mois suivant, elle se rendit en Somalie et au Kenya.

Le dévouement d'Audrey à la cause de l'Unicef fut reconnu lorsqu'elle reçut, en décembre 1992, la Medal of Freedom, la plus haute distinction décernée aux civils par le gouvernement américain. À cette période, elle ne sortait plus guère de chez elle, à Tolochenaz, dans le canton de Vaud. Son dernier plaisir était de se promener dans son jardin, mais elle en fut privée, ainsi que me le raconta son amie de l'Unicef, Christa Roth, par les paparazzi et leurs téléobjectifs qui épiaient les ravages causés par sa maladie. Lorsqu'elle découvrit leurs photos, Audrey comprit qu'elle ne pourrait plus jamais profiter de son jardin. Faut-il être cruel et irresponsable pour publier de tels clichés !

Le 20 janvier 1993, les enfants du monde entier perdirent leur plus ardent défenseur. Audrey s'éteignit à son domicile, entourée de ses fils Sean et Luca et de son fidèle compagnon Robert Wolders. Quatre jours plus tard, le 24, elle fut enterrée dans le petit cimetière de Tolochenaz. Son inhumation se déroula au terme d'une cérémonie dans l'église du village, au cours de laquelle Sean Ferrer lut le poème préféré d'Audrey, *Time Tested Beauty Tips*, de Sam Levenson.

Alain Delon assista aux obsèques. Il me raconta qu'il n'avait jamais rencontré Audrey, mais qu'elle avait été une personne si admirable qu'il avait tenu à venir de Paris pour lui rendre hommage. Mel Ferrer, le premier mari d'Audrey, était également présent. Je fus très peiné d'apprendre son décès, voilà quelques mois.

Audrey m'avait demandé un jour d'assister en son nom à deux manifestations auxquelles elle ne se sentait pas en mesure de participer. J'ignorais alors que ce serait la mort qui l'en empêcherait. Au cours de la seconde cérémonie, qui se déroula à Nice en juin 1993, elle devait recevoir la Médaille Kiwanis.

Kiwanis International est une association présente dans quatre-vingt-seize pays, dont l'objectif est l'amélioration des conditions de vie des enfants. Il n'est donc pas surprenant qu'elle ait décidé de décerner une médaille à Audrey. Ce jour du mois de juin marqua le début d'un nouveau chapitre dans ma collaboration avec l'Unicef. David Blackmer, le directeur des relations publiques de Kiwanis International, avait entamé des discussions avec l'Unicef en vue de parrainer un projet, comme le Rotary International l'avait fait avec succès pour l'éradication de la polio. Ils fixèrent leur choix sur les troubles dus à la carence en iode (TDCI).

Dans sa forme la plus sévère, une déficience en iode provoque une insuffisance dans le fonctionnement de la thyroïde et un manque d'hormones thyroïdiennes susceptibles d'entraîner ce qu'on appelait autrefois le crétinisme. Elle augmente également le risque de mortinatalité et de fausse couche. Chez l'adulte, la carence en iode se traduit généralement par un goitre, une hypertrophie de la thyroïde, tandis que chez l'enfant, elle provoque des déficiences mentales, dont une conséquence est un quotient intellectuel inférieur de dix à douze pour cent par rapport à la moyenne. La quantité d'iode nécessaire pour subvenir aux besoins d'un individu tiendrait dans une cuillère à café, mais son absorption doit être régulière tout au long de la vie. J'appris qu'en 1990 trente pour cent de la population mondiale était exposée au risque de TDCI, sept cent cinquante millions de personnes souffraient d'un goitre, et quarante-trois millions de lésions cérébrales. Il s'agissait de populations vivant dans des régions montagneuses ou des plaines inondables où l'érosion purgeait le sol.

Je fis mien ce projet de Kiwanis en soutenant cette cause et en permettant la collecte d'environ soixante-quinze millions de dollars, afin de mener des campagnes d'information et acheter du matériel. Je m'entretins également avec les chefs d'État et les ministres des nations concernées pour les sensibiliser. La méthode la plus simple pour lutter contre ce fléau consiste à ioder le sel et à encourager la population à consommer le sel ainsi traité. Les deux premières nations à avoir généralisé ce procédé furent la Suisse et les États-Unis. De nombreuses autres les ont depuis imitées, en grande partie grâce à l'action des Kiwanis. Je suis fier d'avoir pu m'associer à leur effort.

Au printemps 1993, j'emmenai ma fille Deborah à Chicago où je participai à une manifestation destinée à faire connaître l'Unicef et à recueillir des dons. Sur place, mon vieil ami et attaché de presse Jerry Pam me proposa d'enregistrer un guide touristique sur la Cité interdite, à Pékin. En plus de quelques dollars, il y aurait sûrement un voyage en Extrême-Orient à la clé! Toujours à l'affût de telles occasions, je m'empressai d'accepter. Mais le voyage en question se limita à un trajet en taxi jusqu'à un immeuble sur Michigan Boulevard. Là, il me fallut monter dix étages à pied et m'asseoir face à un micro. Je m'efforçai ce jour-là de trouver les accents d'un expert pour décrire cet endroit remarquable où je n'avais jamais mis les pieds! Ce n'est qu'en 2002, quelques mois après notre mariage, que Kristina et moi pûmes écouter les commentaires que j'avais enregistrés en nous y promenant. Nous étions à Pékin pour l'Unicef à l'occasion de la Coupe du monde de football. Me croirez-vous si je vous dis que nous ne nous sommes pas perdus une seule fois ?

Mais revenons à 1993. Je passai l'été à voyager, pour l'Unicef et mon travail, à Londres, aux États-Unis, à Athènes et à Nice. En chemin, je participai à des événements organisés par Kiwanis et assistai au Festival de cinéma de Montréal, avant d'arriver à Los Angeles pour un grand dîner de bienfaisance. C'est là que mon ami le docteur Steven « Stevo » Zax insista une fois de plus pour que je fasse attention à ma santé. Il ignorait, car je ne lui avais jamais dit, que j'étais secrètement hypocondriaque !

En plus de me faire suivre par notre ami commun, le cardiologue Selvyn Bleifer, afin d'être sûr que mon cœur était toujours à l'heure, Steven demanda à son urologue, Rick Erlich, de contrôler périodiquement mon taux d'antigène prostatique spécifique (PSA). Le PSA est une protéine produite par les cellules de la prostate dont le taux est utilisé pour dépister le cancer de la prostate à un stade précoce. Outre le toucher rectal, ces examens nécessitent le prélèvement d'échantillons microscopiques par l'intermédiaire d'une aiguille qui pénètre dans la prostate. Inutile de préciser que la procédure est aussi douloureuse et désagréable que sa description le laisse entendre.

Je souffris ainsi pour la bonne cause à deux reprises. À chaque fois, Rick ou Stevo m'appelaient le soir même ou le lendemain matin pour me confirmer que tout allait bien. Mais je me souviens distinctement du jour qui suivit le troisième examen. Le soleil brillait sur Beverly Hills en cette matinée de septembre, et je m'apprêtais à faire ma gymnastique matinale lorsqu'on sonna à la porte. Stevo se tenait là, avec un pauvre sourire. Il m'expliqua qu'il avait préféré venir plutôt que téléphoner parce que les nouvelles n'étaient pas bonnes. Nous passâmes dans mon bureau. Curieusement, je me sentis désolé pour lui, car il était porteur de mauvaises nouvelles et qu'il ne savait visiblement pas comment me les annoncer. Ses yeux s'emplirent alors de larmes, et tout ce que je pus faire fut une plaisanterie stupide.

— Nous avons un peu de temps devant nous, expliqua Stevo. On ne pourra procéder à l'opération que quand tu auras donné quatre unités de ton sang en réserve. Ça va prendre un mois.

Je me sentais très calme. Après tout, il n'avait pas dit que j'avais un cancer, mais seulement qu'il allait falloir que je donne mon sang en vue d'une opération.

Hé! Une minute! Quelle opération?

Stevo m'expliqua alors qu'ils allaient m'ouvrir l'abdomen et pratiquer l'ablation de la prostate. Ce n'est qu'alors qu'ils seraient en mesure de vérifier si le cancer s'était étendu à d'autres organes ou à mes os.

Le cancer.

Le mot tant redouté.

J'avais un cancer.

14

Problèmes de santé

*« J'avais enfin trouvé mon âme sœur en Kristina
et cela m'emplit d'un bonheur indescriptible. »*

— Stevo, voyons le bon côté des choses, dis-je sans montrer
à quel point j'étais inquiet. Le cancer ne s'est pas propagé. Tu
penses que je mettrai longtemps à m'en remettre?

Il estima que ma convalescence durerait environ six
semaines. Une grosse tournée avec l'Unicef était prévue pour
l'automne en Suède et en Finlande; s'il n'y avait pas de complications, je pourrais donc y participer. Personne, mis à part mes
proches et mon assistante Doris Spriggs, ne fut mis au courant.

La semaine suivante débuta une longue série de prises de
sang, ce qui me fit penser au sketch de Tony Hancock, *Le Don-
neur de sang*, lorsqu'il demande : « Je peux avoir ma tasse de
thé *maintenant*? » La date de l'opération fut bientôt arrêtée et,
avant de me laisser m'envoler pour Stockholm, on me préleva
trois mesures de sang.

Comme à son habitude, Ingvar Hjartsjo, le directeur de l'Unicef en Suède, m'accueillit à l'aéroport d'Arlanda. Il m'avait
concocté un programme bien fourni dont nous discutâmes sur
la route du Grand Hotel. Le temps fort de ma visite serait la
remise d'une distinction à un hôpital suédois particulièrement
bien équipé pour l'accueil des nourrissons, prévue le lendemain soir. Je n'étais pas représentant de l'Unicef depuis bien
longtemps, mais j'avais déjà beaucoup appris sur les immunisa-
tions, les sels iodés et la carence en iode, je savais construire
des WC chimiques, creuser un puits, poser de la tuyauterie en
PVC, ouvrir des robinets et même discourir sans notes. À présent, je militais pour généraliser l'allaitement au sein; une campagne que James Bond n'aurait probablement pas désavouée…

En visitant les moindres recoins de l'hôpital, entouré d'un personnel aux petits soins, je ne pouvais m'empêcher de penser que, la semaine suivante, je me retrouverais dans un établissement similaire, attendant qu'un chirurgien tienne à pleines mains une précieuse partie de mon anatomie.

Lorsqu'on me fit entrer dans la chambre d'une jeune maman qui s'apprêtait à donner le sein pour la première fois, ce fut un moment magique. Néanmoins, je fus horrifié de constater que la moitié des journalistes m'avaient suivi dans cette chambre, ce qui était très incorrect, tant pour la mère que pour le bébé. Tout le monde fut mis dehors à ma demande, excepté un photographe à qui la jeune femme demanda d'immortaliser l'instant. En sortant de la chambre, je fus accueilli par une nuée de micros. Un journaliste suédois me demanda même sans détour :

— Alors, monsieur Bond, que pensez-vous des poitrines suédoises ?

Je lui répondis que le sujet ne prêtait pas à la plaisanterie et me retins de l'envoyer balader. Ingvar se plaignit plus tard de ce personnage irrespectueux auprès du directeur de la chaîne, qui fit une généreuse donation à l'Unicef pour s'excuser de l'impolitesse de leur journaliste.

Je poursuivis ma tournée scandinave par deux jours en Finlande, puis rentrai à Los Angeles où j'entrai à l'hôpital Cedars Sinai sous un faux nom, pour ne pas alerter la presse, mais sans grand succès. Au moment de l'anesthésie, je ne revis pas de tunnel jaune et rouge, je n'entendis pas les « boum boum » de mon enfance : tout devint flou, puis le nuage cotonneux dans lequel je me trouvais se trouva régulièrement transpercé par des lames douloureuses au niveau de ma zone pelvienne.

Je repris lentement connaissance dans ma chambre, entouré de ma famille, d'infirmières et de médecins. Dans les heures et les jours qui suivirent, je n'eus qu'une hâte : qu'on retire la sonde urinaire qui me faisait horriblement souffrir. Puis il me fallut rentrer avec à la maison, à Hidden Valley, où ma chambre devint une succursale du Cedars Sinai.

J'y passai mon temps à m'apitoyer sur mon sort et à me mettre en colère en constatant l'étendue de ma faiblesse, obligé que j'étais de transporter constamment, y compris pour me rendre en boitillant aux toilettes, un grand sac en plastique. Je me sentais véritablement émasculé. J'étais devenu impossible à vivre. Plus je me complaisais dans mon apitoiement, plus Luisa devenait irritable. En temps normal, j'aurais géré sans problème ses sautes d'humeur, comme j'avais appris à le faire avec les années, mais ma situation présente ne me le permettait pas. Je n'arrivais pas à passer le cap. Entre les visites de Stevo, Sel Bleifer et de ma fille Deborah, je réfléchissais longuement à la vie et à la mort, à laquelle j'avais échappé de justesse. Quelque chose était en train de changer profondément en moi.

Lors d'une de ses visites, Stevo me raconta qu'il avait téléphoné à Kristina Tholstrup, une de nos amies dans le sud de la France, qu'il avait beaucoup aidée au moment de sa double mastectomie. Kristina lui avait demandé de me faire part de son affection et me souhaitait un prompt rétablissement. Je savais que je ne la reverrais pas avant le printemps suivant, lorsque nous retournerions à Saint-Paul-de-Vence, et me mis à penser beaucoup à elle. Sachant l'épreuve que je traversais, il se trouve qu'elle fit de même.

Un jour, Stevo me conduisit chez Rick Erlich à Westwood pour qu'il examine ma cicatrice. La scène qui se déroula me rappela celle qui, soixante ans plus tôt à l'hôpital de Westminster, m'avait vu debout devant un médecin, jambes écartées, pantalon baissé. Rick estima que tout avait l'air d'aller et, saisissant la sonde, tira un coup sec. Je hurlai de douleur. En retombant sur mon fauteuil, je crus que je venais de me vider de mon foie, de mes reins, de ma rate, de mon passeport et de ma carte de la Screen Actors Guild... Quand je repris mon souffle et que mon cœur se fut quelque peu calmé, je me sentis enfin soulagé : je n'avais plus à me soucier de ce tuyau. Mais ma joie ne fut que de courte durée : je devrais désormais porter des couches et des pantalons pour incontinents.

Puisqu'il m'était à présent possible de me déplacer normalement, Luisa et moi décidâmes d'aller nous reposer à Gstaad.

— Avant ton départ, me dit Stevo, je voudrais quand même que tu passes une échographie, pour nous assurer que le cancer ne s'est pas étendu.

Je m'exécutai et, après deux nuits blanches à me faire du mauvais sang, reçus enfin le feu vert pour partir. Ce fut mon dernier hiver à Gstaad avec Luisa.

Mon travail à l'Unicef me prenait beaucoup de temps, mais je me rendis vite compte que je ne leur serais utile qu'aussi longtemps que les journaux parleraient de moi. Il était donc impératif que je reprenne le chemin des plateaux pour prouver à la Terre entière que j'étais bien vivant !

C'est à ce moment que le réalisateur Bill Condon m'envoya le scénario de *L'homme qui refusait de mourir*. Il s'agissait d'un téléfilm qui serait tourné à Vancouver pour Universal, avec Malcolm McDowell et Nancy Allen. J'y interprétais deux rôles en un : celui d'un écrivain, Thomas Grace, et celui du personnage principal de son roman, un inspecteur de police. Dans le film, Grace, auteur de polars, s'inspire des méfaits d'un criminel interprété par Malcolm pour écrire ses romans, jusqu'au jour où le principal intéressé s'échappe de prison et se venge de l'écrivain en commettant les crimes décrits dans ses romans. Une fan dotée de pouvoirs psychiques – Nancy Allen – arrive à persuader la police que l'auteur n'est pas le coupable.

Après ce tournage qui m'amusa beaucoup, je rentrai à Gstaad très satisfait d'avoir repris le cours normal de ma carrière, mais me retrouvai aussitôt plongé dans un énième conflit conjugal. Ce fut la goutte d'eau qui fit déborder le vase. Nos enfants étant tous autonomes, je décidai de quitter Luisa. Je choisis de m'enfuir lâchement plutôt que d'affronter la situation, et je partis sans même faire ma valise.

J'avais enfin trouvé mon âme sœur en Kristina et cela m'emplit d'un bonheur indescriptible. Je ne supportais plus d'être séparé d'elle. Nous ne nous sommes plus quittés depuis lors, et nous sommes mariés en 2002 au cours d'une cérémonie toute simple, au Danemark, en présence de deux témoins et du père Peter Parkov, un ami de longue date. Notre amour ne cesse de grandir jour après jour, année après année, en dépit de toutes les prédictions.

Dans la profession, il n'y a que deux personnes que je déteste vraiment – je pèse mes mots – et elles furent réunies sur mon film suivant, *Le Grand Tournoi*, des deux côtés de la caméra.

Mon agent américain, Jack Gelati, me téléphona un jour pour m'annoncer que Jean-Claude Van Damme avait écrit le scénario d'un film et qu'il voulait que nous en discutions. Nous nous rencontrâmes donc et il me vendit très bien son projet, après de nombreux compliments et autres courbettes. Selon lui, j'étais le comédien parfait pour tenir le rôle de Lord Edgar Dobbs. Quand j'appris qu'il en serait également le réalisateur, cela ne me posa aucun problème. Le scénario tenait la route et le tournage se déroulerait en Thaïlande, ce qui permettrait à Kristina de m'accompagner et de passer du bon temps avec moi. Je signai donc les yeux fermés, et rencontrai seulement ensuite Moshe Diamant, le type qui se faisait passer pour le producteur du film – dont je préfère m'abstenir de parler...

La comédienne Janet Gunn et Jack McGee, dont l'humour brut de décoffrage me faisait hurler de rire, me permirent de tenir le coup sur ce tournage. Jack était le genre de trublion à roter et péter au milieu d'une prise, au grand désarroi de notre réalisateur, mais pour le plus grand bonheur du sale gamin que j'étais redevenu ! Nous jouions la plupart du temps dans les mêmes scènes et déjeunions régulièrement ensemble dans ma caravane, ce qui me permettait d'éviter certains membres de l'équipe.

Ce film collectionna les ennuis. Une nuit, après un long trajet dans une voiture minuscule pour nous rendre sur un décor, je me coinçai le genou et terminai le film avec une jambe dans le plâtre, ne me déplaçant plus qu'avec une canne en prenant fréquemment appui contre les murs ou les poteaux.

Il y eut d'autres expéditions nocturnes. Pour une scène, la production avait fait construire un fort au sommet d'une colline à Maï Hon Song, à la frontière avec la Birmanie, à plus d'une heure et demie de route de notre camp de base. Il était pourtant inutile d'aller tourner si loin puisque, de nuit, tous les endroits se ressemblent ! Encore une preuve du manque d'organisation de nos producteurs...

Nous perdions également beaucoup de temps. À tel point qu'une nuit le producteur demanda à Jean-Claude et ses techniciens de nous faire tourner jusqu'à six heures du matin, sans être payés en heures supplémentaires.

— Pourquoi est-ce qu'on bosserait gratis ? lui demanda alors un électricien. Donnez-nous une bonne raison.

— Pour la gloire ! répondit notre intrépide producteur, qui devait pourtant sentir que ce n'était pas le moment de faire le malin.

— Allez, les mecs, on débranche tout, répondit le technicien.

Quelques années plus tard, je croisai ce producteur à Monaco et pris soin de l'ignorer. N'ayant visiblement pas saisi le message, il me téléphona peu de temps après :

— Bonjour Roger, je suis à Monaco.

— J'en suis très heureux pour vous, répondis-je en lui raccrochant au nez.

Finalement, le film fut tourné et terminé, essentiellement grâce à Peter McDonald, le formidable réalisateur de la seconde équipe, et à ses techniciens australiens. Ils accomplirent des miracles dans des conditions et des conflits d'ego épouvantables. Indépendamment de ces conditions de tournage, j'avais pris plaisir à travailler avec mes partenaires et à discuter avec l'équipe. Sans oublier les journées de repos, que j'avais passées avec Kristina.

Cela dit, je n'étais pas au bout des contrariétés. Je fus en effet très agacé de constater que mon nom ne figurait pas sur l'affiche au-dessus du titre du film, mais bien en dessous, et en tout petit. Certes, cela n'a jamais été une priorité pour moi, mais Van Damme me l'avait promis pour que j'accepte de tourner dans le film. Je pris donc cette découverte pour un affront. Heureusement, je n'eus plus aucun contact avec M. Van Damme et son copain producteur par la suite.

Au Royaume-Uni, aucune nouvelle chaîne hertzienne n'avait été créée depuis le lancement de Channel 4 en 1982. L'annonce de la naissance de Channel 5, en mars 1997, fut donc accueillie avec enthousiasme, et la chaîne me demanda de participer à leur grande soirée d'ouverture, depuis le Whitehall Theatre à Londres, avec un groupe de cinq jeunes femmes qui avait beaucoup de succès à l'époque.

Le soir venu, on frappa à la porte de ma loge et les cinq demoiselles entrèrent. Je n'avais absolument aucune idée de qui elles étaient.

— Pouvons-nous vous déranger?

— Bien sûr, répondis-je.

— Nous allons faire un film, et nous avons un rôle pour vous.

— Avec plaisir, dis-je poliment, sans vraiment les prendre au sérieux.

— Pouvez-vous me dédicacer cette photo? me demanda une de ces filles.

— Oui, quel est votre prénom?

— Victoria.

Quand les Spice Girls se classèrent en première place des hit-parades, je compris enfin à qui j'avais eu affaire. Entretemps, mon agent anglais, Dennis Sellinger, avait reçu le scénario de *Spice World, le film*. Je n'étais prévu que pour un seul jour de tournage, mais quand je vis le montant du chèque, je signai sur-le-champ!

En arrivant aux studios de Twickenham, je fus accueilli par les filles et le réalisateur, le délicieux Bob Spiers, dont je connaissais le travail depuis qu'il avait réalisé de nombreux épisodes de

L'Hôtel en folie. Je devais interpréter un rôle très proche de celui de Blofeld dans les James Bond, avec un chat blanc sur les genoux, et mon jeu consista à passer du temps au téléphone avec Richard E. Grant. Il prit sur son jour de congé pour m'aider à répéter la scène, en me récitant ses phrases hors champ, comme je le faisais, si vous vous souvenez bien, sur les tournages du *Saint.* Je lui en sus gré.

La dernière fois que j'ai croisé la jeune Victoria, nous dînions à la Colombe d'Or, dans le sud de la France, avec son mari David Beckham – qui ne m'a pas réclamé d'autographe, lui! – et Elton John. Qu'est-ce que je peux être *people*, parfois!

Après ma rupture avec Luisa, je m'installai avec Kristina à Monaco pendant les mois d'été, puis nous partîmes pour la Suisse afin de dénicher une maison pour l'hiver. Nous visitâmes de nombreuses stations de ski, sans succès, avant d'arriver à Crans-Montana où nous descendîmes à l'hôtel Crans Ambassador, le temps de visiter plusieurs propriétés.

Nous pensions repartir bredouilles quand la chance nous sourit enfin. On nous aiguilla sur un chalet à vendre au pied des pistes; en le voyant, nous sûmes qu'il était pour nous. Après quelques aménagements et un peu de gros œuvre, Kristina le redécora afin d'en faire un havre de paix pour toute la famille.

Crans est vraiment une très jolie ville, qui offre tout ce dont vous avez besoin: de grands restaurants, des boutiques diverses et variées, de merveilleuses pistes de ski, des habitants adorables et une doctoresse épatante, Ariane Kunz. L'hypocondriaque que je suis a toujours besoin de connaître le meilleur médecin de la ville! Crans est aussi très bien pourvue en pharmacies.

Nous avons beaucoup d'amis là-bas, dont Jorg Romang, qui est moniteur de ski et l'une des premières personnes que nous rencontrâmes. Il nous fit découvrir les meilleurs coins de poudreuse vierge et nous aida aussi beaucoup à trouver notre chalet. Il se révéla par la suite être une inestimable source de savoir et de soutien. Toutes les villes devraient avoir leur propre Jorg!

Je voyageai régulièrement à cette époque pour le compte de l'Unicef, et Kristina m'accompagna à chaque fois. Je crois qu'elle aime les enfants encore plus que moi, aussi proclamé-je souvent qu'elle ferait une bien meilleure ambassadrice que moi! Nous pouvions toujours compter, au cours de ces séjours à l'étranger, sur Mary Cahill, du bureau de l'Unicef à New York, et sur Christa Roth, à Genève. Entendre Mary et son accent irlandais au téléphone était toujours un ravissement. Aujour-d'hui, elle est à la retraite : elle aurait bien aimé continuer à travailler, mais elle avait atteint l'âge limite de soixante ans. Nous sommes cependant restés bons amis et ne manquons pas de nous voir lorsque Kristina et moi sommes à New York.

Nos voyages nous ont emmenés autour du monde, de Dublin à Amsterdam, de Tirana à Saarbrücken, de La Nouvelle-Orléans à Hongkong et, bien sûr, Londres pour le lancement du programme Check Out for Children en 1995.

Ce programme était la grande idée de Robert Scott, du groupe Starwood, qui possède de nombreux hôtels et lieux de villégiature, dont la chaîne des Sheraton. Il s'agissait de demander aux clients de ces hôtels de donner un dollar ou une livre sterling à l'Unicef au moment de payer leur note, le cumul de ces dons pouvant ensuite être consulté en temps réel sur le réseau interne des hôtels.

On me demanda à cette occasion d'enregistrer la séquence de présentation d'une petite vidéo qui expliquait le fonctionnement de l'Unicef. Le tournage se déroula au Sheraton Belgravia où, devant la caméra, je commençai mon discours par :

— Mesdames et messieurs, chers clients, le film que vous allez voir montre comment le travail de fond de l'Unicef permet d'aider les enfants, notre bien le plus cher sur la planète.

Quelques lignes de texte plus tard, je continuai :

— Vous remarquerez qu'une livre sterling a été ajoutée à votre facture. Si vous ne souhaitez pas participer à ce programme, il vous suffit de le signaler à l'hôtesse d'accueil qui vous regardera droit dans les yeux et vous dira combien vous êtes ignoble et que vous pouvez vous foutre cet argent dans le...

— Coupez ! entendis-je alors.

Le réalisateur et les techniciens étaient interloqués.

— C'est pour rire, les rassurai-je.

Mais je ne pouvais vraiment pas imaginer que l'on puisse refuser un don de cette sorte. Cela dit, les hôtels Starwood que j'ai visités m'ont toujours assuré qu'à de rares exceptions près les clients faisaient ce don de bonne grâce.

Lorsque l'antenne anglaise de l'Unicef eut récolté deux millions de livres sterling, en partenariat avec l'opération Change for Good de British Airways, Kristina et moi fûmes invités à une grande fête. L'idée était d'installer dans les aéroports de gigantesques urnes où les voyageurs pouvaient se délester de leurs petites pièces de monnaie étrangère au moment de rentrer chez eux. À ce jour, quelque vingt-cinq millions ont ainsi été collectés au profit de l'Unicef.

On m'interroge souvent sur le financement de cette organisation, la part apportée par les Nations unies dans son budget, et la raison de nos recherches de fonds permanentes. La réponse est simple : l'ONU ne donne rien, et l'Unicef est uniquement financée par les dons. Voilà pourquoi j'effectue ma mission d'ambassadeur avec autant d'empressement. Moins de neuf pour cent des dons sont consacrés à l'administratif, le reste allant directement aux enfants. Nous avons la chance d'avoir des donateurs réguliers et, si les grandes sociétés sont bien sûr essentielles dans notre démarche, les actions individuelles le sont tout autant. Ce sont les « petits » contributeurs – ils se comptent par dizaines de milliers – qui rendent notre travail possible. Chaque euro compte.

Fin 1998, je reçus une bonne et une mauvaise nouvelle. La bonne était que j'allais être fait Commandeur de l'Ordre de l'Empire britannique pour mes actions caritatives, ce qui me toucha énormément. La mauvaise fut d'apprendre, le 14 décembre, le décès de mon plus cher ami et mentor, Lord Lew Grade, à la suite de complications postopératoires. Il avait continué à travailler jusqu'à son admission à l'hôpital, à l'âge de quatre-vingt-douze ans. Je lui dois mon succès. Il n'y a jamais eu et il n'y aura jamais un autre homme de sa trempe.

Le 9 mars de l'année suivante, je reçus donc mon titre de Commandeur à l'occasion d'une cérémonie au palais de Buckingham. Vous ne pouvez venir accompagné en un tel jour que de trois personnes. Avant que je puisse même réfléchir aux noms de mes invités, Kristina me souffla ceux de mes enfants. Je n'avais pas envisagé d'aller chercher ma distinction sans elle, mais elle insista. C'est tout Kristina : penser aux autres avant soi. Vous comprenez peut-être mieux pourquoi je l'aime autant.

Le jour dit, j'étais tétanisé à l'idée de commettre un faux pas. Heureusement, la cérémonie était réglée comme une parade militaire, au détail près. Pendant que les invités prenaient leur place, les récipiendaires attendaient dans une autre pièce. Puis l'Écuyer royal vous expliquait comment vous adresser à la reine, en insistant bien sur le second a de « Madâme ». Lorsqu'elle vous lâchait la main, la conversation était terminée. Facile, non ?

Après la cérémonie, Kristina nous invita au Harry's Bar. Nous y fûmes rejoints par Michael et Shakira Caine et par Flossie, la fille de Kristina, que je surnomme ainsi pour la différencier de sa mère, étant donné qu'elle s'appelle aussi Christina, mais avec un C.

Quelques années plus tard, en 2003, j'étais à l'aéroport d'Heathrow quand mon téléphone sonna. Gareth, mon assistant, était au bout du fil.

— Est-ce qu'être anobli par la reine vous plairait? me demanda-t-il.

Je pensais que c'était encore une de ses blagues mais il me lut à voix haute une lettre du Bureau des décorations qui venait d'arriver. Je lui demandai de la relire car je n'y croyais pas. Le gouvernement voulait vraiment me faire Chevalier de l'Ordre de l'Empire pour mon action en faveur de l'Unicef et me demandait si j'acceptais cette distinction. J'étais sonné. La lettre précisait également que la nouvelle devait rester secrète jusqu'à l'annonce officielle, qui aurait lieu en juin. Kristina était à mes côtés, et je me rendis alors compte qu'elle allait devenir Lady Moore! Mais, après tout, ce n'était que juste récompense de tous ses efforts pour l'Unicef. Comme on me l'avait demandé, je n'en parlai à personne, pas même à mes enfants, qui n'apprirent ma nomination que la veille de l'annonce.

Kristina, Deborah et Geoffrey m'accompagnèrent à Buckingham le jour de la cérémonie. Christian, coincé à Los Angeles, n'avait pu faire le voyage. Ce matin-là, les embouteillages étaient épouvantables dans la capitale. Nous étions bloqués sur le Mall, conscients d'être très en retard, mais je ne m'inquiétais pas outre mesure, sachant que les Chevaliers n'étaient décorés qu'en fin de matinée, après les Officiers et les Commandeurs. J'étais bien plus anxieux à l'idée de m'agenouiller devant la reine et de ne pas pouvoir me relever! J'appelai Michael Caine pour prendre son avis.

— Michael, quand tu as été anobli, tu as vraiment posé un genou à terre?

— Mais non, répondit-il en riant. Il y a une sorte de tabouret pour les genoux avec une poignée sur le côté afin de se relever en douceur.

J'étais soulagé. Imaginez mon humiliation si je n'avais pas été capable de me redresser, moi, un ex-007 qui avait maintes fois sauvé le monde!

À mon arrivée au palais, je fus dirigé vers la pièce des futurs décorés où je retrouvai Bill Morris, le grand syndicaliste, et mon vieil ami Ken Adam. L'Écuyer royal m'informa alors que je serais le premier, et que je serais seul. L'angoisse me gagna. Le premier! Tout seul! Il m'expliqua qu'à l'appel de mon nom je devrais suivre ce couloir, tourner à gauche puis m'avancer vers la reine.

En fait, je n'écoutais pas. Tétanisé, je passai en pilote automatique et me présentai devant la reine. Non seulement elle ne me décapita pas comme je l'avais imaginé mais, en plus, mon genou tint bon. Et je devins Chevalier.

J'ai eu la chance de rencontrer Sa Majesté plusieurs fois, et je suis toujours très nerveux en ces occasions, mais elle sait mettre les gens à l'aise et je crois qu'elle aime beaucoup ce genre de cérémonies.

Bien que trois des personnes qui me sont les plus proches et les plus chères fussent présentes, je ne pus m'empêcher de penser à mes parents qui auraient été, j'en suis certain, très fiers de moi. Une fois debout, je devais repartir, selon le protocole, sans regarder personne. Sachant où Kristina était assise, je lui lançai néanmoins un discret clin d'œil!

Une fois sorti de la salle, mes médailles sous le bras, je fus escorté à la salle de presse pour quelques interviews ponctuées de crépitements de flashes, puis je pris place dans l'assistance pour assister à la décoration de mes camarades de promotion. Notre grand ami Sirdir Ali Aziz nous invita ensuite à déjeuner au Ritz, et nous offrit la plus belle suite du palace. Moi qui aime épater la galerie, j'étais servi!

Plus tard dans la soirée, mon fils Geoffrey nous invita à dîner dans son nouveau restaurant, le Shumi, pour une superbe fête entre amis où furent conviés Michael et Shakira Caine, Sean et Michelene Connery, Barbara Broccoli, Bob Baker, David et Carina Frost, Michael Winner, Bryan et Nanette Forbes, nos très chers Raja Sidawi et Monique Duroc Danner, et d'autres encore. Ce fut la plus exquise façon de conclure un jour parfait.

Faisons un petit retour en arrière. En 1999, on me contacta pour une série télévisée américaine intitulée *The D.R.E.A.M Team*, une sorte de *Drôles de dames* avec quatre agents secrets, un homme et trois femmes, qui se faisaient passer pour des top models afin de dissimuler leur véritable profession. Je devais interpréter Desmond Heath, le coordinateur de l'équipe. La production fut très conciliante et accepta de tourner mes séquences dans le sud de la France, en plus de m'accorder un cachet confortable. Évidemment, tout ne se passa pas comme prévu. Le soir du premier jour de tournage, la rumeur de difficultés financières se répandit sur le plateau. On m'assura cependant en haut lieu du contraire. Nous reprendrions le tournage après une conférence de presse au marché de la télévision de Cannes, qui se déroulait non loin de là, où la production espérait conclure quelques préventes.

Au même moment, je fus invité à Paris pour participer aux Sept d'or, cérémonie qui récompensait les meilleurs programmes télévisés. *Amicalement vôtre* – qui a toujours reçu un très bon accueil en France, au point d'y devenir une série culte – s'était vu attribuer une distinction, et Tony Curtis avait envoyé pour cette occasion un message vidéo préenregistré. À l'issue de la cérémonie, Kristina et moi avions prévu de retrouver nos amis Ricky et Sandra Portanova chez Régine. Mais notre chauffeur nous y déposa très en retard, et nous ne les trouvâmes pas. Pensant qu'ils s'étaient lassés de nous attendre, alors qu'ils étaient en réalité en chemin, nous décidâmes de rentrer à l'hôtel. J'ouvris la porte arrière de la voiture pour y laisser entrer Kristina quand le véhicule se mit à reculer à une vitesse telle qu'il emboutit les quatre véhicules stationnés derrière. La portière heurta Kristina et la projeta sur le trottoir. Plus tard, le chauffeur prétendit que son pied avait glissé. Et déclenché la marche arrière ? En fait, il était ivre.

Kristina gisait sur le sol, inconsciente, le crâne ensanglanté. J'ôtai ma veste de gala et la plaçai sous son cou. Ma main devint rouge de sang. Régine surgit alors du restaurant et appela aussitôt les secours, qui mirent une éternité à arriver. Mon cœur battait la chamade. Je passai par toutes les émotions. Quand l'ambulance arriva enfin, il y eut encore des palabres sur l'hôpital de destination. Finalement, nous nous décidâmes pour l'Hôpital américain. Il était deux heures du matin lorsque nous y parvînmes, alors qu'elle revenait peu à peu à elle. On lui fit de nombreux examens mais, Dieu merci, ils ne révélèrent aucune lésion cérébrale. Je restai à son chevet toute la nuit.

La police nous informa plus tard que le chauffeur avait bu trois fois plus que la loi ne l'y autorisait.

J'avais promis de me rendre à Cannes le lendemain pour les besoins de *The D.R.E.A.M. Team* et j'honorai mes engagements, poussé par Kristina, dont l'état s'était stabilisé. La production mit un jet privé à ma disposition pour faire l'aller-retour dans la journée.

Deux jours plus tard, Kristina sortit de l'hôpital. Les traumatismes physiques avaient disparu, mais les séquelles psychologiques sont toujours vivaces. Aujourd'hui encore, elle ne peut pas conduire ou traverser une route seule. Après des mois de bataille, l'assureur français conclut à un accident, et le chauffeur ne fut pas poursuivi. Drôle de conception de la justice...

Comme je le craignais, le projet sur lequel je m'étais embarqué devint un cauchemar. Je décidai donc d'arrêter les frais. Il y a des choses qui n'en méritent tout simplement pas la peine. Je pus ainsi consacrer tout mon temps à la convalescence de Kristina et ne repris le chemin des plateaux qu'en 2001 pour *Stratégiquement vôtre*, qui avait été écrit par Desmond Bagley. Le casting se composait de Luke Perry, Olivia d'Abo et Tom Conti, Horst Buscholtz et Tom Kinninmont étant à la réalisation. Le tournage se déroula au Luxembourg, un pays que je ne connaissais pas et que je trouvai magnifique. Mon emploi du temps étant relativement souple, j'en profitai pour visiter le pays et manger dans les meilleurs restaurants. Mon vieil ami John Glen y montait également un film à l'époque, ce qui nous donna l'occasion de passer du temps ensemble et de passer encore plus de temps au restaurant !

J'avais beau avoir rendu mon Walther PPK, le personnage de Bond ne m'avait jamais vraiment quitté : au fil des ans, j'avais présenté de nombreux documentaires sur la série et participé à des interviews promotionnelles. Quand Disney me demanda de présenter la rétrospective James Bond que la chaîne ABC était sur le point de diffuser aux États-Unis, j'acceptai avec joie. À ma demande, nous tournâmes les séquences aux studios Ardmore, en Irlande, et non au Royaume-Uni car, m'étant expatrié pour raisons fiscales, je ne peux plus y travailler qu'un petit nombre de jours par an.

J'ai effectué un certain nombre de tournages à Ardmore ces dernières années, principalement des publicités, notamment pour la Banks' Bitter, une bière des Midlands, et pour une des sociétés de Lord Hanson, qui n'a jamais été diffusée. Apparemment, elle faisait trop référence à James Bond et MGM avait mis son veto. Lord Hanson fut choqué quand il apprit le montant de mon cachet pour seulement trois jours de tournage et le fit savoir à Frank Low, qui avait préparé le contrat. Ce dernier lui répondit alors que cette somme était justifiée, au regard de ma carrière. Quel homme de goût !

En 2001, à Ardmore, un cadre de Disney me proposa de tourner dans *Alias* qui était, je l'appris plus tard, l'une des séries les plus populaires du moment. Je reçus de nombreux scénarios et J. J. Abrams, le créateur et réalisateur des épisodes, me téléphona personnellement. Nous discutâmes de plusieurs personnages, et il fut finalement convenu que je ferais une apparition en *guest star* dans le rôle d'Edward Pool, un personnage similaire au M des James Bond. Je tournai plusieurs séquences qui m'amusèrent beaucoup à Los Angeles. Abrams décida alors que mon personnage serait récurrent dans la saison suivante, et j'acceptai initialement de poursuivre le rôle. Néanmoins, le salaire étant nettement inférieur à ce que j'avais touché la première fois, je refusai poliment.

Comme je l'ai évoqué précédemment, mon statut d'ambassadeur de l'Unicef est lié à ma carrière. Aussi, lorsque je reçus le scénario de *Boat Trip* en 2002, n'hésitai-je pas à accepter le projet, même s'il me paraissait un peu loufoque. Il faut dire que l'histoire de ces deux hétéros purs et durs se retrouvant embarqués par erreur sur une croisière gay me faisait beaucoup rire. De plus, le tournage devait avoir lieu dans les Cyclades, en Grèce. Que demander de plus ?

Cuba Gooding Jr et Horatio Sanz tenaient les rôles principaux, et ils étaient de très agréables partenaires de jeu. Les intérieurs furent tournés à Cologne, puis nous nous envolâmes pour Athènes où nous prîmes la mer pour deux semaines. Mon personnage s'appelait Lloyd Faversham, une vieille folle qui s'entichait du personnage incarné par Horatio. Kristina me rejoignit sur ce tournage et nous pûmes profiter pleinement de la croisière, car je ne tournais pas tous les jours.

À sa sortie, les critiques furent assassines et le film sombra rapidement au box-office, mais j'ai entendu dire qu'il s'arrache en DVD. Je ne pense pas que mon rôle d'homo eut un quelconque impact sur l'histoire du monde, mais je reçus tout de même à cause de lui une lettre homophobe assez incohérente. Je me demande bien ce que Brian Desmond Hurst aurait pensé de tout cela...

Au cours d'un séjour à Londres, l'endroit idéal pour voir les meilleures productions théâtrales, Kristina et moi, férus de théâtre, assistâmes à une représentation de *The Play What I Wrote*, mise en scène par Kenneth Branagh. La pièce, écrite et interprétée par Sean Foley et Hamish McColl, était une sorte d'hommage au duo comique des années soixante Morecambe et Wise. Toby Jones, le fils de mon vieil ami Freddie Jones, y avait un rôle, et je suis aujourd'hui ravi de constater qu'il est en train de percer à Hollywood.

L'un de mes plus grands regrets professionnels était d'avoir été invité plusieurs fois au *Morecambe and Wise Christmas Show* sans n'avoir jamais pu y participer, faute d'un emploi du temps compatible, mais je comptais bien prendre ma revanche.

La pièce était très drôle. Un invité apparaissait dans la seconde moitié, comme dans l'émission originale, mais il était chaque soir tenu secret. Au cours de la série de représentations, Ralph Fiennes, Dawn French, Honor Blackman, Ewan McGregor, Daniel Radclife, Kylie Minogue, Charles Dance et Glenn Close tinrent ce rôle, cabotinant gaiement dans la scène finale. Le soir où nous y étions, ce fut Johnny Lee Miller qui joua l'invité. J'appris plus tard qu'il était le petit-fils de Bernie Lee.

Les gens de la production avaient de toute évidence remarqué que je me trouvais ce soir-là dans la salle, à me tordre de rire, car, quelques jours plus tard, mon agent anglais, Jean Diamond – mes très chers Dennis Sellinger et Dennis Van Thal étaient décédés –, m'apprit que le producteur aimerait beaucoup que je sois l'invité mystère d'un soir. J'acceptai aussitôt.

Je crois que je fus finalement l'invité le plus régulier de tous. D'habitude, les comédiens n'intervenaient pas plus de trois fois afin de préserver la surprise, mais je tins presque un an à l'affiche dans le West End, puis en tournée à Wokingham, Milton Keynes ou Belfast! Le show fut un tel succès qu'il fut transposé à Broadway. David Pugh me demanda si je voulais bien participer à quelques avant-premières, la première étant réservée à un acteur américain, Kevin Kline en l'occurrence. J'acceptai naturellement, et combinai l'une de mes représentations ultérieures avec un dîner de gala pour l'Unicef, un vendredi soir.

La malédiction de Broadway s'abattit hélas à nouveau sur moi, le mercredi précédant ce dîner. Habillé en Marie-Antoinette, à la fin de mon petit tour de chant, j'entendis un énorme bruit : ma tête venait de cogner violemment le plancher. Quand je repris mes esprits, Hamish était debout devant moi. Je me demandai un instant ce qu'il faisait dans ma chambre, puis je vis la scène, le public et les rideaux qui se fermaient. Kristina, assise au premier rang, savait que ma chute n'était pas au programme. Après quelques instants, je me sentis capable de terminer la pièce, mais Kristina insista pour que je voie un médecin dès la fin de la représentation.

Deux infirmiers à la carrure impressionnante me plantèrent ce soir-là des aiguilles dans les veines et me poussèrent dans une ambulance. Je fus conduit aux urgences de l'hôpital Roosevelt dans mon costume de scène, où un jeune docteur indien très attentionné me fit subir une batterie de tests. Il contacta ensuite mes amis médecins Steven Zax et Selvyn Bleifer à Los Angeles.

— Ils vont te poser un pacemaker, m'informa Sel. Et tu vas être transféré à l'hôpital Beth Israel. N'imagine même pas prendre un avion pour Los Angeles. Tu as besoin de ce pacemaker sur-le-champ! C'est une question de vie ou de mort.

Dure réalité. Surtout que je n'avais pas l'impression que cela m'arrivait vraiment. C'était comme si j'étais spectateur des événements qui me concernaient.

Christian avait prévu auparavant de venir nous voir depuis Los Angeles. Quand il apprit que j'étais à l'hôpital, il prit les choses en main pour nous rassurer, Kristina et moi, comme il a toujours su le faire. Le lendemain matin, je fus transporté en chaise roulante dans la salle d'opération et confié aux mains expertes du chirurgien Darryl Hoffman. Tout ce dont je me souviens est de cette infirmière qui, à mon réveil, me demanda un autographe. Je griffonnai alors quelques mots sur un bout de papier, heureux d'être toujours vivant.

J'eus, par la suite, une longue discussion avec le cardiologue Steven Evans, qui m'expliqua comment l'opération s'était déroulée et ce qu'il m'était désormais interdit de faire avec mon pacemaker. Fini, notamment, les téléphones portables et les détecteurs de métaux dans les aéroports. Lorsqu'il me demanda ce que je faisais à New York, je lui parlai de la pièce de théâtre et de mon dîner de gala le vendredi soir. Il semble qu'il ait senti à quel point ce dîner était important pour moi, car il m'autorisa, à ma sortie de l'hôpital le vendredi matin, à y assister à la condition expresse de n'y faire qu'une brève apparition. Puis il ajouta :

— D'habitude, le médecin vous présente sa note. Là, c'est moi qui vous fais un chèque.

Il donna ainsi dix mille dollars à l'Unicef en s'excusant de ne pas exercer à Beverly Hills, ce qui lui aurait permis de faire une contribution dix fois plus importante...

La toujours dévouée Mary Cahill s'arrangea pour que ma présence ne soit ce soir-là ni longue, ni pénible. Il était essentiel que je sois là, car les invités avaient dépensé beaucoup d'argent et espéraient m'y voir. J'ai horreur de ne pas tenir mes engagements. Les médias furent quant à eux rassurés de savoir que je n'étais pas sur mon lit de mort!

Quelques jours plus tard, je fus autorisé à rentrer à Monaco, où je retrouvai mon lit douillet.

Le pacemaker n'a pas radicalement modifié ma vie. Mon père en portait un aussi et il s'en accommoda parfaitement. Je reçus des messages de réconfort d'autres porteurs, dont Elton John, qui m'expliqua que le sien était accessible grâce à une fermeture à glissière conçue par un grand couturier, ce dont je doute toujours !

Les piles de mon appareil, qui sont censées durer encore quelques années, doivent être changées au maximum tous les dix ans. Je me souviens que mon père m'avait dit un jour qu'il espérait ne jamais avoir à les remplacer, ce qui eût constitué à ses yeux une dépense inutile.

À cette période, je reçus une lettre d'une association caritative baptisée Stars. Sa fondatrice, Trudie Lobban, m'y expliquait que sa fille avait été diagnostiquée comme épileptique, mais qu'elle ne s'en était pas satisfaite et avait demandé un deuxième avis. Un neurologue de Glasgow, le professeur Stephenson, lui avait alors expliqué que sa fille était en fait atteinte de convulsions[1], un état qui donne lieu à de nombreuses erreurs médicales. Si vous vous évanouissez, c'est certainement dû à un manque de sang dans le cerveau, en raison d'un problème au cœur. C'était exactement ce qui m'était arrivé, et je fus heureux que l'on s'en soit aperçu quand j'étais à New York, et non au cours d'une de mes visites dans un pays du tiers monde.

Il y a plusieurs moyens de soigner les convulsions, dont le pacemaker. En montant Stars, Trudie voulait alerter le corps médical tout autant que le public. Elle me demanda de devenir porte-parole de son association, ce que j'acceptai. Je l'aide depuis comme je peux, y compris en ralliant à la cause d'autres personnalités, comme Sir Elton John. Cela a-t-il été utile ? Sachez simplement que, quelque temps plus tard, le guichetier de la poste glissa à mon assistant Gareth Owen venu chercher un paquet que j'avais sauvé la vie de sa fille. Elle était traitée depuis plusieurs années pour une épilepsie et, après avoir lu un article sur mon implication dans Stars, avait demandé un nouvel examen. À l'époque, ses crises devenaient de plus en plus fréquentes et graves. Or, elle souffrait en réalité de convulsions. Grâce à ce nouveau diagnostic, elle vit aujourd'hui normalement. Si tout le foin que j'ai fait autour de Stars n'a servi qu'à une seule personne, c'est déjà ça.

---

1. En anglais, *Reflex Anoxic Seizure* (RAS). (*N.d.T.*)

J'ai toujours été féru de gadgets. Je n'ai pas attendu d'être équipé par ceux de Q pour m'intéresser à tous ces objets, qu'il s'agisse de la toute nouvelle calculatrice électronique ou de la dernière montre high-tech. Quand les premiers ordinateurs domestiques ont été disponibles, je me suis rué dessus ; aujourd'hui, équipé d'un PC portable dernier cri, je suis devenu un Surfeur d'argent. J'aime l'immédiateté d'Internet, où je trouve pratiquement tout ce dont j'ai besoin quand il s'agit de préparer un voyage dans un pays que je ne connais pas ou d'écrire un discours pour l'Unicef. Je suis accro aux e-mails, dont j'arrose mes amis, ma famille et même mon banquier. J'utilise également beaucoup Skype, ce qui m'évite des notes de téléphone salées. Kristina est souvent obligée de venir me décrocher de l'ordinateur sur lequel je pourrais passer des heures sans m'en rendre compte. Aujourd'hui, j'ai l'excuse d'y écrire mon autobiographie !

J'ai également un site officiel – dirigé par deux fans, Alan Davidson et Marie-France Vienne, travaillant sans relâche pour raconter mes faits et gestes – qui comporte un forum interactif pour les passionnés. Cette communauté est très amicale et je suis touché qu'elle s'intéresse à l'éternel acteur en herbe que je suis.

À propos de sites web et d'e-mails, j'ai un jour reçu un message de Marcia Stanton, l'ancienne assistante de Lew Grade, qui me racontait qu'un ami de ses amis avait créé une page spéciale très drôle à mon sujet. Son concepteur, le graphiste Dan Chambers, comptait, grâce à ce site, faire rire son ancien collègue scénariste Olly Smith. Je leur fis savoir que cela m'avait également beaucoup amusé. Comme vous le savez, j'ai toujours eu un penchant pour l'animation, aussi je participai de bonne grâce à un petit programme qu'ils réalisèrent pour le compte de l'Unicef, une histoire intitulée *La mouche qui m'aimait*, dans laquelle une mouche sauve la tournée du Père Noël, auquel je prêtai ma voix, après qu'un renne fut tombé malade. Cette carte de vœux électronique devint l'une des plus populaires de l'Unicef cette année-là. On la trouve aujourd'hui encore sur Internet.

Olly et Dan ont fait depuis une remarquable carrière. Olly est même bien plus célèbre que moi aujourd'hui, grâce à ses émissions sur le vin et surtout pour avoir tripoté Anne Robinson, la présentatrice du jeu télévisé « Le maillon faible ». Dire que j'ai assisté à leurs débuts !

Peu après ce coup d'essai, d'autres projets d'animation me parvinrent. Le premier fut *Here Comes Peter Cottontail*, pour lequel je prêtai ma voix au personnage du méchant Irontail. Nous enregistrâmes dans un magnifique studio à Saint-Paul-de-Vence, où nous fûmes royalement traités. Il a hélas fermé depuis. Je participai également à *L'Homme invisible*, pour lequel j'enregistrai mes dialogues par téléphone.

Un an plus tard, je remis le couvert, cette fois pour un long métrage. Deux frères, Sean et Barrie Robinson, m'envoyèrent le scénario d'*Agent Crush*. Ils avaient été formés par Derek Meddings et étaient fans des *Thunderbirds*. Leur projet était dans la même veine, à la différence que les fils des marionnettes étaient invisibles. Mon rôle, encore un personnage à la M, consistait à surveiller le héros du film. Je crois que ce fut un succès ; il se raconte même qu'une suite est en route.

En mai 2004, Kristina et moi célébrâmes le dixième anniversaire de l'opération Change for Good. British Airways, notre sponsor, avait convié pour cette occasion la reine à baptiser un avion spécialement décoré aux couleurs de l'Unicef. Lord Puttnam, directeur de l'Unicef au Royaume-Uni, Lord Marshall, de British Airways, votre serviteur et quelques membres de l'association accueillîmes donc Sa Majesté à l'aéroport d'Heathrow. Mais lorsqu'elle appuya sur un bouton censé dévoiler la plaque commémorative, rien ne se passa, et un silence pesant s'installa, personne ne sachant que faire. Je m'approchai, tirai légèrement sur les rideaux qui refusaient de s'écarter et priai la reine de recommencer. La plaque nous apparut enfin. Comme je l'expliquai ensuite, James Bond se devait d'intervenir !

Nous grimpâmes alors quelques marches de l'avion afin de faire les traditionnelles photos souvenirs. En montant à la suite de la reine, je ne pus m'empêcher de remarquer la beauté exceptionnelle de ses jambes. J'espère ne pas être emprisonné à la Tour de Londres pour vous avoir raconté cela !

Change for Good a eu un réel impact. Grâce à l'argent ainsi récolté, l'Unicef a pu reconstruire une école primaire au Nigeria, avec bureaux, toilettes et eau courante pour trois mille écoliers. En Zambie, un million deux cent mille enfants ont été vaccinés contre la polio. Au Mexique, plus d'un million de livres sterling ont été versées afin de sauver les enfants des rues, et je ne parle pas des nombreuses aides de première urgence en Inde, au Salvador, au Kosovo, en Irak et en Iran.

Parfois, quand je vole sur British Airways, je fais moi-même l'annonce aux passagers à propos de ce programme et de l'enveloppe qui se trouve dans la pochette de leur fauteuil, et suis toujours touché par leur générosité. Récemment, l'animateur Jonathan Ross se trouvait dans l'avion avec moi. Pendant mon annonce, il est passé dans les rangées pour récolter les enveloppes !

Ces dernières années, en plus de mes voyages pour l'Unicef, j'ai participé à un certain nombre de documentaires pour le compte de David McKenzie et de sa femme Laura, que Jerry Pam m'avait présentés. *The Secret KGB Files*, *In the Footsteps of the Holy Family* ou *The World Magic Awards* m'ont ainsi permis de voyager dans des endroits magnifiques tout en prenant du plaisir à travailler. Franchement, que pouvais-je espérer de mieux ?

Lors d'un tournage à Moscou pour un numéro de la série sur le KGB, David, qui est un fin taste-vin, se fit recommander une bouteille géorgienne par le serveur d'un restaurant qui regrettait que nous autres, gens de l'Ouest, ne jurions que par les bouteilles françaises. Le vin, infâme, avait un goût de rouille. Lors d'un autre voyage avec Kristina à Saint-Pétersbourg, je commandai une bouteille locale, pour ne pas rester sur une mauvaise impression. Hélas, le résultat fut le même !

Il y a quelques années, la poétesse Josephine Hart, également connue sous le nom de Lady Saatchi, dont je suis un grand admirateur, me demanda de participer à l'une de ses lectures publiques à la British Library. Elle souhaitait éveiller à la poésie des gens qui n'auraient jamais eu l'occasion d'en lire. Inviter des gens connus représentait un attrait supplémentaire. J'acceptai bien volontiers mais me demandai aussitôt si je ne m'étais pas un peu surestimé ! Néanmoins, je choisis quelques poèmes de Rudyard Kipling, un auteur que j'ai toujours admiré. Josephine, qui présentait chaque soir les écrivains choisis, incluait des notices biographiques et informatives entre les poèmes. C'était formidable. Ceci me conduisit, en 2007, à recevoir une invitation du musée Nobel de Suède afin de célébrer les cent ans du prix Nobel de littérature de Kipling. Me retrouver au beau milieu de la fameuse pièce où sont remis les prix fut pour moi une expérience à couper le souffle. J'entamai ma représentation par la lecture de *Si*, que je connais par cœur, avant de poursuivre par une conférence d'une heure et demie, parsemant les notes que j'avais préparées d'autres poèmes, dont *The Mary Gloucester*, ma pièce de résistance.

Les gens me demandent souvent si je suis à la retraite – principalement mon banquier et mon agent. La réponse est non. Je suis toujours partant pour de nouveaux projets, s'ils sont excitants et bien rémunérés, mais je suis devenu un peu plus exigeant. Ma vie est douce et tranquille. Même si l'Unicef me demande beaucoup de temps, tout comme certains boulots strictement alimentaires, j'ai la chance de pouvoir profiter de ma chère Kristina et de nos enfants et petits-enfants.

Deborah, vous le savez, fut mon premier enfant. J'avais trente-six ans quand elle est née, et je suis très fier d'elle, même si j'aurais préféré qu'elle choisisse la médecine plutôt qu'une carrière d'actrice pour laquelle elle a heureusement beaucoup de talent.

Geoffrey est né deux ans plus tard. C'est un très beau garçon, qui ressemble beaucoup à sa mère. Il a une très belle épouse, Loulou, et deux ravissantes filles, Ambra et Mia. Après des essais dans la restauration, il est devenu producteur et s'est engagé dans une nouvelle version du *Saint*, avec James Purefoy dans le rôle-titre, qui pourrait conduire à une série télévisée.

Christian est arrivé dix ans après sa sœur et, bien qu'il ne fût pas fait pour les études, c'est un homme remarquable qui vit aujourd'hui en Europe où il travaille dans l'immobilier. Il a une très jolie fille, Jessie, avec qui nous aimons beaucoup passer du temps.

En me mariant avec Kristina, j'héritai de deux beaux-enfants que j'avais connus tout petits – nous avions même joué au tennis ensemble : Hans Christian et Christina, qui a hérité de la beauté de sa mère. Hans Christian et sa femme Henriette ont un fils, Lucas, et une fille magnifique, Kathrine. Flossie habite à Londres, et Hans à Copenhague.

Désormais, mes journées débutent toujours par les informations sur BBC News et la lecture des quotidiens. Je ne sais pas pourquoi, mais mon attention se pose toujours sur les faire-part de décès. Curiosité morbide, probablement.

A.E. Matthews, un acteur anglais qui a toujours interprété des rôles de vieux excentriques, était un boulimique de travail que l'on pouvait voir à la fois sur les planches dans le West End, dans la pièce *Politique et lapins,* et aux studios de Denham, où j'ai moi-même débuté. Interrogé par un journaliste alors qu'il était octogénaire sur ce qui le motivait encore pour tourner en journée puis jouer au théâtre le soir, il répondit :

— Très simple, mon petit. À sept heures, mon majordome m'apporte le petit déjeuner, avec un œuf à la coque, du thé, des toasts, de la confiture et une copie impeccablement pliée du *Times.* Je l'ouvre à la rubrique nécrologique, et si mon nom n'y figure pas, je déjeune, je m'habille et je pars travailler !

C'est également ma philosophie.

Je continue de m'entretenir, physiquement et mentalement. Je dois néanmoins admettre que mon mal de dos latent m'empêche de faire mes exercices matinaux, comme j'avais coutume de le faire. Je suis donc un peu rouillé, mais je continue mes promenades. En Suisse, nous pratiquons la marche avec des bâtons ; à Monaco, j'aime me lever tôt pour déambuler sur le front de mer avant qu'il ne fasse trop chaud. Nous nous rendons parfois à Fontvielle et marchons vers le Cap d'Ail, qui est un endroit magnifique.

J'aime également cuisiner, tout particulièrement avec un wok. Si nous déjeunons copieusement, notre dîner se compose d'un fruit ou d'un œuf à la coque, puis nous allons regarder la télévision au lit.

J'aime beaucoup cette vie.

En octobre 2007, j'ai eu quatre-vingts ans. Eh oui, quatre-vingts ans ! David McKenzie m'a alors proposé de présenter les Magic Awards à Los Angeles. Nous avons à cette occasion décidé de partir tous ensemble pour la Californie, y compris les enfants, et nous y avons passé de merveilleux moments, grâce à Kristina, qui est une formidable maîtresse de maison. Lors de ce séjour, j'ai également reçu mon étoile sur le fameux Walk of Fame de Hollywood Boulevard, face au numéro... 7007.

Cette distinction m'a plongé dans mes souvenirs. Cinquante ans plus tôt, j'avais débarqué à Hollywood, totalement inconnu. Aujourd'hui, une foule immense m'acclamait. La vie est imprévisible...

Je ne me sens pas différent, à présent que je suis octogénaire. L'âge, après tout, n'est qu'une question de chiffres, non ? Ce qui compte est à l'intérieur de chacun de nous, et je suis resté le même, hormis quelques craquements.

Je suis conscient d'avoir eu énormément de chance dans la vie, et je suis heureux d'avoir une famille et des amis formidables. Finalement, je me suis plutôt bien débrouillé, pour un petit gars de Stockwell qui passait son temps dans les salles de cinéma sans savoir qu'il ferait lui aussi un jour partie de ce monde féerique.

Pour conclure, on m'a souvent demandé quelle serait mon épitaphe. La réponse est simple. Comme je n'ai pas l'intention de mourir, je n'en aurai aucune !

Annexe

Le tour du monde en quatre-vingts ans

Je me suis récemment rendu compte que j'aurais presque accompli un tour du monde au cours de mon existence. J'ai eu précédemment l'occasion de raconter certains de mes voyages, mais depuis que j'œuvre pour l'Unicef leur rythme s'est considérablement accru et le nombre de pays visités a augmenté de manière exponentielle. Dresser une liste exhaustive de tous mes déplacements pour cette organisation n'aurait que peu d'intérêt, mais j'ai pensé qu'il serait amusant d'évoquer quelques souvenirs à l'occasion du minitour du monde que voici.

L'Albanie

Je m'y rendis en 1994, à peine deux ans après l'élection du premier président non communiste depuis la Seconde Guerre mondiale, Sali Berisha, un professeur de médecine. Il dirigeait un pays qui, depuis 1939, avait été annexé par l'Italie, occupé par les nazis et, après la guerre, rattaché à deux régimes totalitaires, l'URSS puis la Chine.

Lors de ce voyage, accompagné de mon collègue et ami Horst Cerni, je représentais Kiwanis afin de lever des fonds et informer sur les dangers des carences en iode. En quittant l'aéroport, je remarquai que toutes les fenêtres des usines devant lesquelles nous passions étaient brisées. C'était l'une des conséquences de la chute du Mur de Berlin, me dit-on. Apparemment, lorsque le régime communiste tomba, les ouvriers cassèrent les carreaux pour protester contre leurs contremaîtres.

Quant à la campagne, elle était parsemée de milliers d'abris fortifiés et de barrages anti-tanks pour parer à une invasion venue de Dieu sait où, alors que les équipements courants étaient pratiquement inexistants. Nous allâmes visiter une saline dans les environs de Tirana et nous arrêtâmes en chemin dans ce qu'ils appelaient un centre de soins. La visite fut des plus déprimantes : une salle d'accouchement crasseuse au milieu de laquelle trônait une table rouillée équipée d'étriers, un réfrigérateur dont la porte était cassée et, dans l'autre pièce – il n'y en avait que deux –, quatre sommiers recouverts de matelas miteux et de couvertures tachées. L'atmosphère était irrespirable et je fus heureux de retourner à la voiture pour la suite du voyage. Quand nous arrivâmes à la saline, je constatai que, si l'équipement était en place, il était dans un état pitoyable après vingt ans d'inactivité. Il fallait le changer entièrement. J'avoue que je perdis courage.

Le lendemain, nous visitâmes un hôpital situé près de Tirana, dans lequel étaient soignés des patients souffrant de carence en iode. Je me rappelle m'être dit qu'ils ne seraient pas là si la saline avait fonctionné, et que cela aurait sans doute coûté moins cher à l'État que de les soigner.

Ce soir-là, je dînai avec le président Berisha et sa charmante épouse, Liri. Ils avaient pleinement conscience des problèmes liés aux carences en iode, aussi leur expliquai-je comment le problème pouvait être résolu. Ils réagirent favorablement à mes propositions et m'assurèrent qu'ils seraient ravis de bénéficier de l'aide de l'Unicef pour enrayer le fléau.

L'Allemagne

Je ne devrais pas en parler, mais en 2005 le président de la République de l'époque, Johannes Rau, m'a décerné la Bundesverdienstkreuz, la Croix fédérale du Mérite. Sa charmante épouse, Christina Delius, hélas veuve aujourd'hui, soutenait activement l'Unicef. Peut-être avait-elle suggéré au Président de me faire cet honneur?

Andorre

En 1961, j'avais rejoint Andorre depuis Barcelone en voiture, par simple curiosité ; quarante-six ans plus tard, je suis retourné dans cette principauté avec Kristina. Lors de ce second séjour, j'ai appris que ce petit pays montagneux possède l'une des espérances de vie les plus élevées au monde : quatre-vingt-trois ans et demi. Nous étions là pour une mission de l'Unicef, et nous y avons retrouvé nombre de nos collègues dans un cadre splendide, tout en sollicitant la générosité des habitants pour venir en aide aux enfants de la planète.

L'Argentine

Nous avons d'excellents souvenirs de notre séjour à Buenos Aires. Le tango est sans conteste l'une des danses les plus excitantes au monde, et nous eûmes la chance d'assister à la répétition du nouveau spectacle de Juan Carlos Copez, que lui et sa fille interprétèrent spécialement pour nous. Quel plaisir ! Kristina et moi étions venus donner quelques interviews à propos de l'Unicef. C'était ma seconde visite dans le pays, après le tournage de *Moonraker* en 1979. À l'époque, je n'avais pas conscience de la pauvreté qui régnait dans certaines régions et des problèmes auxquels étaient confrontés les jeunes enfants et leurs mères. Je me souciais juste de savoir où nous dînerions et si mes chemises seraient propres pour le lendemain. L'Unicef m'a vraiment permis de me recentrer sur les choses essentielles.

L'Australie

J'ai effectué plusieurs séjours en Australie. Le premier, en qualité de membre du conseil d'administration de la société textile Pearsons, à l'occasion d'une visite promotionnelle. J'y suis retourné quand *Amicalement vôtre* a reçu un Logie TV Award lors d'une cérémonie à Melbourne. Sans compter mon déplacement inoubliable avec George Barrie pour Brut Films.

L'Australie n'est pas vraiment concernée par la pauvreté infantile et l'action de l'Unicef sur place consiste principalement à récolter des fonds pour des pays moins favorisés. La dernière fois que nous nous sommes rendus à Sydney, à la fin des années 1990, Kristina et moi avons rencontré Ken Done. Cet artiste de grand talent est également ambassadeur de l'Unicef depuis 1988. Nous avons pris un bateau pour traverser la baie de Sydney jusqu'à l'endroit où il travaillait, et le voyage a été l'un des plus agités de ma vie. Visiblement, nous avions emmené le mauvais temps anglais avec nous ! J'espère qu'à notre prochaine visite, la météo sera aussi clémente que les Australiens sont accueillants !

Même si je n'aime pas citer inutilement des noms de gens célèbres, je dois préciser qu'il y a quatre ans Kristina et moi avons été invités au mariage de la future reine du Danemark, à Copenhague. Mary Donaldson, originaire de Hobart, en Tasmanie, a épousé un de nos vieux amis, le prince héritier Frederik. La cérémonie était royale, si vous me passez l'expression. Quant au père de la mariée, il était tout simplement magnifique dans sa tenue du clan Donaldson, kilt compris ! Soit dit en passant, Mary est une très belle femme. Le prince héritier peut s'estimer heureux !

La Belgique

Je sais que je vais m'attirer les foudres des chefs français, mais je suis un grand amateur de cuisine belge. La filiale belge de l'Unicef est très efficace et c'est à Bruxelles que se trouvent le siège européen du groupe hôtelier Starwood, à l'initiative de la campagne Check Out for Children.

Le Brésil

J'y suis allé une fois en vacances, à l'invitation d'Ivo Hélcio Jardim de Campos Pitanguy, un as de la chirurgie esthétique mondialement connu, et de sa famille. Sa villa aurait fait le repaire idéal d'un des ennemis de James Bond, mais Ivo n'entre bien entendu pas dans cette catégorie. Sa générosité est exceptionnelle : en 1961, quand un chapiteau en flammes s'effondra sur deux mille cinq cents hommes, femmes et enfants, juste avant les fêtes de Noël, il travailla pendant des semaines à soigner les brûlés. Depuis quarante ans, à l'hôpital Santa Casa da Misericórdia Hospital de Rio de Janeiro, il opère gratuitement les patients qui n'ont pas les moyens de bénéficier de ses services.

Le Cambodge

Nous nous rendîmes pour la première fois dans ce pays pauvre mais fascinant à l'automne 2003. Notre principal objectif était d'y promouvoir la lutte contre la carence en iode. L'Unicef travaille sans relâche pour offrir aux petits Cambodgiens un niveau de vie comparable à celui des enfants des pays industrialisés. Notre représentant local, Rodney Hatfield, un Anglais pur souche très convivial, nous fit visiter les champs de mines. Puis nous descendîmes au sud de Phnom Penh, à Kampot, au pied de la chaîne des Éléphants, sur le fleuve Kampong, où, le soir de notre arrivée, le gouverneur de la province nous invita dans un restaurant au bord de l'eau.

J'ai un peu honte d'écrire ceci mais j'y dégustai les crevettes les plus délicieuses que j'aie jamais mangées. L'un des problèmes principaux des enfants cambodgiens est en effet la malnutrition. Dans les villages alentours, nous rencontrâmes beaucoup d'enfants et d'adultes souffrant de carence en iode. En conséquence, quand Sa Majesté le roi Norodom Sihanouk nous reçut le lendemain matin dans la capitale, j'emmenai une boîte de sel iodé dans l'espoir que ce cadeau symbolique me permette de me lancer dans mon plaidoyer habituel. Mais le roi nous devança. Il connaissait parfaitement le sujet et accueillit l'initiative de l'Unicef avec enthousiasme, nous annonçant qu'il avait hâte de travailler avec nous.

Le Canada

J'ai un faible pour ce merveilleux pays, et je ne sais à combien de reprises je m'y suis rendu. Harry Black a été pendant des années le directeur de la filiale canadienne de l'Unicef, mais mon premier contact y fut une femme adorable du nom d'Olive Sloane. Elle m'accompagna sur l'Île-du-Prince-Édouard, reliée au continent par un grand pont de couleur verte.

Quand je voyage dans ce genre de contrées, où l'eau coule en abondance, j'ai un petit truc qui donne à mes costumes l'air de sortir du pressing. Dès que j'arrive à l'hôtel, je les suspends dans la salle de bains, où je fais couler le robinet d'eau chaude. Je referme ensuite la porte, et la vapeur qui s'accumule dans la pièce fait disparaître tous les plis disgracieux. Je devais ce soir-là faire un discours devant une assemblée de dignitaires locaux et de généreux donateurs qui avaient payé beaucoup d'argent pour que je les ennuie pendant deux heures. Après avoir consulté mes notes, enfilé une chemise et noué ma cravate, j'ouvris la porte de la salle de bains et m'aperçus que trois de mes quatre pantalons avaient glissé de leur cintre et flottaient paisiblement dans la baignoire. Je remis donc celui avec lequel j'avais voyagé, pris un blazer et descendis à l'accueil, où Olive m'attendait. Nous récoltâmes beaucoup d'argent ce soir-là. Peut-être eurent-ils pitié de mon pantalon froissé ?

Le Chili

C'est peut-être le pays le plus long du monde, mais je n'y fis qu'une visite éclair pour l'Unicef. Une journée à peine, pour participer à une émission télévisée. Un bref séjour, à l'image de ce paragraphe !

La Chine

Deux motifs me conduisirent dans l'empire du Milieu en août 2004. Le premier était un discours devant la Confédération asiatique de football et l'Association chinoise de football, suivi d'une rencontre entre la Chine et le Japon. Au terme de celle-ci, un généreux chèque de cent mille dollars à l'ordre de l'Unicef me fut remis. Le second motif, bien moins futile, était une campagne de prévention contre le sida, conjuguée à une initiative de la branche chinoise de l'Unicef pour permettre à des enfants ayant perdu leurs parents à cause de ce virus de partir en vacances.

Le lendemain, Kristina et moi visitâmes la place Tiananmen et la Cité interdite, pour lesquels j'avais enregistré un guide audio à Chicago des années plus tôt. En entendant ma voix, je fus impressionné de connaître autant de choses sur ces lieux ! Ou plutôt, de constater à quel point il avait été bien conçu. Nous nous rendîmes ensuite au Palais d'été, endroit idéal, selon le guide, pour se mettre à l'abri du soleil. Ce fut cependant une pluie torrentielle qui s'abattit sur nous alors que nous étions à l'extérieur.

Nous nous rendîmes ensuite dans un camp de vacances, près de Pékin, où un groupe de soixante-dix orphelins issus de douze pays passaient quelques semaines. Rires et larmes se succédèrent cet après-midi-là, tandis que Kristina et moi étions assis dans le jardin avec les enfants et leurs moniteurs. Nous prîmes beaucoup de photos, et les enfants furent impressionnés de pouvoir contempler leur image instantanément sur le petit écran de mon appareil. Ils avaient hâte de visiter la Grande Muraille, la place Tiananmen, la Cité interdite et autres trésors chinois. Une très belle enfant, de onze ou douze ans tout au plus, était pleine de vie et riait beaucoup. Nous lui demandâmes, par interprète interposé, si elle voulait bien nous chanter quelque chose, et elle s'exécuta avec plaisir en interprétant une chanson bien connue des petits Chinois. Rapidement, les yeux de la fillette s'emplirent de grosses larmes qui roulèrent sur ses joues. Je demandai de quoi parlait cette chanson, et on me répondit qu'elle décrivait le bonheur d'avoir une maman. Kristina se mit alors à pleurer à son tour, et je n'en menais pas large non plus. Le flegmatique 007 était bien loin. Tous ces pauvres enfants avaient perdu leur maman! Nous eûmes beaucoup de mal à les quitter, et ils exécutèrent devant nos yeux ébahis, pour nous dire au revoir, quelques pas d'une danse traditionnelle.

En rentrant à l'hôtel, Charles Rycroft, l'attaché de presse de l'Unicef en Chine, nous expliqua pourquoi les enfants avaient été installés si loin du centre-ville. Apparemment, aucun hôtel ni auberge de jeunesse ne voulait d'eux à Pékin. Je trouvais cette mise à l'écart scandaleuse. Le lendemain matin, nous participâmes à une conférence de presse aux côtés de Charles, du Dr Christian Voumard, représentant de l'Unicef en Chine, et du comédien chinois Pu Cunxin, un ambassadeur local de l'organisation. J'étais encore furieux du traitement réservé à ces orphelins et ne me privai pas d'expliquer aux représentants de la presse locale que les hôteliers de Pékin me faisaient honte. Je me dis plus tard que j'avais peut-être été trop loin, et l'Unicef à New York s'inquiéta également des répercussions de mon intervention, mais les journaux chinois du lendemain me donnèrent raison.

La Croatie

Ma première image de ce pays date d'une croisière sur *The Sea Goddess*, qui avait été affrété pour une semaine par Vivien Duffield afin de fêter son quarantième anniversaire en compagnie de quelques amis. Comme je suis un gentleman, je m'abstiendrai de dire en quelle année c'était. J'étais alors marié à Luisa, ce qui me valut d'obtenir, à la fin de la croisière, le prix du mari le plus docile. Je précise que j'avais pourtant dû affronter plusieurs autres adversaires dans ce domaine. En arrivant à Dubrovnik, dont nous arpentâmes les rues médiévales, la première affiche que je vis annonçait la sortie d'un James Bond, ce qui explique peut-être pourquoi, quelques années plus tard, les Serbes bombardèrent cette ville pourtant inscrite au patrimoine mondial de l'Unesco. J'y suis retourné à de nombreuses reprises depuis la fin du conflit, et j'ai constaté avec soulagement qu'il n'y avait plus aucune trace des dégâts causés pendant la guerre.

Le Danemark

Je me rends régulièrement au Danemark depuis soixante ans, et je suis toujours incapable de dire autre chose que « *Hej, mina damer og herrer, jeg er meget glad for at vaere her I dag !* » Les Danois étant bien plus souples que les Anglais, et parlant généralement notre langue mieux que nous ne le faisons, ces quelques mots suffisent. Il y a soixante ans, j'ai posé pour une photo devant la célèbre statue de Hans Christian Andersen sur Rådhuspladsen, à Copenhague. Il y a cinq ans, j'ai eu l'honneur d'être fait ambassadeur de la fondation Hans Christian Andersen, en compagnie de Harry Belafonte et d'autres artistes distingués. Cette initiative a pour but d'encourager tous les enfants du monde à lire ces contes et de récolter des fonds pour scolariser les millions d'enfants analphabètes qui n'ont pas accès à l'école primaire.

La branche danoise de l'Unicef est très dynamique, et bien que le pays ne soit pas grand, il fait partie des cinq meilleurs donateurs par habitant. L'entrepôt général se situe également à Copenhague. Kristina et moi avons été fascinés de voir cette ruche en action. En cas d'urgence, une armée de volontaires se réunit pour préparer des colis de premier secours comprenant des couvertures, des tentes, du matériel médical, des outils de base pour les secouristes, des trousses de sages-femmes, des kits pour écoliers et mille autres choses. On y trouve pratiquement tout, de l'épingle jusqu'à l'éléphant. Je recommande chaudement la visite de cet entrepôt à tout représentant de l'Unicef.

L'Égypte

J'ai visité à maintes reprises le pays des pharaons, mais Kristina et moi nous y sommes rendus récemment avec David et Laura McKenzie pour y tourner deux documentaires. Nous en avons profité pour faire une croisière magique sur le Nil, Le Caire-Luxor aller et retour. Chaque soir, depuis le pont, nous observions les felouques qui glissaient sur le fleuve, caressées par une chaude brise légère. On se serait cru revenus au temps de Cléopâtre. Nous avons ensuite visité Karnak, la Vallée des rois et, de retour au Caire, le musée égyptien des antiquités. Je me suis trouvé bien courageux d'effectuer cette visite privée ; les conservateurs, me prenant pour une des pièces de leurs collections, auraient très bien pu me garder !

L'Unicef est très active en Égypte, où elle doit faire face à de nombreux problèmes, notamment celui des enfants des rues, de l'éducation, de l'immunisation, et, ce que je trouve particulièrement odieux, de l'excision. Kristina et moi avons un jour rencontré la Première dame, Suzanne Mubarak. Dans l'une des somptueuses pièces de sa résidence cairote, elle nous parla très franchement et nous révéla que ces coutumes barbares de mutilation génitale, bien qu'elles soient difficiles à enrayer, étaient l'un de ses soucis majeurs. Bien que l'excision fût désormais interdite dans les hôpitaux, certains médecins la pratiquaient encore en cachette, dans des conditions d'hygiène déplorables. Nombreuses d'ailleurs sont les jeunes femmes mortes à la suite d'une opération de ce genre.

Les États-Unis

J'ai déjà longuement parlé de ma vie aux États-Unis. J'ai une profonde reconnaissance envers Kiwanis, non seulement pour l'action menée en faveur des enfants du monde, mais aussi pour les formidables leçons de géographie qui m'ont été offertes en allant les rencontrer aux quatre coins du pays et également hors de ses frontières.

Après avoir assisté à leur convention internationale, à Nice, en 1993, et accepté de devenir président d'honneur de leur comité, j'ai participé à une campagne permettant de recueillir soixante-quinze millions de dollars pour lutter contre les troubles dus à la carence en iode (TDCI). Je décidai ensuite de participer à leurs conventions annuelles, à commencer par celle de La Nouvelle-Orléans, en 1994. J'ai depuis accompli d'innombrables voyages pour cette association, à travers les États-Unis notamment.

Le combat pour l'éradication des TDCI se poursuit. Kristina et moi faisons toujours de ce fléau une de nos priorités lorsque nous voyageons dans le monde. Il existe d'autres problèmes urgents qui ont pu détourner l'attention de ce fléau, mais nous nous devons de le garder à l'esprit si nous voulons vivre dans un monde où chacun conserve intactes ses facultés de penser et de travailler.

La Finlande

Les nuages m'empêchaient de distinguer quoi que ce soit à travers le hublot de l'avion qui descendait vers Helsinki. Le pays a beau être réputé pour son air pur et l'absence de brouillard, il avait ce jour-là englouti la ville. Le professeur Lindström, secrétaire de l'Unicef, m'y attendait au pied de l'appareil. Il habitait en pleine forêt, et sa charmante épouse avait préparé un dîner en mon honneur. Je sautai ensuite dans un taxi qui me déposa à mon hôtel. Le hall de l'établissement était déprimant, et ma chambre encore plus sordide. Sur le parquet, des tapis extrêmement fins avaient été jetés çà et là, les draps du lit étaient gris et il n'y avait qu'un seul oreiller, d'une couleur douteuse lui aussi. La salle de bains était d'une blancheur monacale, et le sol s'incurvait vers le haut, sous le lavabo. Le robinet de la baignoire fuyait, dessinant sur l'émail une longue traînée couleur rouille. Ce n'était pas vraiment mon idée du paradis. Le lendemain matin, je m'habillai prestement et retrouvai Lindström dans le hall. Nous sortîmes de l'hôtel et tournâmes au coin de la rue, laissant le bord de mer sur notre droite. Mon bon professeur me désigna alors une bâtisse plutôt moderne et élégante.

— Voici le plus bel hôtel d'Helsinki, me dit-il.

— Vraiment? demandai-je. Et pourquoi n'y suis-je pas descendu? Je peux me l'offrir!

— Je sais, Roger, mais comme vous travaillez pour une association caritative, il vaut mieux que l'on ne vous voie pas descendre dans un hôtel de luxe.

Il m'avait mouché, et à raison. Nous poursuivîmes notre route jusqu'à notre première étape : une école dans laquelle je devais m'adresser aux plus grands avant de tenir une conférence de presse. Cela se révéla plutôt intéressant. Toutes les questions que l'on me posa étaient assez agressives, notamment le montant de mon salaire et la raison de mon engagement auprès d'organismes caritatifs. Je répondis le plus honnêtement du monde, étant bien conscient que ce genre d'interrogations était tout à fait naturel, la Finlande étant à l'époque un régime socialiste. Je me sentis ce jour-là si gêné que je fus à deux doigts de rester caché le restant de mon séjour.

La France

« Non, je ne regrette rien », chantait la merveilleuse Édith Piaf. Je ne peux pas en dire autant. Ainsi, comme la plupart de mes compatriotes, j'ai été forcé d'apprendre le français à l'école et d'ânonner pendant trois ou quatre ans : « J'ai, tu as, il a, nous avons… » Cette matière était enseignée d'une manière si ennuyeuse que j'ai fini par faire un blocage, dont je n'ai hélas jamais réussi à me départir. Je suis à la peine dans les magasins, les restaurants et, dans les dîners, j'appréhende de me retrouver assis à côté de convives qui ne parlent pas anglais. J'ai tenté la méthode Berlitz et toutes celles que l'on trouve sur Internet, sans succès. Aujourd'hui, alors que je suis entré dans ma neuvième décennie, j'espère que l'on voudra bien excuser mes erreurs occasionnelles !

J'habite Monaco, j'ai longtemps eu une maison sur les hauteurs de Saint-Paul-de-Vence et je possède également une propriété dans le canton suisse francophone du Valais. Entouré de Monégasques, de Français et de Suisses parlant tous la langue de Molière, j'ai toujours peur de prononcer les quelques phrases que je maîtrise à peu près, même si mes voisins font toujours gracieusement semblant de me comprendre ! J'arrive néanmoins à communiquer, bien qu'avec difficulté, et non sans utiliser quelques mots d'italien pour faire bonne mesure.

Mon français n'est hélas pas suffisamment bon pour me permettre de faire des discours pour l'Unicef, ce qui explique que mon statut d'ambassadeur passe tant inaperçu dans l'Hexagone, contrairement à mon goût pour la bonne chère.

Quatre fois dans l'année au minimum, à l'occasion de nos déplacements entre Monaco et la Suisse, ou vice-versa, Kristina et moi nous arrêtons pour la nuit chez Pic, à Valence. Après un somptueux dîner, arrosé de notre sancerre blanc préféré, nous dormons dans l'une des superbes suites de l'établissement, puis reprenons la route le lendemain.

Paris est une ville magnifique, mais je suis incapable de m'y promener sans me perdre. Heureusement, je sais où trouver les meilleures tables : Lasserre, Le Grand Véfour, L'Atelier de Joël Robuchon et ma brasserie préférée, Lipp, que j'ai découverte avec les Jourdan, Quique et Louis, et les Douglas, Anne et Kirk. Louis commandait généralement du hareng, qu'il préparait lui-même. J'ai un peu honte de parler de haute cuisine alors que la famine sévit dans le monde, mais j'espère que la situation aura un peu évolué quand le livre que vous avez entre les mains sera sur les tables des libraires.

On trouve aussi à Paris quelques-uns des hôtels les plus chic du monde, et j'ai eu la chance de descendre dans certains d'entre eux, notamment au Fouquet's – dont j'adore les plaques apposées à l'entrée, l'une d'elles tout particulièrement ! –, au Ritz, au Plaza Athénée, au George V, au Bristol, au Prince de Galles (propriété du groupe Starwood, partenaire de l'opération Check Out for Children) et celui qui est devenu notre coup de cœur depuis que nous avons assisté à son inauguration, l'hôtel Saint-James, avenue Bugeaud. Il est situé dans les murs d'un vieux château plein de charme et comporte peu de chambres. On s'y sent vraiment comme chez soi, c'est un lieu très calme et paisible.

À l'inverse, je me rappelle être un jour venu à Paris pour la post-synchronisation d'un film français, au moment du Salon de l'auto. Évidemment, tous les hôtels étaient complets – c'était en tout cas ce qu'affirmait le producteur –, et je descendis dans un petit établissement non loin des Champs-Élysées. Curieusement, il n'y avait pas de dressing dans la chambre, qui était couverte de miroirs. En sortant dans le couloir, je passai devant une chambre dont la porte était restée ouverte et je compris que j'étais dans un bordel – même si je n'avais jamais fréquenté ce type d'établissement. Vive la France ! Non, je ne regrette rien. Sauf de ne pas mieux parler votre langue.

Le Ghana

Mon aventure ghanéenne débuta en 1999 à... Zurich. Au cours d'un dîner de gala regroupant des donateurs potentiels, je pris la parole pour promouvoir les actions de l'Unicef, puis revins m'asseoir et passai de longues minutes à discuter avec Mark Makepeace, le grand patron du Financial Times Stock Exchange, qui se montra très intéressé par nos actions. Nous décidâmes ce soir-là de lancer l'opération Vol vers la réalité afin d'emmener des donateurs potentiels sur le terrain. Comme le disait Abraham Lincoln : « L'engagement transforme la promesse en réalité. »

Notre première destination fut le Ghana où Mark Gordon Glick de la branche britannique de l'Unicef, quelques partenaires, collaborateurs et moi-même débarquâmes en 2000. Nous fûmes héliportés au nord du pays, en pleine jungle, avant de prendre la route dans de gros 4 × 4. Nous arrivâmes tant bien que mal dans un village situé sur les rives du lac Volta, où les enfants et leurs parents nous parlèrent de leurs besoins. Leur priorité était l'électricité, car, comme les enfants nous l'expliquèrent, le soir, en rentrant de l'école, ils n'avaient pas de lampes pour faire leurs devoirs.

Les villageois nous accompagnèrent ensuite jusqu'au rivage où une longue embarcation en bois nous attendait pour nous emmener dans un autre village. Le lac était jonché de troncs d'arbres et très certainement infesté de crocodiles. L'un de nos coéquipiers ne pipait mot. Je l'avais déjà vu changer de couleur dans l'hélicoptère, et il devait penser que mourir dans ces eaux sinistres serait particulièrement cruel. Fort heureusement, nous arrivâmes sans encombre à bon port. Les anciens du village nous y attendaient déjà, alignés à l'ombre d'un arbre immense. Comme toujours, les enfants nous accueillirent en chantant, et nous allâmes serrer la main des hommes qui refusèrent cependant celles des femmes de notre groupe. Croyance religieuse ? Les femmes étaient-elles toujours considérées comme inférieures à l'homme ?

Après notre visite, nous montâmes à nouveau dans l'hélicoptère qui nous amena jusqu'à un terrain d'aviation encore plus au nord. J'y profitai d'un moment d'attente pour entamer la discussion avec mon compagnon au teint blême, qui me révéla qu'il détestait les hélicoptères. Quand l'avion décolla et vira sur sa gauche, je pressentis qu'il détestait en fait tout ce qui volait. Au fur et à mesure que la nuit tombait, je voyais ses lèvres remuer en silence, comme s'il priait. Puis l'avion se mit à trembler et les moteurs vrombirent. Nous étions au cœur d'un orage, entourés de gros nuages noirs et d'éclairs qui zébraient le ciel. Le pilote tenta de s'élever au-dessus du chaos, mais renonça et nous annonça que nous rebroussions chemin vers Accra. Pendant quelques instants, je me dis que nous ne devions plus avoir beaucoup d'essence, tant cet incident m'avait paru long. Visage Pâle continuait de prier en silence, promettant certainement à Dieu de devenir un très généreux donateur de l'Unicef s'il s'en sortait. Et il a tenu parole !

Le lendemain, nous prîmes part, à Accra, à une manifestation baptisée Débarrassez l'Afrique de la polio, en présence de la première dame de l'époque, Mme Jerry Rawlings. Puis, je tins ma promesse faite aux Kiwanis en me rendant dans une usine d'iodisation du sel aux environs de la capitale, et constatai avec plaisir qu'elle fonctionnait bien mieux que celle que j'avais visitée en Albanie.

La Grèce

En septembre 2005, nous décollâmes d'Helsinki pour rejoindre Athènes où nous devions participer à un dîner de gala pour fêter les dix ans du programme Check Out for Children, cette belle idée lancée par Robert Scott. Robert et Christina Papathassiout, les deux responsables des relations publiques de l'hôtel Grande-Bretagne, nous logèrent dans la suite royale : quatre cents mètres carrés luxueux, avec un hall d'entrée, une chambre immense, une salle de bains, des dressings, un hammam, une salle de gym, un piano à queue qui semblait perdu dans le gigantesque salon, une salle à manger pouvant aisément accueillir une vingtaine de convives, une cuisine et une bibliothèque en guise de bureau, dont les rayonnages pouvaient coulisser, découvrant alors la chambre. La terrasse courait tout le long de la suite et dominait Constitution Square. À notre gauche, les gardes en jupe blanche faisaient les cent pas devant un édifice gouvernemental qui, si je me souviens bien, avait servi de palais royal. Sa Majesté le roi Constantin loge souvent dans cet hôtel. Toutefois, il refuse toujours cette suite, préférant sans doute porter son regard ailleurs !

La Hongrie

Mon premier voyage à Budapest datait de l'époque où je travaillais pour Brut Films. Une fois la « menace rouge » écartée, j'y retournai et constatai que la ville avait beaucoup changé. Non pas tant au niveau de l'architecture – hormis quelques nouveaux hôtels et immeubles de bureaux, je reconnus la capitale – que de l'atmosphère. Celle qui se dégageait était bien différente, plus enjouée, comme si les airs de violons joués dans les restaurants étaient devenus plus doux. Le pays avait désormais un gouvernement démocratiquement élu, et Budapest avait retrouvé un peu de sa splendeur d'antan. Plus tard, j'y retournai en compagnie de Kristina et nous descendîmes au Hilton, dans le quartier du château. Nous aimons beaucoup cet hôtel et y séjournons régulièrement depuis. Nous y sommes notamment retournés en 2006, à l'occasion d'une visite de refuges pour enfants, en particulier d'une crèche qui accueille les enfants dont les parents sont sans abri. À cette occasion, je fus choqué de constater à quel point la population avait des préjugés envers la communauté gitane, certains parents allant même jusqu'à refuser que leurs enfants fréquentent les écoles qui accueillent des élèves gitans. Je ne comprends pas qu'après toutes ces années de dictature la Hongrie soit encore sujette à ce genre de situation. Nous avons rencontré des musiciens tziganes extraordinaires, qui n'étaient tolérés que parce qu'ils jouaient bien d'un instrument! Nous avons également été présentés à l'orchestre philharmonique national de Hongrie et à leur talentueux chef, Zoltan Kocsis, qui a été promu ambassadeur de l'Unicef. Nous en avons profité pour annoncer la tenue de deux concerts en 2007 au profit de l'organisation ainsi que l'enregistrement du *Carnaval des animaux* de Saint-Saëns, dont je fus le narrateur et qui est disponible en DVD. Zoltan Kocsis était souffrant lors des enregistrements mais il dirigea l'ensemble avec brio, en dépit de mon absence momentanée! Cela n'a heureusement pas affecté la bonne humeur générale qui régnait lors de ces sessions, et Zoltan n'a pas utilisé sa baguette pour me punir de mon absence. Je ne sais pas si les épouses du président, du Premier ministre et du ministre des Affaires étrangères y sont pour quelque chose mais, entre nos deux visites, en 2006 et 2007, les dons du gouvernement hongrois à l'Unicef sont passés du simple au triple. *Köszönöm*! (Merci, en hongrois)

L'Islande

Stefan Stefansson, le représentant de l'Unicef en Islande, nous attendait au pied du jet privé qui nous avait mené de Sion, à une demi-heure de route de Crans Montana, jusqu'à Reykjavik. Nous avions pu utiliser ce moyen de transport luxueux et inhabituel pour un déplacement de ce genre grâce à la générosité du groupe Bauger, société internationale spécialisée dans la vente au détail et la mode. C'était la première fois qu'une levée de fonds pour l'Unicef se tenait dans ce pays.

L'Inde

En novembre 2005, je me rendis pour la troisième fois en Inde. À Delhi, je pus m'exprimer lors de la conférence donnée par le *Hindustan Times* devant Manmohan Singh, le Premier ministre indien, Palaniappan Chidambaram, le ministre des Finances, et William Cohen, un ex-ministre de la Défense américain. Mon intervention porta sur les troubles dus à la carence en iode. Je reçus à cette occasion le soutien inconditionnel de Pratibha Patil, l'actuelle présidente de l'Inde, alors gouverneur du Rajasthan, qui avait démarré sa carrière politique au moment où j'entamais la première saison du *Saint*. Elle était la première femme à parvenir à un tel poste, et avait facilité la distribution gratuite de sel iodé dans des endroits difficiles d'accès. Si tous les politiciens se comportaient comme elle, les actions de l'Unicef et de l'Organisation mondiale de la santé en seraient grandement facilitées. À Jaipur, nous ne vîmes que de loin le magnifique Palais rose tant nous étions affairés à inspecter les salines et les centres de recherche. Au terme d'un long voyage, nous nous rendîmes dans une école primaire où, comme en Indonésie, deux petites filles firent une démonstration de nos kits d'aide devant leurs petits camarades afin de mesurer le taux d'iode présent dans le sel de table. Puis nous allâmes constater l'efficacité d'un programme de nutrition qui permettait à trois cent mille enfants de manger un repas chaud tous les jours.

La situation économique du pays était oppressante : vous ne pouviez pas circuler à Mumbai sans être constamment abordé par des hordes de mendiants portant des bébés et vous demandant l'aumône. L'Inde est le deuxième pays le plus peuplé au monde. C'est la plus grande démocratie contemporaine et la deuxième économie la plus florissante en terme de croissance. Pourtant, elle possède des taux de pauvreté, de malnutrition et d'analphabétisme inadmissibles.

Nous étions venus à Mumbai afin de rencontrer des personnalités de Bollywood pour les sensibiliser aux missions de l'Unicef. Elles se montrèrent très réceptives et me proposeront peut-être un jour un rôle dans l'une de leurs productions !

L'Indonésie

Nous avions rendez-vous avec Son Excellence Abdurrahman Wahid afin d'aborder le sujet des troubles dus à la carence en iode. En pénétrant dans le palais présidentiel, nous fûmes dirigés vers une salle de réception très richement décorée. Kristina et moi, ainsi que les représentants indonésiens de l'Unicef, fûmes invités à nous asseoir à la gauche du fauteuil présidentiel, face aux assistants et aux interprètes. Quand la porte située derrière le fauteuil s'ouvrit, nous nous levâmes et vîmes entrer un homme à l'allure fragile, presque aveugle, qui s'assit après nous avoir salués d'un signe de tête. L'entretien fut cordial et il nous félicita pour nos efforts, tout en reconnaissant que les problèmes étaient sérieux. Mais c'est lors de notre rendez-vous suivant, avec Mme Megawati Sukarnoputri, la vice-présidente, qui était pressentie pour succéder rapidement à Wahid, que nous insistâmes sur la nécessité de notre campagne d'information. Elle se montra vivement intéressée par notre présence en Indonésie et nous assura de son soutien actif.

Nous visitâmes ensuite une école où l'on avait préalablement demandé aux enfants d'apporter leur propre sel de table afin de vérifier s'il était bien iodé. Dans la cour de récréation, les enfants défilaient un à un pendant que nous testions leur sel avec nos kits. Certains échantillons se révélèrent dépourvus d'iode, contrairement à ce qui était indiqué sur les paquets. Les enfants concernés étaient très tristes, comme si nous leur avions annoncé qu'ils n'avaient pas réussi un contrôle de géographie.

Puis nous prîmes la direction de Subaraya, où nous descendîmes au Sheraton, constatant avec plaisir que la campagne Check Out for Children était correctement affichée à la réception. Nous déjeunâmes avec le gouverneur de la ville avant de visiter les plus importantes salines de la région. On nous montra à cette occasion la différence entre un paquet de sel iodé et une contrefaçon. Le bon sel ne coûtait qu'un centime de plus que l'autre, une différence insignifiante qui pouvait avoir d'effroyables répercussions. J'insistai sur ce problème dans les lettres que j'adressai aux gouverneurs de toutes les provinces d'Indonésie, en leur demandant d'intensifier les contrôles dans les marchés.

L'Irlande

Kristina et moi nous sommes rendus à Dublin en mars 2001, où nous étions logés à l'hôtel Conrad. Maura Quinn, alors directrice locale de l'Unicef, avait organisé un déjeuner à l'occasion de la fête des mères. Je m'y suis retrouvé assis à gauche de Liam Neeson, l'une des plus grandes fiertés du cinéma irlandais, également ambassadeur pour l'organisation. Le James Bond de l'époque, Pierce Brosnan, et deux autres excellents acteurs, Gabriel Byrne et Stephen Rea, étaient également présents. Je me demande toujours pourquoi j'ai été désigné pour prendre la parole alors qu'il y avait tant de comédiens remarquables dans la salle... J'adore ce pays : on y mange bien, la Guinness est excellente et l'Irlande a été la première nation à interdire la cigarette dans les restaurants, une très sage décision.

La Jamaïque

Fin octobre 2001, nous fûmes invités au Festival du film et de musique de Jamaïque. Accompagnés de mes enfants Deborah et Christian, on nous logea dans une magnifique villa de la station balnéaire, Half Moon Rose Hall, où nous avions notre propre piscine et un accès privé à la mer, son sable doré et ses palmiers qui s'agitaient au gré de la douce brise. Voilà pour le jour de notre arrivée. Car, dès le lendemain, tout changea. Le vent se leva, la piscine fut noyée de feuilles d'arbres et les palmiers commencèrent à ployer. D'immenses vagues venaient s'écraser sur le sable et terminaient leur course dans la piscine. La saison des ouragans battait son plein et nous étions sur le point d'en subir un. Fort heureusement, nous fûmes épargnés, mais la mer était démontée. Quant à la plage, elle était encombrée d'épaves. Bravant les éléments, nous nous rendîmes à un déjeuner de l'Unicef, organisé par le maire de Montego Bay et un commissaire divisionnaire anglais, au profit des enfants des rues, que nous rencontrâmes ensuite. Le lendemain, alors que j'étais pris par des obligations, Kristina se rendit dans un lieu soigneusement évité par les cars de touristes où l'on s'occupait d'enfants handicapés. Elle en revint tremblante de la tête aux pieds, émue par ce qu'elle avait vu – pas tant les soins inadaptés qui leur étaient prodigués que leur mise à l'écart du monde. Loin des yeux, loin du cœur? Heureusement, il existe des gens qui consacrent leur vie à aider les autres. Avant de partir, Sheryl Lee Ralph, créatrice et organisatrice du Festival, qui est aussi une excellente actrice et chanteuse, me remit le trophée Marcus Garvey pour l'ensemble de ma carrière.

Le Japon

À mes yeux, il y a deux Japons : celui que j'ai connu à l'occasion de la promotion de mes films et celui que je côtoie avec énormément de plaisir dans le cadre de mon travail pour l'Unicef. La générosité légendaire des Japonais – la branche nippone de l'organisation fut la première au monde à récolter plus de cent millions de dollars – est régulièrement sollicitée par Yoshihisa Togo, formidable ambassadeur, l'actrice Tetsuko Kuroyanagi, qui soutient l'Unicef depuis 1984, et Agnes Chan Miling, une chanteuse et animatrice populaire, très active au sein de l'Unicef depuis 1998.

Le Luxembourg

Avec son demi-million d'habitants, le Grand-Duché du Luxembourg est l'un des quarante-quatre pays sans accès à la mer et certainement l'un des plus secrets de toute l'Europe. Ma connaissance en a longtemps été pour le moins limitée. Certes, comme tous les petits Anglais d'avant-guerre, j'avais écouté les « Ovaltinees » sur Radio Luxembourg, où mon ami le comédien Pete Murray avait été un temps animateur, mais c'était tout. J'avais un peu honte d'en savoir si peu, mais mes lacunes furent comblées en 1994 lorsque je m'y rendis. Nous avions quitté Sarrebruck, noyée sous les flots, en compagnie de Horst Cerni, de la branche new-yorkaise de l'Unicef. À Sarrebruck, j'avais assisté à une cérémonie de jumelage entre la ville et l'organisation, puis à une opération destinée à recueillir des fonds au cours de laquelle nous avions déversé des milliers de canards en plastique dans le fleuve. Notre périple nous avait auparavant conduit à Amsterdam, Hanovre, Tirana et Munich. Aussi, lorsque nous arrivâmes au Luxembourg, étais-je lessivé, tout comme mes vêtements.

Nous rencontrâmes les représentants locaux de l'Unicef à l'aéroport, et je dus alors me prêter au jeu des habituelles questions avec la presse, du type : « Qui était votre James Bond Girl préférée ? » Chaque fois que j'essayais de parler de l'action de l'Unicef, j'étais de nouveau interrompu par d'autres questions : « Que pensez-vous du Luxembourg ? » Fort heureusement, n'ayant pas quitté l'aéroport, nous pûmes rapidement sortir de ce guet-apens en empruntant un confortable jet.

Six ans plus tard, Kristina et moi revînmes au Luxembourg avec Tom Conti, Luke Perry, Olivia d'Abo et Horst Buscholtz pour les besoins du tournage d'un film. On nous logea à l'Intercontinental, qui a depuis changé d'enseigne, niché au cœur d'une forêt. Les alentours de Luxembourg regorgent d'attractions touristiques, de vieux châteaux et de villages pittoresques, ainsi que d'excellents restaurants. Sans oublier une formidable production vinicole.

La Macédoine

En mai 1999, la Macédoine s'efforçait de faire face à l'afflux d'un quart de million de réfugiés fuyant le conflit au Kosovo. Carol Bellamy, la directrice générale de l'Unicef de l'époque, nous demanda de nous rendre à Skopje afin de sensibiliser l'opinion publique à l'action menée par l'organisation et récolter des dons. Nous pûmes visiter trois camps établis par le Haut Commissariat pour les réfugiés des Nations unies, dans lesquels l'Unicef avait dressé des tentes pour que des centaines d'enfants défavorisés puissent recevoir une éducation à peu près normale. Ils étaient si nombreux que les enseignants, réfugiés eux-mêmes, devaient faire la classe à trois groupes différents chaque jour.

Nous fûmes ravis de constater à quel point ces élèves étaient propres et bien élevés. Il suffisait que nous entrions dans une classe pour qu'ils se lèvent tous. Je n'oublierai jamais l'image de ce jeune réfugié au crâne rasé. En fait, il s'agissait d'une fillette dont l'instituteur nous expliqua que son père l'avait rasée de peur qu'elle ne soit violée.

On nous emmena ensuite dans une maison dont le propriétaire hébergeait quarante-deux réfugiés. J'eus droit ce jour-là à des histoires horribles et déchirantes, notamment celle qu'un réfugié d'âge mûr nous raconta avec l'aide d'un interprète. Trois mois plus tôt, des Serbes l'avaient tenu en joue pendant qu'ils violaient sa fille adolescente, puis ils l'avaient emmené en camion avant de l'abandonner au milieu de nulle part, en l'avertissant qu'il serait tué s'il revenait chez lui. Il s'était caché dans les bois pendant quelques mois avec d'autres personnes également chassées de chez elles. Il apprit ensuite que la frontière allait être ouverte et qu'il pourrait se rendre en Macédoine.

Mais, en chemin, il lui fallut passer à proximité du village où il avait vécu ; dans un champ, il découvrit les corps des membres de sa famille, massacrés. Il quitta sa patrie aveuglé par les larmes et la colère.

Le lendemain, nous fûmes reçus par le président Kiro Gligorov. À quatre-vingt-deux ans, il était le plus vieux chef d'État en exercice. Il avait été victime d'un attentat à la voiture piégée, en 1995, qui lui avait coûté un œil et laissé une profonde cicatrice sur le front. Cependant, son œil valide était vif et constamment animé d'une étincelle. Il nous parla abondamment de la situation au Kosovo et de l'aide dont son pays avait besoin après avoir perdu la possibilité d'exporter ses fruits et ses légumes.

Nous passâmes notre dernière soirée à Skopje en compagnie d'une autre ambassadrice de l'Unicef, Vanessa Redgrave, et d'amis réfugiés, acteurs et musiciens, qu'elle avait rencontrés en visitant les camps, tous témoins d'atrocités.

Le Maroc

Le Maroc fut la destination de notre premier Vol vers la réalité. Nous partîmes de l'aéroport de Gatwick où je rencontrai pour la première fois l'incroyable Bill Deedes. Il devait alors avoir quatre-vingt-huit ans, mais il était plus vaillant que nous tous.

Le but de ce voyage était de montrer à nos amis du Financial Times Stock Exchange et à quelques-uns de nos donateurs les résultats obtenus par l'action menée par l'Unicef auprès de villageois des montagnes de l'Atlas, au sud du pays. Depuis Marrakech, nous gagnâmes par la route le premier groupe de villages que l'Unicef avait équipés en points d'eau et en écoles. Au début de l'opération, quelques années plus tôt, la première école accueillait environ quarante garçons et aucune fille. L'alimentation en eau leur avait depuis permis d'installer des toilettes séparées pour elles, et la classe comptait désormais autant de filles que de garçons. Un autre facteur qui avait permis aux filles d'accéder à l'éducation était l'ouverture d'un robinet au village, ce qui leur évitait de passer la moitié de la journée à transporter des bidons d'eau sur de longues distances.

Pour les besoins de notre expédition, nous dûmes gravir un chemin escarpé de montagne, à pied ou à dos de mulet. Bill, qui avait choisi la mule, s'installa à califourchon derrière un jeune Marocain. Je ne sais pas qui, du muletier ou de la mule, avait été influencé par les kamikazes, mais l'un et l'autre semblaient déterminés à faire le grand saut. Bill reculait de plus en plus sur la croupe de l'animal à mesure que ce dernier avançait, pas à pas, vers une mort certaine. Pour ma part, j'avais opté pour la marche, ce qui me permit de rattraper Bill au moment où il tomba à la renverse ! Après cette expérience, il choisit sagement de finir le trajet à pied avec Kristina et moi.

L'Unicef avait fourni à un village des fours qui nécessitent très peu de bois pour fonctionner. Jusqu'alors, les habitantes étaient obligées de faire des kilomètres dans les montagnes afin de ramasser tout ce qui pouvait être brûlé avant de revenir chez elles, écrasées par leur fardeau. Elles avaient conservé un de ces fagots que nous essayâmes de soulever. Très peu d'entre nous y parvinrent.

Notre voyage s'acheva, à Casablanca, par un déjeuner organisé sur la terrasse du dernier étage de l'hôtel Royal Mansour, en présence de l'ambassadeur de Grande-Bretagne, afin d'encourager les hommes d'affaires marocains à soutenir l'Unicef.

Le Mexique

J'ai voyagé à de nombreuses reprises au Mexique, où j'ai découvert des paysages d'une beauté inouïe et rencontré des gens formidables. Mais certains de mes déplacements furent nettement plus sérieux. En 1998, Kristina et moi partîmes en mission sur le terrain. Nous nous rendîmes tout d'abord au ministère de la Santé avant d'enchaîner avec la promotion du programme Check Out for Children, relayée dans les Sheraton. Il était essentiel que tous les employés des hôtels aient conscience de l'importance d'une telle opération, y compris les femmes de chambre, qui placent le document sur les oreillers quand elles préparent le lit.

Après quelques jours à Mexico City, nous partîmes pour Oaxaca, dans le sud du pays, afin de nous rendre compte de l'avancée d'un programme d'aide aux enfants. Dans cette région très pauvre, ils avaient longtemps manqué de nourriture et d'instruction, mais les efforts de l'Unicef avaient permis de remédier à la situation. Nous partageâmes un repas avec eux, à l'ombre d'un bâtiment, un peu inquiets de ce qui allait nous être servi. Ce fut en fait délicieux. À la fin du repas, tout le monde leva son verre pour ingurgiter la tequila locale, qui nous fut resservie. Je regrette de ne pas en avoir rapporté une bouteille : j'aurais fait fortune en la revendant comme laxatif ou décapant ménager !

De retour à Mexico City, nous visitâmes un établissement médical et insistâmes sur les troubles dus à la carence en iode. Certains villages étaient entièrement touchés par le nanisme. On nous montra d'ailleurs un film très dérangeant sur le sujet.

Je revins à Mexico en 2004 avec Lord Marshall, qui était alors le PDG de British Airways. Nous voyageâmes naturellement sur un avion de la compagnie et je fis moi-même une annonce dans l'appareil afin que les passagers mettent la main à la poche dans le cadre de l'opération Change for Good, puis passai dans les rangées pour récupérer les enveloppes bien remplies. À l'arrivée, Lord Marshall promit cent cinquante mille livres sterling, en plus du million déjà

AMICALEMENT VÔTRE

versé par la compagnie aérienne, afin de permettre aux enfants des rues – qui se comptent par milliers à Mexico – d'accéder à l'éducation. L'Unicef et British Airways travaillent main dans la main pour leur procurer un endroit où manger et s'instruire, et parfois aussi pour les protéger de la violence qui règne dans la mégalopole. Il y a quelque chose de très gratifiant à voir les résultats positifs de tous ces plans mis en œuvre.

Monaco

Comment aurais-je pu prévoir, alors que j'étais assis à côté de Grace Kelly lors d'un dîner à Beverly Hills, en 1954, que j'habiterais cinquante-quatre ans plus tard à Monaco sur une artère qui porte son nom? À l'époque, ses titres de noblesse se résumaient à être la plus belle actrice d'Hollywood et d'appartenir à l'écurie MGM. La vie est pleine d'imprévus : en l'espace de deux ans, elle décrocherait un Oscar et un beau prince charmant.

À l'époque, Monaco n'était pour moi qu'un nom sur une carte, synonyme de casinos. Cela m'évoquait aussi une chanson dont le héros faisait sauter la banque. Ce n'est qu'au milieu des années soixante que je m'y rendis enfin. Debout sur les marches de l'Hôtel de Paris, je me demandais si moi aussi je décrocherais le jackpot. En fait, je perdis pas mal de livres sterling durement gagnées – et habilement sorties de Grande-Bretagne à une époque où le montant était plafonné –, avant de me rendre compte que j'aurais plus de chance de voler les joyaux de la couronne britannique dans la Tour de Londres que de faire la moindre entaille dans les coffres de la Société des bains de mer, la société qui gère à peu près tout sur le Rocher.

« Un endroit ensoleillé pour gens ténébreux. » La célèbre formule de Somerset Maugham est un peu dure à mon goût. Monaco est l'endroit le plus sûr au monde, grâce à une police extrêmement efficace, composée de plus de cinq cents officiers, hommes et femmes, professionnels et respectés. Sur une population de trente-deux mille habitants, c'est un excellent ratio, sauf si vous êtes un type louche. Le réseau de caméras de surveillance judicieusement disposées permet de suivre les allées et venues de tout véhicule suspect.

Quand Kristina et moi avons emménagé à Monaco, dans le nouveau quartier de Fontvielle, la vue était magnifique et nous étions à deux pas du Michelangelo, l'un de nos restaurants préférés, près du port. Malheureusement, notre immeuble, le Seaside Plaza, jouxtait l'héliport, raison pour laquelle il nous était tout simplement impossible de profiter de notre terrasse. Désormais, nous habitons avenue de la Princesse Grace, en face du jardin japonais, et nous bénéficions d'une vue splendide à cent quatre-vingts degrés sur le bleu de la Méditerranée.

Non, je ne regrette rien, surtout pas d'habiter ici où nous avons beaucoup d'amis, des restaurateurs pour la plupart – je me demande bien pourquoi ! –, mais aussi un certain jeune homme que j'ai bien connu au début des années soixante-dix, qui est aujourd'hui à la tête de cette Principauté, une monarchie constitutionnelle. Son Altesse Sérénissime Albert II est un très bon ami, tout comme sa ravissante Charlene. J'espère un jour la convaincre de travailler pour l'Unicef.

La Norvège

Je suis allé à plusieurs reprises en Norvège. Dans les années soixante, je m'y rendis pour la première fois à l'occasion d'une opération de relations publiques pour *Le Saint*. Bien des années plus tard, en 1985, j'y retournai à l'invitation du Festival de cinéma de Haugesund. Geoffrey m'y accompagna, ainsi qu'un artiste danois de mes amis, Jurgen Waring. N'ayant pas un emploi du temps très chargé, je pus effectuer avec Geoffrey et Jurgen quelques sorties en bateau et m'essayer à la pêche. Oubliez-moi pour le rôle de saint Pierre, le monde risquerait de mourir de faim...

Kristina et moi nous rendîmes souvent à Bergen pour voir son fils Hans Christian, qui y étudia la biologie marine pendant plusieurs années et y vécut avec son épouse d'alors, Jane, et leur fils, Lucas. Nous y retournâmes voilà quelques années, lorsque je participai à une représentation du *Carnaval des animaux* avec Julian Rachlin, au profit du comité norvégien de l'Unicef.

Les Pays-Bas

Je suis toujours ravi de me rendre aux Pays-Bas et ne compte plus le nombre de fois où j'ai arpenté les rues d'Amsterdam ou de La Haye. Après tout, c'est là qu'Audrey Hepburn m'encouragea à rejoindre l'organisation !

En juin 2005, le comité néerlandais pour l'Unicef célébra son cinquantième anniversaire, et un gala en l'honneur de la Convention internationale des droits de l'enfant fut donné. La manifestation, qui se tenait au Théâtre Royal, se déroula en présence de Sa Majesté la reine Beatrix. Kristina et moi en profitâmes pour passer un moment en compagnie de la nouvelle directrice générale de l'Unicef, Ann Veneman. Notre rencontre fut très fructueuse et marqua le début d'une merveilleuse amitié.

L'année suivante, nous étions de retour, cette fois à l'occasion d'une épreuve cycliste organisée par le groupe hôtelier Starwood. Trois cent soixante employés et collaborateurs, répartis en soixante équipes, parcoururent les trois cent soixante kilomètres séparant Amsterdam de Bruxelles, recueillant ainsi la somme incroyable de deux cent cinquante mille dollars pour les enfants éthiopiens. Inutile de préciser que je me contentai de donner le départ de l'épreuve...

Les Philippines

Nous nous rendîmes aux Philippines pour la première fois en 1996, dans le cadre d'une tournée qui nous mena également en Australie et à Hongkong. Pendant plusieurs jours, nous prîmes connaissance des projets soutenus par l'Unicef. J'y rencontrai aussi des membres locaux de Kiwanis et assistai à l'iodation du sel à Cebu City. Nous passâmes un après-midi avec sœur Mary Marcia Antigua, membre de la congrégation du Bon Pasteur, et ses jeunes protégées, venues de la rue pour certaines, orphelines pour d'autres, mais toutes ayant besoin d'être secourues. Nous nous assîmes dans le jardin pendant que les filles, âgées de huit à quatorze ans, interprétaient trois saynètes : la première évoquait leur vie avant d'être recueillies, la deuxième leur vie actuelle, et la dernière ce qu'elles voulaient devenir. C'était fascinant et, par moments, terriblement émouvant. Une fillette de onze ans avait été trouvée trois ans plus tôt dans un taudis où elle avait vécu avec sa mère, une trafiquante de drogue qui avait des ennuis avec des revendeurs. L'enfant jouait sous la table lorsque ces misérables crapules avaient fait irruption et lacéré sa mère. Heureusement, ces assassins ne s'étaient pas aperçus de la présence de la fillette, qui avait été découverte plus tard, prostrée, incapable de parler, puis conduite au couvent. Pour la première fois depuis trois ans, elle avait recouvert l'usage de la parole.

Au cours de la troisième scène, nous découvrîmes que toutes les fillettes souhaitaient devenir religieuse, infirmière ou médecin afin de pouvoir se consacrer aux autres. Au terme de la représentation, elles nous invitèrent à visiter avec elles les locaux dans lesquels elles vivaient. Toutes voulaient nous tenir la main tandis qu'elles nous montraient fièrement leurs chambres et leurs biens : poupées, photos et autres objets. Lors du goûter que nous prîmes avec elles, nous pûmes déguster de délicieux gâteaux qui, pour certains, avaient été préparés par les enfants eux-mêmes. Il nous fut difficile de quitter ce lieu, mais je suis très reconnaissant envers sœur Mary Marcia Antigua pour ce qu'elle accomplit et pour cet après-midi mémorable qu'elle nous a offert.

La Pologne

En 2004, je fus ravi d'être invité en Pologne pour la première fois. Le magazine de programmes télévisés *Tele Tydzien* avait décidé de me décerner le prix Telekamera pour l'ensemble de ma carrière. C'est lorsque l'on commence à vous décerner de telles récompenses, que vous comprenez que vous vous faites vieux. Cela signifie au moins que vous êtes toujours en vie ! Mais encore faut-il être capable de se lever de son fauteuil pour les recevoir... Kristina et moi eûmes ainsi l'occasion de visiter Varsovie et de discuter avec nombre de ses sympathiques habitants. Notre hôtel était situé juste en face du palais de la Culture et de la Science, un gigantesque bâtiment néogothique. Bien que notre chambre se trouvât au dernier étage, nous nous sentions écrasés par cet énorme bloc de béton, offert par Joseph Staline au cours des années cinquante. J'imagine que la terrasse du trente-cinquième étage de ce cauchemar architectural offre le meilleur panorama qu'on puisse avoir sur Varsovie, cette jolie ville défigurée par le poids d'une domination soviétique révolue.

Nous prîmes, lors de ce voyage, le temps de rencontrer nos amis de l'Unicef, et je serai ravi de retourner les voir, même s'ils ont depuis transféré leurs bureaux à l'intérieur du palais !

La Russie

J'ai effectué plusieurs voyages en Russie au cours de ma vie. La première fois, je ne fis qu'y passer, lors d'une brève escale d'un vol de la BOAC à destination de Hongkong. Je ne sais si l'avion avait besoin de carburant ou si le pilote souhaitait se réapprovisionner en caviar et en vodka... Quoi qu'il en soit, je me souviens d'un aéroport très déprimant, avec une boutique qui n'avait rien d'autre à vendre qu'un appareil photo et quelques vieilles paires de jumelles.

Les circonstances de mon voyage le plus récent furent différentes : je m'y rendis pour l'Unicef, à l'occasion du sommet du G8. Kristina et moi y retrouvâmes Ann Veneman et plus de soixante adolescents âgés de treize à dix-sept ans, originaires des huit nations qui composent le G8 : l'Allemagne, le Canada, les États-Unis, la France, l'Italie, le Japon, le Royaume-Uni et la Russie. Ces jeunes gens étaient venus exposer leur point de vue aux principaux dirigeants de la planète. Après tout, il est important que les chefs d'État écoutent ce que les jeunes, qui devront supporter les conséquences des décisions prises par leurs aînés, ont à dire. Naturellement, je m'intéressai tout particulièrement à la délégation venue de Grande-Bretagne : huit élèves de Caedmon School, à Whitby, menés par un brillant jeune homme nommé James Goodall, qui me remit le badge de l'école. J'espère qu'il me réservera un siège à la Chambre des Lords lorsqu'il sera devenu Premier Ministre.

La Slovénie

Je considère ce pays comme l'un des plus secrets du monde. Jusqu'en 1998, tout ce que j'en savais était qu'il avait fait partie de l'ex-Yougoslavie. Mary Cahill, de l'Unicef à New York, nous avait suggéré d'accepter une invitation afin d'aider le comité slovène à faire connaître l'action de l'organisation et recueillir des dons. L'Unicef entretenait une présence sur place depuis 1947 sous la forme d'un bureau de représentation, mais Mary nous expliqua qu'un tout nouveau comité venait d'être nommé, cinq ans auparavant. Les membres qui le constituaient, apparemment très dynamiques, étaient parvenus à vendre plus de deux millions de cartes de vœux dans une nation qui comptait, en 1998, un million neuf cent mille habitants! De toute évidence, les citoyens et les entreprises de Slovénie soutenaient massivement les objectifs de l'Unicef. Malheureusement, notre visite fut de courte durée, coincée entre des opérations de collecte de dons à Zürich et à Houston, mais nous réussîmes à obtenir du comité une autre invitation, dix-huit mois plus tard, en juin 2000.

Kristina et moi étions alors ravis à l'idée de revoir nos nouveaux amis slovènes et attendions avec impatience l'ouverture des portes de l'avion. D'ordinaire, nous étions promptement accompagnés jusqu'à une voiture avec nos bagages, mais tel ne fut pas le cas cette fois-ci. Une calèche ornée de fleurs, tirée par un cheval tout aussi fleuri, nous attendait, qui nous emmena en trottinant à travers la campagne jusqu'à Cerklje. Nous y fûmes accueillis par le maire, Janez Cebulj, et par les élèves de l'école primaire Davorin Jenko, qui avait recueilli le plus de dons lors de la campagne Une goutte d'eau.

La Zambie

Kristina et moi, accompagnés de collègues du comité britannique de l'Unicef, arrivâmes en novembre 2002 à Lusaka, en Zambie, un de ces pays d'Afrique australe sans accès à la mer. On nous avait informés qu'une grave crise humanitaire sévissait, touchant plus de deux millions quatre cent mille personnes. Selon Stella Goings, la représentante de l'Unicef, près de six cent cinquante mille enfants zambiens avaient perdu un parent à cause du sida.

Nous trouvâmes en effet beaucoup d'orphelins dans le premier village que nous visitâmes. Le groupe qui se constitua autour de nous était essentiellement composé d'enfants et de personnes âgées. De nombreux parents avaient été emportés par le sida, laissant à ces vieillards la charge de leurs petits-enfants. Leur santé ne leur permettait plus de cultiver les champs, et ils se trouvaient confrontés à la sécheresse. Je sondai les yeux d'une vieille dame, dont je n'aurais su dire quel âge elle avait. Elle était probablement plus jeune que moi, mais la maladie et la faim l'avaient ravagée. Son regard était le plus triste qu'il m'ait été donné de voir. Nous nous rendîmes dans bien d'autres villages, et partout nous fûmes frappés par l'absence d'adultes dans la force de l'âge.

Les enfants, quant à eux, étaient pris au piège dans une sorte de cercle vicieux. À la recherche de nourriture, quelques-unes des filles marchaient jusqu'aux endroits où les chauffeurs de camion s'arrêtaient pour faire le plein, et l'inévitable se produisait. Ceux dont elles avaient espéré de l'aide abusaient de leurs jeunes corps et leur transmettaient le virus du sida, qu'elles introduisaient ainsi dans leur village.

Dans la province méridionale, nous découvrîmes les actions menées par l'Unicef pour éduquer la population à propos du virus. Les enfants avaient formé un club où ils apprenaient comment il se propage et comment s'en protéger. Ils nous montrèrent leurs dessins sur la vie, la maladie et la faim, puis nous chantèrent une chanson contre le sida. L'écho de leurs voix résonnait encore à nos oreilles quand nous les quittâmes, les larmes aux yeux, espérant que ces enfants survivraient, dans un pays plus fort, plus prudent et libéré de ses fléaux.

Filmographie

1945 – Perfect Strangers (Alexander Korda)

1945 – César et Cléopâtre (Gabriel Pascal)

1946 – Gaiety George (George King)

1946 – Piccadilly Incident (Herbert Wilcox)

1949 – Paper Orchid (Roy Baker)

1949 – Ma gaie lady (Brian Desmond Hurst)

1952 – La Parade de la gloire (Henry Koster)

1953 – Le Port de la drogue (Samuel Fuller)

1954 – La dernière fois que j'ai vu Paris (Richard Brooks)

1955 – Mélodie interrompue (Curtis Bernhardt)

1955 – Le Voleur du roi (Robert Z. Leonard)

1956 – Diane de Poitiers (David Miller)

1959 – Quand la terre brûle (Irving Rapper)

1960 – Au péril de sa vie (Gordon Douglas)

1961 – Le Trésor des sept collines (Gordon Douglas)

1961 – L'Enlèvement des Sabines (Richard Pottier)

1962 – Bande de lâches (Fabrizzio Taglioni)

1966 – The Fiction Makers (Roy Baker)

1969 – Double Jeu (Alvin Rakoff)

1970 – La Seconde mort d'Harold Pelham (Basil Dearden)

1973 – Vivre et laisser mourir (Guy Hamilton)

1974 – L'Homme au pistolet d'or (Guy Hamilton)

1974 – Gold (Peter Hunt)

1975 – Le Veinard (Christopher Miles)

1976 – Parole d'homme (Peter Hunt)

1976 – L'Exécuteur (Maurizio Lucidi)

1976 – Sherlock Holmes à New York (Boris Sagal)

1977 – L'espion qui m'aimait (Lewis Gilbert)

1978 – Les Oies sauvages (Andrew Mc Laglen)

1979 – Moonraker (Lewis Gilbert)

1979 – Bons Baisers d'Athènes (George Pan Cosmatos)

1980 – Les Loups de haute mer (Andrew V. McLaglen)

1980 – Le Commando de Sa Majesté (Andrew V. McLaglen)

1980 – Les Séducteurs (Bryan Forbes)

1981 – Rien que pour vos yeux (John Glen)

1981 – L'Équipée du Cannonball (Hal Needham)

1983 – Octopussy (John Glen)

1983 – L'Héritier de la Panthère rose (Blake Edwards)

1984 – Machination (Bryan Forbes)

1985 – Dangereusement vôtre (John Glen)

1990 – Bullseye ! (Michael Winner)

1990 – Feu, glace et dynamite (Willy Bogner)

1992 – Bed and Breakfast (Robert Ellis Miller)

1994 – L'homme qui refusait de mourir (Bill Condon)

1996 – Le Grand Tournoi (Jean-Claude Van Damme)

1997 – Spice World, le film (Bob Spiers)

2001 – The Enemy (Tom Kinninmont)

2002 – Boat Trip (Mort Nathan)

Remerciements

Pour écrire ces mémoires, j'ai longuement repensé aux gens et aux événements qui ont marqué ma vie. J'ai pu faire le point sur mes sentiments véritables et saisi l'occasion de me remémorer les différentes étapes que j'ai franchies avec certains, les rires et les larmes que j'ai partagés avec d'autres. J'ai dit au revoir à de nombreux compagnons et écrit bien trop de lettres de condoléances. Comme mon ami Max Adrian, j'ai pensé à ce que je n'avais pas fait et regretté quelques-unes des choses que j'avais faites. J'ai pu prendre conscience de l'immense chance qui m'a accompagné, celle qui m'a permis de rencontrer des personnages exceptionnels : Nelson Mandela, qui a passé son bras autour des épaules de Kristina à l'ONU ; Bill et Melinda Gates, rencontrés également à l'ONU, qui pensaient attendre d'avoir soixante ans pour se consacrer à leurs œuvres philanthropiques mais se sont aperçus que les enfants ne pouvaient pas attendre ; les centaines d'employés dévoués de l'Unicef et les bénévoles des autres ONG présentes sur le terrain qui travaillent sans relâche, parfois au péril de leur vie, au service des nécessiteux.

Il y a tant de personnes à qui je n'ai pas eu l'occasion de dire au revoir mais qui restent présentes à ma mémoire... Il suffit parfois que je ferme les yeux pour revoir leurs visages. Parmi eux se trouvent de grands esprits et des écrivains de talents : Bill Buckley et sa femme Pat, James Clavell, David Niven, Charlie Isaacs, ma chère Audrey Hepburn, Sir Peter Ustinov, mes autres amis comédiens Bob Brown, Bernie Lee, Francis Albert Sinatra, Cary Grant, Gregory Peck, Milton Berle, Red Buttons, Leslie Norman, Laurence Harvey, Mary et John Mills.

Et puis il y eut des collègues qui devinrent des amis : Cubby Broccoli et sa femme Dana, Harry Saltzman, Peter Hunt, Michael Klinger, Lew Grade, ses frères Leslie et Bernie, David Tebet, Gordon Douglas, Irving Rapper, Marvin Davis, Richard Cohen, Oscar Lerman, et celui qui fut à la fois un tailleur, un ami, un partenaire de tennis et un type globalement épatant, Doug Hayward. Enfin, j'ai des pensées affectueuses pour une dame qui fut une amie de Dot Squires et de mes parents, la mère du très talentueux compositeur Ernie Dunstall, et l'une des femmes les plus drôles du monde : ma regrettée Floss Dunstall. Mon Dieu, comme elle a pu nous faire rire !

Des regrets ? Celui de n'avoir jamais eu l'occasion de rencontrer les parents de Kristina et de n'avoir pas mieux connu mes tantes Lily, Nelly, Isabel, Amy, mon oncle Jack et mon cousin Bob, qui ne liront hélas jamais ce livre. Peut-être maman et papa auront-ils l'occasion de leur parler de moi, et de m'excuser auprès d'eux pour mes fréquents écarts de langage. Je me repens pour les chagrins que j'ai causés, pour mes manquements occasionnels aux bonnes manières et pour toute dette que je n'aurais pas remboursée.

Je dois remercier un grand nombre de personnes d'avoir rendu ce livre possible, à commencer par les aimables producteurs qui m'ont employé dans le passé et qui continueront peut-être à le faire à l'avenir. Aux réalisateurs, scénaristes, partenaires, cascadeurs, en particulier Martin Grace, et à toutes les équipes avec lesquelles j'ai travaillé, j'adresse mes sincères remerciements pour avoir donné au gamin de Stockwell que j'étais l'allure d'un héros.

Je tiens également à remercier Gareth Owen pour avoir saupoudré mes souvenirs de rudiments de grammaire ; Lesley Pollinger et toute l'équipe de Pollinger Limited ; Michael O'Mara et son équipe ; ma charmante éditrice Louise Dixon ; Dan Strone à New York ; mon associé de longue date Bob Baker ; Johnny Goodman ; Harry Myers ; Dave Worrall et Lee Pfeiffer ; Jaz Wiseman ; ma fidèle assistante et amie Doris Spriggs ; Barbara Broccoli et Michael Wilson chez Eon Productions ; Andrew Boyle ; Ann et David Blackmer de Kiwanis ; Ann Veneman ; Dheepa Pandian ; Mary Cahill ; Fran Silverberg ; Christa Roth ; et tout le monde à l'Unicef.

Je voudrais aussi remercier les médecins qui ont veillé sur moi au cours de ces quatre-vingts dernières années : le Dr Desmond Hall, mon généraliste à Gerrards Cross ; le Dr Trevor Hudson, mon généraliste à Londres ; Barry Savory, qui a empêché mon dos de s'effondrer ; Selvyn Bleifer, mon cardiologue à Beverly Hills ; Steven Evans, mon cardiologue à New York ; Darryl Hoffman, le chirurgien qui a installé mon pacemaker muni de piles chargées à bloc ; le Dr Bourlon, mon cardiologue à Monaco ; le Dr Nabil Sharara, mon généraliste à Monaco ; le Dr Simsbler, mon dermatologue à Monaco ; le Dr Jilkes London, le dermatologue qui repère tout ce qui pourrait avoir échappé au regard acéré du Dr Simsbler ; le Dr Ariane Kunz, ma généraliste à Crans Montana ; Rick Erlich, mon urologue à Los Angeles ; et, bien sûr le Dr Stevo Zax, à Beverly Hills. Sans oublier, même si je ne me souviens pas d'avoir jamais vu son visage, mon proctologue, le Dr Frielich à Beverly Hills ; le Dr Singh aux urgences de l'hôpital Roosevelt à New York, qui a diagnostiqué mon problème cardiaque ; et Michael McNamara, un brillant radiologue de Monaco.

Quand je vous dis que je suis hypocondriaque !

Index

Films, séries et émissions cités

Table

Cet ouvrage a été composé
par Atlant'Communication
aux Sables-d'Olonne (Vendée)

Impression réalisée sur CAMERON par

La Flèche
en octobre 2008

pour le compte des Éditions de l'Archipel
département éditorial
de la S.A.S. Écriture-Communication.

Imprimé en France
N° d'édition : 2092 – N° d'impression : 49676
Dépôt légal : octobre 2008